KARL KERTELGE

»RECHTFERTIGUNG« BEI PAULUS

Studien zur Struktur und
zum Bedeutungsgehalt des
paulinischen Rechtfertigungsbegriffs

VERLAG ASCHENDORFF
MÜNSTER

NEUTESTAMENTLICHE ABHANDLUNGEN

Begründet von Augustinus Bludau,
fortgeführt von Max Meinertz, herausgegeben von Joachim Gnilka

Neue Folge

Band 3

Imprimatur
N. 4-50/66 Monasterii, die 28 Decembris 1966
Böggering
Vicarius Episcpi Generalis

Aschendorffsche Buchdruckerei, Münster Westfalen, 1967

Vorwort

Die vorliegende Untersuchung geht auf eine Anregung des am 4. 12. 1962 allzu früh verstorbenen Ordinarius für Exegese des Neuen Testamentes Professor Dr. Josef Gewiess zurück, dem ich mit der Fertigstellung dieser Arbeit ein dankbares Andenken bewahren möchte. In der Themenstellung spiegelt sich sein theologisches Interesse an ökumenischen Fragestellungen wider, mit denen er auf Grund langjähriger Zugehörigkeit zu ökumenischen Arbeitskreisen vertraut war. Freilich ist eine exegetische Behandlung dieses Themas nur in kritischer Distanz zum späteren theologischen Lehrbegriff „Rechtfertigung" möglich.

Nach dem Tode von J. Gewiess übernahm Herr Professor Dr. Joachim Gnilka die Betreuung der Arbeit. Ihm bin ich für vielfachen Rat, verständige Kritik und freundliche Förderung zu großem Dank verpflichtet.

Im Sommersemester 1964 wurde diese Untersuchung von der Kath.-theol. Fakultät der Westfälischen Wilhelms-Universität als Dissertation angenommen. Allen Professoren der Fakultät sei hiermit mein Dank ausgesprochen.

Besonderen Dank schulde ich auch dem verstorbenen Bischof von Münster, Dr. Michael Keller, und dem jetzigen Bischof, Herrn Professor Dr. Josef Höffner, die mich für die wissenschaftliche Arbeit freistellten.

Für die Drucklegung wurde die Dissertation an mehreren Stellen überarbeitet und durch Verweise auf einige erst kürzlich erschienene Arbeiten zum Thema ergänzt. Herrn Professor Dr. Gnilka danke ich für die Aufnahme der Untersuchung in die von ihm herausgegebene Neue Folge der Neutestamentlichen Abhandlungen ebenso wie für die Vermittlung eines namhaften Druckkostenzuschusses des Herrn Kultusministers des Landes Nordrhein-Westfalen Professor Dr. Paul Mikat. Herr cand. theol. et phil. Heinrich Hansmann hat die Korrekturen mitgelesen, wofür ich ihm ebenfalls herzlich danke.

Münster, im Dezember 1966.

Karl Kertelge.

Inhaltsverzeichnis

Schluss

Einleitung

Die exegetische Untersuchung des paulinischen Rechtfertigungsbegriffs hat durch einige jüngere Arbeiten, vor allem durch den Aufsatz von E. Käsemann, Gottesgerechtigkeit bei Paulus [1], wiederum an Interesse gewonnen [2]. Eine erneute Behandlung des Themas „,Rechtfertigung' bei Paulus" scheint aus mehreren Gründen wünschenswert.

Die „Rechtfertigungslehre" des Apostels Paulus wurde seit der historisch-kritischen Paulus-Interpretation F. C. Baurs immer mehr als die Aufgabe einer von der dogmatischen Theologie sich unterscheidenden, streng historisch arbeitenden Exegese erkannt. Die Erörterung des Für und Wider einer rein exegetischen Behandlung des Rechtfertigungsbegriffs bewegte sich verständlicherweise hauptsächlich im Raum der protestantischen Theologie. Auf katholischer Seite sind seit Ende des vorigen Jahrhunderts nur zwei exegetische Monographien erschienen, die sich ausdrücklich mit dem Thema „Rechtfertigung" bei Paulus befassen [3]. Die erste wird von einem systematischen Interesse geleitet und sucht einen Ausgleich zwischen den Rechtfertigungsaussagen des Apostels Paulus und des Jakobusbriefes

[1] In: ZThK 58 (1961) 367–378.

[2] Mit Käsemanns Aufsatz setzt sich R. Bultmann, Δικαιοσύνη θεοῦ, in: JBL 83 (1964) 12–16, kritisch auseinander. Hierzu äußert sich wiederum E. Käsemann in den Fußnoten der Zweitveröffentlichung seines Aufsatzes „Gottesgerechtigkeit bei Paulus", in: Exegetische Versuche und Besinnungen. Bd. II, 1964, 181–193. – Von Käsemann angeregt erschienen kürzlich die Arbeiten seiner Schüler C. Müller, Gottes Gerechtigkeit und Gottes Volk. Eine Untersuchung zu Römer 9–11 (FRLANT 86), 1964, und P. Stuhlmacher, Gerechtigkeit Gottes bei Paulus (FRLANT 87), 1965. Letztgenannte Untersuchung konnte in dieser Arbeit leider nicht mehr, wie sie es verdiente, zu Rate gezogen werden, da das Manuskript zum Zeitpunkt der Veröffentlichung Stuhlmachers im wesentlichen schon fertiggestellt war. Doch wird an einigen Stellen in Anmerkungen und im Nachtrag S. 307–309 auf sie eingegangen werden.

[3] B. Bartmann, St. Paulus und St. Jakobus über die Rechtfertigung, 1897; E. Tobac, Le Problème de la Justification dans Saint Paul, 1908 (Neudruck 1941). Daneben wären allerdings noch einige Werke zu nennen, in denen unter anderem auch der Rechtfertigungsbegriff im Rahmen der paulinischen Theologie behandelt wird, wie z. B. R. G. Bandas, The Master-Idea of Saint Paul's Epistles or the Redemption, 1925, sowie einige Artikel, Aufsätze und Exkurse, an denen zu erkennen ist, wie auch die katholische Exegese ständig am Verständnis des paulinischen Rechtfertigungsbegriffs gearbeitet hat, z. B. S. Lyonnet, De „Justitia Dei" in Epistola ad Romanos, in: VD 25 (1947) passim; ders., De notione „iustitiae Dei" apud S. Paulum, in: VD 42 (1964) 121–152; O. Kuss, Der Römerbrief, ²1963, besonders die Exkurse, 115–154.

herzustellen. Die andere Arbeit ist in größerem Maße exegetisch angelegt, läßt sich aber immer noch von traditionellen systematischen Lehrbegriffen leiten. Beiden Arbeiten gegenüber müßte eine erneute Untersuchung des paulinischen Rechtfertigungsbegriffs noch konsequenter vom exegetischen Befund ausgehen.

Die exegetische Behandlung des paulinischen Rechtfertigungsbegriffs wird als sachlich notwendig empfunden angesichts der erhöhten Bedeutung der traditionsgeschichtlichen Forschung. Die Vorgeschichte des paulinischen Rechtfertigungsbegriffs ist vor allem durch die Schriften der Gemeinde von Qumran in ein neues Licht gerückt worden[4]. Eine Arbeit über den paulinischen Rechtfertigungsbegriff hat also die Erkenntnisse über die vorpaulinischen Überlieferungen und über die Umwelt des Apostels Paulus mit einzubeziehen.

Die Aufgabe einer exegetischen Untersuchung ist es, über die Erforschung der historischen Voraussetzungen hinaus die Aussagen der zu behandelnden Schriften zu interpretieren und sie so erneut zum Sprechen zu bringen. Diese Aufgabe erledigt sich jedoch nicht dadurch, daß die einschlägigen Texte philologisch auf einen in ihnen vorkommenden Rechtfertigungsbegriff hin untersucht werden. Eine *theologische* Untersuchung hat vielmehr die besondere *Struktur* des Rechtfertigungsbegriffs innerhalb der paulinischen Theologie sichtbar zu machen. Dies scheint für ein erneutes Verständnis der Rechtfertigungs*botschaft* des Apostels Paulus von erhöhter Bedeutung zu sein, da alle Versuche, aus den vorliegenden Äußerungen des Apostels eine geschlossene Rechtfertigungs*lehre* zu (re-)konstruieren, leicht zu Mißverständnissen und Vereinfachungen führen.

Die aufgezeigte Aufgabe ist so umfangreich, daß es hier nur darum gehen kann, einige Studien zum Thema beizutragen.

Für die Darstellung dessen, was Paulus unter „Rechtfertigung" versteht, ist das Verständnis des Begriffs „Gerechtigkeit Gottes" im Römerbrief (1,17; 3,5.21.22.25.26; 10,3)[5] von entscheidender Bedeutung[6]. Deshalb soll zunächst mit einer Untersuchung dieses

[4] Hierzu sind besonders W. Grundmann, Der Lehrer der Gerechtigkeit von Qumran und die Frage nach der Glaubensgerechtigkeit in der Theologie des Apostels Paulus, in: RevQum 2 (1960) 237–259, S. Schulz, Zur Rechtfertigung aus Gnaden in Qumran und bei Paulus, in: ZThK 56 (1959) 155–185, und J. Becker, Das Heil Gottes. Heils- und Sündenbegriffe in den Qumrantexten und im Neuen Testament (Studien zur Umwelt des NT, 3), 1964, zu nennen.

[5] Außerdem kommt δικαιοσύνη θεοῦ in 2 Kor 5, 21 vor, eine Stelle, die deswegen von besonderem Belang ist, da hier der Chronologie der Paulusbriefe entsprechend zum ersten Mal δικαιοσύνη θεοῦ gebraucht wird.

[6] Vgl. S. Lyonnet: VD 42 (1964) 121: „Insuper notio (iustitia Dei) immediate connectitur cum iustificatione, ita ut notio iustificationis magna ex parte pendeat

Begriffs begonnen werden. Er bietet besonders deswegen einen guten Einstieg in unsere Aufgabe, da mit ihm sowohl innerhalb wie auch außerhalb des NT eine aufschlußreiche Vorgeschichte verbunden ist. Durch die Erarbeitung des Begriffs „Gerechtigkeit Gottes" bei Paulus suchen wir eine erste exegetische Grundlage zu gewinnen, von der aus sodann (im zweiten Teil) die für das Verständnis des paulinischen Rechtfertigungsbegriffs bedeutsamen Einzelaspekte entwickelt werden können. Hierbei sollen außer den genannten Stellen auch die Texte miteinbezogen werden, in denen δικαιοσύνη in anderen Verbindungen begegnet, z. B. als δικαιοσύνη ἐκ πίστεως bzw. ἐκ νόμου (Rö 9, 30; 10, 5f u. ö.), oder in denen δικαιοσύνη absolut bzw. parallel zu anderen Begriffen (z. B. 1 Kor 1, 30) steht. Zudem ist die häufige Verwendung des Verbums δικαιοῦν / δικαιοῦσθαι zu berücksichtigen. Die Texte, in denen der Rechtfertigungsbegriff das Thema des Zusammenhangs bestimmt, legen es nahe, uns in dieser Untersuchung auf die sogenannten Hauptbriefe des Apostels zu beschränken, zu denen verständlicherweise der Philipperbrief hinzugenommen wird.

a notione admissa pro ‚iustitia Dei' ..." – Das Verständnis von δικαιοσύνη θεοῦ ergibt sich nicht derart, daß man diese Wendung unter dem Begriff der δικαιοσύνη subsumiert, wie es etwa F. R. Hellegers, Die „Gerechtigkeit Gottes" im Römerbrief. Dissertation Tübingen 1939, tut.

ERSTER TEIL

ΔΙΚΑΙΟΣΥΝΗ ΘΕΟΥ ALS STRUKTUR-BEGRIFF DER PAULINISCHEN RECHTFERTIGUNGSBOTSCHAFT

§ 1. Das Problem der Deutung von δικαιοσύνη θεοῦ

Die verschiedenen Deutungen, die der Begriff „Gerechtigkeit Gottes" bisher gefunden hat, bewegen sich sowohl um die grammatische Erklärung des Genitivs in der Wortverbindung δικαιοσύνη θεοῦ als auch um das inhaltliche Verständnis von „Gerechtigkeit". Allgemein wird heute angenommen, daß sich der paulinische Begriff der Gerechtigkeit nicht aus der griechischen Tugendlehre herleiten läßt[1], sondern vom hebräischen Denken her zu verstehen ist[2]. Eine sehr unterschiedliche Erklärung erfährt bis heute jedoch die grammatische Verbindung δικαιοσύνη θεοῦ. Sie läßt sich wohl nicht ohne weiteres mit R. Bultmann[3] durch Phil 3, 9 als δικαιοσύνη ἐκ θεοῦ interpretieren.

a) Ältere Deutungen

Seitdem Martin Luther[4] δικαιοσύνη θεοῦ in Rö 1, 17 als Gen. obj. übersetzte, den paulinischen Begriff als Gerechtigkeit des Sünders, die – als von Gott dem Menschen zugeeignete – vor Gott gilt, interpretierte und diese Erklärung als den Schlüssel zur Rechtfertigungslehre des Apostels ansah[5], kommt der Frage, ob „Gerechtigkeit

[1] Zu δικαιοσύνη als ἀρετή vgl. Aristoteles, EthNic V, 3, p. 1129 b, 27. 30. Vgl. auch C. H. Dodd, The Bible and the Greeks, ²1954, 42–45; G. Schrenk: ThWNT II 194. Bei Schrenk auch S. 182f. in knapper Form einiges zur Etymologie des griechischen Wortes δίκη.

[2] Die entscheidende Umorientierung in der Interpretation der „Gerechtigkeit Gottes" bei Paulus verdankt die neuere Exegese H. Cremer, Die paulinische Rechtfertigungslehre im Zusammenhange ihrer geschichtlichen Voraussetzungen, ²1900. Cremer führt den paulinischen Begriff der Gerechtigkeit Gottes zurück auf das AT, wo צדק(ה) als „Verhältnisbegriff" zur Kennzeichnung des bundesgemäßen Verhaltens zweier Partner vorkommt (vgl. besonders S. 33f.).

[3] Theologie des Neuen Testaments, ⁴1961, 385; ders.: JBL 83 (1964) 12.

[4] Von den zahllosen Untersuchungen zum Rechtfertigungsbegriff Luthers dienen zur Orientierung in unserer Frage besonders H. J. Iwand, Rechtfertigungslehre und Christusglaube. Eine Untersuchung zur Systematik der Rechtfertigungslehre Luthers in ihren Anfängen, 1930, 28–37, und E. Bizer, Fides ex auditu. Eine Untersuchung über die Entdeckung der Gerechtigkeit Gottes durch Martin Luther, ²1961. Vgl. auch die unter der nächsten Anm. zu Luther und zur vorlutherischen Schriftauslegung genannten Autoren.

[5] So besonders deutlich WA XVIII, 768f. Luther war in der Spätscholastik dem Begriff der vergeltenden Gerechtigkeit Gottes begegnet, der auch für die Erklärung von Rö 1, 17 und 3, 21f herangezogen wurde. Der Begriff der belohnenden und strafenden Gerechtigkeit Gottes stammte aus einer durch Abwandlung entstellten Tradition der Scholastik, die ursprünglich die „Gerechtig-

Gottes“ bei Paulus als Gen. obj. oder subj. zu erklären sei, eine grundsätzliche Bedeutung zu.

Hinter der grammatischen Frage steht freilich die nach dem sachlichen Verständnis des Begriffes. Luther ging es wesentlich darum zu hören, was dem Sünder von Gott zuteil werde. Bei der Auslegung des Römer- und Galaterbriefes fand er die Antwort auf seine Frage: Wie bekomme ich einen gnädigen Gott? Der Mensch, der von seiner Natur her Sünder ist, erhält im Glauben von Gott die Anerkennung, daß er ein Gerechter ist, ohne jedoch aufzuhören, ein Sünder zu sein: „Simul ergo iustus, simul peccator“ [6]. Die Gerechtigkeit, die der Sünder von Gott empfängt, die iustitia Christi, bleibt für ihn immer iustitia aliena. Diese „fremde“ Gerechtigkeit gehört gleichwohl dem Sünder, da Gott sie ihm „zurechnet“, so daß die Gerechtigkeit Christi die Gerechtigkeit des Sünders vor Gott ist. Die „neue Existenz“ des gerechtfertigten Sünders besteht nach Luther darin, daß er nun nicht mehr ein hoffnungsloser Sünder ist, sondern ein von Gott angenommener und damit zu einem neuen Leben befreiter. Im Gefolge dieses Verständnisses von „Gerechtigkeit vor Gott“ erhebt sich die schwerwiegende Frage, wie der Sünder, der nach Luther doch immer Sünder bleibt, in einem neuen Leben wandeln und Gott wohlgefallen kann. Es ist das Problem der Begründung der Ethik in der Rechtfertigungslehre, das bei Luther Schwierigkeiten bereitet.

Erneute Beachtung wurde der Frage nach der grammatischen Erklärung von δικαιοσύνη θεοῦ gegen Ende des vorigen und am Anfang dieses Jahrhunderts zuteil mit der sog. Renaissance der Rechtfertigungslehre, getragen von lutherischen Bibeltheologen wie

keit Gottes“ auf Grund der vorherrschenden aristotelischen Begrifflichkeit von iustitia commutativa und distributiva als eine Eigenschaft des göttlichen Wesens verstanden hatte: Gott ist gerecht, da er erfüllt, was er verspricht. Vgl. Thomas de Aquino, In ep. ad. Rom.: Fretté-Maré XX, 396 (zu Rö 1, 16f.). Vgl. H. Bornkamm, Justitia dei in der Scholastik und bei Luther, in: Archiv für Reformationsgeschichte 39 (1942) 1–46. Zur vorlutherischen Auslegung des Begriffs „Gerechtigkeit Gottes“ bei Paulus vgl. auch H. Denifle, Die abendländischen Schriftausleger bis Luther über Justitia Dei (R 1, 17) und Justificatio, [2]1905, dessen umfassende Quellensammlung allerdings von einer die Sachlage zu sehr vereinseitigenden polemischen Absicht geleitet wird; K. Holl, Die iustitia dei in der vorlutherischen Bibelauslegung des Abendlandes, in: Ges. Aufsätze, Bd. III, 1928, 171–188, und K. H. Schelkle, Paulus, Lehrer der Väter. Die altkirchliche Auslegung von Römer 1–11, [2]1959, 40–44.

[6] M. Luther, In ep. Pauli ad Gal. comment. (1519): WA II, 497, 13. Vgl. auch WA II, 496, 39f, und ders., Divi Pauli Ap. ad Rom. Ep. (1515/16): WA LVI, 70, 9f; 272, 17f; LVII, 165, 12f. Zum Verständnis dieser Formulierung vgl. besonders R. Hermann, Luthers These „Gerecht und Sünder zugleich“, 1960 (unveränderter Abdruck der ersten Auflage von 1930), und R. Kösters, Luthers These „Gerecht und Sünder zugleich“. Zu dem gleichnamigen Buch von R. Hermann, in: Catholica 19 (1965) 210–224.

A. Ritschl[7], P. Kölbing[8], Th. Häring[9], E. Kühl[10] und H. Cremer[11]. Diese erklärten die paulinische Wendung teils aus philologischen Gründen[12], teils aus religionsgeschichtlichen und theologischen Erwägungen, vor allem wegen der neu erkannten Verflechtung der paulinischen Theologie mit der urchristlichen Eschatologie[13], im Gegensatz zu Luther als Gen. subj. Von besonderer Bedeutung war der Rückgriff Cremers[14] auf das AT als der entscheidenden „geschichtlichen Voraussetzung" der paulinischen Rechtfertigungslehre. Gerechtigkeit Gottes ist die Gott eignende Gerechtigkeit – nicht als Beschreibung einer Wesenseigenschaft, sondern als Ausdruck seines Verhaltens, seines Waltens als Richter und seines Heilswirkens[15].

Eine aufschlußreiche Übersicht zu den Erklärungsversuchen von „Gerechtigkeit Gottes" bis zum Ende des vorigen Jahrhunderts gab Th. Häring[16]. Elf verschiedene Auslegungen umfaßt seine Darstellung, die an der Frage des Gen. subj. oder obj. orientiert ist, und außerdem noch eine Reihe von Beispielen aus den zahllosen möglichen Kombinationen dieser elf Grundauffassungen.

Nach der von Häring dargebotenen Übersicht nimmt eine beachtenswerte Gruppe von Exegeten eine Mittelstellung ein zwischen denen, die δικαιοσύνη θεοῦ als Gen. obj. erklären wollen, und denen, die für den Gen. subj. eintreten. Sie erklären die paulinische Wendung im Sinne eines Gen. auctoris: Gerechtigkeit Gottes ist die von Gott ausgehende, dem Menschen zugeeignete Gerechtigkeit, die sein Verhältnis zu Gott begründet[17].

[7] Die christliche Lehre von der Rechtfertigung und Versöhnung. II, 1874, 318f.

[8] Studien zur paulinischen Theologie, in: ThStKr 68 (1895) 7–51: „Gerechtigkeit Gottes" ist „die Gott eignende Gerechtigkeit", sein Richterwalten, die Gerechtigkeitsverleihung an den Menschen der Sache nach miteinschließt.

[9] ΔΙΚΑΙΟΣΥΝΗ ΘΕΟΥ bei Paulus, 1896.

[10] Die Heilsbedeutung des Todes Christi, 1890; ders., Der Brief des Paulus an die Römer, 1913, 38–46, bes. 43.

[11] Die paulinische Rechtfertigungslehre (siehe oben S. 6 Anm. 2). Vgl. auch H. Cremer – J. Kögel, Biblisch-theologisches Wörterbuch der Neutestamentlichen Gräzität, [11]1923, 313.

[12] Vgl. Th. Häring, a. a. O. 13.

[13] Vgl. besonders P. Kölbing: ThStKr 68 (1895) 8, und Th. Häring, a. a. O. 59f.

[14] Vgl. S. 6 Anm. 2.

[15] Auch G. Schrenk: ThWNT II 205–208, spricht sich für das Verständnis von δικαιοσύνη θεοῦ als Subjektsgenitiv aus: „Die Gottesgerechtigkeit ist ausschließlich Gottes und der Mensch wird in sie hineingenommen." So S. 205 mit Rückverweis auf O. Zänker, Δικαιοσύνη θεοῦ bei Paulus, in: ZsystTh 9 (1932) 398–420. – Um das Mißverständnis eines Synergismus von Gott und Mensch zu verhüten, betont A. Schlatter, Gottes Gerechtigkeit, [3]1959, 36–38, die Gerechtigkeit als die Gott eignende. „Bei Paulus entsteht Gottes Werk aus Gottes Werk" (ebd. 38).

[16] A. a. O. 14–17.

[17] Vgl. Th. Häring, a. a. O. 14. Im Sinne des Gen. auct. interpretieren, allerdings

b) Die neueren Interpretationsversuche

Die meisten Exegeten der neueren Zeit haben die Interpretation von δικαιοσύνη θεοῦ als Gen. auctoris übernommen und diese nur geringfügig gegenüber der herkömmlichen Auslegung modifiziert, so M.-J. Lagrange[18], L. Cerfaux[19], A. Nygren[20], O. Michel[21] und vor allem R. Bultmann[22].

mit unterschiedlichen Akzentuierungen, folgende Exegeten des vorigen und des beginnenden 20. Jahrhunderts: A. Bisping, Erklärung des Briefes an die Römer, ^{3}1870, 86–90 („genit. originis"); R. A. Lipsius, Briefe an die Galater, Römer, Philipper (Handkommentar zum NT II, 2), 1891, 81; R. Cornely, Ep. ad Romanos, 1896, 68–70; H. Th. Simar, Die Theologie des hl. Paulus, ^{2}1883, 183f, 189; Th. Zahn, Der Brief des Paulus an die Römer, ^{3}1925, 80–86; F. Prat, La théologie de S. Paul. II, 1961, 291–300; R. Lemonnyer: Dict. de Théol. Cath., VIII, 2, 2058–2075 (Justification); P. Feine, Theologie des NT, ^{8}1951, 210f. – Eine „schillernde Doppelbedeutung" (Gen. subj. und auct.) nehmen H. Lietzmann, An die Römer, ^{4}1933, 30, und ihm folgend E. Lohmeyer, Grundlagen paulinischer Theologie, 1929, 53, an.

A. Schmitt, Δικαιοσύνη θεοῦ, in: Natalicium für J. Geffcken, 1931, 111–131, dagegen hält es für verfehlt, überhaupt die Qualität des Genitivs in δικαιοσύνη θεοῦ genau bestimmen zu wollen. Denn es handele sich in den Paulusbriefen „nicht um wissenschaftliche, sondern um naiv-sprachliche Begriffe, bei denen, ähnlich wie in der dichterischen Produktion, gerade das Zurücktreten des scharfen Vorstellungsinhaltes die Sprache befähigt, intellektuell nicht faßbare Erlebnisse zum Ausdruck zu bringen" (117). Er hält darum die Übersetzung „göttliches Heil" für δικαιοσύνη θεοῦ an den meisten Stellen für ausreichend, da ohnehin das Reden von der δικαιοσύνη θεοῦ nicht im Mittelpunkt der „originalen Verkündigung des Apostels, in seiner Botschaft an die Heiden" gestanden habe. Die „Hauptvorstellung" „Gerechtigkeit" (= profane Rechtsprechung und Moral, dazu auch die jüdische Gesetzeserfüllung) sei in der paulinischen Auseinandersetzung mit den Juden von den „Nebenvorstellungen" „Heil, Rettung, Erlösung" und den „dazugehörigen Gefühlswerten" verdrängt worden. Paulus könne statt δικαιοσύνη auch σωτηρία sagen. Infolgedessen sei es falsch, die Frage aufzuwerfen, wer denn der Träger der „Gottesgerechtigkeit" sein soll: Gott oder der Mensch. Gegen Schmitts Darstellung muß eingewendet werden, daß vom Standpunkt des Apostels Paulus aus eine solche Unterscheidung in Haupt- und Nebenvorstellung unmöglich ist und daß Paulus δικαιοσύνη θεοῦ wie eine feststehende Wendung gebraucht, die ihm durchaus geeignet erscheint, das Neue der christlichen Botschaft zu beschreiben. Schmitts Unterscheidung läßt sich weder im Römerbrief nachweisen noch für das Vorverständnis der Leser voraussetzen.

18 M.-J. Lagrange, Épître aux Romains, 1950, 19: „La justice de Dieu est donc la justice donnée par Dieu à l'homme, qui a sa racine dans la foi ... révélée ... dans le fait de l'évangile." Anders jedoch in Rö 3, 5. 25f.

19 L. Cerfaux: DBS IV (1949) 1471–1496 (Justice, Justification), besonders 1478f.

20 A. Nygren, Der Römerbrief, ^{2}1954, 62.

21 O. Michel, Der Brief an die Römer, ^{12}1963, 45: „... sowohl Gottes richterliches Urteil als auch seine eschatologische Heilsgabe". Michel sieht den Begriff der Gerechtigkeit Gottes bei Paulus besonders geprägt durch die Auseinandersetzung mit dem Rabbinat und seiner Gerechtigkeitslehre (so in Phil 3, 9 und Rö 10, 3), erkennt zugleich aber auch „eine gewisse Ähnlichkeit" in der eschatologischen Auffassung mit Qumran.

22 R. Bultmann, Theologie, 280–285. Ihm folgt E. Jüngel, Paulus und Jesus, 1962, 45.

Unter Hinweis auf Rö 10, 3 und Phil 3, 9 interpretiert Bultmann δικαιοσύνη θεοῦ an den paulinischen Hauptstellen (Rö 1, 17; 3, 21f. 26; 10, 3)[23] als „von Gott geschenkte, zugesprochene Gerechtigkeit", da sie „einzig in Gottes χάρις ihren Grund hat", die nicht einfach als „gnädige Gesinnung", sondern als „Tat bzw. Geschehen, und zwar als eschatologische Tat und eschatologisches Geschehen" zu verstehen sei[24]. Die Gabe Gottes bewirke, daß der Mensch im eschatologischen Gericht vor Gott die „Geltung" als Gerechter erlangt[25]. Hiermit wird die forensisch-eschatologische Begründung des paulinischen Rechtfertigungsbegriffs sehr deutlich, womit Bultmann freilich zu schnell eine Strukturgleichheit zwischen dem paulinischen und dem jüdischen Rechtfertigungsbegriff behauptet[26].

Wie unzureichend jedoch die Benennung „Gen. auctoris" ist, läßt A. Oepke[27] erkennen, wenn er δικαιοσύνη θεοῦ im Sinne eines Gen. auctoris versteht, „der sich einem Gen. obj. oder relationis nähert"[28], also der Interpretation Luthers wieder zuneigt. Oepkes „neues Verständnis" von „Gerechtigkeit Gottes" beruht auf der Annahme, daß δικαιοσύνη θεοῦ „eine spezifisch jüdische Formel" sei, die Paulus übernimmt und „mit neuem Inhalt füllt"[29].

Die „im Judentum schon fest eingebürgerte Formel" gehe auf Dt 33, 21 zurück, eine Stelle, deren Erklärung sich in SDt 33, 21 als Ergebnis einer „außerordentlich aufschlußreichen Geschichte" niedergeschlagen habe[30]. Danach bezeichnet „Gerechtigkeit Gottes" „nicht das göttliche Verhalten, sondern das dem Menschen beizulegende Prädikat"[31]. Als Spuren eines weitverbreiteten spätjüdischen Sprachgebrauchs nennt Oepke TestDan 6, 10 und Jak 1, 20. Die Wendung δικαιοσύνη θεοῦ werde dadurch eine für Paulus brauchbare „Formel", daß sie als „ergänzungsbedürftiger Begriff"[32] von den „aufs stärkste betonten

[23] Für Rö 3, 5 nimmt Bultmann den strengen Sinn von „richterlicher iustitia" an (Theologie, 188). Vgl. JBL 83 (1964) 13.

[24] A. a. O. 284f.

[25] Vgl. Theologie 273f.

[26] Theologie 274.

[27] Δικαιοσύνη θεοῦ bei Paulus, in: ThLZ 78 (1953) 257–263.

[28] A. Oepke, a. a. O. 263.

[29] A. Oepke, a. a. O. 261.

[30] Zur Problematik des Verständnisses von „Gerechtigkeit Gottes" in Dt 33, 21 und der Auslegung dieser Stelle in den Targumim vgl. jetzt P. Stuhlmacher, Gerechtigkeit Gottes, 142–145 und 182f.

[31] A. Oepke, a. a. O. 263. Ebd.: „Die von Gott festgestellte oder beigelegte Gerechtigkeit ist selbstverständlich auch diejenige, die vor ihm gilt. Die Hinzufügung des Genitivs war nicht nur von Dt 33, 21 her traditionell, sondern auch sachlich notwendig, weil das bloße δικαιοσύνη θεοῦ, vom griechischen Sprachgebrauch her verstanden, weder den forensischen Charakter noch überhaupt die Beziehung zu Gott, auf die doch alles ankommt, zum Ausdruck gebracht hätte."

[32] A. Oepke, a. a. O. 260. Zum ersten Mal hat E. Kühl (Rechtfertigung auf Grund Glaubens und Gericht nach den Werken bei Paulus, 1904) im Anschluß an Th. Häring diese Auffassung vertreten. Beide Exegeten verstehen unter δικαιοσύνη θεοῦ jedoch das göttliche Verhalten. Nach Oepke, a. a. O. 260, „ver-

Zusätzen" χωρὶς νόμου und διὰ πίστεως bestimmt werde. Sie geben der „Gerechtigkeit Gottes" die unverkennbare, von Paulus intendierte Spitze gegen die Werkgerechtigkeit des gesetzesfrommen Judentums. „Gerechtigkeit Gottes" ist also „Glaubensgerechtigkeit" im Gegensatz zu menschlicher Selbstgerechtigkeit.

Der Hinweis Oepkes auf eine dem Paulus vorgegebene theologische Formel lenkte die Aufmerksamkeit der Exegeten erneut auf das AT und die Literatur des Spätjudentums. Wie hat man hier Gerechtigkeit und speziell „Gerechtigkeit Gottes" verstanden? E. Käsemann[33] hat diesen Hinweis aufgegriffen und neben den von Oepke angeführten Stellen[34] noch eine Stelle aus den Qumranschriften herangezogen: 1 QS 11, 12, um zu zeigen, daß die Wendung „Gottesgerechtigkeit" eine feste Formel ist, die nicht dem allgemeinen Begriff δικαιοσύνη subsumiert und einseitig als „Gabe" verstanden werden darf. Die Formel als solche lege nicht den anthropologischen, sondern den theologischen Aspekt des machtvollen Wirkens Gottes nahe. Käsemann liegt daran, die einengende, individualisierende Betrachtungsweise zu überwinden, die aus der einseitigen Erklärung der „Gerechtigkeit Gottes" als Gen. obj. bzw. auctoris entsteht, wie sie – gerade gegen Käsemann – zuletzt noch von R. Bultmann[35] mit Berufung auf Phil 3, 9 als Auslegungstext erneut vertreten wurde. Entscheidend für die paulinische Verwendung der Formel „Gerechtigkeit Gottes", die religionsgeschichtlich aus der Apokalyptik abzuleiten sei[36], ist nach Käsemann die Tatsache, daß Paulus mit der Betonung der „Gabe" Gottes zugleich auch ihren Machtcharakter herausstelle.

Käsemann gewinnt seine Interpretation aus einem Vergleich mit anderen zentralen Begriffen der paulinischen Theologie. So ist πνεῦμα bei Paulus zugleich der „Totenerweckung schaffende Geist" und „das uns geschenkte πνεῦμα ἐν ἡμῖν"[37]. Und „Christus, den Paulus doch als Weltenherrn preist", gibt sich „nicht nur für uns dahin, sondern wohnt und lebt auch in uns"[38]. Ähnlich „meint χάρις primär die Gnadenmacht"[39], und das Evangelium wird in Rö 1, 16 ausdrücklich als δύναμις θεοῦ bezeichnet. Die „Herrschaft über uns" realisiert sich

trägt sich diese Feststellung allerdings schlecht" mit dem „ergänzungsbedürftigen Begriff". „Denn wie ein göttliches Verhalten, die Gerechtigkeit, in einem menschlichen Verhalten, dem Glauben, begründet sein sollte, ist nicht einzusehen ..." (ebd.).

[33] E. Käsemann, Gottesgerechtigkeit bei Paulus, in: ZThK 58 (1961) 367–378.

[34] Käsemann nennt zwar Dt 33, 21 als ältesten Beleg für die Formelhaftigkeit von „Gerechtigkeit Gottes", erwähnt allerdings nicht die von Oepke zitierte Auslegung dieser Stelle im Targum (SDt 33, 21).

[35] JBL 83 (1964) 12–16.

[36] Vgl. auch J. Becker, Das Heil Gottes, der jedoch für die religionsgeschichtliche Ableitung der paulinischen Rechtfertigungslehre neben dem essenischen Traditionskreis auch das pharisäisch-rabbinische Judentum mit in Anschlag bringt.

[37] A. a. O. 371.

[38] Ebd.

[39] A. a. O. 372.

nach Käsemann in der „Gabe“, die freilich nicht naturhaft im Empfänger aufgeht, sondern „als Präsenz ihres Gebers ... den Charakter des Anspruchs behält“ [40]. „Die doppelte Ausrichtung der Genitivkonstruktion“ [41], Gerechtigkeit Gottes als Macht und als Gabe, läßt nicht zu, die von Gott mitgeteilte Gabe von ihrem Geber zu lösen.

Käsemanns Interpretation bringt eine Wendung in die Diskussion um das Verständnis der Gerechtigkeit Gottes bei Paulus. Sie vermeidet die Einseitigkeit einer anthropozentrischen Betrachtung, nämlich einer Erklärung, die die Gerechtigkeit dem Sünder als Freispruch oder auch als naturhaft wirkende Gabe von Gott zuteil werden läßt, und die damit verbundene Schwierigkeit der Begründung des neuen Gehorsams. Zugleich wird aber auch der tatsächlich vorliegende eschatologische Aspekt der sich offenbarenden Gerechtigkeit Gottes vor der Einseitigkeit einer theozentrischen Betrachtung bewahrt, nämlich dadurch, daß mit der Offenbarung der Gerechtigkeit Gottes zugleich als deren Niederschlag im Menschen die Gabe mit in den Blick kommt. Den eigentlichen Inhalt der Gabe kann der Gerechtfertigte nicht „konsumieren“, sondern sie ist derart, daß sie den gerechtfertigten Sünder in Anspruch nimmt. Das meint Käsemann mit dem „Machtcharakter der Gabe“.
Durch die Interpretation Käsemanns ist in die bisherige Diskussion eine neue Terminologie eingeführt worden, die hilfreich sein kann, alte Mißverständnisse bezüglich der Wirkung des göttlichen Rechtfertigungshandelns zu überwinden. „Machtcharakter der Gabe“, „Herrschaftswechsel“, „Existenzwandel“ sind Worte, die die paulinische Dialektik von Handeln Gottes und neuer Existenz des Menschen deutlicher hervortreten lassen. Doch darf auch hierbei nicht übersehen werden, daß in Käsemanns Deutung das Verständnis von δικαιοσύνη θεοῦ als Gen. auctoris, d. h. Gerechtigkeit als Gabe Gottes, zwar relativiert, aber grundsätzlich doch noch beibehalten wird.
Demgegenüber erscheint die Interpretation S. Lyonnets [42], Gerechtigkeit Gottes im Sinne eines Gen. subj., als noch konsequenter.

„Iustitia ergo Dei ad quam provocat Apostolus ea est quam invocabat Psalmista vel Daniel, Isaiasque annuntiaverat tempore messianico revelatam iri, nempe activitas Dei qua Deus iustus quidem est, non vero in quantum reprobos damnat ..., sed qua populum suum restaurat et a peccati servitute eum liberat seu iterum secum coniungit, aliis verbis qua iustificat“ [43].

Lyonnet möchte die Fragestellung bezüglich der Interpretation von δικαιοσύνη θεοῦ über die traditionelle Alternative, „Gerechtigkeit Gottes“ als Eigenschaft Gottes oder Gabe Gottes an den Menschen,

[40] Ebd.
[41] E. Käsemann, a. a. O. 371.
[42] VD 25 (1947) passim; VD 42 (1964) 121–152.
[43] S. Lyonnet: VD 42 (1964) 135.

hinausführen. Da ihm die Erklärung als Subjektsgenitiv auf Grund von Rö 3, 26 sicher erscheint, stellt er die Frage, von welcher Art die bei Paulus bezeugte aktive „Gerechtigkeit Gottes" sei. Lyonnet nimmt eine unmittelbare Abhängigkeit des Paulus in der Verwendung des Begriffs „Gerechtigkeit Gottes" vom AT, besonders von den Psalmen und Deuterojesaja, an[44]. Aus dem analogen Gebrauch der Begriffe צדק(ה), ישועה und אמונה im AT folgert er die Heilsbedeutung der Wendung „Gerechtigkeit Gottes" nicht nur im AT, sondern auch bei Paulus.

„Notio iustitiae Dei qualis in V.T. et in N.T. exprimitur per phrasim δικαιοσύνη θεοῦ ...: activitas essentialiter salvifica Dei qua populus Israel (et in N.T. totum genus humanum) restauratur in bonis a Deo promissis"[45].

Lyonnet sieht richtig – wie auch schon früher E. Tobac[46] – die heilshaften Elemente des paulinischen Begriffs „Gerechtigkeit Gottes" und ihre Begründung in der entsprechenden atl. Vorstellung. Doch muß eine unmittelbare Herleitung des paulinischen Begriffs aus dem atl. Sprachgebrauch als problematisch angesehen werden. Denn es bleibt die Frage, ob das atl. Verständnis von Gerechtigkeit Gottes sich in ungebrochener, durch die Tradition des Judentums nicht veränderter Gestalt erhalten hat und so von Paulus übernommen werden konnte. Außerdem kommt das forensische Element bei dieser Interpretation des paulinischen Begriffs nicht zu seinem Recht[47].

Eine gewisse Korrektur scheint Lyonnets Auffassung durch seinen Schüler S. Schmidt zu erfahren, der in einem Bericht[48] über seine Dissertation zu dem Schluß kommt: „iustitia Dei proinde (in V.T.) non est dicenda nec exclusive nec essentialiter salvifica ... non est identificanda cum eius bonitate et misericordia ... sed consistit in confirmitate actionis Dei cum Esse divino ipso"[49]. Nach Schmidts Darstellung spielt im Begriff der Gerechtigkeit Gottes auch die „activitas punitiva Dei" eine Rolle, und zwar außerhalb der messianischen Stellen des AT. Das strafende Element bestimme in Rö 3, 5 und 25 den

[44] Lyonnet beruft sich hierfür auf Paulus selbst, der in Rö 3, 20f offenkundig den Begriff der Gerechtigkeit Gottes aus dem Zitat Ps 143, 2 gewinne. Vgl. ders., La sotériologie paulinienne, in: A. Robert – A. Feuillet, Introduction à la Bible. Nouveau Testament, 1959, 840–889, hier 852f.

[45] VD 42 (1964) 139.

[46] Le Problème de la Justification, 107–121. E. Tobac legt mit Recht größeren Nachdruck auf den eschatologischen Aspekt „de l'activité justificante et salvifique de Dieu". Ihm folgt J. Huby, Épître aux Romains, 1940, 62–66.

[47] Seinem Lehrer S. Lyonnet folgend sucht auch K. Romaniuk, L'amour du Père et du Fils dans la sotériologie de saint Paul (Analecta Biblica, 15), 1961, 199–203, die soteriologische Struktur der „Gerechtigkeit Gottes" und damit den Zusammenhang dieses Begriffs mit dem der Liebe Gottes darzustellen.

[48] S. Schmidt, S. Pauli „iustitia Dei" notione iustitiae, quae in V.T. et apud S. Paulum habetur, dilucidata, in: VD 37 (1959) 96–105.

[49] A. a. O. 101.

Begriff der δικαιοσύνη θεοῦ [50]. Die Erklärung Schmidts scheint jedoch in ihrer Methode eine Systematik an das AT und Paulus heranzutragen, der gegenüber sich die eigentlichen und tieferen Intentionen der biblischen Texte versagen, wie sie sich umgekehrt eher einer form- und überlieferungsgeschichtlichen Betrachtung erschließen.

Auch O. Kuss [51] gibt der Erklärung des Begriffs „Gerechtigkeit Gottes" im Sinne eines Gen. subj. an den Hauptstellen des Römerbriefes den Vorzug, da in ihnen „von Gottes Handeln durch Jesus Christus die Rede ist" [52]. Kuss sieht diese Erklärung erhärtet durch die antithetische Parallele „Gerechtigkeit Gottes" und „Zorn Gottes" in Rö 1, 17f. Nur 2 Kor 5, 21 sei die Bedeutung der Gabe als „Ergebnis von Gottes Heilshandeln in den Menschen" anzunehmen [53]. Doch interpretiert Kuss den Subjektsgenitiv nicht einheitlich. In Rö 1, 17; 3, 21. 26 und 10, 3 sei „Gottes Güte, Gottes Gnade, Gottes Barmherzigkeit, Gottes Liebe", kurzum „Gottes rettendes Eingreifen" gemeint, das „in dem Ereignis Jesus Christus offenbar geworden" ist. Die „andere" Seite der „Gerechtigkeit Gottes" sei in Rö 3, 5f zu erkennen. Auch hier interpretiert Kuss δικαιοσύνη θεοῦ im Sinne eines Gen. subj., aber als „Eigenschaft" Gottes, der Sühne fordert [54].

Es muß jedoch als zweifelhaft erscheinen, ob Kuss die innere Einheit der paulinischen Aussagen von „Gerechtigkeit Gottes" mit Recht im AT begründet finden kann, nämlich in der „Überzeugung, daß Gott gerecht ist, indem er ohne Ansehen der Person nach einer feststehenden Norm das Gute belohnt, das Böse bestraft", ein Denken, das für den „Bund" grundlegend gewesen sei.

Aus den verschiedenen hier vorgetragenen Deutungen von δικαιοσύνη θεοῦ ergibt sich uns die Erkenntnis, daß die Frage nach der paulinischen Vorstellung der Gerechtigkeit Gottes nicht einseitig von der Frage nach der Art des Genitivs angegangen werden darf, sondern daß eine sachgemäße Interpretation des paulinischen Begriffs zunächst eine Untersuchung seiner „Vorgeschichte" erfordert. Hierzu haben vor allem Oepke und Käsemann einen Weg gewiesen, der weiter zu verfolgen ist. Dabei könnten die Darstellungen von Lyonnet und Kuss Anlaß zu der Überlegung geben, wieweit Paulus – nicht nur in Zitaten und wörtlichen Anspielungen, sondern vor allem – der Denkstruktur nach die Formulierung seiner Rechtfertigungsbotschaft einem Rückgriff auf das AT verdankt.

[50] A. a. O. 103.

[51] O. Kuss, Römer, 115–121.

[52] A. a. O. 116.

[53] A. a. O. 117.

[54] A. a. O. 118. Bezüglich seiner Annahme einer „variierenden Bedeutung von δικαιοσύνη θεοῦ" findet Kuss Anerkennung bei Bultmann: JBL 83 (1964) 12 Anm. 1.

1. Kapitel:
Zur Vorgeschichte des paulinischen Sprachgebrauchs

Die Vorgeschichte läßt sich von Paulus aus zurückverfolgen in die Literatur des Judentums und darüber hinaus ins AT. Dementsprechend müßte die Geschichte des Begriffs und seiner Vorstellung eigentlich vom Ende aus geschrieben werden. Wir halten uns der Übersichtlichkeit halber jedoch an das chronologische Schema und setzen eine gewisse Kontinuität im Gebrauch des Begriffs der „Gerechtigkeit Gottes" von seinem atl. Ursprung über das Judentum bis ins NT zu Paulus voraus. Das Ergebnis des ersten Teils dieser Untersuchung wird dieses Vorgehen rechtfertigen.

§ 2. „Gerechtigkeit Gottes" im AT

Dem Nomen δικαιοσύνη entspricht im Hebräischen das Wort צדקה/צדק[1] und der Wendung δικαιοσύνη θεοῦ das hebräische צדקת יהוה. Allerdings gibt die LXX[2] mit δικαιοσύνη, zwar weniger häufig, auch das Wort משפט[3], so in Is 61, 8; Mal 2, 17, wieder, außerdem auch חסד (8mal)[4] und אמת (6mal)[5], ein Zeichen für die inhaltliche Verwandtschaft dieser Begriffe mit צדק(ה). Um zu erfassen, was in der griechischen Bibel mit δικαιοσύνη θεοῦ gesagt werden soll, ist jedenfalls von dem hebräischen צדקת יהוה auszugehen.

[1] צדק und צדקה werden im wesentlichen mit gleicher Bedeutung gebraucht. Vgl. E. König, Hebr. u. aram. Wörterbuch zum Alten Testament, [7]1936, s. v., und N. A. Snaith, The distinctive Ideas of the O.T., [2]1945, 72; G. Quell: ThWNT II 177 Anm. 2.

[2] Paulus zitiert und benutzt in den meisten Fällen das AT nach der LXX. Da die LXX nicht als eine wortgetreue Übersetzung des hebräischen Textes anzusehen ist, sondern als „griechisches Targum der hellenistischen Judenheit" (H. J. Schoeps, Paulus, 1959, 16), ist damit zu rechnen, daß die griechischen Termini in der LXX eine den ursprünglichen hebräischen Wortsinn verschiebende Interpretation enthalten.

[3] משפט übersetzt die LXX durch κρίμα (182 mal) und κρίσις (142 mal), womit das hebr. Äquivalent nachdrücklich als Gerichtsakt interpretiert wird. Zur Bedeutung von משפט vgl. V. Herntrich: ThWNT III 922–933, der feststellt, daß die juridische Bestimmtheit dieses Begriffs gelegentlich im AT ganz in den Hintergrund tritt und bei משפט wie auch bei צדקה „Gnade" und „Recht" von vornherein ineinander liegen.

[4] Gen 19, 1a; 20, 13; 21, 23; 32, 10; Ex 15, 13; 34, 7; Is 63, 7; Spr 20, 22. חסד wird sonst in der LXX in der Regel mit ἔλεος wiedergegeben.

[5] Gen 24, 49; Jos 24, 14; Is 38, 19; 39, 8; Dan 8, 12; 9, 13. אמת wird sonst in der LXX in der Regel mit ἀλήθεια, aber gelegentlich auch mit πίστις wiedergegeben.

Die ursprüngliche Wortbedeutung von (ה)צדק läßt sich nicht mehr mit Sicherheit eruieren[6]. Entscheidend für das Verständnis des hebräischen Begriffs Gerechtigkeit ist es jedoch, daß seine Bedeutung nicht auf den ethischen Begriffsgehalt des griechischen Äquivalentes δικαιοσύνη[7] eingeengt wird. (ה)צדק bezeichnet nicht, wie E. Kautzsch[8] meinte, „1. die einer objektiven Norm entsprechende Beschaffenheit" und „2. die durch eine bestimmte Norm geregelte Art und Weise des Verhaltens", sondern eine Lebensbeziehung. (ה)צדק ist, wie H. Cremer[9] erkannt hat, ein „Verhältnisbegriff". Er dient zur Bezeichnung des rechten Verhaltens Gottes zum Menschen und umgekehrt wie auch der Menschen untereinander, insbesondere des Einzelmenschen zur Gemeinschaft. „Norm" des Verhaltens ist nicht eine bestimmte Idee vom Recht, sondern das bestehende Gemeinschaftsverhältnis selbst[10]. (ה)צדק bezeichnet also die Adäquatheit des Verhaltens entsprechend den konkreten Verhältnisbeziehungen.

1 Sam 24, 18 wird David „gerecht" genannt; „du bist gerechter als ich", so ruft Saul aus, „denn du erweisest Gutes mir, während ich dir Böses tat". Ein besonders auffallendes Beispiel für die Andersartigkeit des hebräischen Gerechtigkeitsbegriffs gegenüber dem griechisch-abendländischen bietet das Urteil Judas über Thamar (Gen 38, 26)[11].

Die Distanz von griechischem und hebräischem Gerechtigkeitsbegriff wird besonders deutlich in seiner Anwendung auf Gott. Das „gerechte" Verhalten Jahwes erschöpft sich nicht in den Begriffen der rechtlichen Korrektheit und Unbeugsamkeit; es wird vielmehr wesentlich durch das geschichtliche Verhältnis Jahwes zu Israel bestimmt.

„Jahwe ist gerecht in ihrer Mitte, er tut keinen Frevel. Morgen für Morgen vollzieht er sein Gericht, wie das Licht bleibt es nicht aus" (Soph 3, 5). Der

[6] Vgl. W. Eichrodt, Theologie des AT. I, [7]1962, 155. – Die Auffassung, daß die Wurzel צדק „Geradheit" bedeute (so N. A. Snaith, The distinctive Ideas, 72f), kommt nicht über die Begründung hinaus, daß צדק im AT einigemal im Gegensatz zu רשע steht, so Ps 45, 8; Ex 23, 7; Dt 25, 1.

[7] Vgl. S. 6 Anm. 1.

[8] Über die Derivate des Stammes sdq im alttestamentlichen Sprachgebrauch, 1881, 28 und 32.

[9] Rechtfertigungslehre, 34–40. Vgl. auch J. Pedersen, Israel. Its Life and Culture. I–II, 1954, 338–348.

[10] Der Begriff der Norm kann für (ה)צדק nur in einem uneigentlichen Sinne verwandt werden, da er dem griechischen Denken entstammt und eine ideelle Wirklichkeit bezeichnet. (ה)צדק jedoch bezeichnet die Lebenswirklichkeit selbst, insofern diese sich in Gemeinschaftsbezügen aufbaut. In diesem Sinne ist auch K. H. Fahlgren, Sedaka, nahestehende und entgegengesetzte Begriffe im Alten Testament, 1932, 82, zu korrigieren und zu verstehen: „צדקה als Norm des Gemeinschaftsverhältnisses ist die aufbauende und zusammenhaltende Kraft in der Gesellschaft".

[11] Vgl. C. H. Dodd, The Bible, 47: „Thus צַדִּיק often means ‚in the right' rather than ‚righteous' ".

Wechsel der Tage und der Anfang des Lichtes dienen als Vergleiche, um die unbedingte Zuverlässigkeit und Treue Jahwes zu Israel zu charakterisieren. Nicht von einer „ideellen Norm", sondern von dem Bund, den Jahwe mit seinem Volk geschlossen hat, läßt er sich in seinem Verhalten bestimmen. Im „Bund" erlebt Israel die Gerechtigkeit Jahwes als ständig sich wiederholende Lebenshilfe, so schon Ri 5, 11, wonach das rechte Verhalten Jahwes gegenüber Israel sich darstellt in seinen „Gerechtigkeitserweisen" (צדקות יהוה) [12], die er seinem Volke in der Geschichte, vor allem im Krieg gegen seine Feinde zuteil werden läßt (vgl. auch Ri 11, 27; 2 Sam 18, 31).

Diese helfende, teilnehmende Gerechtigkeit Jahwes läßt sich nur verstehen als Ausdruck des Bundes Jahwes mit seinem Volk, der als ein Rechtsverhältnis vorgestellt wird [13]. Israel erfährt im Bund die Gerechtigkeit Jahwes als die Bedingung seiner Existenz. In diesem Sinne ist die „Gerechtigkeit Gottes" wesentlich sein Heilswirken zugunsten seines Volkes. K. H. Fahlgren [14] hat hierfür den Begriff der „Gemeinschaftstreue" vorgeschlagen.
Besonders in den Psalmen und bei den Propheten trifft man auf eine große Zahl von Stellen, aus denen die Heilsbedeutung der Gerechtigkeit Jahwes deutlich hervorgeht.

Auch bei den Propheten ist noch wie im älteren Sprachgebrauch von Jahwes „Gerechtigkeitserweisen" gegen die äußeren Feinde die Rede, so Mi 6, 5. Obwohl sich eine tiefgreifende Umstrukturierung der überlieferten Vorstellung vom Gerechtigkeitshandeln Jahwes nicht nachweisen läßt [15], so erscheint dieses jetzt doch noch betonter als die entscheidende Lebensgrundlage Israels und damit als die Bedingung der Möglichkeit der Gerechtigkeit Israels vor Jahwe [16].
Isaias und Jeremias sehen das Gerechtigkeitswirken Jahwes vor allem in dem kommenden „Messias" herannahen. „Auf dem Throne Davids und über sein Reich wird er herrschen. Festigen wird er es und stützen durch Recht und Gerechtigkeit" (Is 9, 6). „In seinen Tagen erfährt Juda Heil, und Israel lebt in Sicherheit, und dies ist der Name, mit dem er genannt wird: ‚Jahwe unsere Gerechtigkeit' " (Jer 23, 6) [17].
Besonders deutlich tritt der Heilscharakter der Gerechtigkeit in den Psalmen und bei Deuterojesaja in Erscheinung, und zwar dadurch, daß hier צדקה/צדק in Parallele zu und in engster Verbindung mit ישע stehen, so in Ps 22, 32; 40, 11; 50, 6; 51, 16; 71, 24; Is 45, 8; 46, 13; 51, 5. 6. 8.

[12] Vgl. 1 Sam 12, 7; Is 45, 24; Mi 6, 5; Ps 103, 6; Dan 9, 16.
[13] Vgl. W. Eichrodt, Theologie I, 9f.
[14] Sedaka, 97–106: Der Begriff bezeichnet „das Gemeinschaftsverhältnis mit seinem Segen, wohl vor allem als Rettung oder Heil gedacht" (106).
[15] Vgl. G. von Rad, Theologie I, 370.
[16] N. A. Snaith, The distinctive Ideas, 58ff; 68–70, stellt fest, daß die Propheten des achten Jahrhunderts v. Chr. den Begriff der „Gerechtigkeit" nach seiner religiösen und ethischen Seite entfalten. Doch wird man zugleich auch feststellen müssen, daß mit den Kategorien des „Religiösen" und „Sittlichen" die umfassende Lebenswirklichkeit, die das Wort „Gerechtigkeit" im AT bezeichnet, nur unvollkommen erfaßt wird.
[17] Vgl. auch Jer 33, 14–16, wo dieser Name jedoch Jerusalem beigelegt wird.

Eine genauere Durchsicht der Psalmen läßt erkennen, daß in den vorexilischen Überlieferungen[18] die „Gerechtigkeit Jahwes" gerade den Leidenden und Bedrückten, den „Elenden" und „Armen" (Ps 9, 19 u. ö.) als konkrete Lebenshilfe zuteil wird (Ps 35, 23f; 43, 1; vgl. 82, 3f und Is 11, 4). Im richterlichen Urteil übt Jahwe Gerechtigkeit zum Heil derer, die ihr Recht in ihm suchen (Ps 5, 9), d. h. aber zum Heil der auf ihn Vertrauenden und zum Unheil seiner Feinde, die auch die Feinde des Hilfesuchenden sind (Ps 7, 12; 9, 4f; 69, 28). Den Gebeten der Hilfesuchenden entspricht Jahwe, indem er ihnen die lebensnotwendige Heilsgabe der Gerechtigkeit mitteilt. Jedoch werden die Hilfesuchenden immer als Glieder einer Volksgemeinschaft betrachtet, deren Gesamtheit sich unter Jahwes Königsherrschaft gestellt weiß. Eine individualisierende Heilsmitteilung hat hier noch keinen Platz.

Ausgehend von den Psalmen stellen G. von Rad[19] und besonders sein Schüler, Klaus Koch[20], die kultische Verwurzelung der atl. Vorstellung von der Gerechtigkeit Jahwes heraus. Koch ordnet die in den Psalmen vorkommende צדק(ה)-Vorstellung dem kultischen Traditionskreis des israelitischen Herbstfestes zu. Die „Gerechtigkeit Jahwes" ist nach Koch besonders in den Theophanieschilderungen (z. B. Ps 50, 6; 97, 6; 85, 14; vgl. Os 10, 12) anzutreffen. Die im Kult sich ereignende Theophanie bringe Israel die צדק(ה), die als Fundament des allgemeinen Wohles lebensnotwendig ist. Da der Kult in Verbindung mit weiteren Traditionskreisen steht, lasse sich die צדק(ה)-Vorstellung zugleich noch an anderen „Sitzen im Leben" lokalisieren. So begegne in 1 Sam 12, 7; Ri 5, 11 (צדקות יהוה) „der heilige Krieg als besonderer Sitz im Leben"[21]. Zusammenfassend stellt Koch einen dreifachen Inhalt von צדק(ה) fest, „nämlich Ermöglichung von Sittlichkeit, Ermöglichung von Wohlfahrt und Sieghaftigkeit, die jeweils neu am Herbstfest übereignet wird"[22].

Die von Koch betonte kultische Verwurzelung des Gerechtigkeitsbegriffs im AT stellt einen Hinweis dar auf die umfassende Bedeutsamkeit der צדק(ה)-Vorstellung für Israel. Im Kult erweist Jahwe seine Gerechtigkeit; er gewährt seinem Volke Heil, das heißt Leben und Zukunft.

[18] Da das Buch der Psalmen keine historische und literarische Einheit ist, kann man nicht von einer einheitlichen Vorstellung der „Gerechtigkeit Gottes" in den Psalmen sprechen. Den vor dem Exil und während des Exils entstandenen Teilen ist jedoch das Eintreten Jahwes für sein Volk als wesentliche Komponente der „Gerechtigkeit Gottes" gemeinsam. Vgl. A. H. van der Weijden, Die „Gerechtigkeit" in den Psalmen, 1952, wo allerdings „sedeq als das dem Gerechten innewohnendes Prinzip" (S. 87) und als Gesinnung interpretiert und damit zu sehr auf ethische Kategorien eingeengt wird. Anerkennenswert ist van der Weijdens Bemühen, die aristotelische Tugend der δικαιοσύνη und die atl. sedaqa auseinanderzuhalten.

[19] G. von Rad, Theologie I, 369f.

[20] K. Koch, sdq im AT. Eine traditionsgeschichtliche Untersuchung. Diss. Heidelberg 1953 (Maschinenschrift). Vgl. ders., Gibt es ein Vergeltungsdoma im AT?, in: ZThK 52 (1955) 1–44.

[21] K. Koch, a. a. O. 66.

[22] K. Koch, a. a. O. 57. Bei dem fragwürdigen Versuch, das Herbstfest mit einem „Thronbesteigungsfest Jahwes" zu identifizieren und damit צדק als Ausfluß der jährlich sich erneuernden Königsherrschaft Jahwes zu verstehen, ist Koch abhängig von Mowinckel, der die Identität von Theophanie und Thronbesteigung

Kochs Untersuchung zeigt vor allem eine brauchbare Möglichkeit auf, die im AT bezeugte Heilswirksamkeit der Gerechtigkeit Jahwes mit ihrer forensischen Struktur zusammenzusehen. Schon in der Tradition vom „heiligen Krieg“ ist beides miteinander verbunden, insofern Jahwe das Recht seines Volkes wahrnimmt und ihm gegenüber den Feinden zum Siege verhilft. Das Recht Israels ist das Recht Jahwes. In einigen Psalmen und besonders bei Deuterojesaja [23] tritt Jahwe aber nicht nur mit den Feinden Israels, sondern auch mit Israel selbst in einen Rechtsstreit und erweist Israel gegenüber sein Recht als Richter in eigener Sache. Aber auch hierin erweist sich die Gerechtigkeit Jahwes als heilschaffend [24].

Der Gerechtigkeit Jahwes hat Israel durch sein gemeinschaftstreues Verhalten zu entsprechen. Die Gabe fordert die Verwirklichung dessen, was sie ermöglicht. Die Gerechtigkeit J a h w e s fordert die Gerechtigkeit I s r a e l s v o r J a h w e, das rechte Verhalten des Volkes und jedes einzelnen in seinem Verhältnis zu Gott. Beide, die Gerechtigkeit Jahwes und die Gerechtigkeit Israels, gehören unlöslich zusammen. Jahwe räumt seinem Volke Gerechtigkeit ein, und das Volk erfüllt den von Jahwe bereitgestellten Raum der Gerechtigkeit.

Die korrespondierende Einheit von Gerechtigkeit Jahwes und der Gerechtigkeit Israels wird besonders in den sog. Torliturgien (Ps 15 und 24)[25] deutlich. „Gerechtigkeit vor Jahwe“ wird vom Priester am Tor zum Heiligtum als eine zu erfüllende Bedingung jedem Israeliten verkündet, um am weiteren Heilsempfang, der ganz Israel gilt, teilnehmen zu können.

Hiermit sind zwei wesentliche Komponenten der atl. Vorstellung von der Gerechtigkeit Gottes gegeben. Erstens: „Gerechtigkeit Gottes“ ist

nachweisen will (S. Mowinckel, Psalmenstudien, II. Das Thronbesteigungsfest Jahwäs und der Ursprung der Eschatologie, 1921). Zur Kritik von Mowinckel vgl. H. J. Kraus, Psalmen. 1. Teilband, 1961, 201–205.

[23] Vgl. vor allem auch J. Begrich, Studien zu Deuterojesaja (Theologische Bücherei, 20), 1963, 26–48.

[24] Vgl. G. von Rad, Theologie des AT. I, ³1961, 368–380, hier 373f: „Unvollziehbar die Vorstellung, daß Israel von ihr (der Gerechtigkeit Jahwes) auch bedroht würde“. Hiermit wendet sich von Rad gegen die These F. Nötschers, Die Gerechtigkeit Gottes bei den vorexilischen Propheten (AtlAbh VI, 1), 1915, 116, wonach von den vorexilischen Propheten eine strafende Gerechtigkeit Jahwes neben der heilshaften verkündet worden sei. Zur Kritik der These Nötschers vgl. H. Cazelles, A propos de quelques textes difficiles relatifs à la justice de Dieu dans l’Ancien Testament, in: RevBibl 58 (1951) 169–188. Die These von der „strafrichterlichen Gerechtigkeit Gottes“ wurde – trotz Cazelles’ Widerlegung – erneut vorgetragen von A. Dünner, Die Gerechtigkeit nach dem AT. Dissertation, Rechtswissenschaftl. Fakultät Köln, 1963 (Maschinenschrift).

[25] Vgl. H. J. Kraus, Psalmen. I, 111–113, und G. von Rad, „Gerechtigkeit“ und „Leben“ in der Kultsprache der Psalmen, in: Ges. Studien zum AT, 1958, 225–247. Letzterer stellt besonders heraus, daß die atl. Vollkommenheitsaussagen über den צדיק, z. B. Dt 26, 13ff; Ez 18, 5–7; Job 31 und Ps 119, 14. 20. 56. 112 u. a., nicht persönlich genommen werden dürfen, sondern auf geprägte Bekenntnisse zurückgehen, die im Kult ihren „Sitz im Leben“ haben.

sein heilbringendes Handeln an Israel. Zweitens: Jahwe gewährt seinem Volk das Heil als die konkrete Möglichkeit seines Lebens. Diese realisiert sich in dem Einklang Israels mit der Gerechtigkeit Jahwes, die so als der den Menschen eröffnete Bereich erscheint, in den sie hineingenommen sind und in dem sie ihre Lebensmöglichkeit finden[26].

Im gemeinschaftsgemäßen Verhalten verwirklicht sich die Gerechtigkeit Jahwes. Man kann von einer sozialen Komponente im atl. Gerechtigkeitsbegriff sprechen, darf darunter aber nicht die „soziale Gerechtigkeit“ der modernen Gesellschaftslehre verstehen, die eine in der Natur ruhende Norm als Maßstab des sozialen Verhaltens des einzelnen voraussetzt. Die atl. Gerechtigkeit hat ihre „Norm“ in dem Verhältnis, in dem Gott und Mensch, bzw. Mensch und Mensch zueinander stehen. Jahwe ist gerecht, indem er sein Verhältnis zu Israel, seinem erwählten Volk, zur „Norm“ seines Verhaltens nimmt.

Entspricht Israel insgesamt nicht mehr der Gerechtigkeit Jahwes, dann richtet es sich damit selbst. Die Propheten verurteilen darum den sittlichen Zerfall des Volkes als Untreue gegen Jahwes Bundesgerechtigkeit.

Besonders Amos und Isaias betonen die in der Gerechtigkeit Jahwes enthaltene Forderung, der Israel in seinem sittlichen Verhalten nicht entsprochen hat. Statt Gerechtigkeit zu üben, verläßt es sich auf einen sinnlos gewordenen Kult (Am 5, 18–27). Aber es bleibt ihm die Chance der Bekehrung: „Euch allein habe ich erwählt ..., drum laß ich euch büßen all eure Schuld“ (Am 3, 2). Gottes Gericht erschöpft sich jedoch nicht in strafender Vergeltung, sondern es hat den Sinn, das Volk zur Umkehr zu veranlassen. „Gott, der Heilige, wird in Gerechtigkeit sich heilig erweisen“ (Is 5, 16)[27]. Das Ziel des innergeschichtlichen Gerichtes Gottes wird an einer Stelle wie Is 10, 21 deutlich: „Ein Rest wird sich bekehren“. Am Ende aber steht die Aufrichtung der Gerechtigkeit als Zustand des Heiles (10, 22; 32, 17; 33, 5; vgl. auch 1, 27).

In einer neuen, akzentuierten Weise wird צדק(ה) als Heil, Rettung, Erlösung bei Deutero- bzw. Tritojesaja bedeutsam.

[26] Die Vorstellung von der Gerechtigkeit als einem räumlichen Bereich entspricht der Konkretheit der Lebensauffassung Israels. Vgl. K. Koch, Sdq im AT, 41: „Sädhäq ist nicht im Menschen, sondern der Mensch ist in sädhäq.“ Koch wendet sich hiermit gegen die „Verinnerlichung“ der Gerechtigkeit, etwa bei Pedersen, Israel. I/II, 336–377, der צדק(ה) losgelöst als Mächtigkeit im Innern des Menschen versteht. Vgl. auch A. H. van der Weijden, Die „Gerechtigkeit“ in den Psalmen, der die Gerechtigkeit im AT auf ein „innerliches Prinzip“ des „religiössittlichen Benehmens“ des Menschen reduziert (98). „Gerechtigkeit Gottes“ erklärt er als „Bezeichnung einer sittlichen Vollkommenheit in einem alles umfassenden Sinne (224).

[27] „In Gerechtigkeit“ bezeichnet hier nicht etwa die strafende Gerechtigkeit Gottes, sondern ist als spätere Interpolation zu erklären. Vgl. O. Procksch, in: ThWNT I 94 Anm. 10: „... der Gedankenzusammenhang (v. 15: v. 16) und das Metrum fordern die Ausschaltung von בצדקה“.

„Tauet, ihr Himmel, von droben, und ihr Wolken, laßt rieseln Gerechtigkeit! Die Erde tue sich auf, es reife das Heil, und Gerechtigkeit sprosse zumal! Ich, Jahwe, schaffe es" (Is 45, 8). Das betonte Ausschauhalten nach Jahwe, dem „gerechten und rettenden Gott" (Is 45, 21), versteht sich aus der Exilssituation. Gott hat seinen Bund nicht vergessen (Is 54). Er wird die „Schande der Witwenschaft" (V. 4) von Sion, der „Vereinsamten" (V. 1), hinwegnehmen. „Nur einen kurzen Augenblick verließ ich dich" (V. 7). Jetzt aber wird der Bund neu geschlossen, der „nimmer wanken wird" (V. 10). Auf Gerechtigkeit wird das neue Jerusalem gegründet sein (V. 14), und alle Gerechtigkeit der Gerechten kommt von Gott (V. 17).

צדקה ist ein theologisches Kernwort in der Botschaft des Deuterojesaja. Es geht ihm um die Nähe des Heiles, das Jahwe seinem Volk bald bereiten wird, ja das er selber ist.

„Nahen laß ich meine Gerechtigkeit" (Is 51, 5). „Höret auf mich, die ihr nach Gerechtigkeit trachtet, die ihr Jahwe sucht" (51, 1). „Höret auf mich, die ihr die Gerechtigkeit kennt. ... fürchtet nicht das Schmähen der Menschen ..." (51, 7). Denn „meine Gerechtigkeit währt in Ewigkeit und mein Heil von Geschlecht zu Geschlecht" (51, 8).

In dreifacher Hinsicht bestimmt Deuterojesaja die Ausprägung des Begriffes der Gerechtigkeit, die in den sog. eschatologischen Psalmen und besonders auch bei Tritojesaja deutliche Spuren hinterlassen hat.

1. Der eschatologische Charakter der Gerechtigkeit Gottes tritt deutlicher zu Tage. Sie ist das kommende Heil, das Jahwe selbst in naher Zukunft über sein Volk bringen wird (vgl. Is 46, 13; 51, 5f. 8). Das im Exil befindliche Israel erfährt Gottes Gerechtigkeit als sein befreiendes Eingreifen (45, 21f), als Heimführung (43, 16–21), als „Erlösung" (43, 1), als Aufrichtung eines Zukunft gewährenden Bundes (54, 10; 55, 3). Vgl. auch Is 56, 1; 60, 17; Ps 97, 2. 11; 98, 2.

2. Die forensische Struktur der קצדה wird stärker hervorgehoben. משפט und צדקה werden vielfach synonym gebraucht. Noch bezeichnender ist die Verwendung der „Gerichtsrede" als literarische Gattung. Nach Is 43, 26 tritt Gott in einen „Rechtsstreit" mit Israel: „Wir wollen miteinander rechten. Zähle auf, damit du recht behältst (תצדק)" [28]. In 41, 1. 21; 43, 9 [29] fordert er die Völker bzw. ihre Götter auf, ihre Rechtssache mit ihm auszutragen. Jahwe tritt also nicht von vornherein als Richter auf, sondern als Prozeßpartei, die allerdings durch die Überlegenheit ihrer Argumente schließlich zum Richter über den unterliegenden Gegner wird [30]. In diesem Sinne übt Jahwe nicht eine unbeteiligte Rechtsprechung aus, sondern er ist Richter

[28] Zu den Einzelheiten vgl. J. Begrich, Studien zu Deuterojesaja, 31–33.
[29] Vgl. J. Begrich, a. a. O. 47f.
[30] Ebd. 42–46.

in eigener Sache und damit auch der entscheidende Rechtshelfer Israels (vgl. 50, 8f).

3. Die Gerechtigkeit Jahwes wird universalisiert[31]. Mit dem zukünftigen Heil wird nicht nur die Restaurierung des alten Bundesverhältnisses erwartet, sondern Jahwes Königsherrschaft wird sich auch auf die Heidenvölker erstrecken: Is 45, 24; 51, 5; 42, 4; 49, 6; vgl. auch Is 56, 4f; 62, 2; Ps 96, 10. 13 u. a.

Der sehr verheißungsvolle Aspekt der Zukunft und der universalen Königsherrschaft Jahwes bei Deuterojesaja wird jedoch in der nachexilischen Zeit der Restauration und der Institutionalisierung des Gesetzes verdrängt durch ein stärkeres Interesse an der Gerechtigkeit der einzelnen „Gerechten". Aus dieser Mentalität müssen die geradezu geschichtslosen Aussagen über die Gerechtigkeit des vor Gott gerechten Mannes in den späteren Psalmen (etwa Ps 1; 73; 119) verstanden werden. Die Gerechtigkeit der „Frommen" entscheidet sich nunmehr am Gesetz und seinen Geboten, die nicht mehr, wie in der vorexilischen Zeit, als „Hilfsmittel zur Erkenntnis dessen, was gemeinschaftsfördernd ist"[32], dienten, sondern zur Richtschnur des ordnungsgemäßen Verhaltens gegenüber Gott geworden sind.
Von ferne deutet sich hier schon der Weg zur späteren Haltung der jüdischen Frömmigkeit an. Gottes Heilswirken wird zum Heilsbesitz der „Frommen", der „Gerechten". Wenn die Heilsgabe der Gerechtigkeit von ihrem Geber gelöst wird und in das Innere des Menschen verlegt wird, kommt es schließlich nur noch auf die quantitativ und qualitativ meßbare Gerechtigkeit an, die leicht zur ἰδία δικαιοσύνη (Rö 10, 7) wird, die man sich zu sichern sucht.
Die weitere Entwicklung des Sprachgebrauchs von „Gerechtigkeit Gottes" im nachexilischen Judentum unter hellenistischem Einfluß kann in der Septuaginta beobachtet werden[33]. Sie gibt meistens צדקה/צדק mit δικαιοσύνη wieder. Das im griechischen Terminus enthaltene und überwiegende Rechtsmoment, das sich etwa darin zeigt, daß auch משפט durch δικαιοσύνη (Is 61, 8; Mal 2, 17; Ez 18, 19. 21) wiedergegeben werden kann, stellt das auch im hebräischen צדקה-Begriff enthaltene juristische Element stärker heraus. Die LXX betont hiermit den Rechtsgedanken als die Grundlage des Bundes Gottes. Da der Bund im Gesetz seine bindende Kraft entfaltet, besteht die Gerechtigkeit der חסידים wesentlich in der Normgemäßheit

[31] Vgl. R. Davidson, Universalism in Second Isaiah, in: Scottish Journal of Theology 16 (1963) 166–185.
[32] K. Koch, Sdq im AT, 73.
[33] Vgl. A. Descamps, La Justice de Dieu dans la Bible Grecque, in: Studia Hellenistica, 5, 1948, 69–92. Außerdem C. H. Dodd, The Bible, 45–65; H. J. Schoeps, Paulus, 18.

gegenüber dem Gesetz. Dies wird dadurch bestätigt, daß auch חסד in der LXX stellenweise mit δικαιοσύνη übersetzt wird[34]. Die beiden Elemente Recht und Heil, die im hebräischen צדקה-Begriff ineinander liegen und in der LXX einzeln betont, aber auch miteinander verbunden erscheinen, machen sich in den späteren Schriften der LXX selbständig und stehen in den spätjüdischen Schriften, vor allem in den Psalmen Salomos und den Jubiläen, unvermittelt nebeneinander[35]. Schon in LXX Is 56, 1 und LXX Ez 18, 19. 21 wird der Deutlichkeit wegen צדקה mit ἔλεος und in LXX Dt 6, 25; 24, 13; LXX Is 1, 27; 28, 17; 59, 16; LXX Ps 23, 5; 32, 5; 102, 6[36] mit ἐλεημοσύνη wiedergegeben. Die Einengung von צדקה auf ἐλεημοσύνη tritt besonders deutlich in der Weisheitsliteratur hervor[37]. Bezeichnend ist schließlich, daß in Dan 9, 18 der Beter nicht auf seine eigene Gerechtigkeit, aber auch nicht mehr auf die Gerechtigkeit Gottes, sondern auf die Barmherzigkeit (ἔλεος) Gottes vertraut[38].

Zusammenfassung:

Mit der Aussage, daß Jahwe gerecht ist und Gerechtigkeit spendet, begreift das AT das Verhältnis Gottes zu seinem Volk als Bund, in dem Gott seinem Volk als Bundespartner seine Lebensmöglichkeit gewährt. Ausdruck für das Eintreten Gottes zugunsten seines Volkes sind in der älteren Zeit seine „Gerechtigkeitserweise" (צדקות יהוה), die zunächst Hilfen im Kampf gegen die Feinde Israels sind. Der Begriff „Gerechtigkeit Gottes" (צדקת יהוה) ist in dieser Zeit – trotz Dt 33, 21 – noch nicht geläufig, sondern erhält im Laufe der weiteren Überlieferungsgeschichte des AT erst seine besondere Ausprägung,

34 Vgl. C. H. Dodd, The Bible, 64f: „It is explained partly by the lack of any quite exact equivalence between the Greek and the Hebrew words, but more significantly by ... the growing legalism of the period in which the LXX translation was made".

35 Vgl. G. Schrenk: ThWNT II 199. Außerdem H. Braun, Vom Erbarmen Gottes über den Gerechten, in: Ges. Studien zum NT, 1962, 8–69, bes. 43–46.

36 Hierhin gehört auch eine aufschlußreiche Textvariante von Ps 34, 24, wo S ἐλεημοσύνη statt der generellen Lesung δικαιοσύνη hat. Vgl. auch Dan 4, 27 Θ; 9, 16 Θ.

37 Sir 7, 10; 3, 30; 29, 12; Tob 4, 10. Mit δικαιοσύνη verbunden Tob 2, 14; 12, 9; 14, 11. Vgl. auch Bar 5, 9.

38 In der Bedeutung von Wohltätigkeit hat sich צדקה schließlich im rabbinischen Sprachgebrauch erhalten, allerdings neben der anderen, streng richterlichen Bedeutung von צדקה. Vgl. G. Schrenk ThWNT II 198, und A. Marmorstein, The old rabbinic doctrine of God. I, 1927, 181–196. – Die Psalmen Salomos beziehen den Gedanken, daß Gott gerecht ist, durchweg auf das göttliche Strafgericht. Nach H. Braun, Vom Erbarmen Gottes, 36, ist die vergeltende Gerechtigkeit Gottes nur in PsSal 9, 2f als „zugleich strafend und belohnend" nachzuweisen. Der „Gerechte" wird im Gerichte Gottes verschont. Er erlangt nicht die „Gerechtigkeit Gottes", sondern seine Barmherzigkeit.

und zwar vor allem unter dem Einfluß des Kultes, der sich im AT in den Psalmen Ausdruck verschafft hat, und durch die prophetische Predigt. Unter Jahwes צדקה versteht Israel sein Heilshandeln im umfassenden Sinne als Ermöglichung eines bundesgemäßen Lebens für Israel und in besonderer Weise als Rechtshilfe für die Hilfsbedürftigen in Israel. Die Vorstellung von den geschichtsmächtigen „Gerechtigkeitserweisen" Jahwes wird zum Begriff der bleibenden Bundestreue Gottes umgeprägt. Damit wird im Gebrauch des Wortes „Gerechtigkeit" die rechtliche Struktur des Heilshandelns Jahwes als bundesgemäßes Handeln deutlicher: Die von Jahwe eröffnete Lebensmöglichkeit ergreift Israel durch seine Unterwerfung unter den Heilswillen Gottes. Die Situation des Exils läßt die eschatologische und soteriologische Dimension im Begriff der Gerechtigkeit Gottes hervortreten. Bei Deuterojesaja häufen sich die Aussagen über die eschatologische Reichweite und universale Bedeutung des für die nahe Zukunft erwarteten Eingreifens Jahwes zugunsten seines Volkes (und der Völker), das unter dem theologischen Kernwort „Gerechtigkeit" begriffen wird. Zugleich wird die forensische Struktur der Gerechtigkeit Jahwes durch das Bild vom Rechtsstreit Jahwes mit Israel bzw. den Völkern stärker hervorgehoben. Der aus dem Exil heimkehrende Rest versteht sich als Gottes neues Bundesvolk. Durch Einengung der Grundlage des Bundes, den man bisher weitgehend als von Jahwe gewährten Gerechtigkeitserweis verstand, auf das Gesetz kommt die Gerechtigkeit der Gerechten, losgelöst von der Gerechtigkeit Gottes, als Erfüllung der Gesetzesforderungen immer mehr in den Blick.

In der LXX ist durchweg δικαιοσύνη die Übersetzung des hebräischen צדקה. Da im griechischen Wort jedoch die juristische Komponente der Gerechtigkeit stärker eingefangen wird, kann auch, besonders um die Gnadenhaftigkeit der atl. Gerechtigkeit wiederzugeben, ἔλεος und ἐλεημοσύνη für צדקה/צדק stehen. So erscheint die δικαιοσύνη θεοῦ auf einer bestimmten Stufe des hellenistischen Judentums als die unparteiisch richtende Gerechtigkeit Gottes, die sogar zu seiner Barmherzigkeit und Gnade in Gegensatz tritt.

§ 3. „Gerechtigkeit Gottes" in der Theologie des Spätjudentums

Ob Paulus die Wendung δικαιοσύνη θεοῦ, wie Oepke[39] behauptet, als Formel, d. h. aber als eine geprägte und durch vielfachen Gebrauch abgeschliffene Wortverbindung vorgefunden hat, muß sich vor allem anhand der spätjüdischen Literatur erweisen. Zur Stützung

[39] Vgl. S. 10.

seiner These zitiert Oepke TestDan 6, 10: Ἀπόστητε οὖν ἀπὸ πάσης ἀδικίας καὶ κολλήθητε τῇ δικαισύνῃ τοῦ θεοῦ[40]. Käsemann[41] fügt eine weitere Stelle aus der qumranischen Sektenregel hinzu: 1 QS 11, 12. Diese Belege lassen sich noch um zwei weitere aus der Qumranliteratur vermehren: 1 QS 10, 25 und 1 QM 4, 6. Wenn dieser Befund nun tatsächlich der Rest eines weitverbreiteten Sprachgebrauchs ist, wie Oepke meint, so scheint die Bedeutung dieser Formel doch nicht so eindeutig zu sein, daß man von ihrem Gebrauch im Spätjudentum her auch den theologischen Sinn derselben Formel bei Paulus ableiten könnte.
Es ist also die Verwendung und Bedeutung von „Gerechtigkeit Gottes" in der spätjüdischen Literatur, speziell in den Schriften, in denen diese Wendung vorkommt, den Testamenten der XII Patriarchen und den Qumranschriften, zu entwickeln. Im Anschluß daran soll untersucht werden, ob und wieweit die Verwendung des Begriffs „Gerechtigkeit Gottes" auf eine spätjüdische „Rechtfertigungslehre" hinweist, an die Paulus hätte anknüpfen können.

1. Untersuchung des Sprachgebrauchs

a) Testament Dan 6, 10

In TestDan 6, 10 steht das Wort von der δικαιοσύνη τοῦ θεοῦ in einem paränetischen Zusammenhang[42]. Dieser Vers bildet den Schluß einer Rede, in denen Dan seinen Söhnen einschärft, von jeder Ungerechtigkeit Abstand zu nehmen und der Gerechtigkeit Gottes anzuhangen. Das Verständnis des Begriffs „Gerechtigkeit Gottes" hängt davon ab, was der Gegensatz von ἀδικία und δικαιοσύνη bedeutet und welche Beziehung der Imperativ κολλήθητε ausdrücken will.

Der Gegensatz ἀδικία – δικαιοσύνη θεοῦ entspricht dem durchgehenden Dualismus der apokalyptischen Schriften. Der Geist der Wahrheit – der Geist des Truges (Beliar), Gerechte und Erwählte – Sünder und Verlorene, Treue zum Gesetz – Verlassen der Wege Gottes, zukünftiger guter Äon – gegenwärtiger böser Äon[43]. Die Ungerechtigkeit der Menschen besteht in ihrer Verblendung[44].

[40] Nach R. H. Charles, The Greek Versions of the Testaments of the Twelve Patriarchs, 1908, 142.

[41] Vgl. S. 11.

[42] Zur Gattungs- und Traditionsgeschichte der Test XII vgl. H. Aschermann, Die paränetischen Formen der Testamente der zwölf Patriarchen. Theol. Dissertation, Berlin (Humboldt-Universität) 1955, und K. Baltzer, Das Bundesformular (WissMonANT 4), ²1964, 146–167.

[43] Den anthropologisch-kosmologischen Dualismus teilen die Test XII mit der gesamten Apokalyptik (einschl. Qumran). Der stark ausgeprägte ethische Dualismus der Test XII findet seine Erklärung durch den Einfluß der sapientiellen Lehre von den zwei Wegen. Vgl. z. B. TestAs 1, 3–5.

[44] Siehe TestLev 2, 3: καὶ ἐθεώρουν πάντας ἀνθρώπους ἀφανίσαντας τὴν ὁδὸν αὐτῶν ... Vgl. 2 Kor 4, 4: οἷς ὁ θεὸς τοῦ αἰῶνος ἐτύφλωσεν τὰ νοήματα ...

Ihre rechte Haltung entscheidet sich am Gesetz. Deswegen läuft die tiefste Intention aller Mahnungen der Test XII auf die eine hinaus: „Bewahret die Gebote des Herrn! Befolget sein Gesetz! ... Dann wohnt bei euch der Herr, und Beliar flieht von euch“ (TestDan 5, 1[45]; vgl. TestJud 26, 1; TestIss 5, 1; TestZab 5, 1; 10, 2; TestAs 6, 1–3; TestBenj 3, 1; 10, 3. 5 u. a.). An all diesen Stellen wird die Gerechtigkeit der Gerechten als das „Bewahren“ (φυλάσσειν) des Gesetzes beschrieben. Dem entspricht die Warnung vor der Ungerechtigkeit (TestDan 6, 10). Ihr Wesen besteht im Abfall vom Gesetz und in der verblendeten Beharrlichkeit, mit der die Abgefallenen bei aller aus dem Abfall folgenden Schlechtigkeit verbleiben (vgl. TestLev 16, 1–5; TestDan 5, 4–5)[46]. Nicht die Erfüllung der Gebote als solche entscheidet über Gerechtigkeit und Ungerechtigkeit der Menschen, sondern die grundsätzliche Bejahung oder Leugnung des Gesetzes[47].

Dieser Zusammenhang läßt ein besonderes Interesse der Testamente der XII Patriarchen an der Gerechtigkeit der „Gerechten“ erkennen, das im AT schon für die Entwicklung des nachexilischen Judentums nachgewiesen wurde[48]. Daher ließe sich auch die Gegenüberstellung von ἀδικία und δικαιοσύνη τοῦ θεοῦ in TestDan 6, 10 im anthropologischen Sinne verstehen. Als Gegensatz zur Ungerechtigkeit und der sündigen Verderbtheit dieses „bösen Äons“[49], vor der sich die Gerechten zu bewahren haben, würde die Wendung „Gerechtigkeit Gottes“ die Gerechtigkeit der Gerechten bezeichnen, insofern diese ihren Grund nicht in deren ethischem Verhalten hat, sondern in Gottes Erwählung[50]. Die Gerechten sind dieser Welt der Ungerechtigkeit entzogen, da sie auf Grund göttlicher Erwählung jetzt schon[51] zur künftigen Welt des Heiles gehören, „darinnen die Verderbnis vorüber ist, die Zuchtlosigkeit ausgetrieben, der Unglaube vertilgt, die Gerechtigkeit aber erwachsen und die Wahrheit ersprossen“ (4 Esr 7, 113f).

Die Wendung „Gerechtigkeit Gottes“, deren atl. Inhaltlichkeit dem Schriftsteller offenkundig nicht mehr bewußt ist, erhält hier ihre

[45] Die negativ gefaßten Glieder dieses Verses: „Laßt ab vom Zorn! Hasset die Lüge!“ stellen nur eine paradigmatische Füllung der Forderung der Gesetzesbeobachtung dar (vgl. auch 2, 1).

[46] Dennoch wird die Mahnung zur Umkehr an die gegenwärtige Generation gerichtet, da Hoffnung auf Rettung in den letzten Tagen durch Erneuerung der Gesetzestreue besteht (vgl. z. B. TestDan 6, 4–6).

[47] Darin stimmen die Aussagen der Test XII mit den Äußerungen anderer apokalyptischer Schriften (auch der von Qumran) überein. Vgl. dazu D. Rössler, Gesetz und Geschichte. Untersuchungen zur Theologie der jüdischen Apokalytik und der pharisäischen Orthodoxie (WissMonANT 3), ²1962, bes. 77–88.

[48] Vgl. S. 22.

[49] SyrBar 40, 3; 44, 9; 4 Esr 7, 11f. Vgl. Gal 1, 4; 1 Jo 5, 19.

[50] Vgl. äthHen 40, 5. Im äthiopischen Henochbuch erscheinen „Gerechte“ und „Erwählte“ synonym: 1, 1; 38, 3f; 39, 6f u. a.

[51] Vgl. 4 Esr 7, 60.

Bedeutung von dem Gegensatz, in dem die Ungerechtigkeit der Gottlosen und die Gerechtigkeit der „Gerechten" zueinander stehen[52]. Doch geht sie keineswegs in der Beschreibung dieses Gegensatzes auf. Zwar ist die Gerechtigkeit Gottes jetzt nicht mehr wie in der atl. Traditon als der tragende Grund des Gemeinschaftslebens innerhalb der durch den Bund strukturierten Welt gedacht. Sie ist jetzt vielmehr zum Grund der Unterscheidung von dieser Welt geworden, die damit zur „Welt der Ungerechtigkeit"[53] wird. Trotz dieser andersartigen Verwendung bleibt aber die Bedeutung von „Gerechtigkeit Gottes" als b e s t i m m e n d e M a c h t G o t t e s, nämlich im Leben der „Gerechten", erhalten. Zwischen der Erwählung durch Gott und der Entscheidung der „Erwählten" besteht ein Entsprechungsverhältnis. Die Aufforderung zur Entscheidung für die „Gerechtigkeit Gottes" setzt die Freiheit der Wahl voraus[54], wodurch die Starrheit des Prädestinationsgedankens gebrochen wird.
Dieses Verständnis von Gerechtigkeit Gottes" in TestDan 6, 10 wird durch die Verwendung des Verbs κολλᾶσθαι[55] bestätigt. Κολλήθητε ist nicht auf die Gerechtigkeit als Haltung der „Gerechten" bezogen, sondern auf Gott als den Ursprung und die bestimmende Macht ihres gerechten Lebens. Der Mensch vermag Gott anzuhangen oder aber Beliar (TestIss 6, 1: κολληθήσονται τῷ Βελιάρ)[56]. Ein Drittes gibt es nicht.

Die Gerechtigkeit der Gerechten besteht auf Grund der Erwählung Gottes, aber zugleich auch als A u f g a b e der Gerechten. Diese erfüllen sie dadurch, daß sie in der Bosheit dieses Äons die Treue zum Gesetz des Allerhöchsten be-

[52] Derselbe Gegensatz wird auch in 2 Kor 6, 14 – 7, 1 dargestellt: Die Christen werden in diesem Abschnitt ermahnt, nicht mit den Ungläubigen am „fremden Joch" zu ziehen, und zwar mit dem begründenden Hinweis auf die Unvereinbarkeit von δικαιοσύνη und ἀνομία, Licht und Finsternis (V. 14), Christus und Beliar (!), πιστός und ἄπιστος (V. 15), von Tempel Gottes und den Götzen (V. 16). Der hier sich zeigende Gegensatz von Christen und Heiden und erst recht die Aufforderung von V. 17 (nach LXX Is 52, 11): Ziehet aus ihrer Mitte fort und sondert euch ab, wirken in einem paulinischen Text befremdend. J. Gnilka, 2 Kor 6, 14 – 7, 1 im Lichte der Qumranschriften und der Zwölf-Patriarchen-Testamente, in: Ntl. Aufsätze (Festschrift für J. Schmid), 1963, 86–99, hat nachgewiesen, daß dieser gesamte Abschnitt terminologische und gedankliche Verwandtschaft mit den Qumranschriften und den Test XII verrät.

[53] ÄthHen 48, 7.

[54] Z. B. TestLev 19, 1 „Wählet zwischen Finsternis und Licht, entweder das Gesetz des Herrn oder die Werke Beliars!"

[55] Κολλᾶσθαι mit dem Dativ („soziativer Dativ", F. Blaß – A. Debrunner, Grammatik des ntl. Griechisch, [11]1961, § 193, 3) drückt die enge Verbindung mit einer Sache oder häufiger mit einer Person aus. Vgl. besonders den Gebrauch dieses Verbums für die geschlechtliche Verbindung: Mt 19, 5 (= Gen 2, 24); 1 Kor 6, 16f.

[56] Vgl. auch TestGad 5, 2 (κολλήθητε τῇ ἀγάπῃ τοῦ θεοῦ); TestAs 3, 1; TestBenj 8, 1; 1 QS 1, 4f.

wahren[57]. Die Treue zum Gesetz ist die überprüfbare Gestalt der Gerechtigkeit der Gerechten. Das Endgericht wird ihre Gerechtigkeit, die in dieser Welt der Ungerechtigkeit verborgen bleibt, erweisen (TestAs 6, 4). Ihr Durchhalten in dieser Welt wird so zum moralischen Grund für ihr Eingehen in „die Himmel“ (TestLev 13, 5). Die Enthüllung ihrer jetzt schon verborgen vorhandenen Gerechtigkeit ist die Heilstat Gottes bei seiner Parusie bzw. bei dem Erscheinen des Messias: TestJud 22, 2 (ἕως τῆς παρουσίας θεοῦ τῆς δικαιοσύνης)[58]. Dann werden die „Geheimnisse der Gerechtigkeit“ (äthHen 38, 3)[59] offenbar, „und Ungerechtigkeit wird wie ein Schatten vergehen und keine Dauer haben“ (49, 2).

Auch die eschatologischen Gaben haben nicht den Sinn, die Gerechten für ihre Mühen zu belohnen, sondern das verborgene Sein der Gerechten offenbar zu machen. So ist der „Kranz der Gerechtigkeit“ (TestLev 8, 1 στέφανος τῆς δικαιοσύνης) nicht, wie in 2 Tim 2, 8[60], der Kranz für die Gerechtigkeit (Gen. obj.), sondern wie in Jak 1, 12; Apk 2, 10 (στέφανος τῆς ζωῆς) bezeichnet der Genitiv epexegetisch das Heilsgut, das dem Menschen am Ende zuteil wird[61].

b) Die Qumrantexte

In der Qumranliteratur gilt es, außer der Wendung צדקת אל (1 QS 10, 25; 11, 12) auch die Pluralbildung צדקות אל (1 QS 1, 21; 10, 23) und zudem den vielfachen Gebrauch von צדקתכה – vor allem in den Hodajoth – und von צדקתו bzw. צדקותו (z. B. 1 QS 11, 3. 5. 14) zu berücksichtigen. Die Aussagen über das Wirken der Gerechtigkeit Gottes konzentrieren sich auf eine bestimmte Schicht der Qumranschriften, nämlich die Hodajoth und den Schlußhymnus der „Sektenregel“[62]. Eine Sonderstellung kommt dem Begriff צדק אל in 1 QM

[57] Z. B. TestGad 3, 1: καὶ νῦν ἀκούσατε λόγον ἀληθείας τοῦ ποιεῖν δικαιοσύνην καὶ πάντα νόμον ὑψίστου. Vgl. auch TestBenj 10, 3 (Version A); TestLev 13, 5.

[58] Vgl. TestZab 9, 8: καὶ μετὰ ταῦτα ἀνατελεῖ ὑμῖν αὐτὸς ὁ Κύριος, φῶς δικαιοσύνης; TestJud 24, 1: καὶ μετὰ ταῦτα ἀνατελεῖ ὑμῖν ἄστρον . . . , καὶ ἀναστήσεται ἄνθρωπος ὡς ἥλιος δικαιοσύνης; 24, 6: καὶ ἐξ αὐτῆς βλαστήσει ῥάβδος δικαιοσύνης. Vgl. 4 Qpatr 3f: „Bis daß der Gesalbte der Gerechtigkeit kommt, der Sproß Davids, denn ihm und seinem Samen ward der Bund der Königsherrschaft über sein Volk gegeben für ewige Geschlechter“.

[59] Zum Begriff des Geheimnisses in Qumran vgl. F. Nötscher, Zur theologischen Terminologie der Qumran-Texte (Bonner Bibl. Beitr. 10), 1956, 71–77. Zur Deutung der „Geheimnisse“ als „verborgener, jenseitiger Wirklichkeitsgrund der Dinge“ siehe G. Bornkamm: ThWNT IV 821. Vgl. auch B. Rigaux, Révélation des mystères et perfection à Qumran et dans le NT, in: NTSt 4 (1958) 237–262.

[60] Gegen Grundmann: ThWNT VII 628f. – Anders ist der Sinn derselben Wendung in epAr 280: Die Gerechtigkeit ist als ἀρετή die Krone des Königs.

[61] Vgl. auch TestBenj 4, 1 (στέφανοι δόξης); 1 Petr 5, 4. Hier bezeichnet δόξα ebenfalls das Offenbarwerden, den äußeren Glanz dessen, was bisher verborgen war.

[62] Vgl. S. Schulz: ZThK 56 (1959) 167f; W. Grundmann: RevQum 2 (1960) 244f, und J. Becker, Das Heil Gottes, 120; 126; 149f. Obwohl Becker darin recht zu geben ist, daß die Verwendung der Begriffe in den einzelnen Qumranschriften und -schichten voneinander abweicht, liegt doch eine gewisse Einheitlichkeit in der Struktur der Aussagen vor, die vor allen Dingen in einer wesent-

4, 6 zu[63]. Die Formulierung צדקת יהוה, die im AT (Dt 33, 21) begegnet, kommt nicht vor, wie überhaupt in den Qumranschriften der Gottesname יהוה vermieden wird.

Auszugehen ist von den beiden Hauptstellen in der „Sektenregel", *1 QS 10, 25* und *11, 12*. Da der Text in 11, 12 eindeutiger ist als in 10, 25, beginnen wir mit der Interpretation von 11, 12.

„Ich aber, wenn ich wanke, Gottes Gnadenerweise sind meine Hilfe für immer. Wenn ich strauchele durch die Bosheit des Fleisches, steht mein Recht in der Gerechtigkeit Gottes in Ewigkeit"[64].

Deutlich stehen beide Sätze zueinander in einem Parallelismus membrorum. „Gerechtigkeit Gottes" entspricht „Gottes Gnadenerweisen", „mein Recht" steht parallel zu „meine Hilfe" im ersten Satz. Diese Parallelität macht den Gnadencharakter des Begriffs „Gerechtigkeit Gottes" deutlich, wie er auch im AT schon vorgefunden wurde. Die Gerechtigkeit Gottes ist seine Hilfe für den Bedürftigen. Der Qumran-Fromme empfindet die Welt als Gegensatz zu Gott, da sie ihm keinen Halt bietet. Er setzt sein ganzes Vertrauen auf Gott, in dessen Gerechtigkeit er sein „Recht" (משפטי), das bedeutet dem Zusammenhang nach: seinen festen Stand sucht.

Aus dieser Stelle ergibt sich zunächst die Feststellung, daß zwischen „Gerechtigkeit Gottes" und „mein Recht" eine Spannung besteht. Beide Begriffe werden nicht einfach miteinander identifiziert. Vielmehr erscheint „Gerechtigkeit Gottes" als der Grund und die bewirkende Ursache des Zustandes, den der Qumran-Fromme im Gebet sucht und zu finden hofft. Grund seiner Hoffnung ist das Heilshandeln Gottes, das hier einmal als „Gnadenerweise", das andere Mal als „Gottes Gerechtigkeit" bezeichnet wird. צדקת יהוה ist also im Sinne eines Gen. subj. zu interpretieren: Gottes Handeln an der Gemeinde von Qumran wird hiermit bezeichnet.

Die weitere Frage, wie der Beter von Qumran die „Gerechtigkeit Gottes" erfährt, sei nach Behandlung der Stelle 1 QS 10, 25 zu beantworten gesucht.

lichen Übereinstimmung mit den Vorstellungen der sonstigen apokalyptischen Literatur des Judentums begründet ist. Weitgehende Übereinstimmungen bezüglich der Grundkonzeption trotz verschiedener Einzelaspekte gibt auch Becker zu, so S. 126 zu 1 QS 3, 13ff; 1 QS 10f und den Gemeindepsalmen in 1 QH. Andrerseits hat es gegensätzliche Äußerungen zur gleichen Zeit und in den gleichen Schichten gegeben. Vgl. J. Becker, a. a. O. 189.

[63] צדק אל für „Gerechtigkeit Gottes" kommt in der Qumranliteratur nur an dieser Stelle der sog. Kriegsrolle vor. Diese Schrift ist nach dem Urteil von L. Rost, Zum „Buch der Kriege der Söhne des Lichts gegen die Söhne der Finsternis", in: ThLZ 80 (1955) 206–208, hier 206, älter als die übrigen uns bekannten Schriften von Qumran.

[64] Die Übersetzungen der Qumrantexte werden nach J. Maier, Die Texte vom Toten Meer. I, 1960, wiedergegeben. Zur Kontrolle wurde E. Lohse, Die Texte aus Qumran. Hebräisch und deutsch, 1964, hinzugezogen.

„Im Rate der Einsicht will ich Erkenntnis verkünden[65] (24b), und mit weiser Klugheit will ich (sie) verwahren, ein fester Bereich, um Treue zu wahren und starkes Recht gemäß der Gerechtigkeit Gottes ... (25)."

Der letzte Teil dieser Zeile ist zerstört, ebenso ein beträchtlicher Teil der nächsten Zeile, so daß wir bezüglich der Zuordnung von „Gerechtigkeit Gottes" zum Kontext keine Sicherheit haben können. Dem Vorschlag von J. Maier[66] und E. Lohse[67] zufolge ist „Gerechtigkeit Gottes" zum Vorhergehenden zu ziehen. צדקת אל bezieht sich demnach auf אמנים und משפט עוז. „Treue" und „Recht" erscheinen auch im AT im Zusammenhang mit צדק(ה). Hier stehen sie jedoch nicht als interpretierende Parallelbegriffe zu צדקה, sondern als Ausdruck dessen, was der Qumran-Angehörige als Verpflichtung empfindet: Treue zu wahren und Recht, das gerade deswegen als „stark" bezeichnet würde, weil es in der Gerechtigkeit Gottes seinen Grund hat.

Daß צדקת אל auch hier Gottes Walten zum Heil der Gemeinde von Qumran bedeutet, läßt sich aus der Erwähnung der צדקות אל in Zeile 23 erschließen. Die „gerechten Taten Gottes", die Inhalt des erzählenden Lobpreises in Qumran sind, sind seine Heilstaten zugunsten seines Volkes. Während der Plural צדקות an die geschichtlich erfahrenen Einzeltaten denken läßt, legt der Singular צדקת אל nahe, die erfahrenen Heilstaten in abstrahierender Weise auf ihren Grund in Gott zurückzuführen[68]. Nun hat P. Stuhlmacher[69] im Anschluß an Wernberg-Møller vorgeschlagen, am Ende der Zeile 25 die Lakune durch א[חלק]ה zu ergänzen. Sodann sei לצדקת אל in V. 25 aus rhythmischen Gründen (Parallelismus membrorum) als Beginn einer neuen Zeile zu lesen und zu dem Folgenden zu ziehen, so daß sich jetzt folgende Übersetzung ergäbe: „Wie es der צדקת אל entspricht, will ich das Gesetz mit der Meßschnur der Zeiten einteilen, um Treue und verläßliches Recht zu üben"[70]. Gottes Gerechtigkeit erscheine so nicht nur als seine Bundestreue, sondern als die in der Gezeitenordnung sich ausweisende Treue des Schöpfers zu seinem Jahad, der dann so etwas wie Gottes neue Schöpfung darstellt[71]. Damit wird diese Stelle zu einem willkommenen Beleg für Stuhlmachers These, daß „Gerechtigkeit Gottes" sein Schöpferhandeln an seiner Welt sei[72].

Beiden Stellen liegt die gleiche Vorstellung zugrunde: Die Gerechtigkeit Gottes ist sein Heilshandeln zugunsten seiner Gemeinde. Die

65 Oder „verbergen", so J. Maier, a. a. O. 43.

66 Texte I, 43.

67 Die Texte aus Qumran, 39.

68 Vgl. P. Stuhlmacher, Gerechtigkeit Gottes, 158.

69 Gerechtigkeit Gottes, 156–159.

70 Die Lücke in V. 26 ergänzt Stuhlmacher, wie oben ausgeführt, „im Anschluß an viele Interpreten".

71 A. a. O. 158.

72 Vgl. hierzu den Nachtrag S. 307–309.

Qumranmitglieder erfahren sie als die entscheidende Tat Gottes, durch die sie in den „Bund“ eingesetzt worden sind und in ihm erhalten werden. „In Deiner Gerechtigkeit hast Du mich hingestellt für Deinen Bund“ (1 QH 7, 19). Der Bundesgedanke und der damit verbundene Dualismus bestimmen weitgehend das Sprechen von der Gerechtigkeit Gottes in Qumran.

Dem Bund Gottes oder dem „Bund der Gnade“ (1 QS 1, 8) steht gegenüber die „Gemeinde des Truges“ oder die „Gemeinschaft der Finsterlinge“ als Verkörperung der Sünde unter der Herrschaft Belials[73]. Das Bild, das Qumran von den Menschen im Herrschaftsbereich Belials entwirft, ist denkbar pessimistisch[74]. Auf der finsteren Folie ihrer Ungerechtigkeit erscheint um so leuchtender die Gerechtigkeit als eine Sache Gottes: „Ich erkannte, daß nicht beim Menschen die Gerechtigkeit ist und nicht beim Menschenkind vollkommener Wandel, bei dem höchsten Gott sind alle gerechten Werke, aber der Wandel des Menschen ist unstet ...“ (1 QH 4, 30f). Was der Mensch in Qumran ist, das ist er durch die Gerechtigkeit Gottes (1 QH 7, 19). Die Gerechtigkeit Gottes ist also sein Heilshandeln, das in Qumran als Erwählung und Einsetzung der Menschen in den „Bund“ konkret erfahren wird[75].

Schon jetzt nehmen die Erwählten der Gemeinde von Qumran teil an der Gerechtigkeit Gottes. Noch bestehen Unrecht und Frevel, unter denen die Söhne des Lichtes jetzt leiden müssen (1 QS 3, 24). Am Ende aber wird mit der Offenbarung der Gerechtigkeit Gottes alle Ungerechtigkeit vernichtet. „Denn Du bist gerecht und Deine Erwählten sind alle wahrhaftig. Alle Ungerechtigkeit und Frevel wirst Du vertilgen für immer, und Deine Gerechtigkeit wird offenbar vor allen Deinen Werken“ (1 QH 14, 15–16)[76]. Das Recht der Gerechten von Qumran ist Werk Gottes (1 QH 13, 17), aber es hat

[73] Zum Dualismus in Qumran vgl. besonders H. W. Huppenbauer, Der Mensch zwischen zwei Welten (AThANT 34), 1959. Der Prädestinationsgedanke tritt vor allem in 1 QS 3, 17–18 deutlich hervor. Vgl. J. Becker, Das Heil Gottes, 43.

[74] Siehe 1 QS 3, 21; 4, 9–11.

[75] Vgl. auch 1 QS 4, 22f. – J. Becker, a. a. O. 153, spricht von der צדקה als einer „Heilssphäre“, die das Qumran-Mitglied inmitten seiner „Sündenverfallenheit“ bestimme. Von einem „Gerecht-Sein“ des Menschen auf Grund von Gottes Urteil werde jedoch nur in einem „prädestinatianischen“ Sinne gesprochen.

[76] Zur eschatologischen Wirksamkeit der צדקה in Qumran vgl. auch CD 20, 19–21: „Ein Buch des Gedenkens wird geschrieben für die Gottesfürchtigen und für diejenigen, die Seines Namens achten, bis daß Heil und Gerechtigkeit für die [Gottes-]fürchtigen offenbar wird. Ihr werdet wieder den Unterschied [sehen] zwischen dem Gerechten und dem Frevler ...“. Zum sonstigen Sprachgebrauch von צדקה in der Damaskusschrift vgl. jedoch J. Becker, a. a. O. 187–189.

sich in dieser Zeit des großen Abfalls zu bewähren als unbedingter Gehorsam gegenüber dem Gesetz (1 QH 14, 20; vgl. 1 QS 5, 8. 20–22)[77]. Der Gesetzeseifer des Qumranfrommen hat aber nicht nur die persönliche Vollkommenheit zum Ziel, er richtet sich vielmehr polemisch „gegen alle Übeltäter und Männer des Trugs“ (1 QH 14, 14), die das Wort Gottes, das Gesetz, geändert haben[78].

Soweit stimmen die Aussagen der Qumranfrommen mit denen der Gerechten der Test XII überein. In beiden Schriftgruppen ist die Gerechtigkeit Gottes die dem Menschen dargebotene Möglichkeit seiner eigenen Gerechtigkeit. Der entscheidende Ansatz ist in beiden Fällen der Gedanke der Erwählung. Die Gerechtigkeit Gottes ist die eschatologisch wirksame Kraft Gottes. Jetzt schon sind die „Gerechten“ durch sie qualifiziert. Sie wird so zum Unterscheidungsgrund der Gerechten von den Frevlern.

Eine weitere Komponente wird im Begriff der Gerechtigkeit Gottes in den Qumrantexten an den Stellen sichtbar, wo von den Fehlern und Sünden der Frommen, Heiligen und Gerechten gesprochen wird. Auch die „Söhne der Gerechtigkeit“ (1 QS 3, 20. 22) stehen unter dem Einfluß des „Engels der Finsternis“, so daß sie „Verirrungen“, „Sünden“, „Vergehen“, „Verschuldung“, „treulose Taten“ aufzuweisen haben. Doch sie bewahren das Vertrauen, daß ihre Frevel durch die Gerechtigkeit Gottes getilgt werden (1 QS 11, 3. 12). Mit all der peinlich genauen Gesetzesbeobachtung erreicht der Qumranfromme nur einen relativ vollkommenen Lebenswandel (1 QS 14, 16). Seiner Gesetzestreue kommt sühnende Kraft für die „Verschuldung des Abfalls“ (1 QS 9, 4) zu. Aber seine Gerechtigkeit wird dadurch nicht begründet. „Zu Gott will ich sagen: ‚Meine Gerechtigkeit‘ “ (1 QS 10, 11). Gerade im Schlußhymnus der Sektenregel wird deutlich, daß die Gerechtigkeit Gottes als Gnade und Reinigung von Verschuldung gedacht wird: „Durch Seine Gnade kommt mein Recht, in Seiner wahren Gerechtigkeit richtet Er mich. In der Fülle Seiner Güte entsühnt Er alle meine Vergehen, und durch Seine Gerechtigkeit reinigt Er mich von menschlicher Unreinheit und der Sünde der Menschen“ (1 QS 11, 13–15).

[77] Vor allem die Sektenregel läßt deutlich erkennen, daß der Eintritt in den Bund der Erwählten eine strenge Bindung an das Gesetz intendiert: 1 QS 6, 6f: „Nicht fehle an einem Ort, wo sich zehn befinden, ein Mann, der im Gesetz studiert, (und zwar) Tag und Nacht, ständig einer den anderen (abwechselnd)“.

[78] Hier zeigt sich, was mit der „Welt der Ungerechtigkeit“ gemeint ist: nicht die sittliche Verkommenheit des sündigen Menschengeschlechts, sondern die Verfälschung des Gesetzes, wie die Gemeinschaft von Qumran sie den Priestern Jerusalems vorwarf, eine Verfälschung, die allerdings alle sittliche Bosheit der Menschen nach sich zieht. Vgl. auch 1 QH 4, 9–12. Es geht also um die gültige Gesetzesinterpretation. Vgl. J. Becker, a. a. O. 60–65.

Vor allem der Gebrauch der Pluralform (צדקות אל) deutet die Gerechtigkeit Gottes als eine Fülle ständig sich wiederholender und anhaltender Gnadenerweise, so in 1 QS 1, 21; 10, 23 [79]. Durch den Gebrauch des Plurals an diesen Stellen wird die Struktur von „Gerechtigkeit Gottes" in Qumran noch einmal von einer anderen Seite her deutlich: Gottes Gerechtigkeit wird in der in Qumran gegenwärtigen endzeitlichen Gemeinde erfahren in seinen „gerechten Taten", d. h. als seine Bundestreue zu seiner Gemeinde (vgl. 1, 18f), die gegenüber dem Abfall der Israeliten „unter der Herrschaft Belials" (1, 23f; vgl. 10, 23) als „Erbarmen" gekennzeichnet ist.
Der Begriff der Gerechtigkeit Gottes zeigt in Qumran also – trotz der verschiedenen grammatischen Konstruktionen – eine gewisse Formelhaftigkeit. Die Strukturelemente des atl. Begriffs der Gerechtigkeit Jahwes sind auch im qumranischen Begriff der Gerechtigkeit Gottes wirksam. Er ist im Sinne eines genitivus subiectivus, der sich einem genitivus auctoris nähert, zu erklären [80]. „Gerechtigkeit Gottes" ist sein Heilshandeln, auf Grund dessen die Qumran-Mitglieder sich zum „Bund" gehörig wissen und das ihre eigene relative Gerechtigkeit begründet.

Der Heilscharakter der Gerechtigkeit Gottes, der im Schlußhymnus der sog. Sektenregel und in den Hodajoth nachzuweisen ist, tritt bei der Verwendung von צדק אל in 1 QM 4, 6 nicht in derselben Weise hervor [81]. An dieser Stelle heißt es: „Wenn sie zum Kampf ziehen, sollen sie auf ihre Zeichen schreiben: ‚Wahrheit Gottes', ‚Gerechtigkeit Gottes', ‚Ehre Gottes', ‚Gericht Gottes' und dahinter die ganze ausführliche Anordnung ihrer Namen". Der Zusammenhang spricht von dem endzeitlichen Krieg, in dem die „Söhne des Lichtes" als Sachwalter Gottes zum Gericht über die „Söhne der Finsternis" ausziehen werden. „Gerechtigkeit Gottes" wird hier zur Kampflosung im eschatologischen Krieg. Die parallel stehenden Wendungen machen deutlich, daß צדק אל wie diese als Bezeichnung für die gute Sache Gottes zu verstehen ist. Die Sache Gottes wird sich im Kampf „gegen Belial und gegen alle Männer seines Loses" (4, 2) durchsetzen. Gottes Gerechtigkeit erweist sich hiermit als sein eschatologischer Sieg. Diese Verwendung von „Gerechtigkeit Gottes" zeigt eine gewisse Nähe zu der Bedeutung der „Gerechtigkeitserweise Jahwes" in altisraelitischer Zeit. Beiden Verwendungsweisen ist der „heilige Krieg" als „Sitz im Leben" gemeinsam.

2. *Die Grundzüge einer spätjüdischen „Rechtfertigungslehre"*

Die im vorigen Abschnitt erarbeiteten Ergebnisse sollen nun für eine Gesamtdarstellung der spätjüdischen Rechtfertigungstheologie ausgewertet werden. Gibt es eine spätjüdische Rechtfertigungslehre, der

[79] Vgl. auch 1 QH 17, 17.
[80] J. Becker, a. a. O. 120, faßt צדקת אל etwas zu einseitig als gen. auctoris.
[81] J. Becker, a. a. O. 83, betont auch für 1 QM 4, 6 die Heilsbedeutung von „Gerechtigkeit Gottes".

Paulus etwa seine Botschaft von der Gerechtigkeit Gottes entgegenstellt?
Zunächst muß festgestellt werden, daß das Spätjudentum an keiner Stelle seiner schriftlichen Äußerungen, soweit sie uns vorliegen, das System einer Rechtfertigungslehre entworfen hat[82]. Gelegentliche Aussagen in der apokalyptischen Literatur wie auch im Rabbinat über die Gerechtigkeit, die als Gabe Gottes erwartet oder die vom Menschen getan wird, lassen höchstens den Entwurf einer spätjüdischen Vorstellung von der „Rechtfertigung" erkennen. Es soll nun die spätjüdische Rechtfertigungsvorstellung, für die apokalyptische und rabbinische Literatur getrennt[83], in den Grundzügen nachgezeichnet werden.
Die apokalyptische Literatur kennt, wie oben gezeigt wurde, die Erwartung einer endzeitlichen, ewigen Gerechtigkeit als Heilgabe Gottes. Sie kommt ausschließlich den bewährten Gerechten zu.

„Ich sah ein anderes Gesicht: Die Wohnungen der Gerechten und die Ruhestätten der Heiligen. Hier sah ich mit eigenen Augen ihre Wohnungen bei Seinen gerechten Engeln ... Gerechtigkeit floß vor ihnen wie Wasser und Barmherzigkeit wie Tau auf Erden; so ist es bei ihnen für immer und ewig" (äthHen 39, 4–5; vgl. auch 39, 6–7; 48, 1; 58, 4).

[82] Allerdings scheint es nach der These von S. Schulz: ZThK 56 (1959) 171, möglich, aus dem literarischen Befund über die Nichtigkeit und Sündhaftigkeit der Menschen und die Gnade Gottes auf eine dogmatische „Rechtfertigungs-Didache" in Qumran zurückzuschließen. Es läßt sich jedoch von einer „Rechtfertigungslehre" auch hier nur in einer Rückschau von Paulus her sprechen. Sachlich ist es berechtigt und möglich, einzelne Elemente einer Gnaden- und Rechtfertigungstradition zu erkennen, wenn auch die spätere Abstraktion „Rechtfertigung" noch fehlt. Vgl. auch W. Grossouw, The Dead Sea Scrolls and the New Testament. A preliminary Survey, in: Studia Catholica 27 (1952) 1–8: „Although the term itself is not used one can rightly speak here of a ‚gratuitous justification' " (2).

[83] Zur Theologie der Apokalyptik in ihrem Gegensatz zur pharisäischen Orthodoxie vgl. D. Rößler, Gesetz und Geschichte, 110–112. Die Gruppierung der spätjüdischen Literatur in diese beiden Klassen könnte zu schematisch und ungenau aussehen. Tatsächlich sind auch im rabbinischen Schrifttum apokalyptische Motive enthalten, und umgekehrt teilen die Schriften mit stark apokalyptischer Ausrichtung, wie z. B. die von Qumran, die Strenge der Gesetzesbeobachtung mit dem Rabbinat, wobei allerdings zu bemerken ist, daß Qumran einen besonders geprägten Torarigorismus vertritt (vgl. H. Braun, Spätjüdisch-häretischer und frühchristlicher Radikalismus. I, 1957). Rößler faßt den Begriff der Apokalyptik im engsten Sinne, indem er nur die 3 Bücher: äthiop. Hennoch, IV Esra und syr. Baruch-Apokalypse als „repräsentativ für die apokalyptische Gattung" ansieht (a. a. O. 43). Für unsere Zwecke genügt es, die Verschiedenartigkeit der Rechtfertigungsauffassungen aus der grundverschiedenen theologischen Konzeption der apokalyptischen Bewegungen und des Rabbinates zu erklären. Dabei ist die Theologie von Qumran zwar recht eigen geprägt, muß aber aus dem Gesamtstrom der apokalyptischen Bewegung verstanden werden.

Das eschatologische Gut der Gerechtigkeit wird hier in Bildern („Brunnen der Gerechtigkeit") oder in bildhaften Vergleichen („wie Wasser") dargestellt. Diese Bilder lassen sich jedoch nicht aus dem apokalyptisch geprägten Zusammenhang, in dem sie stehen, lösen und nach ihrer sachlichen Seite hin zu einer Lehre von der Rechtfertigung weiterentwickeln. Es läßt sich vielmehr nur von der endzeitlichen Mitteilung einer Gabe sprechen, die „Gerechtigkeit" heißt. Daß diese von Gott geschenkte Gabe „Gerechtigkeit" heißt, ist nun allerdings nicht zufällig, sondern geht auf die atl. Tradition, vor allem auf Deuterojesaja und die Psalmen, zurück[84].

Zwei Motive bedingen die Radikalisierung des eschatologischen Aspektes des atl. Begriffs „Gerechtigkeit Gottes" in der Apokalyptik: die Vorstellung von den zwei Äonen und der Gedanke der Erwählung durch Gott. Vor diesem doppelten Hintergrund wird die eschatologische Dimension der göttlichen Heilsgabe deutlich und verständlich. Deshalb sollen beide Motive hier kurz dargestellt werden.

In der Vorstellung von den zwei Äonen stellt sich die den Apokalyptikern eigentümliche Geschichtsanschauung dar[85].

Die Geschichte der Welt verläuft in zwei großen Phasen, die durch das sichtbare Eingreifen Gottes beim Gericht über die Welt an „seinem Tag" (syrBar 49, 2; 4 Esr 13, 52) voneinander geschieden sind[86]. Die Zeitphase vor dem Tag des Gerichtes ist „dieser" Äon, עולם הזה, ὁ αἰὼν οὗτος (syrBar 15, 7f; 4 Esr 7, 113; 8, 1)[87]. Die mit dem Gericht anbrechende Zeit ist „jener", „zukünftiger", „ewiger", „neuer" Äon, עולם הבא, ὁ αἰὼν μέλλων (äthHen 71, 15;

[84] Vgl. oben S. 17–22. Vgl. auch J. Giblet, L'espérance de la justice messianique dans le Livre d'Hénoch, in: Collectanea Mechliniensia 32 (1947) 634–651.

[85] Vgl. W. Bousset – H. Greßmann, Die Religion des Judentums im späthellenistischen Zeitalter, 1926, 243–249; P. Volz, Die Eschatologie der jüdischen Gemeinde im ntl. Zeitalter, ²1934, 63–77; H. Strack – P. Billerbeck, Kommentar zum NT aus Talmud und Midrasch. IV, 1928, 799–976.

[86] Das Motiv des eschatologischen Gerichtes am „Tage Jahwes" liegt bereits in der atl. Prophetie vor (Joel 3, 4), dem „jene Zeit" (Joel 4, 18) als Zeit des ewigen Heils für Israel folgen wird. Vgl. auch die sog. Isaias-Apokalypse, Is 24–27.

[87] Die Einteilung dieses Äons in verschiedene Perioden oder „Reiche" (Dan 2; 7; äthHen 85–90) dient nicht der Darstellung einer bestimmten geschichtlichen Entwicklung, sondern sie drückt in der Vorstellung eines geläufigen, zeitgeschichtlichen Schemas die Hinfälligkeit der irdischen Reiche angesichts des bevorstehenden hereinbrechenden Gottesreiches aus. So werden auch in Dan 2, 35 die zeitlich aufeinanderfolgenden vier Großreiche bei dem Hereinbrechen des Gottesreiches zugleich gegenwärtig gedacht, so daß sie nun „mit einem Schlage ... zermalmt wurden". Der zusammenfassende Ausdruck der aufeinanderfolgenden Zeitabschnitte und Reiche ist „dieser Äon", wodurch der Eindruck einer einzigen geschlossenen Erscheinung entsteht. Vgl. M. Noth, Das Geschichtsverständnis der atl. Apokalyptik, 1954, 17 u. 19: Die Vision von den vier Weltreichen in Dan 2 will „im Grunde ... aussagen, daß die ganze Weltgeschichte immer das Kommen der Gottesherrschaft zu erwarten hat" (19).

syrBar 15, 7f; 44, 12. 15; 4 Esr 7, 113; 8, 1)[88]. Während der zukünftige Äon, der durch das Gericht Gottes ermöglicht und eingeführt wird, ganz von dem Heil der Herrschaft Gottes (Dan 7) bestimmt ist und sich dem Menschen als der Äon des wahren Lebens offenbaren wird (syrBar 51, 7f)[89], ist der gegenwärtige Äon schicksalhaft[90] von der Macht des Bösen bestimmt[91]. Die personifizierte Gestalt der Sünde, Beliar[92] oder der „Finsternisengel" (1 QS 3, 20f), sucht „die Söhne des Lichtes zu Fall zu bringen" (1 QS 3, 24; vgl. 1 QM 13, 11f). Die „Herrschaft seiner Anfeindung" (1 QS 3, 23), seine „Herrschaft über die Söhne des Unrechts" (1 QS 3, 18–21), qualifiziert diese Welt zur „Welt der Ungerechtigkeit" (äthHen 48, 7). Gott aber bleibt der Herr der Welt und der Geschichte (1 QS 3, 15–18). Er hat sich in dieser bösen Welt einen „Rest" (1 QM 13, 8)[93] bewahrt, eine Gemeinde der Treuen (1 QM 13, 3), die inmitten der Anfechtung durch die Macht des Bösen aushalten, indem sie auf die „Zeit des Heils für Gottes Volk" (1 QM 1, 5) vertrauen und sich jetzt schon der Macht Gottes zur Verfügung stellen (1 QM).

Man sieht, dem chronologischen Dualismus von Gegenwart und Zukunft entspricht (vor allem in Qumran) ein kosmologisch-anthropologischer von Böse und Gut, Gerechtigkeit und Ungerechtigkeit.
Die selbstverständliche Voraussetzung für ein solches Geschichts-, Welt- und Menschenverständnis ist, daß Gott der Schöpfer von Zeit, Welt und Mensch ist. Er hat einen Bund mit den „Vätern" geschlossen (1 QM 13, 7), den es trotz des Abfalls Israels durchzuhalten gilt (1 QM 13, 8). Während das auserwählte Volk in seiner großen Masse den Bund gebrochen hat, Beliar nachgelaufen ist und so das Gericht Gottes heraufbeschworen hat, hält Gott an seinem Bund fest und erweckt in dieser letzten Zeit vor dem baldigen Gericht eine Gemeinde, die als „heiliger Rest" (vgl. CD 1, 4; 3, 13) das Erbe des Alten Bundes bewahrt. Sie versteht sich als die Gemeinde des

[88] Zur Zeit- und Ewigkeitsvorstellung des AT und NT vgl. H. Sasse: ThWNT I 198–204.

[89] Vgl. Mk 10, 30.

[90] Die Menschen sind von vornherein entweder die, „die zum Geschlecht des Lichtes gehören", oder „die in Finsternis Geborenen" (äthHen 108, 11 u. 14), die „Kinder des Lichts" oder die „Kinder der Finsternis" (1 QM passim; 1 QS 3, 18f), was aber nicht einen absoluten Determinismus begründet, sondern die Möglichkeit der Bewährung und Entscheidung noch offenläßt. Vgl. S. Aalen, Die Begriffe „Licht" und „Finsternis" im AT, im Spätjudentum und im Rabbinismus, 1951, 170–75, 178–83; F. Nötscher, Zur theologischen Terminologie, 82–86.

[91] Vgl. 2 Kor 4, 4: ὁ θεὸς τοῦ αἰῶνος τούτου; Gal 1, 4: ἐκ τοῦ αἰῶνος τοῦ ἐνεστῶτος πονηροῦ; 1 Kor 2, 6: τῶν ἀρχόντων τοῦ αἰῶνος τούτου.

[92] Vgl. Jub 1, 20; Test XII durchgehend; 1 QS 1, 18. 24; 2, 5. 19; 10, 21; 1 QH passim; 1 QM passim; CD 4, 13. 15; 5, 18; 8, 2; 12, 2; 19, 14.

[93] Zur Entwicklung des Gedankens vom „heiligen Rest" vgl. W. E. Müller, Die Vorstellung vom Rest im AT. Dissertation, Leipzig 1939; G. v. Rad, Theologie II, 34f; 175f. Zum Restgedanken in der Qumran-Literatur vgl. J. Gnilka, Die Verstockung Israels, 1961, 155–161; J. Becker, Das Heil Gottes, 62–65.

„neuen“, d. h. des erneuerten Bundes[94], und als solche meint sie, trotz der Unterbrechung der geschichtlichen Kontinuität des Bundes, dank des endzeitlichen Eingreifens Gottes in der Nachfolge des Alten Bundes zu stehen. Gott bleibt auch in der Zeit des Abfalls und der Anfechtung durch die Macht des Bösen der Herr der Geschichte. Vom endzeitlichen Wirken Gottes, d. h. aber auch von der Gemeinde der Endzeit aus betrachtet, nicht als Summe der einzelnen historischen Ereignisse[95], ist die Geschichte eine Einheit, da Gott schon an ihrem Anfang seinen Plan auf die Gemeinde der Endzeit hin angelegt hat und ihn im Verlauf der Zeiten konsequent durchsetzt (1 QS 3, 16f)[96].

Hiermit ist auch schon das zweite Motiv angesprochen, das mit dem vorhergehenden zusammen den Hintergrund der Theologie des apokalyptischen Judentums bestimmt: die der Apokalyptik eigene Ausprägung des Erwählungsgedankens.

Während in der atl. Prophetie, wenigstens bei Deuterojesaja, der Erwählungsglaube mit „missionarischen“ Zügen verbunden war[97], wird er im Spätjudentum

94 Der „neue Bund“ ist der „Bund der Umkehr“ (CD 19, 16). Vom „Neuen“ Bund ist allerdings nur in der Damaskusschrift (6, 19; 8, 21; 19, 33; 20, 12) und im Habakuk-Pescher (2, 3) ausdrücklich gesprochen. Daß der Gedanke des erneuerten Bundes im gesamten Qumran-Schrifttum vorliegt, zeigen die Formulierungen von der „Erhaltung Deines Bundes“ (1 QM 13, 8; vgl. auch 14, 4; 18, 7f), der „Errichtung Seines Bundes für Israel auf ewig ... mit denen, die ... von ihnen übrigblieben“ (CD 3, 12, vgl. 3, 10f) und vom „Bundesschluß“ derer, „die in die Ordnung der Einung eintreten“ (1 QS 1, 16). Vgl. auch K. Baltzer, Das Bundesformular, 58, der nachweist, daß es sich in 1 QS 1, 18 – 2, 18 um die „Agende einer Bundeserneuerung“ handelt. „Kennzeichnend für eine Bundeserneuerung ist, daß in das einfache Bundesformular ein Sündenbekenntnis eingefügt wird“ (a. a. O. 173). Zum Gedanken des „Neuen Bundes“ im Spätjudentum vgl. auch A. Jaubert, La Notion d'Alliance dans le Judaisme aux Abords de l'Ère Chrétienne, 1963, 209–249, und R. Schreiber, Der neue Bund im Spätjudentum und Urchristentum. Dissertation, Tübingen 1954 (Maschinenschrift) 49–58; 154: „Der Terminus ‚Neuer Bund‘ erscheint in den Schriften der Sekte mit Artikel und wird als eschatologischer Anspruch von einer Gruppe vorgetragen, die sich selbst als eschatologische Größe versteht“ (vgl. a. a. O. 51).

95 Die Geschichtsbetrachtung der „Gemeinde“ der Endzeit hat kein Interesse an den einzelnen historischen Ereignissen, wohl aber an den Heilsereignissen der Urzeit. Hierzu gehört vor allem der Bundesschluß am Sinai, auch der Abrahamsbund. Die apokalyptisch orientierten Gruppen des Judentums sehen in ihrer Zeit die Wiederkehr der Heilsereignisse der Frühzeit, so auch des „Bundes“. So ist die Erneuerung des „Bundes“ für die „Gemeinde“ das sichtbare Zeichen der Endzeit. Man spricht hier vom Gesetz der „aktualisierten Eschatologie“. Vgl. R. Schreiber, a. a. O. 86; 154.

96 Vgl. D. Rößler, Gesetz und Geschichte, 68f: „Das Ziel des Planes und damit des ihn verwirklichenden göttlichen Handelns ist das Heil des erwählten Volkes“.

97 Vgl. Is 43, 10. 12; 44, 8: „Ihr seid meine Zeugen ...“ Freilich ist von einer missionarischen Aufgabe im eigentlichen aktiven Sinne nicht die Rede. Viel-

einseitig aus dem Gegensatz zu den nichterwählten Völkern und Gruppen bestimmt[98]. Besonders in der Gemeinde von Qumran entspricht dem Erwählungsbewußtsein als Gegensatz die Verwerfung der Frevler[99]. Die Frevler sind die „Gesetzesverächter" (CD 2, 6) und als solche die Nichterwählten (CD 2, 7f). Ihnen gegenüber erweisen sich die Gesetzestreuen als Erwählte (vgl. CD 6, 2–4)[100]. In der krassen Gegenüberstellung von Erwählten und Verworfenen tritt deutlich die dualistische Welt- und Lebensanschauung Qumrans zutage. Erwählungsglaube und kosmisch-dualistisches Denken durchdringen einander[101].

Mit der Erwählung ist das Schicksal des Menschen nahezu festgelegt (vgl. 1 QH 15, 15. 17; CD 2, 1)[102]. Doch wird auch in Qumran mit der Möglichkeit der Bekehrung gerechnet[103], so daß die Starrheit des Prädestinationsgedankens hier aufgelockert wird durch die Annahme des freien Willens des Menschen[104]. Die Erwählung durch Gott gibt dem Erwählten die Gewißheit, am Ende der Tage als Sieger über die Frevler hervorzugehen. Der „Tag des Herrn" ist der „Tag der Auserwählten" (äthHen 61, 5). Die Andringlichkeit der endzeitlichen Situation[105] fordert die Bewährung der Erwählten in den letzten Tagen. Die Leiden in diesem „Äon der Gottlosigkeit" (ApkAbr 29, 13) gereichen den Er-

mehr besteht das „Zeugnis" Israels darin, daß die Völker zu Israel kommen, um bei ihm von dem allein wahren Gott zu erfahren. Vgl. J. Begrich, Studien zu Deuterojesaja, 112f, und R. Davidson: Scott. Journ. of Theol. 16 (1963) 173–185.

98 Vgl. z. B. Jub 15, 30: „Denn den Ismael, seine Kinder und seine Brüder, sowie den Esau hat sich der Herr nicht näher kommen lassen, und er hat sie nicht erwählt, obgleich sie Kinder Abrahams sind und er sie kennt; dagegen erwählte er Israel, daß es ihm zum Volk sei". Vgl. auch syrBar 48, 20; PsSal 9, 9.

99 Auch im äthiop. Henochbuch wird das Erwählungsmotiv sehr massiv gebraucht. Vgl. z. B. 93, 1f. 10 (die Auserwählten sind Gesamtisrael); 37–71 (diejenigen, die „das gerechte Gesetz anerkennen", 60, 6). Zur Einengung des Begriffes der Erwählten auf die Gesetzesstrengen vgl. P. Volz, Eschatologie, 351f.

100 Schon in Is 65, 9. 15 begegnen die Erwählten im Sinne von Getreuen und im Gegensatz zu den Sündern.

101 Vgl. H. W. Huppenbauer, Der Mensch zwischen zwei Welten, 114.

102 Nach JosAnt 13, 172 glauben die Essener an die völlige Abhängigkeit von der εἱμαρμένη, während die Sadduzäer diese leugnen (JosAnt 13, 173 ἅπαντα δὲ ἐφ' ἡμῖν αὐτοῖς κεῖσθαι) und den Pharisäern eine synergistische Haltung nachgesagt wird. Vgl. G. Schrenk: ThWNT IV 183 Anm. 8. Zum Prädestinationsproblem in Qumran vgl. K. G. Kuhn, Die Sektenschrift und die iranische Religion, in: ZThK 49 (1952) 296–316; F. Nötscher, Schicksalsglaube in Qumran und Umwelt, in: BZ 3 (1959) 205–234 u. 4 (1960) 98–121; H. W. Huppenbauer, Der Mensch zwischen zwei Welten, 111f; J. Becker, Das Heil Gottes, 85–91.

103 Vgl. CD 2, 4f: „Langmut ist bei Ihm und der Vergebung Fülle, zu entsühnen alle, die umkehren von Sünde".

104 Nicht nur Gott erwählt seine Getreuen, sondern auch der einzelne wählt, wenn er in die „Gemeinschaft der Einung" eintreten will (vgl. 1 QS 6, 13f). Allerdings steht seine Entscheidung für den Eintritt in die Gemeinschaft ganz auf dem Grund der Erwählung durch Gott. Vgl. auch CD 1, 19; 2, 14–16.

105 Um der Auserwählten willen werden durch Gottes Barmherzigkeit die Tage der Endzeit verkürzt: 4 Esr 4, 26; syrBar 20, 1; 83, 1. Vgl. auch Mk 13, 20–23 par.

wählten zum Verdienst. Ihre Erwählung durch Gott und damit ihre eschatologische Qualifizierung als „Gerechte“, „Fromme“, „Heilige“ und „Erwählte“ [106] dispensieren sie ja nicht vom ethischen Verhalten, sondern begründen es. Ihr ethisches Verdienst besteht jedoch nicht in der summierbaren Erfüllung der Vorschriften, wie im Rabbinat, sondern in ihrer Treue zum Gesetz.

Vor dem soeben skizzierten Hintergrund wird deutlich, wie im Spätjudentum der atl. Begriff der „Gerechtigkeit Gottes“ in zweifacher Hinsicht verändert und zugleich eingeengt wird [107]. Die Gerechtigkeit Gottes ist eigentlich nicht mehr hier in der Welt als gegenwärtig wirksame Lebensmacht der Gerechten zu Hause, sondern sie erscheint mehr als jenseitige und zukünftige Wirklichkeit. Zugleich wird die geschichtlich erfahrbare Wirksamkeit der Gerechtigkeit Gottes auf den Kreis der Erwählten eingeengt und unter den Gegensatz zu den Frevlern und Verworfenen gestellt. Als von Gott „Erwählte“ und Mitglieder der „Gemeinde“ der Endzeit sind sie die „Gerechten“, und als solche „hassen“ und „verachten“ sie diese „Welt der Ungerechtigkeit“ (äthHen 48, 7) und „tun Gerechtigkeit“ (TestGad 3, 1; TestLev 13, 5; TestAs 1, 6). Als „Söhne der Gerechtigkeit“ (1 QS 3, 20. 22; vgl. 1 QM 13, 10) kämpfen die Frommen von Qumran im endzeitlichen „heiligen Krieg“ gegen „alle Hasser der Gerechtigkeit“ (1 QM 3, 6). Selbstverständlich sind in Qumran die „Hasser der Gerechtigkeit“ keine beliebigen Unbekannten. Mit diesem Namen wird die herrschende Priesterklasse gekennzeichnet, die wegen ihrer angeblichen Laxheit der verpflichtenden Tradition des Gesetzes gegenüber nach der Auffassung des Gründers von Qumran [108] nicht mehr im Bund vom Sinai steht. Ihr gegenüber wissen sich die Männer von Qumran als die neue Gemeinde, mit der Gott einen „neuen Bund“ [109] geschlossen hat. Nicht die persönliche Entscheidung zu einem entsagungsvollen Leben, nicht die eigene Gerechtigkeit und Heiligkeit prägte den Anfang der Gemeinschaft von Qumran, sondern das Bewußtsein, von Gott selbst dazu erwählt zu

106 In der apokalyptischen Literatur synonym gebraucht. Siehe besonders äth. Henoch.

107 F. Nötscher, Zur theologischen Terminologie, 183–185, betont unter dem Eindruck einzelner Stellen aus den Qumran-Schriften die Zusammengehörigkeit von Gnade und Gerechtigkeit Gottes. Jedoch muß auf dem Hintergrund der Welt- und Geschichtsanschauung der „Gemeinde“ von Qumran auch die Veränderung des Begriffs „Gerechtigkeit Gottes“ gegenüber dem Sprachgebrauch des AT gesehen werden.

108 Als Begründer der Gemeinschaft von Qumran gilt der „Lehrer der Gerechtigkeit“ (CD 1, 11; 20, 1. 28. 32 und 1 QpHab passim) oder der „Lehrer der Einung“ (CD 20, 14). Vgl. G. Jeremias, Der Lehrer der Gerechtigkeit (Studien zur Umwelt des NT, 2), 1963.

109 Vgl. S. 37 Anm. 94 u. 95.

sein, als Gemeinde das alarmierende Zeichen der angebrochenen Endzeit zu sein.
Aus dem Bisherigen war zu erkennen, daß die „Gerechtigkeit Gottes" ihre Wirksamkeit im Aufbau des endzeitlichen Gottesvolkes erweist. Es erhebt sich hierzu die Frage, ob die „Gerechtigkeit Gottes" auch am einzelnen Menschen rechtfertigend wirksam wird. Das Bild vom Menschen in der Apokalyptik ist nicht nur von der gegenwärtig geglaubten eschatologischen Gerechtigkeit Gottes bestimmt. Gerade was das sittliche Bewußtsein des Gerechten angeht, fällt auf, wie sehr er darum weiß, daß er sich vor Gott nicht auf „Werke der Gerechtigkeit" stützen kann, sondern daß er auf Gottes Gnade und Barmherzigkeit angewiesen ist [110].

Für das Bewußtsein von der persönlichen Gnadenbedürftigkeit des Gerechten sind besonders die Texte von Qumran kennzeichnend: „Ich sprach in meiner Sünde: ‚Ich bin verloren für Deinen Bund'. Aber als ich Deiner starken Hand gedachte mit der Fülle Deines Erbarmens, da richtete ich mich auf und erhob mich, und mein Geist hielt stand vor der Plage. Denn ich stütze mich auf Deine Gnade und die Fülle Deines Erbarmens, denn Du vergibst Sünde und reinigst den Menschen durch Deine Gerechtigkeit von der Verschuldung" (1 QH 4, 35–37)[111].

Hier ließe sich von „Rechtfertigung" sprechen, wenn man darunter die Vergebung der Sünden und die Reinigung des Menschen durch die Gerechtigkeit Gottes verstehen will. Allerdings ist das Wort „Rechtfertigung" selbst in den Qumrantexten nicht zu finden [112], wohl aber wird in 1 QH 13, 17 davon gesprochen, daß der Mensch „gerecht wird" (יצדיק) durch Gottes Güte [113].
Die Rechtfertigung des Sünders hat in Qumran nicht die Mitteilung einer göttlichen Gerechtigkeitsqualität zum Inhalt, sondern, wie 1 QH 4, 35–37 zeigt, die Aufrichtung des Menschen, der seine Sünde erkennt und nun die Gnade erfährt, zum Bund der Erwählten gezählt zu werden. Mit der Erwählung hört der Mensch nicht auf, Sünder

110 Vgl. 4 Esr 8, 31f: „Denn wir und unsere Väter lebten in des Todes Werken hin; Du aber heißt gerade, weil wir Sünder sind, barmherzig. Gerade, weil wir Werke der Gerechtigkeit nicht haben, heißt Du der Gnädige, wenn Du Erbarmen an uns zeigst". Vgl. 8, 36; PsSal 3, 5–7; Jub 1, 6.

111 Vgl. 1 QH 4, 30f; 7, 17–19; 9, 13–17; 11, 31; 1 QS 11, 9–12. – Vgl. S. Schulz: ZThK 56 (1959) 173f.

112 Die Übersetzung von משפט = Rechtfertigung in 1 QS 11, 12 und an anderen Stellen (vgl. J. Maier, Texte I, 44) ist zu schematisch. Das hebräische משפט bezeichnet vielmehr den Rechts-spruch des göttlichen oder auch eines menschlichen Gerichtes. Das Wort „Rechtfertigung" drückt demgegenüber den Vorgang der Freisprechung aus.

113 „Nur durch Deine Güte wird der Mensch gerecht ..." (1 QH 13, 17). Vgl. 1 QS 3, 3. – Der forensische Sinn des Verbums צדק läßt sich auch CD 1, 19f; 4, 7 nachweisen. Vgl. F. Nötscher, Zur theologischen Terminologie, 187.

zu sein. Die Texte von Qumran lassen neben einem starken Erwählungsbewußtsein zugleich auch ein intensives Sündenbewußtsein erkennen, so 1 QS 11, 7–10. Hier stellt sich deutlicher als in der sonstigen spätjüdischen Literatur das Problem der Rechtfertigung. Es lautet für das Spätjudentum nicht: Wie werde ich ein Gerechter? Der Qumran-Fromme hat es ja nicht mit der Sorge um das Gerechtwerden zu tun, sondern er ist ein Gerechter. Die Frage ist auch nicht: Wie wird mir Sündenvergebung zuteil? Das eigentliche Problem stellt sich uns so dar: Wie gleicht der Gerechte das Bewußtsein von seiner Gerechtigkeit und das von seiner persönlichen Sündhaftigkeit aus? Es handelt sich sozusagen um das Problem des „Simul iustus et peccator" in Qumran. Die Lösung des Problems liegt in der Konsequenz des Endzeit- und Erwählungsdenkens. Der Gerechte von Qumran ist der in Gnaden von Gott angenommene Sünder. Jedoch wird er nicht „gerechtfertigt", sondern er bleibt der Sünder; doch als das von Gott erwählte Mitglied der „Gemeinde" kann er schon jetzt ein „Gerechter" heißen. Die sündenvergebende Gnade Gottes wird nicht anders als in dem Bewußtsein von der Erwählung erfahren.

Die „Rechtfertigung" ist für den Frommen von Qumran immer ein Hoffnungsgut, worauf er sein Vertrauen setzt. Er weiß, daß er auch als Gerechter, wie er sich nennen darf, ein sittlich Unvollkommener ist, der jedoch auf Grund seiner Berufung zur Gemeinschaft der Gerechten Gerechtigkeit tut, d. h. sich von der zukünftigen Gerechtigkeit Gottes bestimmt sein läßt, indem er sein Gesetz bewahrt und zu erfüllen sucht, gegen die „Männer des Frevels" streitet und sich für den Endkampf Gottes bereithält [114]. Dadurch hofft er, der Erwählung nicht verlustig zu gehen, so daß am Ende sein Sein in der Gerechtigkeit Gottes offenbar wird, wofür letztlich seine irdische Sündhaftigkeit kein Hindernis mehr bietet. In diesem Sinne ist auch 1 QS 11, 12 zu verstehen: „Wenn ich strauchle durch Schuld des Fleisches, bleibt mein Recht [115] durch Gottes Gerechtigkeit (doch) für die Dauer bestehen".

Das Rechtfertigungsverständnis der Qumran-Gerechten hängt also wesentlich an einem jenseitig und zukünftig gedachten Begriff von „Gerechtigkeit Gottes". Wenn jedoch „Rechtfertigung", wie für den paulinischen Rechtfertigungsbegriff angenommen wird, „Gerecht-

[114] Vgl. K. G. Kuhn, Πειρασμός – ἁμαρτία – σάρξ im NT und die damit zusammenhängenden Vorstellungen, in: ZThK 49 (1952) 200–222, hier 208: „Daß für diese Haltung ‚Wachen und Beten' ein wesentliches Hilfsmittel sind, wird in den bis jetzt vorliegenden Texten zwar nicht ausdrücklich gesagt, ist aber die von der Gemeinde ständig geforderte Übung". Kuhn weist hierzu auf 1 QS 6, 6–8 hin.

[115] J. Maier, Texte I, 44, übersetzt stattdessen „meine Rechtfertigung".

sprechung des Sünders" auf Grund eines einmaligen geschichtlichen Handelns Gottes und damit „aus Glauben" bedeutet, kann in der Gemeinde von Qumran von „Rechtfertigung" in diesem Sinne nicht die Rede sein [116]. Wohl aber läßt sich sagen, daß der Rechtfertigungsbegriff des Apostels Paulus in der qumranischen Theologie insofern vorgebildet wird, als die „Gerechtigkeit Gottes" als tragender Grund der Rechtfertigung des Menschen erscheint, der freilich in Qumran in einem anderen Sinn als Sünder und damit der Rechtfertigung bedürftig verstanden wird als bei Paulus [117].

Von dem eschatologischen Gerechtigkeitsverständnis der Apokalyptiker unterscheidet sich das Erwählungs- und Gerechtigkeitsbewußtsein des Rabbinates, wie es sich besonders in den pharisäischen Kreisen entwickelt hat. Das drückt sich nicht im Erwählungsbewußtsein als solchem aus, sondern in der Weise, wie sie ihr Selbstbewußtsein motivieren. Auch die Pharisäer sind, wie die apokalyptischen Kreise, am überlieferten Gesetz orientiert. Aber ihre Haltung zum Gesetz ist anders. Während etwa in Qumran die radikalisierte Gesetzeserfüllung eine Sache der menschlichen Totalhaltung, der unbedingten Treue zur Geltung des Gesetzes ist [118], lebt der Pharisäer in der festen Überzeugung, es komme auf die peinlich genaue Beobachtung jeder einzelnen Gesetzesbestimmung an und er könne sich durch seinen Eifer in der Erfüllung des Gesetzes den Heilsstand erwerben und sichern. Dabei geht er von der Voraussetzung aus, daß die Tora den Willen Jahwes vollständig und umfassend enthalte. Dementsprechend besteht die vollkommene Gerechtigkeit in der

[116] Mit S. Schulz, a. a. O. 82, W. Grundmann: RevQum 2 (1960) 259, und J. Becker, Das Heil Gottes, 276–279, ist festzuhalten, daß der grundsätzliche Unterschied im Gnaden- und Rechtfertigungsbegriff des Paulus gegenüber Qumran im Christusereignis, in der strengen Bezogenheit des Rechtfertigungsgeschehens auf Christus zu sehen ist. Das bedeutet aber zugleich auch einen wesentlichen Unterschied im Existenzverständnis des aus Glauben Gerechtfertigten bei Paulus und des „simul iustus et peccator" in Qumran.

[117] Vgl. J. Becker, a. a. O. 71 und 125f. H. Braun, Römer 7, 7–25 und das Selbstverständnis des Qumran-Frommen, in: Ges. Studien zum NT, 112, betont, daß in Qumran der durch Gottes Rechtfertigungswirken „der Ewigkeit zugesellte Mensch" Sünder bleibe. Ob jedoch mit einem so verstandenen „simul iustus et peccator" eine Analogie in der Rechtfertigungslehre Qumrans und des Apostels Paulus behauptet werden darf, erscheint höchst zweifelhaft. Ein „sola-gratia" kann für Qumran nur in einem indirekten Sinne behauptet werden (vgl. E. Lohse, Die Texte aus Qumran, 281 Anm. 83), nämlich insofern der Mensch zu seiner Rettung keine Rechttaten aufweisen kann. Das Gesetz spielt jedoch in Qumran – im Unterschied zu Paulus – eine heilsbedeutsame Rolle. Vgl. auch F. Nötscher, Zur theologischen Terminologie, 185, und P. Benoit, Qumrân et le Nouveau Testament, in: NTSt 7 (1961) 276–296, hier 294: „Les mêmes thèmes peuvent encore servir, mais c'est dans une perspective toute neuve".

[118] Vgl. H. Braun, Radikalismus I, 15–33.

möglichst vollständigen und umfassenden Gesetzeserfüllung. So verdient der Jünger der Tora sich die Anerkennung durch Gott selbst, so daß Gott ihn gerechtsprechen m u ß.

So erklärt SDt 33, 21 die צדקת יהוה als Eigenschaft des Moses: Moses übte Gerechtigkeit nach der Art Jahwes. Der TargOnkDt 33, 21 stellt die Deutung der Gerechtigkeit Gottes klar auf den Verdienstgedanken ab: Moses tat, was vor Jahwe als recht oder verdienstlich gilt [119]. Hiermit wird aber deutlich, daß die Gerechtigkeit Gottes nicht mehr als eschatologische Heilsgabe verstanden wird, sondern als selbsterworbene, verdiente Gerechtigkeit des Gerechten vor Gott, die v o n Gott als solche anerkannt wird.

Die ethische Struktur des rabbinischen צדקה-Denkens wird im Talmud und Midrasch deutlich, wenn über die sittlichen Bedingungen des Gerechtigkeitsstandes gehandelt wird. Danach gilt als Gerechtigkeit die gehorsame Beobachtung des Gesetzes, die Wohltätigkeit, das glaubende Vertrauen des Gerechten und sein Kampf gegen den bösen Trieb [120]. Im Rabbinat vertraut der Gerechte eigentlich nicht wie im apokalyptischen Judentum auf die Gerechtigkeit Gottes, sondern vielmehr auf seine eigene Gerechtigkeit. Die Gerechtigkeit Gottes wird jetzt als metaphysische Eigenschaft Gottes, nämlich als strenge, unparteiische Ausübung seines Richteramtes, verstanden [121]. Die Gerechtigkeit Gottes ist nunmehr ein Lehrgegenstand geworden, sie wird eigentlich nicht mehr existentiell erfahren. Darum lautet die religiöse Kernfrage des Frommen aus den Pharisäerkreisen: Wie werde ich ein Gerechter vor Gott? D. h.: Wie kann ich vor der unparteiischen Gerechtigkeit Gottes im Gericht bestehen? Die Antwort darauf wird lehrhaft („wenn du dies alles hältst ...") gegeben, woraufhin der Fragende sich s e i n Programm des Gerechtigkeitsstrebens entwickeln kann [122]. Angesichts der streng unparteiischen Gerechtigkeit Gottes und der Unsicherheit bezüglich der eigenen

[119] Ähnlich auch TargJerusch I z. St. – Statt von צדקה יהוה wird im rabbinischen Schrifttum von זכות = Verdienst vor Gott gesprochen. Jede Beobachtung des Gesetzes bringt dem Gerechten ein זכות ein.

[120] Zu den Begriffen vgl. R. Mach, Der Zaddik in Talmud und Midrasch, 1957, 14–31. Dort auch die Belege.

[121] Die rabbinische Gottesvorstellung läßt es zu, die Eigenschaften Gottes nicht, wie im AT, als Bezeichnungen des göttlichen Heilwirkens zu fassen, sondern als statisch-ontische Entfaltungen des über dem Menschen stehenden göttlichen Wesens. In den theoretischen Erörterungen der klassischen Rabbinen erscheint Gottes Gerechtigkeit eingereiht unter die sonstigen Attribute Gottes: Allgegenwart, Allwissenheit, Allmacht, Ewigkeit, Unwandelbarkeit, Güte, Heiligkeit. Vgl. A. Marmorstein, The old rabbinic doctrine I, 181–196.

[122] Die lehrmäßige Erfahrung der Bedingungen der Gerechtigkeit entspricht dem rabbinischen Geschichtsverständnis. Während in der Apokalyptik die Geschichte auf die eschatologische unverfügbare Zukunft hin entworfen ist, entwickelt sich für die rabbinische Denkweise die Zukunft organisch aus der zur

Gerechtigkeit aus der Gesetzeserfüllung vertraut der Fromme auf die Barmherzigkeit Gottes, die im Gericht in Konkurrenz zur Gerechtigkeit Gottes tritt [123].

Doch darf das Bild des Gerechten im rabbinischen Judentum nicht zu schematisch gezeichnet werden. Neben den Äußerungen des Selbstbewußtseins darf man die Stimmen, vor allem in den Midraschim, nicht überhören, welche die Rechtfertigung des Menschen grundsätzlich nicht von seinen Verdiensten, sondern von der Gnade Gottes abhängig machen. So läßt MidrPs XLVI, 1, 136 b David sprechen: „Mancher vertraut auf seine guten Werke, mancher auf das Verdienst seiner Väter, ich aber vertraue auf Dich, obwohl ich keine guten Werke habe." In der Regel aber erscheint mehr als das Gottvertrauen die Gebotserfüllung als Grund der Gerechtigkeit des Gerechten.

Zusammenfassend kann festgestellt werden, daß die jüdische Auffassung von der „Gerechtigkeit Gottes" nur in einem sehr beschränkten Maße die Entwicklung einer spätjüdischen „Rechtfertigungslehre" zuläßt. Wohl gibt es die Verwendung des atl. Motivs von der „Gerechtigkeit Gottes" in der spätjüdischen Apokalyptik, speziell in Qumran, in einem doppelten Sinne, nämlich als eschatologische Qualifizierung des auserwählten Volkes der „Gerechten" schon in dieser Zeit durch die jenseitig gedachte „Gerechtigkeit Gottes", die sich endgültig am „Tag des Herrn" offenbaren wird, und als Berufung des einzelnen in die Gemeinschaft der Gerechten, womit die Reinigung von seinen Verfehlungen schon vorweggenommen wird, so daß er nun zu einem Leben in „Gerechtigkeit und Heiligkeit" befähigt ist.

Daneben steht die rabbinische Auffassung von der selbstbesorgten Gerechtigkeit des Gerechten vor Gott. Hier ist die Rechtfertigung durch Gott nicht eigentlich Gnade, sondern Anerkennung des Tatbestandes, den der Mensch aus eigener sittlicher Kraft geschaffen hat. Beiden, der apokalyptischen und der rabbinischen Tradition, ist die Orientierung am Gesetz gemeinsam. Während jedoch in der Apokalyptik die Gesetzeserfüllung nur den Sinn hatte, die Treue der Gerechten gegenüber dem erwählenden Gott in dieser Weltzeit zu

Vergangenheit werdenden Gegenwart. In seinem Verhalten bestimmt sich der Mensch die Zukunft selbst. Der Fromme lebt nicht in der Spannung von diesem und dem zukünftigen, neuen Äon, sondern von Diesseits und Jenseits. Das Gesetz ist die Brücke zwischen beiden Bereichen. Es ist der Weg, es garantiert und spendet das Leben. Zum Problem vgl. D. Rößler, Gesetz und Geschichte, 40f und 55–70.

123 Zur Bedeutsamkeit der „Barmherzigkeit Gottes" neben seiner Gerechtigkeit für das Spätjudentum siehe Bousset-Greßmann 381–386. Vgl. auch H. Braun, Vom Erbarmen Gottes, 25: „Der Empfänger der göttlichen Barmherzigkeit ist bezeichnenderweise der Gerechte".

erweisen, wird sie im Rabbinat zum Selbstzweck. Gerechtigkeit vor Gott ist Toraerfüllung.

So kann schließlich festgestellt werden, daß der Gedanke der selbstveranstalteten Rechtfertigung des Gerechten durch Erfüllung der Vorschriften des Gesetzes nicht allein als Hintergrund der paulinischen Rechtfertigungsbotschaft zu gelten hat. Daneben muß das weitverbreitete Bewußtsein vom eigenen sittlichen Unvermögen und dem Angewiesensein auf die Barmherzigkeit und Gnade Gottes mitgesehen werden, um den Hintergrund zu erhellen, von dem her die Elemente der paulinischen Rechtfertigungslehre verständlich werden können. Jedenfalls ist die noch weitverbreitete Meinung von einem nur legalistisch-kasuistischen Judentum zur Zeit Jesu zu korrigieren durch die Einbeziehung solcher Texte, die von der Erwartung der eschatologischen Gerechtigkeitsoffenbarung Gottes zeugen.

§ 4. „Gerechtigkeit Gottes" im vorpaulinischen Kerygma des NT

Für das Verständnis der paulinischen Botschaft von der Gerechtigkeit Gottes kann die Feststellung, daß an einer der bedeutsamsten Stellen der Paulusbriefe über die „Rechtfertigung", nämlich Rö 3, 24–26, eine vorpaulinische Tradition vorliegt, sehr hilfreich sein. Außerdem mag ein Einblick in die Verwendung der Formel δικαιοσύνη θεοῦ im NT außerhalb der Paulusbriefe die Besonderheit ihres Gebrauchs bei Paulus hervorheben. Zunächst soll eine kurze Übersicht über die Stellen des NT, in denen außerhalb der Paulusbriefe von „Gerechtigkeit Gottes" gesprochen wird, gegeben werden, um anschließend ausführlicher die vorpaulinische Tradition von Rö 3, 24–26 zu behandeln.

1. „Gerechtigkeit Gottes" im NT außerhalb der paulinischen Briefe

Die Wendung „Gerechtigkeit Gottes" kommt außer bei Paulus im NT noch an drei Stellen, nämlich Mt 6, 33; Jak 1, 20 und 2 Petr 1, 1, vor. Diese Stellen gehören allerdings nicht zum vorpaulinischen, sondern zum Teil schon zum spätneutestamentlichen Schrifttum. Mt 6, 33 und Jak 1, 20 vertreten eine Tradition, die zwar nicht unmittelbar auf Paulus, wohl aber mit Paulus zusammen auf Vorstellungen aus dem Bereich des Spätjudentums zurückgehen. Allerdings ist die Auswertung dieser Vorstellungen bei Paulus und den späteren Zeugnissen des NT sehr verschieden[124]. 2 Petr 1, 1 ist jedoch nicht ohne weiteres in diesen Zusammenhang einzuordnen.

[124] Hierzu ist besonders auf die aufschlußreiche Studie von A. Descamps, Les

In *Mt 6, 33* (ζητεῖτε δὲ πρῶτον τὴν βασιλείαν καὶ τὴν δικαιοσύνην αὐτοῦ)[125] bezieht sich der Genitiv αὐτοῦ auf ὁ πατήρ in V. 32 (und darüber hinauf auf ὁ θεός in V. 30) zurück[126]. Ein Vergleich mit Lk 12, 31 zeigt, daß Matthäus die ursprüngliche Fassung des Spruches mit καὶ τὴν δικαιοσύνην αὐτοῦ erweitert und damit erläutert hat[127]. Mit dieser Hinzufügung wird der Gedanke vom Streben nach dem „Reich“ als einer eschatologischen Gabe ergänzt und im Sinne des Matthäus vor der Gefahr bewahrt, schwärmerisch mißverstanden zu werden. Matthäus macht demgegenüber darauf aufmerksam, die in der Gabe Gottes liegende Anforderung in der Gegenwart nicht zu übersehen. Die „Gerechtigkeit“ bezeichnet die zu erfüllende Bedingung (vgl. 5, 20), sie ist also „die von Gott für das Eingehen in das Reich geforderte Gerechtigkeit“ [128], die „Rechtbeschaffenheit des Lebens vor Gott“ [129]. Sie ist als die von Gott geforderte zugleich auch die dem Menschen eigene Gerechtigkeit (vgl. 5, 20; 6, 1), freilich nicht eine eigenmächtig behauptete, sondern die als eschatologische

Justes et la Justice dans les évangiles et le christianisme primitif hormis la doctrine proprement paulinienne (Univ. Cath. Lov. Dissert. II, 43), 1950, zu verweisen. – Anders jetzt P. Stuhlmacher, Gerechtigkeit Gottes, 188–202, der auch das spätere Vorkommen von δικαιοσύνη und δικαιοσύνη θεοῦ im NT einheitlich mit den paulinischen und vorpaulinischen Zeugnissen auf die spätjüdische Apokalyptik zurückführen möchte; „Gerechtigkeit Gottes“ sei auch in Mt 6, 33 und Jak 1, 20 als Gen. subj. zu interpretieren.

125 Die Textvariante in B hat τὴν δικαιοσύνην καὶ τὴν βασιλείαν αὐτοῦ. In dieser Lesart wird δικαιοσύνη vorgezogen und damit das Verhältnis von δικαιοσύνη und βασιλεία als das von Bedingung und Folge bestimmt. Vgl. G. Strecker, Der Weg der Gerechtigkeit. Untersuchung zur Theologie des Matthäus (FRLANT 82), 1962, 155. – F. Nötscher, Das Reich (Gottes) und seine „Gerechtigkeit“, in: Bibl 31 (1950) 237–241, erklärt δικαιοσύνη als Wiedergabe des hebr. משׁפט = „Recht“ als „Recht Jahwes“ und übersetzt den ganzen Vers: „Suchet zuerst sein (Gottes) Reich und tut, was er verlangt“. Doch ist zunächst an (ה)צדק als geläufiges hebr. Äquivalent für δικαιοσύνη zu denken. Außerdem übersieht Nötscher die Möglichkeit, daß diesem Vers wie dem ganzen Evangelium spätjüdische Vorstellungen zugrunde liegen.

126 Vgl. die Textvariante in den späteren Handschriften und Übersetzungen, die αὐτοῦ durch τοῦ θεοῦ ersetzen und zu verdeutlichen suchen.

127 Vgl. W. Trilling, Das wahre Israel. Studien zur Theologie des Matthäusevangeliums (StANT 10), [3]1964, 146f. Jedoch wird mit der matthäischen Erweiterung nicht, wie Trilling meint, der eschatologische Charakter des „Reiches“ geleugnet und damit das „Reich“ selbst zu einer gegenwärtigen Größe. Das Verhältnis von geforderter und zu erfüllender Gerechtigkeit zum Reich Gottes als einer eschatologischen Größe bleibt auch in der Interpretation des Matthäus gewahrt.

128 J. Schmid, Das Evangelium nach Matthäus (RNT 1), [4]1959, 142f. Vgl. A. Descamps, Les Justes et la Justice, 176 Anm. 1: „justice agréable à Dieu“.

129 G. Barth, Das Gesetzesverständnis des Evangelisten Matthäus, in: Überlieferung und Auslegung im Matthäusevangelium von G. Bornkamm, G. Barth, H. J. Held (WissMonANT 1), [3]1963, 130.

Möglichkeit von Gott dem Menschen gewährte (vgl. 5, 6)[130]. Damit ist der jüdische Werkcharakter der Gerechtigkeit der „Gerechten", den man bei Matthäus noch herauszuhören meint[131], grundsätzlich, d. h. christologisch, gebrochen, denn die Erfüllung des Gesetzes hat ihre Eigenbedeutung als Begründung der Gerechtigkeit dadurch verloren, daß sie jetzt am Tun und der Person Jesu orientiert wird.

Auch für *Jak 1, 20* (ὀργὴ γὰρ ἀνδρὸς δικαιοσύνην θεοῦ οὐκ ἐργάζεται) läßt sich die Abhängigkeit vom Spätjudentum wahrscheinlich machen. Δικαιοσύνη θεοῦ ist hier wie in Mt 6, 33 „als Eigenschaft des Menschen zu fassen"[132]. Sie bedeutet also Gerechtigkeit, die der Mensch vor Gott aufweisen muß, wenn er im Endgericht bestehen will.

M. Dibelius[133] hält es für möglich, daß mit δικαιοσύνη θεοῦ in Jak 1, 20 „die Formulierung des Paulus völlig im Sinn verkehrt und verflacht als gemeinchristliches Losungswort für ein im eigentlichen Sinn ‚gerechtes' Leben hier wieder auftaucht". Das würde allerdings bedeuten – was durchaus wahrscheinlich ist –, daß der Verfasser des Jakobusbriefes den paulinischen Gebrauch der Formel δικαιοσύνη θεοῦ nicht oder nicht mehr verstanden hat und sie nun im Sinne der Bedeutung, die sie im Spätjudentum hatte, wieder rückinterpretiert.

Anders als in Mt 6, 33 und Jak 1, 20 ist die Formel in *2 Petr 1, 1* zu verstehen, nämlich als Gen. subj. 2 Petr 1, 1 spricht von dem kostbaren Glaubensgut, das die Christen ἐν δικαιοσύνῃ τοῦ θεοῦ ἡμῶν καὶ σωτῆρος Ἰησοῦ Χριστοῦ erlangt haben. In der Verbindung von Glaube und Gerechtigkeit könnte man einen Anklang an paulinische Formulierungen finden[134]. Jedoch spricht Paulus nicht von dem Glauben, den man in der Gerechtigkeit Gottes hat, sondern von der Offenbarung der Gerechtigkeit Gottes „aus Glauben" (Rö 1, 17) bzw. „durch Glauben an Christus" (Rö 3, 21f). Außerdem läßt die Formulierung in 2 Petr 1, 1 erkennen, daß θεοῦ mit σωτῆρος zusammen zu

[130] Daß δικαιοσύνη θεοῦ eine gegenwärtige Größe ist, wie G. Strecker, a. a. O. 155, richtig bemerkt, schließt jedoch ihren Charakter als Gabe nicht grundsätzlich aus. Vgl. G. Barth, a. a. O. 131.

[131] Vgl. A. Descamps, Les Justes et la Justice, 178: „Il s'agit donc, une nouvelle fois, d'une justice chrétienne qui emprunte à la juive sa physionomie de religion d'œuvres".

[132] M. Dibelius, Der Brief des Jakobus, [10]1959, 105. Vgl. auch J. Michl, Die kath. Briefe (RNT 8), 1953, 148: „Gerechtigkeit vor Gott"; A. Descamps, a. a. O. 185 Anm. 2; H. Windisch – H. Preisker, Die kath. Briefe (Handbuch z. NT, 15), [3]1951, 11: „δικαιοσύνη θεοῦ ist hier die von Gott geforderte oder die im Gerichte nach den Taten von ihm zugesprochene Gerechtigkeit".

[133] Der Brief des Jakobus, 105.

[134] H. Windisch – H. Preisker, Die kath. Briefe, 84, erinnern hier an Rö 1, 16f. Vgl. auch A. Descamps, Les Justes et la Justice, 92 Anm. 1. – Als Interpretation, die auf das paulinische Verständnis zielt, ist die Korrektur in א, εἰς statt ἐν, zu werten.

Ἰησοῦ Χριστοῦ zu ziehen, also als christologischer Titel zu verstehen ist[135]. Diese Stelle spricht demnach nicht von der Gerechtigkeit des Menschen vor Gott, sondern von der „Gerechtigkeit unseres Gottes und Heilandes Jesus Christus", in der das Gut des überlieferten Glaubens begründet ist. Inwiefern jedoch hier die „Gerechtigkeit" Jesu Christi als Grund des christlichen Glaubensgutes gilt, wird nicht näher erklärt.

E. Käsemann[136] nimmt an, daß der Verfasser des 2. Petrusbriefes δικαιοσύνη hier im Sinne der griechischen Wortbedeutung als ausgleichende Gerechtigkeit verstanden wissen will. Da sich der 2. Petrusbrief gegenüber den „Irrlehrern", die er bekämpft, vor allem auf die Notwendigkeit der Kommunikation zwischen den Aposteln als den Erstempfängern des Glaubensgutes und den Gemeindegliedern beruft, soll nach Käsemann mit dem Begriff der δικαιοσύνη die „Möglichkeit des Ausgleichs der Ungleichen"[137] betont werden, „jetzt nur nicht mehr auf die Welt sozialer Unterschiede, sondern auf die ebenfalls in sich differenzierte Welt der Heilsgeschichte bezogen"[138]. Sie hat zudem die Annahme eines starken Einflusses griechischen Denkens auf den Schreiber des Briefes zur Voraussetzung[139]. Obwohl er mit atl.-jüdischem Denken vertraut ist, stimmt er in der Wahl vieler Begriffe, z. B. von σωτήρ als eines Christustitels, mit anderen späten Schriften des NT überein, deren theologische Gedanken zwar an der älteren Tradition des NT orientiert bleiben, jedoch durch die Einführung griechischer Begriffe und Vorstellungen zugleich auch verändert werden. Ein Beispiel hierfür könnte also auch die Abwandlung der Formel δικαιοσύνη θεοῦ in 2 Petr 1, 1 sein.

Von ganz anderer Art ist demgegenüber die Verwendung von δικαιοσύνη θεοῦ in der vorpaulinischen Tradition von Rö 3, 24–26.

2. *„Gerechtigkeit Gottes" in der vorpaulinischen Tradition von Rö 3, 24–26*

a) Der vorpaulinische Traditionssatz

Die Verse Rö 3, 24–26 gehören in einen größeren Zusammenhang, der 3, 21 – 5, 21 umfaßt. Deutlich ist hinter 3, 26 eine Zäsur festzu-

135 Vgl. K. H. Schelkle, Die Petrusbriefe (Herders theol. Kommentar zum NT, XIII, 2), 1961, 185.

136 Eine Apologie der urchristlichen Eschatologie, in: Exegetische Versuche und Besinnungen. Bd. I, ²1960, 135–157.

137 E. Käsemann, a. a. O. 139.

138 Ebd. – Vgl. G. Schrenk: ThWNT II 200, der δικαιοσύνη θεοῦ hier als Bezeichnung für „das gerechte göttliche Walten in der Führung der Gemeinde" versteht.

139 Vgl. K. H. Schelkle, Die Petrusbriefe, 180.

stellen, denn in 3, 27 markiert die einleitende Frage einen neuen Abschnitt. In 3, 21 wird das Thema des gesamten Zusammenhangs von 3, 21 – 5, 21 angegeben: die Offenbarung der Gerechtigkeit Gottes. In dem Abschnitt 3, 21–26 bereitet die Erklärung der Verse 24–26 Schwierigkeiten[140]. Sie zeigen sich vor allem an dem mehrfachen Gebrauch von δικαιοσύνη θεοῦ bzw. αὐτοῦ in den V. 21–26. Manche nehmen hierbei einen doppelten Sinn dieser Formel an, „Gerechtigkeit Gottes" als heilschaffende, in 3, 21f (u. 26), und als fordernde und vergeltende Gerechtigkeit, in 3, 25[141]. Doch ist es unwahrscheinlich, daß Paulus in einem so kurzen Abschnitt von zwei Arten der Gerechtigkeit Gottes sprechen will und sie neben- oder gegeneinander stellt, zumal er eine solche Unterscheidung nicht deutlich macht[142]. Umgekehrt sind aber auch die Bedenken gegen die Annahme eines Sinnes von „Gerechtigkeit Gottes" an allen Stellen dieses Abschnittes nicht ohne weiteres beiseite zu schieben. Denn die ἔνδειξις der Gerechtigkeit Gottes in V. 25 meint wohl nicht dasselbe wie die Offen-

140 Vgl. z. B. A. Bisping, Römer, 140: „Die folgenden Worte: εἰς ἔνδειξιν ... δικαιοῦντα τὸν ἐκ πίστεως sind dunkel und werden von den Exegeten in verschiedener Weise gedeutet. Die Verschiedenheit rührt hauptsächlich daher, daß man das zweimalige δικαιοσύνη entweder bloß von der göttlichen Strafgerechtigkeit oder bloß von der Gerechtigkeit Gottes, insofern sie die Menschen rechtfertigt, verstanden hat". Vgl. auch R. Cornely, Ep. ad Romanos, 192; P. Althaus, Der Brief an die Römer (NTD 6), ⁹1959, 31; A. Schlatter, Gerechtigkeit Gottes, 148 Anm. 1; A. Nygren, Römer, 121; M.-J. Lagrange, Romains, 77f.

141 So A. Bisping, Römer, 140f; J. Sickenberger, Die beiden Briefe des hl. Paulus an die Korinther und sein Brief an die Römer (Die Hl. Schrift des NT, 6), 1932, 199f; A. Jülicher, Der Brief an die Römer (Die Schriften des NT, 2), ³1917, 245. Die Interpretation von δικαιοσύνη θεοῦ als Strafgerechtigkeit in Rö 3, 25f begründet Jülicher folgendermaßen: „Gottes Gerechtigkeit fordert nach den zahllosen Drohungen des AT's die Abstrafung aller Sünder durch ihre Hingabe in den ewigen Tod; sollte Gott, ohne ungerecht zu sein, einem Teil der Sünder, den Gläubigen nämlich, den Tod erlassen, so mußte, damit Recht Recht bleibt, an anderer Stelle ein Tod verhängt werden über Jemand, der ihn nicht verdient hatte: erst auf diese Weise wurde die Rechnung ausgeglichen" (a. a. O. 248). – P. Althaus, Römer, 29, spricht vom „Doppelsinn" der Gerechtigkeit Gottes, „ihrem Strafernste" und „ihrer schöpferischen Macht". Vgl. auch J. Kürzinger, Der Brief an die Römer (Echter-Bibel), 1951, 21. – O. Kuss, Römer, 158f, sieht den „doppelten Sinn" der Gerechtigkeit Gottes bei Paulus in dem Schluß des V. 26 (εἰς τὸ εἶναι αὐτὸν δίκαιον ...) bestätigt.

142 So E. Kühl, Römer, 43; A. Nygren, Römer, 122; E. Gaugler, Der Brief an die Römer. I, 1958, 91, und H. W. Schmidt, Der Brief des Paulus an die Römer (Theol. Handkommentar zum NT, 6), 1962, nehmen für alle Stellen gleichmäßig die gerechtsprechende und Gerechtigkeit schaffende „Gerechtigkeit Gottes" an, und zwar unter besonderer Berufung auf V. 26b, worin man einen Kommentar zur Bedeutung von „Gerechtigkeit Gottes" im ganzen Abschnitt sieht.

barung der Gerechtigkeit Gottes in V. 21f. In V. 25 ist der „Erweis“ [143] seiner Gerechtigkeit auf die „Sühne“ im „Blute“ Christi bezogen, während in V. 21f die eschatologische Offenbarung der Gerechtigkeit Gottes, besonders betont durch die Zusätze „ohne Gesetz“ und „durch Glauben an (Jesus) Christus“, den Charakter der Aussage bestimmt. Zudem nimmt πρὸς τὴν ἔνδειξιν τῆς δικαιοσύνης αὐτοῦ in V. 26 die Bestimmung εἰς ἔνδειξιν aus V. 25 wieder auf, scheint sich aber nicht mehr wie εἰς ἔνδειξιν auf die Sühne Christi zu beziehen, sondern eher auf die Aussage von V. 21f über die eschatologische Offenbarung der Gerechtigkeit Gottes „in der Jetzt-Zeit“, wie es in V. 26 ausdrücklich heißt.

O. Kuss [144] sucht die Eigenart des Gedankens von εἰς ἔνδειξιν τῆς δικαιοσύνης αὐτοῦ gegenüber dem von V. 21f dadurch zu erklären, daß er vom „blutigen Sühnopfer Jesu“ als einer feststehenden Vorstellung des Apostels Paulus ausgeht und sagt: „Vom Begriff ‚Sühne‘ ... wird ein Gottesbegriff vorausgesetzt, der nicht allein mit den Begriffen ‚Barmherzigkeit‘, ‚Liebe‘ ausgemessen wird. Gott hat das Ereignis am Kreuze sich vollziehen lassen, daß er seine Gerechtigkeit ‚erweise‘“ [145]. Gegen diese Deutung ist jedoch einzuwenden, daß der Begriff einer Sühne fordernden Gerechtigkeit Gottes bei Paulus sonst nicht nachzuweisen ist. Ungewöhnlich ist in diesem Zusammenhang der Gedanke, daß Gott im Tode Jesu gerade seine unerbittliche Strenge gegen die Sünder zeigen wolle. Kann eine solche Vorstellung überhaupt gegenüber dem zentralen paulinischen Gedanken, daß Gott sich in Jesus Christus der Sünder annimmt, bestehen? Nach Rö 4, 5 rechtfertigt Gott gerade den Sünder. Außerdem kann Kuss wie auch andere, die denselben Standpunkt vertreten, nicht hinreichend erklären, wie die Wiederholung der Zweckbestimmung εἰς ἔνδειξιν aus V. 25 in V. 26a zu verstehen ist. Denn um anzugeben, daß das Kreuzesgeschehen in eben „diesem gegenwärtigen Zeitpunkt“ stattfand [146], bedarf es nicht der (durch den bestimmten Artikel) betonten Wiederholung der ganzen Wendung aus V. 25 in V. 26.

Auch die Erklärung von M.-J. Lagrange [147], daß in beiden

[143] Vgl. W. G. Kümmel, Πάρεσις und ἔνδειξις, in: ZThK 49 (1952) 154–167. Nach Kümmel bedeutet ἔνδειξις „Erweis“, nicht „Beweis“. Vgl. auch O. Michel, Römer, 107 Anm. 2.

[144] Römer, 158.

[145] Kuss geht einseitig von der Annahme aus, daß es Paulus in diesem Zusammenhang um „eine Deutung des blutigen Todes Jesu Christi“ (111) gehe. Die Verse 25f sollten also die Frage beantworten: „Warum auf diesem Wege?“ Durch die Einengung des Interesses des Apostels auf die Fragestellung einer Theodizee und einer theologischen Weltdeutung wird Kuss dem anthropologisch-soteriologischen Ansatz der paulinischen Theologie jedoch nicht gerecht.

[146] So auch H. W. Schmidt, Römer, 71.

[147] Romains, 77.

parallel laufenden Bestimmungen V. 25b–26aα (εἰς ἔνδειξιν ...) und V. 26aβ (πρὸς τὴν ἔνδειξιν ...) zwei Epochen, nämlich die der „Unwissenheit“ [148] der Menschen und der „Nachsicht“ (πάρεσις)[149] Gottes einerseits und die der jetzigen Heilszeit andererseits, gegenübergestellt werden sollen, bleibt unbefriedigend. Denn Paulus sieht die vorchristliche Zeit nicht unter der Gerechtigkeit Gottes, sondern vielmehr unter seinem Zorne stehen (vgl. Rö 1, 18ff). Vor allem läßt sich die Schlußbestimmung, auf die der ganze Zusammenhang hinausläuft, εἰς τὸ εἶναι αὐτὸν δίκαιον καὶ δικαιοῦντα ... in V. 26b, nicht, wie Lagrange will, auf die beiden von ihm angenommenen Epochen beziehen, so daß das Gerechtsein Gottes sich in seiner Geduld gegenüber den früheren Sünden der Menschheit zeigte, während seine rechtfertigende Gnade über die Gegenwart ergehe [150].

Jedoch weist Lagrange einen Weg zur Lösung des schwierigen Problems der Exegese von V. 25f, indem er die Bestimmung πρὸς τὴν ἔνδειξιν in V. 26 als „eine Art Wiederaufnahme von εἰς ἔνδειξιν“ [151] aus V. 25 auffaßt, die sich jedoch nicht auf den Sühnegedanken bezieht, sondern das vorhergehende διὰ τὴν πάρεσιν zu erklären sucht: „‚Je veux dire pour la manifestation de sa justice de notre temps‘...“ [152].

Tatsächlich lassen sich alle genannten Schwierigkeiten beheben, wenn man nicht nur in V. 26a eine wiederholende Interpretation von V. 25b, sondern mit Bultmann[153] und Käsemann[154] in Rö 3, 23–26aα einen vorgeformten „Satz der Tradition“ annimmt, der durch das Interpretament διὰ πίστεως in V. 25 und durch V. 26aβ–b

[148] So, unter Bezugnahme auf Apg 17, 30, M.-J. Lagrange, ebd., und O. Michel, Römer, 109.

[149] Nach W. G. Kümmel: ZThK 49 (1952) 164, ist πάρεσις hier jedoch gleichbedeutend mit ἄφεσις. Vgl. auch R. Bultmann: ThWNT I 508.

[150] Vgl. H. Lietzmann, Römer, 50: „Gott will seine Gerechtigkeit damit nach zwei Seiten hin erweisen: in der Vergangenheit (ἐν τῇ ἀνοχῇ) geschehene Sünden ‚übersieht‘ er nicht etwa schlechthin, sondern er vergibt sie auf Grund des stellvertretenden Sühnetodes Christi (vgl. I Cor 15, 3), ist also gerecht (εἰς τὸ εἶναι αὐτὸν δίκαιον), in der Gegenwart aber (ἐν τῷ νῦν καιρῷ) offenbart er seine Gerechtigkeit dadurch, daß er die Gläubigen zu Trägern der δικαιοσύνη θεοῦ macht ...“.

[151] M.-J. Lagrange, Romains, 77.

[152] Ebd.

[153] R. Bultmann, Theologie, 49.

[154] E. Käsemann, Zum Verständnis von Römer 3, 24–26, in: Exegetische Versuche und Besinnungen, I, 96–100. Der von Bultmann und Käsemann vertretenen These stimmt auch W. G. Kümmel: ZThK 49 (1952) 164, zu; außerdem G. Bornkamm, Das Ende des Gesetzes, 1958, 12 Anm. 10; E. Lohse, Märtyrer und Gottesknecht (FRLANT 64), ²1963, 149; K. Wegenast, Das Verständnis der Tradition bei Paulus und in den Deuteropaulinen (WissMon ANT 8), 1962, 76f; J. Jeremias: ThWNT V 704 Anm. 399, und mit Einschränkungen O. Michel, Römer, 103f. Kritisch dazu O. Kuss, Römer, 160f, und H. W. Schmidt, Römer, 65.

eine Uminterpretierung durch Paulus erfährt. Zu dieser Annahme berechtigen folgende Beobachtungen:

Auffällig ist der grammatisch nicht passende Anschluß von V. 24 an den vorhergehenden Vers durch δικαιούμενοι. „Statt des Partizips δικαιούμενοι erwartet man eigentlich eine indikative Verbform ..." [155]. Neben der grammatischen Unebenheit erscheint eine sachliche im Übergang von V. 23 zu V. 24, insofern das betonte πάντες von V. 23 „ohne jene Entsprechung bleibt, welche die Antithese eigentlich erfordern würde" [156].

In den V. 24–26aα kommen mehrere Termini vor, die sonst in den paulinischen Briefen bzw. im ganzen NT nicht wiederkehren: ἱλαστήριον [157], πάρεσις und das Verb προγίνομαι.

Das Verb προτίθεσθαι in der Bedeutung von „öffentlich hinstellen" ist gegenüber Rö 1, 13 (und Eph 1, 9) ungewöhnlich.

Die Wendung αἷμα Χριστοῦ muß als eine (vom Kult)[158] geprägte Formel verstanden werden, die Paulus in Rö 5, 9; 1 Kor 10, 16; 11, 25. 27 nicht weiter erklärt, sondern in seine Konzeption aufnimmt[159]. Auch ἀπολύτρωσις, das sonst[160] nur noch in Rö 8, 23 und 1 Kor 1, 30 erscheint, ist als ein geprägter theologischer Begriff zu bewerten, so offensichtlich in der Formel von 1 Kor 1, 30. Beide Wendungen spielen bei Paulus nicht die Rolle, die ihnen ihrer ursprünglichen Wortintention nach zukommt.

Andrerseits lassen sich die spezifisch paulinischen Termini leicht aus dem Zusammenhang herauslösen, ohne daß eine Lücke empfunden wird. Durch diese Unterscheidung wird der Zusammenhang der V. 24–26 verständlicher, die sonst als gedanklich überfrachtet und stilistisch schwerfällig erscheinen. Als spezifisch paulinisch sind in V. 24 die adverbialen Bestimmungen δωρεάν [161] und τῇ αὐτοῦ χάριτι [162] anzusehen, im V. 25 διὰ πίστεως [163].

155 O. Michel, Römer, 106. Vgl. auch O. Kuss, Römer, 114.

156 E. Käsemann, a. a. O. 96.

157 Sonst im NT nur noch Hebr 9, 5.

158 Vgl. E. Lohse, a. a. O. 139 Anm. 2.

159 Als geprägte Formel erscheint αἷμα Χριστοῦ bzw. Ἰησοῦ oder διαθήκης auch in Eph 1, 7; 2, 13; Kol 1, 20; Hebr 9, 14. 20; 10, 19. 29; 1 Petr 1, 2 u. a.

160 Von den Stellen des Epheserbriefes (1, 7. 14; 4, 30) und Kol 1, 14 wird hier abgesehen, da sie einer gesonderten Behandlung im Corpus Paulinum bedürfen. – Eine Stütze findet die Annahme, daß ἀπολύρωσις nicht spezifisch paulinisch ist, dadurch, daß die sonst im NT gebräuchlichen Termini λύτρον (Mt 20, 28; Mk 10, 45), ἀντίλυτρον (1 Tim 2, 6), λυτροῦσθαι (Lk 24, 21; Tit 2, 14; 1 Petr 1, 18) und λύτρωσις (Lk 1, 68; 2, 38; Hebr 9, 12) von Paulus überhaupt nicht gebraucht werden.

161 Sonst noch in 2 Kor 11, 7; Gal 2, 21; 2 Thess 3, 8. Vgl. auch den Gebrauch des Substantives δωρεά in Rö 5, 15. 17 und 2 Kor 9, 15.

162 Χάρις erscheint innerhalb des NT überwiegend in den Paulusbriefen. Zur χάρις τοῦ θεοῦ und Ἰησοῦ Χριστοῦ und ihrem Zusammenhang mit der δωρεά vgl. besonders Rö 5, 15.

163 Die Wendung διὰ πίστεως fehlt in A, wo es wohl wegen der Konstruktionsschwierigkeit ausgelassen worden ist. Viele andere, meist spätere Textzeugen (B und Koine) lesen diese Wendung mit Artikel: διὰ τῆς πίστεως, wodurch

So ergibt sich folgender Wortlaut des Traditionssatzes: δικαιούμενοι διὰ τῆς ἀπολυτρώσεως τῆς ἐν Χριστῷ Ἰησοῦ, ὃν προέθετο ὁ θεὸς ἱλαστήριον ἐν τῷ αὐτοῦ αἵματι εἰς ἔνδειξιν τῆς δικαιοσύνης αὐτοῦ διὰ τὴν πάρεσιν τῶν προγεγονότων ἁμαρτημάτων ἐν τῇ ἀνοχῇ τοῦ θεοῦ[164].

b) Zur Theologie der vorpaulinischen Tradition

Die zweimalige Verwendung der Formel δικαιοσύνη θεοῦ bzw. αὐτοῦ in Rö 3, 25f ist im Zusammenhang der vorpaulinischen Theologie zu interpretieren, soweit diese aus V. 24–26 zu erheben ist. Sie hängt im wesentlichen von der Bedeutung der beiden Begriffe ἀπολύτρωσις in V. 24 und ἱλαστήριον in V. 25 ab, die hier zunächst etwas ausführlicher erklärt werden sollen. Beide Begriffe beziehen sich auf „Christus Jesus" und geben zusammen eine Deutung seines Todes.

Manche Exegeten[165] geben ἀπολύτρωσις in V. 24 mit „Loskaufung" wieder. Diesem Begriff liegt die Vorstellung von der Zahlung eines Lösepreises zur Befreiung von Gefangenen zugrunde[166]. Paulus habe hier die rechtliche Vorstellung nahegelegen, „daß Gott durch Jesus

offenkundig auf dieselbe Wendung in V. 22 zurückverwiesen werden soll. – Die spezifisch paulinische Herkunft der Wendung διὰ πίστεως ist leicht zu belegen: Vgl. Rö 3, 22. 30. 31; 2 Kor 5, 7; Gal 2, 16; 3, 14. 26; Phil 3, 9; 1 Thess 3, 7, außerdem die zahlreichen Stellen mit ἐκ πίστεως und ἐν (τῇ) πίστει.

[164] So zuerst R. Bultmann, Theologie, 1953, 47f; ⁴1961, 49. – Erwähnt sei noch die wenig überzeugende Erklärung von G. Fitzer, Der Ort der Versöhnung nach Paulus. Zu der Frage des „Sühnopfers Jesu", in: ThZ 22 (1966) 161–183, Rö 3, 25b sei „von dem zweiten πρὸς τὴν ἔνδειξιν her konstruiert"; der Gedanke von der Vergebung der zuvor geschehenen Sünden stelle die „Glosse eines primitiven Lesers" dar (164). Denn Paulus habe „kein theologisches Interesse an der Sündenvergebung" (165). Der übrige Zusammenhang von V. 24–26 sei dagegen Paulus zuzuschreiben. Mit ἱλαστήριον bezeichne er nichts anderes als den von Gott markierten „Gnadenort" (169), von dem aus „Gott zu den Menschen spricht und an dem in Tod und Auferweckung die ‚Gerechtigkeit Gottes' wiederhergestellt und dargestellt wird ..." (182).

[165] A. Jülicher, Römer, 245; E. Kühl, Römer, 110f; H. Lietzmann, Römer, 49; P. Althaus, Römer, 30; E. Gaugler, Römer, 87; O. Michel, Römer, 106; O. Kuss, Römer, 115. Vgl. auch R. G. Bandas, The Master-Idea of Saint Paul's Epistles, 286–292.

[166] A. Deißmann, Licht vom Osten, ⁴1923, 274–280, verweist auf die „sakrale Sklavenbefreiung" in der Antike als Vorbild für „die sakrale Loskaufung" bei Paulus. „Gerade mit diesem seltenen Worte (ἀπολύτρωσις) bezeichnet eine Inschrift von Kos die sakrale Freilassung" (278). – Nach E. Pax, Der Loskauf, in: Antonianum 37 (1962) 239–278, lehnt sich die paulinische Vorstellung nur formal an die von A. Deißmann in die Diskussion gebrachte sakrale manumissio an, inhaltlich fuße sie jedoch vielmehr auf der jüdischen Tradition von der Befreiung Israels aus der Knechtschaft Ägyptens, worin „Gott das Amt des Lösers" ausübt (Dt 7, 8). Vom atl. Sprachgebrauch her sucht auch K. Wennemer, Ἀπολύτρωσις, Römer 3, 24–25a, in: Studiorum Paulinorum Congressus Internationalis Catholicus (Analecta Biblica, 17–18) Vol. I, 1963, 283–288, den Begriff zu verstehen.

Christus Menschen aus einer Sklaverei loskauft“ [167]. Gegen diese Erklärung ist jedoch einzuwenden, daß sie eine hellenistische Vorstellung einträgt, die durch den biblischen Sprachgebrauch nicht gerechtfertigt erscheint.

Die einzige Stelle der LXX, an der das Wort ἀπολύτρωσις vorkommt, Dan 4, 34, läßt die Vorstellung vom Loskauf nicht erkennen, sondern es ist von der „Erlösung“ Nebukadnezars von seinem Wahnsinn die Rede. Die Seltenheit dieses Begriffs in der LXX ist jedoch kein Zeichen dafür, daß der Gedanke des Loskaufs im AT keine Rolle spielt. Das Gegenteil ist der Fall [168]. Die Vorstellung vom Loskauf erfährt jedoch vor allem bei Deuterojesaja durch die Anwendung auf das Verhältnis Gottes zu Israel eine bemerkenswerte Veränderung. Gott ist der Erlöser seines Volkes [169]; die Erlösung selbst ist freie Gnadentat Gottes [170]. Der Begriff des Lösegeldes ist aus dem Erlösungsgedanken ausgeschieden [171]. Dasselbe gilt für die Anwendung der Vorstellung vom Loskauf auf die Erlösung Israels aus der ägyptischen Knechtschaft im Buche Deuteronomium [172]. Die LXX gibt den so umgeprägten Begriff der Erlösung mit dem Medium λυτροῦσθαι wieder [173], von dem λύτρωσις [174] und sein Kompositum ἀπολύτρωσις abgeleitet sind.

Diese Vorstellung von der Erlösung, die Gott selbst gnadenweise vollzieht, die eine Erlösung aus einer Gefangenschaft, von schwerer Not und, allerdings nur in LXX Ps 129, 8, von den Sünden ist, liegt auch dem ntl. Begriff von ἀπολύτρωσις zugrunde. „Erlösung“ erwartet der Mensch von Gott als die entscheidende eschatologische Heilstat [175]. Wesentlich ist, daß Gott erlösen wird [176]. Für den an Christus Glaubenden ist Erlösung schon durch und in Christus geschehen [177], sie wird jetzt schon erfahren als die „Vergebung der Sünden“ [178]. Daß der Gläubige durch Christus die Erlösung erfahren hat und Christus selbst ihm „Erlösung“ geworden ist (1 Kor 1, 30), schließt nicht aus, daß die Erlösung als „Erlösung unseres Leibes“ (Rö 8, 23), nicht v o m Leibe [179], zugleich auch noch ausstehendes Hoffnungsgut ist.

[167] O. Michel, Römer, 106.

[168] Vgl. O. Procksch: ThWNT IV 329–337; J. J. Stamm, Erlösen und Vergeben im AT, 1940, 7.

[169] Vgl. Is 41, 14; 43, 1. 14; 44, 22–24; 54, 5.

[170] Vgl. Is 45, 13; 52, 3.

[171] Vgl. O. Procksch: ThWNT IV 333f.

[172] Vgl. Dt 7, 8; 9, 26; 13, 6; 15, 15; 21, 8; 24, 18. Zur Deutung des Auszugs Israels aus Ägypten als „Erlösung“ vgl. H. Gelin, Les idées maîtresses de l'Ancien Testament, 1949, 34f.

[173] Besonders häufig in den Psalmen. Vgl. LXX Ps 24, 22; 43, 27; 73, 2; 76, 16; 77, 42; 105, 10; 106, 2; 129, 8; 135, 24.

[174] Vgl. Lk 1, 68; 2, 38; 21, 28; Rö 8, 23; Eph 1, 14; 4, 30. Vgl. auch TestLev 2, 10 (β); 1 QM 1, 12; 15, 1: „ewige Erlösung“ erwartet das „Volk der Erlösung Gottes“.

[175] Vgl. F. Büchsel: ThWNT IV 354–359.

[176] Vgl. TestZab 9, 8 (bdg): αὐτὸς λυτρώσεται πᾶσαν αἰχμαλωσίαν υἱῶν ἀνθρώπων ἐκ τοῦ Βελιάρ. Vgl. TestJos 18, 2.

[177] Vgl. Rö 3, 24; Eph 1, 7; Tit 2, 14; 1 Petr 1, 18f; Hebr 9, 15.

[178] Kol 1, 14. Vgl. Eph 1, 7; Hebr 9, 15.

[179] So H. Lietzmann, Römer, 85.

Ἀπολύτρωσις ist also ein eschatologischer Begriff, der zum Ausdruck bringt, daß das endgültige Heil als „Erlösung“ [180] aus der notvollen, heillosen Situation des Menschen allein von Gott herkommt. Der Gedanke einer Lösegeldzahlung nach der Anschauung des hellenistischen Sklavenfreikaufs ist im biblischen Begriff ἀπολύτρωσις nicht enthalten; er ist auch in Rö 3, 24 nicht vom Zusammenhang gefordert [181]. Die Erlösung als Heilstat Gottes geschieht „in Christus Jesus“, womit wohl eine lokale wie auch eine instrumentale Bestimmung der Erlösung gegeben ist [182]. Jedoch wird die Art der Mitwirkung Jesu beim Erlösungswerk Gottes in V. 24 nicht näher beschrieben, wohl aber in V. 25 durch das Wort ἱλαστήριον angedeutet.

Auch das Wort ἱλαστήριον bedarf einer besonderen Erklärung. Die Bedeutung dieses Wortes [183] in V. 25 läßt sich annähernd aus den ἱλαστήριον-Stellen der LXX ermitteln. Aufschlußreich erscheint ein Vergleich mit LXX 4 Makk 17, 21f [184] und Hebr 9, 5 [185], der einzigen Stelle neben Rö 3, 25, an der das Wort ἱλαστήριον im NT vorkommt.

Im Pentateuch steht ἱλαστήριον für כפרת, das den „Aufsatz“ auf der Bundeslade bezeichnet. Dieser Platz ist der Ort der Gegenwart Jahwes, von dem aus

[180] Vgl. F. Büchsel: ThWNT IV 358: „Die richtige deutsche Übersetzung ... ist ... nur Erlösung oder Befreiung ...“. Büchsel wird recht haben, wenn er ἀπολύτρωσις als einen terminus technicus versteht, der „im Urchristentum Ausdruck für einen religiösen Inhalt geworden“ sei und „deshalb eine Sonderbedeutung gewonnen“ habe. Vgl. auch E. Lohse, Märtyrer und Gottesknecht, 149: „Paulus hat den Ausdruck wahrscheinlich aus der Tradition übernommen, in der er gleichbedeutend mit dem Begriff ἄφεσις τῶν ἁμαρτιῶν gebraucht wurde“. Vgl. auch A. Kirchgäßner, Erlösung und Sünde im NT, 1950, 108f.

[181] Gegen K. H. Schelkle, Die Passion Jesu, 1949, 139, der meint, daß gerade die Hinzufügung des „ein Entgelt ausdrücklich ablehnenden ‚umsonst‘“ anzeige, daß in „‚Erlösung‘ die Vorstellung vom Lösegeld inbegriffen“ sei. Doch ist δωρεάν nicht auf ἀπολύτρωσις, sondern direkt auf das vorhergehende δικαιούμενοι bezogen.

[182] Vgl. A. Oepke: ThWNT II 537: „zur Bezeichnung der objektiven Begründung der Gottesgemeinschaft“; F. Neugebauer, In Christus, 1961, 83: „Sie (die ‚Erlösung‘) hat ihre Umstandsbestimmung darin, daß Jesus Christus gestorben ist“; V. Taylor, Forgiveness and Reconciliation, 1956, 113: „... salvation is present in the person of Christ“.

[183] Vgl. F. Büchsel: ThWNT IV 320: „ἱλαστήριον ist das substantivierte Neutrum vom Adjektiv ἱλαστήριος.“

[184] Bedeutsam ist diese Stelle, weil hier dem Tod der jüdischen Patrioten, des Eleazar, der Mutter und ihrer sieben Söhne, sühnende Wirkung auf Grund ihrer Stellvertretung für das ganze Volk zugeschrieben wird: διὰ τοῦ αἵματος τῶν εὐσεβῶν ἐκείνων καὶ τοῦ ἱλαστηρίου τοῦ θανάτου αὐτῶν ἡ θεῖα πρόνοια τὸν Ἰσραὴλ προκακωθέντα διέσωσεν. Zum Vergleich mit Rö 3, 25 eignet sich 4 Makk 17, 22 besonders aus dem Grunde, weil die Abfassungszeit des 4. Makkabäerbuches die Zeit der Anfänge des Christentums ist.

[185] Hebr 9, 5 verweist eindeutiger als Rö 3, 25 auf die (bekannte, daher mit bestimmtem Artikel τὸ ἱλαστήριον) Sühnestätte der Bundeslade (vgl. Ex 25, 17–22; 31, 7; 35, 12; 37, 7–9).

er zu Moses spricht (Ex 25, 22). An dieser Stelle besprengte der Hohepriester am Versöhnungstag die Bundeslade mit dem Blute des Opfertieres, um „Sühne zu schaffen für sich und sein Haus und die ganze Gemeinde Israel" (Lev 16, 17).
In der LXX ist eine zweifache Behandlung des Wortes ἱλαστήριον zu unterscheiden, nämlich als Adjektiv und als substantiviertes Adjektiv. Als Adjektiv steht es nur[186] in Ex 25, 17 in der Wendung καὶ ποιήσεις ἱλαστήριον ἐπίθεμα χρυσίου καθαροῦ ... Hier ist ἱλαστήριον ἐπίθεμα die griechische Übersetzung des hebr. כפרת. An allen übrigen Stellen des Pentateuch, Ex 25, 18–22; 31, 7 u. a.; Lev 16, 2–5; Num 7, 89, steht das subst. Adj. ἱλαστήριον als Übersetzung von כפרת. Ἱλαστήριον erscheint hier als „Breviloquenz" [187] von ἱλαστήριον ἐπίθεμα (Ex 25, 17). Doch ist zu beachten, daß auch in Ex 25, 17 das hebr. כפרת bereits als eine „Breviloquenz" zu verstehen ist, etwa statt לכי הכפרת = Gerät der Sühnung[188]. So ist das absolut stehende ἱλαστήριον eine dem absolut gebrauchten כפרת entsprechende Übersetzung, die im Deutschen am besten mit „Sühnegerät" [189] wiedergegeben wird, wobei der Akzent mehr auf „Sühne" liegt.

Die meisten Exegeten halten wegen der o. a. Analogien aus dem AT an der kultischen Bedeutung von ἱλαστήριον auch für Rö 3, 25 fest[190].

[186] In 4 Makk 17, 22 (διὰ τοῦ ἱλαστηρίου θανάτου αὐτῶν) ist ebenfalls der adjektivische Gebrauch von ἱλαστήριος bezeugt, wenn man nicht der Lesart διὰ τοῦ ἱλαστηρίου τοῦ θανάτου αὐτῶν den Vorzug geben will.

[187] Vgl. A. Deißmann, Bibelstudien, 1895, 123. Dem stimmt Cremer-Kögel, Bibl.-theol. Wörterbuch, s. v., zu, meint aber gegenüber Deißmann, daß es wichtiger sei, daß ἱλαστήριον terminus technicus „für d. ebenfalls nur als Term. techn. sich findenden כַּפֹּרֶת" sei.

[188] Vgl. 1 Chr 28, 11 בית הכפרת als Bezeichnung für das Allerheiligste. Hier geht es sicher nicht um das Haus des „Sühne-deckels", sondern sinnvollerweise um das Haus der „Sühne-Stätte".

[189] Auch in Ez 43, 14 bezeichnet das subst. Adj. ἱλαστήριον als Übersetzung von עזרה (= die den Brandopferaltar einfassende Schranke) den Gesamtkomplex „Sühne". Zum Zweck der Versöhnung des Volkes mit Gott wurde beim Entsühnungsritus etwas vom Sündopferblut an die עזרה gesprengt.

[190] So E. Kühl, Römer, 112–114; Billerbeck III, 165; W. Sanday – A. C. Headlam, The Epistle to the Romans (The International Critical Commentary), [5]1902, 87f; A. Schlatter, Gottesgerechtigkeit, 145–148; A. Nygren, Römer, 119 (Gott hat der Menschheit „Christus als einen Gnadenstuhl geschenkt"); F. J. Leenhardt, L'épître de S. Paul aux Romains, 1957, 60 Anm. 4; H. W. Schmidt, Römer, 68f; F. Büchsel: ThWNT III 322 (Jesus als כפרת „höherer Ordnung"); T. W. Manson, Ἱλαστήριον, in: JThSt 46 (1945) 1–10 („hilasterion is a noun denoting the locality at which the acts or events covered by the verb hilaskesthai take place" (1). Mit Verweis auf gelegentliche Fundorte in christlicher Literatur außerhalb des NT, in denen ἱλαστήριον räumliche Bedeutung hat, meint Manson S. 4, daß in Rö 3, 25 „the place where the mercy of God was supremely manifested" gemeint sei. Kritisch äußert sich zu Mansons Erklärung L. Morris, The Meaning of ἱλαστήριον in Romans III. 25, in: NTSt 2 (1956) 33–43, hier 36f. Vgl. außerdem L. Moraldi, Sensus vocis ἱλαστήριον in R 3, 25, in: VD 26 (1948) 257–276: „In omnibus quidem nova kapporeth transcendit antiquam, ita tamen ut antiqua in omnibus bene praefiguravit

Doch ist die Vorstellung, daß Jesus Christus das von Gott herausgestellte ἱλαστήριον sei, an das sein eigenes Blut gesprengt wird, wohl nicht realisierbar. Darum haben manche Exegeten die Sühnevorstellung von ἱλαστήριον ganz allgemein gefaßt und übersetzen: „Das Sühnende" oder „Sühnemittel" oder „Sühne" [191].

Diese Deutung hält E. Lohse, der in seiner aufschlußreichen Studie [192] die spätjüdischen und urchristlichen Sühnevorstellungen erarbeitet hat, für „zu allgemein und daher zu blaß". Er trägt erneut die schon früher [193] versuchte Deutung von ἱλαστήριον als „Sühn o p f e r" vor [194]. Als Parallele zu Rö 3, 25 zieht er die schon zitierte Stelle 4 Makk 17, 21f heran, um zu zeigen, daß „das hellenistische Judentum den Tod der Märtyrer als Opfer verstanden und mit Ausdrücken der Opfersprache die Sühnkraft ihres Sterbens ausgesagt" hat. In Rö 3, 25 sei nur zu ἱλαστήριον das Wort θῦμα zu ergänzen, um diesen Ausdruck im Sinne eines „sühnenden Opfers" zu verstehen.

Lohses These verdient insofern Beachtung, als sich die Vorstellung von Jesus Christus als einem Sühnopfer an die Sühn- und Opferterminologie des Spätjudentums anschließt. Jedoch ist nicht zu übersehen, daß die Anwendung des Opferbegriffs in Rö 3, 25 eine gewisse

novam" (276); ähnlich auch S. Lyonnet, Vocabularium „expiationis" in NT, in: VD 38 (1960) 241–261, bes. 250ff.

191 Th. Zahn, Römer, 187; F. Gutjahr, Der Brief an die Römer, ²1927, 121; H. Lietzmann, Römer, 49f; C. H. Dodd, The Epistle of Paul to the Romans, 1959, 55; M.-J. Lagrange, Romains, 76: „instrument de propitiation expiatrice"; J. Huby, Romains, 154; P. Althaus, Römer, 30f; J. Kürzinger, Römer, 21; O. Kuss, Römer, 157; auch F. Büchsel: ThWNT III 321: „ἱλαστήριον ist das, was die menschlichen Sünden sühnt"; M. Meinertz, Theologie des NT. Bd. II (Die Hl. Schrift des NT, Erg. Bd. II), 1950, 98f; E. Tobac, Justification, 134; W. D. Davies, Paul and Rabbinic Judaism, ²1955, 238f; H. Wenschkewitz, Die Spiritualisierung der Kultusbegriffe Tempel, Priester und Opfer im NT, in: Angelos 4 (1932) 70–230, hier 118f; G. Wiencke, Paulus über Jesu Tod, 1939, 52; K. H. Schelkle, Die Passion Jesu, 144: „Sein Sinn liegt zwischen ‚Sühne' und ‚Sühnemittel' allgemein"; W. G. Kümmel: ZThK 49 (1952) 159; E. Käsemann, Zum Verständnis von Römer 3, 24–26, 99; L. Morris: NTSt 2 (1956) 33: „the word is not so specific, and is to be understood as something like ‚means of propitiation' "; V. Taylor, The Atonement in New Testament Teaching, 1954, 90f.

192 E. Lohse, Märtyrer und Gottesknecht, 152.

193 S. z. B. A. Bisping, Römer, 139f (durch Verschmelzung mit dem folgenden ἐν τῷ αὐτοῦ αἵματι), der die Deutung auf Ex 25 und Lev 16 als „zu gekünstelt" ablehnt; R. Cornely, Ep. ad Romanos, 189f; F. Gutjahr, Römer, 121; R. G. Bandas, The Master-Idea of Saint Paul's Epistles, 256–262.

194 Ähnlich auch O. Michel, Römer, 107f; J. Murray, The Epistle to the Romans. Bd. I, 1960, 117; H. Wenschkewitz: Angelos 4 (1932) 82f; A. Kirchgässner, Erlösung und Sünde, 70; V. Taylor, Forgiveness and Reconciliation, 39; Ph. Seidensticker, Lebendiges Opfer (Röm 12, 1) (NtlAbh XX), 1954, 194. – Eine etwas ungewöhnliche Erklärung von ἱλαστήριον = „Sühnopfer" gibt J. Jeremias: ThWNT V 704 Anm. 399, der Rö 3, 25 als einen Beleg für eine christologische Deutung des deuterojesajanischen Gottesknechts annehmen möchte: „ἱλαστήριον ... könnte Wiedergabe von אָשָׁם (Is 53, 10) sein".

Schwierigkeit bereitet. Denn das ἱλαστήριον wird von Gott selbst herausgestellt, dem die Opfer doch sonst dargebracht werden sollen. Daß aber nach Rö 3, 25 die Sühne von Gott selbst beschafft wird, entspricht atl.-jüdischem Denken [195].

Es scheint jedoch möglich zu sein, die Vorstellung von Jesus als ἱλαστήριον als eine typologische Betrachtungsweise zu erklären, die weniger Wert auf die gleichsinnige Übersetzung einzelner Elemente des atl. Kultes auf das Christusgeschehen legt als vielmehr auf die Wirkung des Geschehens, nämlich die Entsühnung, die durch den Tod Jesu den Sündern eröffnet wird, die im atl. Kultgeschehen aber vorabgebildet gesehen wird [196].

Hierzu führt auch die Beachtung des Zusammenhangs. Die folgende formelhafte Wendung ἐν τῷ αὐτοῦ αἵματι [197] gehört eng mit ἱλαστήριον zusammen [198] und präzisiert die Sühnetat Jesu Christi als Hingabe seines Lebens. Die Lebenshingabe, die nach atl.-jüdischer Anschauung im Blutvergießen ihren stärksten und wirksamsten Ausdruck erhält [199], bewirkt Sühne, d. h. die Vergebung der Sünden.

Während in der Lebenshingabe das aktive Element der von Jesus selbst vollzogenen Sühnetat betont wird, weist προέθετο ὁ θεός jedoch deutlicher auf Gott hin, der die Sühne ermöglicht und zu ihrer Auswirkung als Sündenvergebung gelangen läßt. Beide Gedanken relativieren einander, so daß die Vorstellung vom Sühnopfer nur in gebrochener Form bedeutsam wird.

[195] Vgl. vor allem die „offensichtlich sehr altertümliche Anweisung“ Dt 21, 1–9, nach der „Jahwe dazu aufgerufen wird, selbst aktiv die Sühne zu vollziehen“ (G. von Rad, Theologie I, 269). Vgl. Ps 65, 4; Jer 18, 23; Dan 9, 24. Vgl. auch C. H. Dodd, Ἱλάσκεσθαι, in: JThSt 32 (1931) 352–360, und S. Lyonnet, De notione expiationis, in: VD 37 (1959) 336–352 und 38 (1960) 65–75; und K. Koch, Sühne und Sündenvergebung um die Wende von der exilischen zur nachexilischen Zeit, in: EvTh 26 (1966) 217–239.

[196] L. Goppelt, Apokalyptik und Typologie, in: ThLZ 89 (1964) 333, möchte an dieser Stelle einen typologischen Hinweis auf den „Karfreitag“ als „eschatologischen Versöhnungstag“ erkennen.

[197] Vgl. O. Michel, Römer, 93; E. Lohse, Märtyrer und Gottesknecht, 139 Anm. 2: „αἷμα Χριστοῦ ist also mit Sicherheit bereits vorpaulinischer Sprachgebrauch“. Auch O. Schmitz, Die Opferanschauung des späteren Judentums und die Opferaussagen des NT, 1910, 223f, nimmt ἐν τῷ αὐτοῦ αἵματι als eine geprägte Formel, möchte sie aber in Analogie zu der im Sinne Deißmanns interpretierten Formel ἐν Χριστῷ erklären: Sie bezeichnet demnach die Blutsgemeinschaft des Gläubigen mit dem gekreuzigten und erhöhten Herrn. Schmitz denkt wie Deißmann bei den Wendungen mit ἐν an eine mystische Gemeinschaft mit dem gekreuzigten und auferstandenen Christus, die zwar vom griechischen Mysteriendenken, nicht aber vom atl. Opfer- und Sühnegedanken her verständlich gemacht werden kann.

[198] So auch K. H. Schelkle, Die Passion Jesu, 144, und Ph. Seidensticker, Lebendiges Opfer, 161.

[199] Vgl. Lev 17, 11, und zum Verständnis dieser Stelle G. von Rad, Theologie I, 269f.

Nach der Erklärung von ἀπολύτρωσις und ἱλαστήριον versuchen wir jetzt eine Exegese des vorpaulinischen Satzes (Rö 3, 24–26aα). V. 24 läßt im ersten Wort sofort das Thema erkennen, das in diesem Satz vorherrscht: die Rechtfertigung (δικαιούμενοι). Was hier „Rechtfertigung" heißt, ist zunächst noch unsicher. Nach jüdischer Auffassung[200] ist hiermit die im Endgericht erwartete Gerechtsprechung des Menschen gemeint. „Gerechtfertigt" sind die Christen auf Grund[201] der Erlösung in und durch[202] Christus Jesus. Die Erlösung bezeichnet nach dem oben Gesagten das Werk des Erlösers, also das Werk Jesu Christi, das darin besteht, daß er für die Menschen genuggetan und ihre Übertretungen wiedergutgemacht hat, indem er sein Leben für sie dahingab. Die Genugtuung, die Jesus Christus leistete, wurde herausgefordert durch die Sünden der Menschen. Zwar wird im V. 24 nicht direkt die ἀπολύτρωσις Erlösung von den Sünden genannt, aber die Erlösungsbedürftigkeit ist im Begriff der ἀπολύτρωσις selbstverständlich vorausgesetzt. Außerdem enthält der nächste Vers einen Hinweis auf die „früher begangenen Sünden".

Gott erweist (εἰς ἔνδειξιν)[203] seine Gerechtigkeit im Tode Jesu, dem sühnende Kraft zukommt. Die Verbindung von „Gerechtigkeit Gottes" und Sühnegedanken hat manche dazu veranlaßt, die göttliche Gerechtigkeit an dieser Stelle als Vergeltung fordernde und strafende Gerechtigkeit zu verstehen. Die Sühneleistung Christi hätte also die Funktion, die Schuld des Menschen zu begleichen und die verletzte Gerechtigkeit wiederherzustellen. In diesem Sinne triumphiere die Gerechtigkeit Gottes im Sühnetod Jesu[204].

Diese Auffassung entspricht jedoch in keiner Weise dem oben dargelegten Verständnis von „Gerechtigkeit Gottes" im AT und Judentum und ihrem Begriff von Sünde. Gegenüber der als Bundestreue verstandenen Gerechtigkeit Gottes erscheinen die vielfachen Übertretungen und Treulosigkeiten im Bundesverhältnis mit Gott als die eigentliche Sünde Israels. Nicht Gott fordert Sühne, sondern er gewährt Sühne zugunsten seines Volkes. Das Bundesverhältnis, das durch Israels Sünde in Frage gestellt ist, bedarf der Entsühnung, die von Gott selbst beschafft wird.

Auf diese Wiederherstellung des Bundes Israels mit Gott bezieht sich der Sühnetod Jesu nach Rö 3, 25. Gott gewährt nun Vergebung oder Nachlaß[205] der vorher begangenen Sünden. „Vorher" bezieht sich

200 Vgl. S. 44f.

201 Vgl. A. Oepke, in: ThWNT II 67: „διά dient zur Bezeichnung einer relativ selbständig wirkenden causa secunda".

202 Vgl. S. 55.

203 Vgl. S. 50 Anm. 143.

204 Vgl. S. 49, besonders die unter Anm. 141 aufgeführten Autoren.

205 Anders O. Michel, Römer, 109, der in Analogie zur Praxis des großen Versöhnungstages bei πάρεσις an einen „Aufschub" der Sünden denkt, den Gott bis zum „Tag der Abrechnung" gewährt.

hier auf die Zeit vor dem Tode Jesu, die durch die vielfachen Verletzungen des Bundes gekennzeichnet ist. Die Zeit vor dem Tode Jesu, der Sündenvergebung bringt, ist in der Sprache des apokalyptischen Judentums[206] die Zeit des „Frevels“ und der Treulosigkeit Israels gegenüber dem Bund Gottes. Die Nähe unseres Textes zum atl. bzw. spätjüdischen Gedanken der von Gott gewährten Bundeserneuerung[207] wird hier deutlich. Während die Menschen durch ihre Sünden das Bundesverhältnis immer wieder in Frage stellen, hält Gott am Bund fest.

Darin erweist er seine Gerechtigkeit[208]. Daß Gott צדיק ist[209], d. h. sich dem Bund entsprechend verhält, tritt jetzt im Tode Jesu deutlich in Erscheinung (ἔνδειξις) und zwar in endgültiger, unüberbietbarer Weise. Denn Gott selbst proklamiert die Lebenshingabe Jesu als den entscheidenden Wendepunkt, als das eschatologische Ereignis, wodurch der Bund entsühnt und erneuert wird[210]. Gottes Gerechtigkeit erscheint hier als seine Bundestreue. Nicht darin erweist er sich als gerecht, daß er die Sünden bestraft, sondern daß er sie in seiner Barmherzigkeit nachläßt. Gottes Aktivität steht hier ganz unter dem Zeichen der Güte (πάρεσις). Seine Gerechtigkeit ist hier eigentlich seine Barmherzigkeit, wie sie auch aus einer bestimmten Schicht des spätjüdischen Schrifttums bekannt ist[211].

In V. 26aα, dem Schluß des Traditionsstückes, wird noch einmal der theozentrische Aspekt des Erlösungsgeschehens deutlich, der den gesamten Gedankengang beherrscht. Die „Geduld Gottes“ bezieht sich

[206] Vgl. S. 35–37.

[207] Vgl. S. 36f; außerdem W. C. van Unnik, La conception de la Nouvelle Alliance, in: Littérature et Théologie Pauliniennes (RechBibl 5), 1960, 109–126.

[208] Vgl. die Bundeserneuerung im liturgischen Text 1 QS 1, 18 – 2, 18. Der Aufzählung der „Gerechtigkeitserweise Gottes“ (1, 21), „aller Gnadenerweise seiner Barmherzigkeit“ (1, 22) und „aller Werke seiner Treue“ (1, 19) wird das Sündenbekenntnis entgegengestellt, das die Vergehen der Israeliten, ihre schuldhaften Freveltaten und ihre Sünden unter der „Herrschaft Belials“ (1, 22f) aufzählt. Vgl. K. Baltzer, Das Bundesformular, 58f.

[209] Vgl. Esdr 9, 15: „Doch Du, Jahwe, Gott Israels, bist gerecht (צדק אתה), da wir heute noch als Rest übrig sind“; Neh 9, 33: „Du bist gerecht bei allem, was über uns kam, denn Du hast Treue erwiesen, wir aber sind gottlos gewesen“ (siehe auch 9, 8 u. 32); Dan 9, 14 (siehe auch 4 u. 7); Dt 32, 4f; 1 QS 1, 26.

[210] Nach den apokalyptischen Texten des Spätjudentums besteht das erwartete Heil der Endzeit „vor allem in einer Restitution des ursprünglichen Gottesverhältnisses“. So mit Bezug auf die Testamente der 12 Patriarchen K. Baltzer, Das Bundesformular, 164.

[211] Vgl. 4 Esdr 8, 31f (siehe oben Anm. 110) und V. 36: „Denn dadurch wird Deine Gerechtigkeit und Güte, o Herr, offenbar, daß Du Dich derer erbarmst, die keinen Schatz an guten Werken haben.“

auf die Gegenwart, nicht, wie einige[212] erklären, auf die Vergangenheit. Denn die Vergangenheit steht wegen der προγεγονότα ἁμαρτήματα unter dem Zorne Gottes, nicht aber unter seiner „Geduld“[213]. Die ἀνοχή Gottes entspricht der πάρεσις. Denn die Sündenvergebung hat ihren geschichtlichen Grund in Jesu Sühnewerk, in dem sich nicht der Zorn Gottes, sondern vielmehr seine ἀνοχή bezeugt[214]. Auf Grund der ἀνοχή Gottes stehen die ehemaligen Bundbrecher jetzt als gerechtfertigt (δικαιούμενοι) da.

Rechtfertigung ist nach der in Rö 3, 24–26aα vorliegenden Tradition Sündenvergebung und damit Erneuerung des Bundesverhältnisses auf Grund des Christusereignisses. Theozentrischer und christozentrischer Aspekt ein und desselben Heilsgeschehens liegen hier ineinander. Gott ist es, der die Sünder gerechtspricht, indem er ihre Untreue vergibt und sie damit zum Bund wieder zuläßt. Wendepunkt im Verhältnis Gottes zu seinem Volk und geschichtlicher Ermöglichungsgrund der Rechtfertigung ist der Tod Jesu, dem eine von Gott verfügte Erlösungs- und Sühnekraft zukommt.

Es bleibt nun noch die Frage, ob diese Konzeption der Rechtfertigung in einer bestimmten Schicht des Urchristentums zu lokalisieren ist. Die Termini ἀπολύτρωσις und ἱλαστήριον, denen wesentliche Bedeutung für die Erklärung des ganzen Satzes zukommt, lassen sich sowohl im zeitgenössisch griechischen wie auch im spezifisch jüdischen Schrifttum nachweisen. So wollte z. B. A. Deißmann[215] Rö 3, 24–26 ganz und gar vom religionsgeschichtlichen Hintergrund des Hellenismus her verstehen. Jedoch verdienen aus exegetischen Gründen, die oben dargelegt wurden, diejenigen wohl eher Zustimmung, die den alttestamentlich-jüdischen Vorstellungsbereich in diesen Versen aufweisen. Tatsächlich ist nicht nur die Terminologie dieses Satzes, sondern auch die Vorstellung von den Treulosigkeiten des Bundesvolkes und der Bundestreue Gottes, von der Erlösung durch Gott und von der Entsühnung des Bundes, schließlich vor allem auch von der gnädigen Gerechtigkeit Gottes und der forensischen Struktur des Rechtfertigungsgeschehens Grund genug, um eine judenchristliche Überlieferung zu vermuten. Die hier zugrunde-

212 So etwa Lietzmann, Römer, 48, indem er diese Wendung mit der vorhergehenden zusammenzieht: „die früher in der Geduldsperiode Gottes begangenen Sünden“. Ähnlich auch O. Michel, Römer, 109; A. Nygren, Römer, 120f; E. Gaugler, Römer I, 91; O. Kuss, Römer, 158.

213 Nach H. Schlier: ThWNT I 361, ist sie das „An-sich-halten Gottes in seinem Zorneswirken“; vgl. LXX Is 42, 14 u. 63, 15.

214 Vgl. auch E. Käsemann, Zum Verständnis von Römer 3, 24–26, 98, der ἀνοχή lieber als H a n d e l n der göttlichen Geduld und nicht so sehr als eine Periode fassen möchte.

215 Bibelstudien, 121–132; ders., Licht vom Osten, 274–282; ders., Paulus, 1925, 134–136 und 137–139.

liegende Vorstellung vom „neuen Bund“ und besonders die Formel ἐν τῷ αὐτοῦ αἵματι, die auch im eucharistischen Einsetzungsbericht 1 Kor 11, 25 (= ἐν τῷ ἐμῷ αἵματι) vorkommt, einem Zusammenhang, in dem Paulus ausdrücklich auf eine überkommene Tradition hinweist, legen es nahe, auch hier Abhängigkeit von einer „Abendmahlsliturgie“ [216] anzunehmen.

Vielleicht darf man den Ort der Tradition noch ein wenig näher abstecken und mit Käsemann [217] an den Raum des hellenistischen Judenchristentums als Heimat dieser Vorstellung denken, da hier die atl.-jüdische Erlösungs- und Sühneanschauung bekannt und Paulus diesem Kreis des Urchristentums von Anfang an in besonderer Weise verbunden war [218].

Zusammenfassung:

Der Traditionssatz beschreibt die Rechtfertigung der Menschen als Erlösung von den Übertretungen des alten Bundes. Gott zeigt darin seine Gerechtigkeit, d. h. seine Bundestreue, daß er in Jesus Christus Sühne schafft für die Sünden, mit denen Israel in vielfacher Weise das Bundesverhältnis zu Gott belastet hatte. Seine Gerechtigkeit erscheint so als seine Barmherzigkeit. Die Wende, die Gott nun mit dem Tode Christi eintreten läßt, ist eine Wende der Sündenvergebung und damit zum Leben in einem neuen Bund mit Gott. Sie ist zwar in einem gewissen Sinne auch eschatologische Wende, denn Gott selbst erlöst sein Volk und erfüllt so die Verheißung des „Alten Bundes“. Aber sie ist nicht das Ende der Geschichte dieses Bundes, sondern eine Wende innerhalb der Geschichte, die nun in einem erneuerten Gottesverhältnis weitergeht. Die Erlösung, die Gott gewirkt hat, ist eben eine Erlösung von den „früher begangenen Sünden“. Die ganze eschatologische Bedeutung, die der Tod Jesu nach der Auffassung des Apostels Paulus hat, ist allein mit dem Sühnegedanken noch nicht erschöpft. Zur umfassenderen Konzeption des Paulus von der „Erlösung in Christus Jesus“ gelangen wir erst, wenn der Satz der vorpaulinischen, wohl judenchristlichen Tradition aus dem Zusammenhang des Römerbriefes interpretiert wird. Denn Paulus hat die ihm vorgegebenen theologischen Aussagen zum Tode Jesu nicht nur übernommen und weitergegeben, sondern auch interpretiert.

[216] So O. Michel, Römer, 92, und E. Käsemann, Zum Verständnis von Römer 3, 24–26, 99.

[217] A. a. O. 99.

[218] Vgl. E. Lohse, Märtyrer und Gottesknecht, 152.

2. Kapitel:
„Gerechtigkeit Gottes" bei Paulus

Im folgenden soll der Begriff der δικαιοσύνη θεοῦ anhand der einschlägigen Stellen in den paulinischen Briefen untersucht werden. Wir beginnen nicht, wie es eigentlich der Chronologie der Briefe entsprechen würde, mit 2 Kor 5, 21, sondern mit den Hauptstellen des Römerbriefes. Es empfiehlt sich, an die vorpaulinische Tradition in Rö 3, 24–26 [1] anzuknüpfen, um die paulinische Interpretation dieses Satzes zu erheben. Diese Stelle steht in einem Zusammenhang [2], von dem wir hier nicht absehen können, zumal er in 3, 21f durch einen Satz eingeleitet wird, in dem die Wendung δικαιοσύνη θεοῦ zweimal vorkommt. Damit ist schon angedeutet, daß es sich in Rö 3, 21–26 um einen sehr wichtigen Abschnitt für die Darstellung der Rechtfertigungsverkündigung des Apostels Paulus handelt. So sollen die Stellen 3, 21f und 3, 25f im Zusammenhang des gesamten Abschnitts (3, 21–26) behandelt werden. Obwohl Rö 1, 17 nur Themenangabe für den ersten Hauptteil des Römerbriefes ist und diese offensichtlich in 3, 21 wieder aufgegriffen wird, soll die Stelle 1, 17 doch wegen ihres Zusammenhanges mit dem vorhergehenden Vers und wegen des bedeutsamen Inhaltes dieser Verse anschließend gesondert exegesiert werden. Einer eigenen Behandlung bedarf auch das zweimalige Vorkommen von δικαιοσύνη θεοῦ in Rö 10, 3. So bleibt außer 2 Kor 5, 21 nur noch Rö 3, 5. Da diese Stelle in einem Zusammenhang steht, der sachlich von Rö 3, 21–26 vorausgesetzt wird, erscheint es zweckmäßig, mit einer Erörterung von Rö 3, 5 bzw. des Abschnittes, in dem diese Stelle vorkommt, zu beginnen.

§ 5. Rö 3, 5

Mit Rö 3, 1 beginnt ein Abschnitt, eingeleitet durch den Einwurf eines fingierten jüdischen Gesprächspartners (τί οὖν τὸ περισσὸν τοῦ Ἰουδαίου), den viele Exegeten als eine Abschweifung von dem Hauptthema des gesamten Zusammenhanges von 1, 18 – 3, 20 (alle Menschen sind Sünder vor Gott) ansehen [3].

[1] Vgl. S. 48–62.

[2] Vgl. S. 48–50.

[3] So A. Jülicher, Römer, 236; A. Bisping, Römer, 128 (zu 3, 5–8); H. Lietzmann, Römer, 45–47; O. Bardenhewer, Der Römerbrief des hl. Paulus, 1926, 52;

In diesem Abschnitt, der die Verse 1–8 umfaßt, komme ein doppeltes Problem zur Sprache: V. 1–4 das „Verhältnis der alten zu der neuen Offenbarung, von Mosesoffenbarung zu Christusoffenbarung“[4], und nachdem Paulus dieses Problem kurz abgehandelt hat, um es in Kap. 9–11 wieder aufzunehmen[5], in V. 5–8 „die Frage nach dem Zusammenhang von menschlicher Sünde und göttlicher Verherrlichung“[6]. Mit den hier aufbrechenden Fragen lasse sich Paulus jedoch nicht weiter ein, „sondern weist sie knapp und massiv zurück (V. 6. 8c), um im Folgenden (V. 9–20) erneut sehr bestimmt das eigentliche Ziel des Abschnitts 2, 1 – 3, 20 anzusteuern“[7].

Jedoch ist auch ein Zusammenhang zwischen den beiden Gedankenreihen V. 1–4 und V. 5–8 und dem ganzen Abschnitt 3, 1–8 einerseits mit der Darstellung von 1, 18 – 3, 20 andrerseits festzustellen. Denn den in V. 5 gebrachten Einwand (μὴ ἄδικος ὁ θεὸς ὁ ἐπιφέρων τὴν ὀργήν) schließt Paulus an das in V. 4 eingefügte Schriftzitat an[8]. Mit ihm stellt er aber auch die Beziehung des Vorhergehenden (Israels Vorrechte) zu seinem Hauptthema, nämlich der Verhängung des Zornes Gottes über die Sünder (vgl. 1, 18), her[9]. Diese Beziehung zeigt sich in der Erwägung von V. 5, ob sich Israels Vorrechte auch darauf erstrecken, daß es die Bundestreue Gottes durch seine Untreue ungestraft verletzen dürfe.

Die Frage, die Paulus in V. 5 bewegt, lautet: Kann sich die menschliche Ungerechtigkeit, die Treulosigkeit gegenüber dem Bund mit Gott ist, durch den Hinweis darauf, daß sie Gott als Folie zur Darstellung seiner Gerechtigkeit dient, seinem Zorngericht entziehen?[10]

P. Althaus, Römer, 26; Sanday-Headlam, Romans, 75; O. Kuss, Römer, 99. Anders jedoch E. Kühl, Römer, 96; A. Nygren, Römer, 102f, und O. Michel, Römer, 94, der betont, daß der Abschnitt 3, 1–8 zusammen mit dem folgenden 3, 9–20 „eine Verstärkung der Anklage von Röm 2“ sei, deren Schwergewicht „offenbar in den Schriftzitaten“ liege.

[4] O. Kuss, Römer, 99. Vgl. O. Bardenhewer, Römer, 52: „Zur Sicherstellung der unbedingten Zuverlässigkeit Gottes“; H. Lietzmann, Römer, 45: „Pls wollte nachweisen, daß die Verheißungen an Israel trotz allem bestehen bleiben.“

[5] C. H. Dodd, Romans, 44f, geht daher an dieser Stelle schon etwas eingehender auf die Position des Apostels, die er in Kap. 9–11 entwickelt, ein.

[6] O. Kuss, Römer, 99. Vgl. O. Bardenhewer, Römer, 52: Paulus wendet sich gegen den Einwand, „daß Gott die Sünde gerechterweise nicht bestrafen dürfe“; H. Lietzmann, Römer, 45: Paulus beschäftigt sich mit dem Einwand, „daß die Schlechtigkeit der Menschen dazu da sei, um als Folie für Gottes Gerechtigkeit zu dienen“.

[7] O. Kuss, Römer, 100.

[8] So auch O. Kuss, Römer, 99 u. 102f; Th. Zahn, Römer, 154; E. Kühl, Römer, 98; H. Lietzmann, Römer, 45; M.-J. Lagrange, Romains, 65; P. Althaus, Römer, 26; A. Nygren, Römer, 105.

[9] Vgl. auch E. Kühl, Römer, 96; P. Althaus, Römer, 26: „. . . ein neuer Einwand, der Paulus wieder näher an den Grundgedanken von 2, 1ff, Gottes Zorn über den Juden, heranführt“.

[10] Vgl. C. H. Dodd, Romans, 45: „That it is unfair of God to bring retribution upon us“; E. Gaugler, Römer I, 74: „Der Apostel hat es hier offenbar mit sehr konkreten Fragen zu tun, mit jenen törichten Fragen des Menschenherzens, das

Bei dieser Fragestellung wird vorausgesetzt, daß die ἀδικία ἡμῶν sich auf die ἀπιστία αὐτῶν (der Juden) in V. 3 bezieht.
Die Fragestellung von V. 5 ist ausgelöst durch die beiden Zitate aus Ps 116, 11 und 51, 6 in V. 4. So hat eine Erklärung des V. 5 mit V. 4 bzw. schon mit V. 3 zu beginnen, da Paulus mit den beiden Schriftzitaten in V. 4 einen Einwand, der in V. 3 erhoben wird, beantwortet.
Macht nicht der öftere Bundesbruch der Juden [11] die Bundestreue Gottes hinfällig? [12] So lautet der Einwand, den sich Paulus in V. 3 machen läßt. Die Antwort ist ein entschiedenes μὴ γένοιτο, eine „bei Paulus sehr beliebte Wendung zur feierlichen Verwahrung gegen falsche Konsequenzmacherei" [13], der nun eine Begründung folgt, die sich auf die beiden genannten Psalmenzitate stützt: γινέσθω δὲ ὁ θεὸς ἀληθής ...: „Sondern es muß [14] sich zeigen, daß Gott wahr ist, ‚jeder Mensch aber ein Lügner' (Ps 116, 11 = LXX Ps 115, 2)". Paulus wendet die durch die Erfahrung begründete Klage des Psalmisten über die lügnerischen Nachstellungen seiner Freunde und Verwandten [15] in eine allgemeingültige theologisch-anthropologische Aussage über das Verhältnis oder besser: Mißverhältnis des Menschen zu seinem Gott. Denn mit der Einführung dieser Psalmstelle bleibt Paulus durchaus in der Aussagereihe von 1, 18 – 3, 20: alle Menschen (man beachte in 3, 4 πᾶς) sind vor Gott Sünder.
Diese Feststellung wird noch durch eine zweite, als Zitat von Paulus kenntlich gemachte Psalmenstelle unterstrichen: „Damit du (Gott) gerechtfertigt werdest = δικαιωθῇς [16] in deinen Worten und

immer besser weiß, was Gott falsch gemacht und sich darum an seiner Ungerechtigkeit verletzt".

[11] Die ἀπιστία derer (τινες), die ἠπίστησαν, bezieht sich nicht, wie A. Bisping, Römer, 126f; R. Cornely, Ep. ad Romanos, 158; O. Bardenhewer, Römer, 52; A. Schlatter, Gottes Gerechtigkeit, 114, und E. Gaugler, Römer I, 72f, meinen, auf die πίστις Ἰησοῦ Χριστοῦ, sondern sie bedeutet die Untreue Israels gegenüber seinem Bundesverhältnis zu Gott. O. Kuss, Römer, 101, urteilt, daß für die Argumentation hier „eine Bezugnahme auf die Geschichte Israels vor Christus ausreicht". Doch ist mit H. W. Schmidt, Römer, 57, anzunehmen, daß „diese ἀπιστία aber für Paulus an der Stellung zum Evangelium offenkundig" wird; „hier zeigt der Jude, daß er sich von den ‚Verheißungen' abgewandt und die πίστις durch das ἔργον νόμου vertauscht hat" (ebd.).

[12] Das Futur καταργήσει von καταργεῖν = zunichte machen (bei Paulus 25 mal) hat hier logische Bedeutung (O. Michel, Römer, 96 Anm. 1).

[13] H. Lietzmann, Römer, 45. Vgl. auch R. Bultmann, Der Stil der paulinischen Predigt und die kynisch-stoische Diatribe (FRLANT 13), 1910, 33.

[14] Vgl. H. Lietzmann, Römer, 45: „... der Imperativ bei der Forderung des religiösen Bewußtseins".

[15] Vgl. H. J. Kraus, Psalmen 2, 795.

[16] Anders O. Kuss, Römer, 101: „damit du gerecht erfunden werdest ..." (ähnlich auch H. Lietzmann, Römer, 97); O. Michel, Römer, 93: „damit du Recht behaltest ..." (ähnlich auch A. Nygren, Römer, 105). – Auch in der spät-

obsiegest[17], wenn man mit dir rechtet = ἐν τῷ κρίνεσθαί σε“ (Ps 51, 6)[18]. Die Satzstellung des Verses zeigt, daß δικαιωθῇς durch das parallel stehende und analog gebrauchte νικήσεις interpretiert wird. Gott wird im Rechtsstreit mit dem Menschen (oder nach MT: im Gericht) sich als gerecht erweisen und aus ihm als Sieger hervorgehen. Gottes Rechtfertigung erfolgt durch den Menschen selbst, der gleichsam in einem Rechtsstreit mit Gott sich selbst zu rechtfertigen sucht, da er Gott in Widerspruch zu seinem eigenen Wesen bringen will, den Gott der Strafgerechtigkeit gegen den Gott der Verheißungen. In diesem Versuch, Gott gegen Gott auszuspielen, zeigt sich für Paulus das wahre Wesen des ungläubigen Menschen, sein ψεύστης-Sein. Tatsächlich kommt bei diesem „Rechtsstreit“ des Menschen mit Gott nichts anderes heraus als die Offenbarung seiner eigenen Schuld und der Erweis der Gerechtigkeit Gottes als seiner Gnade gegenüber dem lügenhaften Wesen des Menschen[19].

Hier setzt nun der Einwand von V. 5 ein. In dem Psalmzitat von V. 4b verwandte Paulus das atl. Bild vom Rechtsstreit nur dazu, um den Gedanken, daß Gott im Verhältnis zum Menschen Recht hat und behält, wirkungsvoll hervorzuheben. Aber es kommt ihm nicht auf die Feststellung eines Rechtsstandpunktes an. Denn Gottes Recht ist für

jüdischen Literatur ist diese Form mit Gott als Subjekt, besonders durch die Psalmen Salomos belegt, z. B. PsSal 8, 27; 9, 3 (Rießler). Vgl. auch Sir 18, 2. Meistens aber steht das aktive δικαιοῦν mit Gott als Objekt und dem „Gerechten“ als Subjekt: PsSal 2, 16; 3, 5; 4, 9; 8, 7. Vgl. G. Schrenk: ThWNT II 217, 3–10.

[17] Νικήσεις entspricht dem hebr. Textwort תזכה von זכה „rein sein“, „im späteren Sprachgebrauch auch = recht behalten, siegen, obsiegen“ (Billerbeck III, 134). Die Lesart in B und Koine νικήσῃς statt νικήσεις stellt offenkundig eine Korrektur nach der LXX dar.

[18] Paulus zitiert wörtlich nach der LXX (Ps 50, 6). H. J. Kraus, Psalmen 1, 382, übersetzt die letzte Vershälfte aus dem Hebräischen: „auf daß du ... rein bleibst in deinem Gericht“ (בשפטך). Die LXX gibt dem letzten Wort einen anderen Sinn, indem sie den Menschen zum Subjekt des Rechtsstreites und Gott zu seinem Prozeßgegner macht. In dieser Formulierung wird der Vers für Paulus ein geeigneter Beleg für das Mißverhältnis des lügenhaften Menschen zu seinem wahrhaftigen Gott.

[19] H. W. Schmidt, Römer, 58, nimmt an, „daß der Apostel in diesem Gedanken (V. 3f) wie in seiner ganzen Theologie Erfahrungen seiner Lebensgeschichte Ausdruck gibt“. Dafür bietet der Text selbst jedoch keinen ausdrücklichen Anhalt. Luther hat sich in seiner Römerbriefvorlesung (WA LVI, 226–228) auf die Stelle Rö 3, 4 ausführlicher eingelassen und dabei die „iustificatio Dei passiva“ als Voraussetzung für die „iustificatio activa“ herausgestellt. Erstere bezieht sich darauf, daß der Mensch Gott in seinem Wort vom Sündersein des Menschen bestätigt, indem er seine Sünde bekennt. Letztere bezieht sich von Gott her auf den Menschen. Vgl. A. Brandenburg, Thesen zur theologischen Begründung der Rechtfertigungslehre Luthers. Röm 3, 4 in Luthers Römerbriefvorlesung, in: Unio Christianorum (Festschrift für Erzbischof L. Jaeger), 1962, 262–266.

Paulus geschichtlich wirksam[20]. Schon in V. 2 brachte die Erwähnung der λόγια τοῦ θεοῦ die Initiative Gottes im Bundesverhältnis mit Israel zum Ausdruck. Aber auch die Wendung πίστις τοῦ θεοῦ in V. 3 ist nicht nur Ausdruck der unwandelbaren Unveränderlichkeit Gottes in der Treue zu sich selbst, sondern sie bezeichnet seine Treue zum Bund und das bedeutet seine Zuverlässigkeit in der Erfüllung seiner Verheißungen. Ebenso ist ἀληθής in V. 4 nicht ein seinshaftes[21] Prädikat Gottes, sondern dem hebräischen אמת entsprechend Ausdruck seiner Treue (vgl. auch ἀλήθεια in V. 7) und Zuverlässigkeit[22]. Diese Reihe findet nun ihren Höhepunkt in dem Begriff der δικαιοσύνη θεοῦ in V. 5. Gottes Gerechtigkeit wird also durch die Ungerechtigkeit (ἀδικία) des Menschen herausgestellt[23]. Wenn man die δικαιοσύνη θεοῦ mit der πίστις τοῦ θεοῦ in V. 3 nicht nur parallel, sondern auch synonym fassen darf[24], schließt sich V. 5 etwa mit folgendem Sinn an die vorhergehenden Verse an: Die Ungerechtigkeit, d. h. Treulosigkeit der israelitischen Bundespartner, hebt die Gerechtigkeit, d. h. Bundestreue Gottes, nicht nur nicht auf, sondern bringt sie erst recht ans Licht (συνίστησιν).

Diese, im wesentlichen auch von den meisten Kommentaren geteilte Deutung der „Gerechtigkeit Gottes" in Rö 3, 5 bedarf jedoch in mehrfacher Hinsicht noch einer Klärung und Weiterführung.

1. Die ἀδικία in V. 5 ist als ἀδικία ἡμῶν gefaßt. Während die ἀπιστία αὐτῶν in V. 3 sich dem Zusammenhang nach offenkundig auf die

[20] Vgl. K. Barth, Der Römerbrief, 1963, 47f: „Der lebendige Gott, der sich in der Geschichte als der Treue und Siegreiche bewährt, triumphierend auch in allem menschlichen Abfall, ist der gerechte Gott ...".

[21] Den Gegensatz des hebräischen Sprachgebrauchs von אמת = ἀλήθεια in LXX zum griechischen ἀλήθεια = „abstract or metaphysical truth" betont besonders T. F. Torrance, One Aspect of the Biblical Conception of Faith, in: ET 68 (1956/7) 111–114: „truth not as something static, but as active, efficacious reality, the reality of God in convenant relationship".

[22] Vgl. R. Bultmann: ThWNT I 243, 22–27.

[23] Wie nahe diese Vorstellung dem rabbinisch-jüdischen Denken lag, weist Billerbeck III, 135f, nach.

[24] Vgl. T. F. Torrance, a. a. O. 111–114 (u. dazu die teils durch sprachgenetische, teils durch sprachphilosophische Einwände begründete Kritik von J. Barr, The Semantics of Biblical Language, 1962, 188–194); E. Tobac, Justification, 117; R. Bultmann: ThWNT I 243, 24–27; E. Kühl, Römer, 98; P. Benoit, La loi et la croix d'après S. Paul, in: RevBibl 47 (1938) 481–509, hier 508 Anm. 3: „Remarquer en Rom 3, 1–7 cette synonymie pratique de πίστις, ἀλήθεια et δικαιοσύνη en Dieu"; J. Huby, Romains, 139: „Dieu est juste ...: il a été fidèle aux promesses que ces oracles contenaient". Besonders S. Lyonnet, De „Iustitia Dei" in Ep. ad Rom. 10, 3 et 3, 5: VD 25 (1947) 118–121, geht von der Synonymität der Begriffe πίστις, ἀλήθεια und δικαιοσύνη in Rö 3, 1–8 aus und definiert die δικαιοσύνη θεοῦ unter Bezugnahme auf den atl. Sprachgebrauch von צדקה als „Dei fidelitas erga salutis promissa".

dauernden Verfehlungen Israels gegen den Bund bezog, schließt Paulus sich selbst und auch die Adressaten seines Briefes mit in die Feststellung von V. 5 ein, die sich damit also nicht nur auf die israelitische Vergangenheit, sondern in einem grundsätzlichen Sinne auf die Gesamtheit der Menschen bezieht.

2. Das Wort ἀδικία wurde zwar inhaltlich[25] und auch formal durch das vorhergehende Psalmenzitat, zumal durch sein Prädikat δικαιωθῇς, veranlaßt, der Begriff ἀδικία umfaßt aber durchaus mehr als die sich oft wiederholende ἀπιστία Israels. Durch den Begriff der Ungerechtigkeit wird im spätjüdischen Schrifttum vielfach der Zustand dieses bösen Äons schlechthin gekennzeichnet, so äthHen 48, 7; 91, 5–8. 11; 4 Esr 5, 2. 10[26]. Auch Jak 3, 6 wird dieser Äon als κόσμος τῆς ἀδικίας im spätjüdischen Sinne interpretiert[27]. Wenn in Rö 3, 5 auch nicht von diesem Äon ausdrücklich gesprochen wird, so würde der Begriff der ἀδικία doch gut den Zustand der gesamten Menschheit unter der Sünde, von dem Paulus ja seit 1, 18 spricht, im Sinne der apokalyptischen Äonenlehre charakterisieren. Von dieser unterscheidet sich Paulus jedoch wesentlich dadurch, daß er die „Welt der Ungerechtigkeit" oder „diesen bösen Äon" anthropologisch interpretiert. Die Welt der ἀδικία sind „wir", die Menschen, die unter die ἁμαρτία versklavt (vgl. Rö 3, 9; 6, 17. 20) sind.

3. Aus dieser Erklärung von ἀδικία ergibt sich eine eschatologische Charakterisierung des Begriffs δικαιοσύνη θεοῦ. Ebenso wie in TestDan 6, 10[28] sind auch in Rö 3, 5 die beiden Begriffe der ἀδικία und der δικαιοσύνη θεοῦ[29] einander gegenübergestellt. Durch einen Vergleich dieser beiden Stellen wird aber auch klar, wie anders Paulus die Gegenüberstellung versteht. Während in TestDan 6, 10 die „Gerechtigkeit Gottes" der in dieser Welt der Ungerechtigkeit verborgene Seinsgrund der Gerechten ist, der sie von den Bösen und Frevlern unterscheidet, tritt bei Paulus die „Gerechtigkeit Gottes" als eschatologisches Ereignis in Erscheinung (ausdrücklich 1, 17 und 3, 21) und

[25] Es ist wohl vorauszusetzen, daß die Feststellung der menschlichen Ungerechtigkeit, von der im Zitat des vorhergehenden Verses nicht ausdrücklich gesprochen wurde, durch Paulus der nicht mitzitierten ersten Vershälfte von LXX Ps 50, 6 (σοὶ μόνῳ ἥμαρτον καὶ τὸ πονηρὸν ἐνώπιόν σου ἐποίησα) entnommen ist. Vgl. E. Kühl, Römer, 98; H. Lietzmann, Römer, 45; M.-J. Lagrange, Romains, 65; O. Kuss, Römer, 103.

[26] Vgl. auch 4 Esr 12, 32 (das messianische Gericht über die Ungerechtigkeiten); ähnlich PsSal 17, 29. 36 (Rießler) und TestBenj 10, 8. Parallelen aus dem rabbinischen Schrifttum siehe bei Billerbeck IV, 981–986.

[27] Zur Frage der Textverderbnis und verschiedener anderer Interpretationen dieser Stelle vgl. W. Windisch – H. Preisker, Die kath. Briefe, 23, und M. Dibelius, Der Brief des Jakobus, 180–184.

[28] Vgl. S. 25f.

[29] Während in TestDan 6, 10 diese Wendung den Artikel, und zwar vor beiden Worten, führt, fehlt er in Rö 3, 5.

macht offenbar, daß alle Menschen Sünder sind und der Rechtfertigung durch Gottes Gnade bedürfen. Von diesem eschatologischen Ereignischarakter der δικαιοσύνη θεοῦ her ist auch die in 3, 5 aufgestellte Behauptung, daß die menschliche Ungerechtigkeit gerade die Gerechtigkeit Gottes hervortreten lasse, in ihrer Konsequenz als eine Anmaßung zu beurteilen.

4. Schließlich spricht der verbale und sachliche Bezug des Begriffspaares ἀδικία ἡμῶν – θεοῦ δικαιοσύνη auf das Prädikat des vorhergehenden Psalmzitates für eine forensische Fassung des Begriffs „Gerechtigkeit Gottes“ [30]. Die Feststellung: „Gott ist gerecht“ beschreibt nicht nur eine statische Eigenschaft Gottes, sondern seine Tätigkeit als Richter, die im hebräischen Text des genannten Psalmzitates deutlicher als in der LXX zum Ausdruck kommt: Gott wird siegen, wenn er Gericht hält (בשפטך). Gottes richterliche Tätigkeit wird aber in V. 5f noch besonders deutlich herausgestellt durch den Einwand und die Antwort des Apostels: μὴ ἄδικος ὁ θεός ...; Ist denn Gott nicht ungerecht, wenn er sich einerseits der menschlichen Sünde als Folie zur Darstellung seiner Gerechtigkeit bedient, andrerseits aber seinen Zorn über alle Ungerechtigkeit der Menschen (vgl. 1, 18) verhängt? Nach einer kurzen Entschuldigung für diese Sprache (κατὰ ἄνθρωπον λέγω)[31] weist Paulus diesen Einwand mit einem μὴ γένοιτο[32]

[30] C. Müller, Gottes Gerechtigkeit und Gottes Volk, 65–67, hat im Zusammenhang mit Rö 3, 5 nachdrücklich auf die juridisch-forensische Struktur von δικαιοσύνη θεοῦ hingewiesen. „Daß des Menschen ἀδικία Gottes δικαιοσύνη erweist, ist nur in einem Prozeß möglich, wo der Sieg der einen Partei die Niederlage der anderen involviert“ (65). Mit δικαιοσύνη θεοῦ bezeichne Paulus „den Sieg des Anspruches Gottes über den unterlegenen, also ungerechten κόσμος ... Israel ist zum Paradigma der Welt geworden“ (67). Paulus verwende in 3, 1–22 durchgehend Termini, die das Verhältnis des Menschen zu Gott als Prozeßsituation vorstellen. In diesem Zusammenhang verweise vor allem das Zitat Ps 51, 6 in 3, 4 auf die atl.-jüdische Tradition des Rechtsstreitgedankens: Gott erweist sich als ἀληθής, d. h. als „derjenige, der im Prozeß seinen Anspruch und sein Recht durchzusetzen vermag“, demgegenüber der Mensch mit seinem Anspruch als ψεύσθης erscheinen muß und deshalb unterliegt. Gott ist also „Richter in eigener Sache“.
Müllers Deutung der paulinischen Formel δικαιοσύνη θεοῦ im Licht des atl.-jüdischen Rechtsstreitgedankens vermag den Gebrauch der aus dem atl.-jüdischen Rechtsdenken entlehnten Termini in 3, 1–22 zu erklären. Es ist jedoch die Frage, ob der Rechtsstreitgedanke in dem Maße zur Interpretation des Begriffs δικαιοσύνη θεοῦ herangezogen werden kann, wie Müller es tut. Zweifellos legt der Bundesgedanke, der den ganzen Abschnitt seit V. 2 durchzieht, es nahe, in V. 4f an die Zweiseitigkeit eines Rechtsstreites zu denken. Aber in V. 5f tritt diese Zweiseitigkeit doch zurück gegenüber der Vorstellung von Gott als dem Richter der Welt.

[31] Vgl. H. Lietzmann, Römer, 46, und O. Michel, Römer, 97: Paulus „meint, daß er nur die Konsequenzen nach menschlicher Logik ziehe“. Vgl. auch Gal 3, 15; 1 Kor 9, 8; Rö 6, 19.

[32] So schon zum Eingang von V. 4; außerdem bei Paulus Rö 3, 31; 6, 2. 15;

scharf zurück, dem als Begründung der Satz folgt, wie anders Gott die Welt richten werde[33]. Dies ist ein Grundsatz, der selbstverständliche Voraussetzung jüdisch-theologischen Denkens ist[34]. Mit der Erinnerung an das richtende Walten Gottes bezieht sich Paulus auf den Grundgedanken des Gesamtzusammenhangs 1, 18 – 3, 20: Alle Menschen verdienen wegen ihrer Sünden den Zorn Gottes.

Es läßt sich also nun sagen, daß die Gerechtigkeit Gottes in Rö 3, 5 nicht nur seine Bundestreue gegenüber Israel, mit der er die gegebenen Verheißungen erfüllt, bezeichnet, sondern vielmehr die eschatologische Erscheinung seiner richtenden Tätigkeit gegenüber der sündig gewordenen Menschheit.

Die Zusammenstellung von θεοῦ δικαιοσύνη und ἐπιφέρων τὴν ὀργήν könnte den Verdacht nahelegen, daß der Zorn ein Moment der Gerechtigkeit Gottes sei, so daß die ὀργὴ θεοῦ mit der θεοῦ δικαιοσύνη identisch wäre und diese dann den Sinn der strafenden Gerechtigkeit erhielte[35]. Jedoch von einer Gleichung „Gerechtigkeit Gottes" = „Zorn Gottes" kann bei Paulus nicht die Rede sein, auch nicht auf Grund von Rö 1, 17f. Vielmehr steht die Zornesoffenbarung Gottes in einer ereignishaften Spannung zu seiner Gerechtigkeitsoffenbarung[36]. Die eine erscheint als die Kehrseite der anderen. Die Offenbarung des Zornes Gottes „über alle Gottlosigkeit und Ungerechtigkeit der Menschen" (1, 18) ereignet sich (nur) im korrespondierenden Gegenüber mit der Offenbarung der Gerechtigkeit Gottes, die sich gerade unter dieser Voraussetzung als die rettende, heilshafte Gerechtigkeit Gottes manifestiert[37].

7, 7. 13; 9, 14; 11, 1. 11; Gal 2, 17; 3, 21; 1 Kor 6, 15, also immer an Stellen, an denen er Einwände zurückweist.

[33] Κρίνειν τὸν κόσμον steht bei Paulus auch 1 Kor 6, 2. An das eschatologische Weltgericht ist hier gedacht, dem die gesamte Menschheit (= κόσμος) sich unterziehen muß.

[34] Vgl. Billerbeck III, 139. – C. H. Dodd, Romans, 45, sieht in diesem Satz „simply a reiteration of Abraham's plea in Gen 18, 25 . . .".

[35] Als strafende Gerechtigkeit erklärt z. B. O. Olivieri, Quid ergo amplius Iudaeo est? etc. (Rom 3, 1–8), in: Bibl 10 (1929) 31–52, die θεοῦ δικαιοσύνη in Rö 3, 5. Zur Kritik dieser Interpretation vgl. S. Lyonnet: VD 25 (1947) 120; ders.: VD 42 (1964) 141–152. Auch M. Pohlenz, Vom Zorne Gottes (FRLANT 12), 1909, 11 (A. 2) u. 12, nimmt eine doppelte Offenbarung der Gerechtigkeit Gottes, nämlich als Zorn und als Gnade, an.

[36] Vgl. G. Bornkamm, Die Offenbarung des Zornes Gottes, in: Das Ende des Gesetzes, 1958, 9–33, wo mit Recht auf den „Ereignischarakter" der ὀργὴ θεοῦ sowie die parallele Stellung und die eschatologische Prägung der Begriffe δικαιοσύνη θεοῦ und ὀργὴ θεοῦ in Rö 1, 17f hingewiesen wird (bes. 30f). Vgl. auch R. Bultmann, Theologie, 275: „Im gleichen Sinne heißt es Rm 1, 18 . . . das Zornesgericht Gottes tritt in Erscheinung, vollzieht sich, und zwar eben in der Gegenwart".

[37] Vgl. G. Bornkamm, a. a. O. 33: „Indem er (Gott) der Welt sagen läßt, daß sie in ihrer Sünde der ὀργή Gottes verfallen ist, daß keine Gerechtigkeit bei ihr ist und daß er allein gerecht ist in dem Streit, in den sie mit ihm trat (3, 4), läßt er ihr zugleich sagen, daß er diese seine δικαιοσύνη den Glaubenden aufgetan hat". Vgl. auch R. Bultmann, Theologie, 275f; G. Stählin, ὀργή: ThWNT V 427, bes. 22–30.

§ 6. Rö 3, 21–26

Rö 3, 21–26 hat zentrale Bedeutung für die Interpretation der δικαιοσύνη θεοῦ bei Paulus und damit auch für das Verständnis der paulinischen Rechtfertigungsbotschaft. Das kommt nicht nur darin zum Ausdruck, daß die Wendung δικαιοσύνη θεοῦ in diesen Versen viermal vorkommt, daß von Gott als δίκαιος καὶ δικαιῶν (V. 26) und von den gläubig gewordenen Menschen als δικαιούμενοι (V. 24) gesprochen wird, sondern vor allem auch in den programmatisch klingenden und proklamatorisch vorgetragenen Satzperioden in V. 21–24 und 26b sowie in dem von Begriffen und Vorstellungen dicht gefüllten Satz V. 24–26a.

Der Zusammenhang mit dem vorhergehenden Abschnitt 1, 18 – 3, 20 wird klar, wenn V. 19f recht verstanden wird. Paulus hatte seine Ausführungen über die allgemeine Sündhaftigkeit der gesamten Menschheit mit einer Reihe von Schriftzitaten in den V. 10–18 abgeschlossen, deren unzweifelhafte Autorität der These des ganzen Abschnitts 1, 18 – 3, 20 letzte Beweiskraft gibt. In den V. 19 und 20 geht es noch einmal (vgl. 2, 17–29; 3, 1. 9) um den Juden, der sich auf Grund des Besitzes der Tora [38] etwas zugute tut. Auch der Jude, so betont Paulus noch einmal, ist unter den πάντες von LXX Ps 13, 3 in Rö 3, 12 (vgl. 3, 4. 9) eingeschlossen. Denn jeder menschliche Einspruch (πᾶν στόμα) und Versuch einer Selbstrechtfertigung muß [39] vor Gott zum Verstummen kommen und die ganze Welt (πᾶς ὁ κόσμος), Juden wie Heiden, muß vor Gott als schuldig erscheinen. „Denn (διότι) aus Gesetzeswerken wird kein Mensch (πᾶσα σάρξ) gerechtgesprochen vor ihm“ (V. 20a). In diesem Satz verwendet Paulus ein Psalmzitat aus LXX Ps 142, 2, das er durch die Hinzufügung von ἐξ ἔργων νόμου interpretiert, so daß es nun die entscheidende Spitze gegen das Selbstbewußtsein der Juden erhält [40]. In demselben Sinne versteht er auch in Gal 2, 16 diese Psalmstelle als Ausdruck des menschlichen Unvermögens, aus eigener Kraft [41] die Rechtfertigung zu erlangen.

[38] In Rö 3, 19a bezeichnet ὁ νόμος die Gesamtheit der atl. Schriften, wie aus einem Vergleich mit den Schriftzitaten in den V. 10–18 hervorgeht. Der in V. 19a zitierte Grundsatz ist als ganzer ein klarer Ausdruck des Selbstbewußtseins der Juden auf Grund des Gesetzes.

[39] Mit ἵνα in V. 19 wird die „göttliche Absicht“ (E. Kühl, Römer, 104) ausgedrückt.

[40] Vgl. O. Michel, Römer, 101.

[41] Die Formel ἐξ ἔργων (νόμου) (vgl. auch Rö 4, 2; 9, 11f. 32; 11, 6; Gal 3, 2. 5. 10) hat keine eigentliche Entsprechung in Judentum. Die מעשׂי מצוות sind im rabbinischen Judentum die Werke, die vom Gesetz geboten sind. Vgl. dazu Billerbeck III, 160f. Vgl. auch syrBar 57, 2 („opera praeceptorum“) u. 48, 38. Anders bei Paulus. Hier haben die „Werke des Gesetzes“ eine anthropologische Bedeutung. Sie sind der Ausdruck einer menschlichen Selbstbehauptung, die sich dem eigentlichen Gehorsam gegenüber dem Heilswillen Gottes entzieht. Vgl. E. Lohmeyer, Grundlagen paulinischer Theologie, 8–12; ders., Probleme paulinischer Theologie. II. „Gesetzeswerke“, in: ZNW 28 (1929) 177–207; A. Schlatter, Gottes Gerechtigkeit, 130–133.

In der Feststellung von V. 20a geht es Paulus offenkundig um drei wesentliche Punkte, die das Verständnis seiner Rechtfertigungsbotschaft bedingen.
Es geht ihm um Gerechtigkeit des Menschen vor Gott. Gerade die von Paulus zitierte Psalmstelle bringt zugleich das Verlangen des atl. Menschen nach Gerechtigkeit vor Gott und von Gott und das Wissen des Menschen um seine gänzliche Ungerechtigkeit zum Ausdruck: „Geh nicht ins Gericht mit deinem Knecht, denn kein Lebender ist gerecht vor dir“. Die von Paulus benutzte Übersetzung der LXX bringt die forensische und eschatologische Struktur des Rechtfertigungsgeschehens deutlich zum Ausdruck: δικαιωθήσεται ἐνώπιόν σου.
Es geht Paulus zudem um den universalen Charakter des Rechtfertigungsgeschehens. Dieser ist jedoch nur dadurch gewährleistet, daß die Allgemeinheit der Sündenherrschaft in diesem Äon feststeht. Dies nachdrücklich zu betonen, hat er in dem Abschnitt 1, 18 – 3, 20 unternommen. Das bringt abschließend auch 3, 20 noch einmal zum Ausdruck: πᾶσα σάρξ [42]. Jude und Grieche stehen in gleicher Weise unter der Herrschaft der Sünde (3, 9). Das bei Paulus häufig stehende πᾶς bzw. πάντες betont die Universalität der Sündenherrschaft [43] sowie der von Gott vollzogenen Rechtfertigung [44].
Es geht Paulus schließlich um die Darstellung des Kontrastes von heilloser Vergangenheit und heilvoller Gegenwart. Die Vergangenheit steht unter der Unheilsmacht der ἁμαρτία. Auch der νόμος gehört auf ihre Seite. Sie hat ihn in Dienst genommen: „Denn durch das Gesetz wird Erkenntnis der Sünde bewirkt“ (3, 20b), nicht aber die Rechtfertigung des Menschen. Die ἔργα νόμου sind die Werke des Menschen, mit denen er den Forderungen des Gesetzes zu entsprechen sucht. Paulus hält es nicht für unmöglich, daß der Mensch Werke der Gesetzeserfüllung aufweist [45]. Doch wenn er wie in Gal 2, 16 und an unserer Stelle ausdrücklich von den ἔργα νόμου spricht, will er nicht die Erfüllbarkeit oder Unerfüllbarkeit des Gesetzes behaupten, sondern die Unmöglichkeit, auf Grund der Gesetzeswerke von Gott gerechtfertigt zu werden. Die Unmöglichkeit der Rechtfertigung durch das Gesetz liegt nicht im Gesetz selbst begründet. Denn in Rö 2, 13 kann er sogar dem allgemeinen Grundsatz zustimmen, daß nicht die Hörer des Gesetzes vor Gott gerecht sind, sondern die Täter des Gesetzes (οἱ ποιηταὶ νόμου) gerecht gesprochen werden [46]. Die

[42] A. Schlatter, Gottes Gerechtigkeit, 133, sieht in der Änderung von πᾶς ζῶν (LXX) in πᾶσα σάρξ, sowohl in Gal 2, 16 wie auch Rö 3, 20, eine Absicht des Apostels, nämlich zum Ausdruck zu bringen, „weshalb Gott dem Menschen die Gerechtigkeit nicht durch seine Werke, also nicht durch das Gesetz, bereitet. Der Mensch empfängt sein Begehren von seinem Fleisch ...“. Besser ist πᾶσα σάρξ mit O. Michel, Römer, 102, als eine „bezeichnende Umschreibung für die menschliche Existenz“, nämlich für deren Hinfälligkeit, zu erklären.

[43] Vgl. Rö 1, 18. 29; 2, 9; 3, 4. 9. 12. 19. 20. 23; 5, 12 u. a.

[44] Vgl. Rö 1, 16; 3, 22; 4, 16 und viele andere Stellen.

[45] Paulus spricht durchaus im positiven Sinne vom Eifer seiner Volksgenossen (Rö 10, 2) wie auch von seinem eigenen Eifer für das Gesetz (Gal 1, 14) und sogar von seiner eigenen tadellosen Gesetzesgerechtigkeit (Phil 3, 6).

[46] In diesem Satz kommt es allerdings nicht auf die Erörterung einer prinzipiellen Möglichkeit der Rechtfertigung auf Grund des Gesetzes an, sondern auf den Gegensatz von „Hörern“ und „Tätern“ des Gesetzes, wie er auch im rabbinischen Judentum diskutiert wurde. Vgl. Ab 1, 17f; 5, 17.

Gesetzeswerke können deshalb keine Rechtfertigung vor Gott bewirken, weil das Gesetz sich grundsätzlich als ein Faktor des alten Äons erweist (vgl. V. 20b; Gal 3, 23f). Der alte Äon aber steht der jüdischen Apokalyptik entsprechend [47] in einem grundsätzlichen Sinne unter der Herrschaft der Sünde. Die Gerechtsprechung durch Gott ist ein Ereignis, das nicht in diesem Äon, sondern jenseits des bösen Äons, also im zukünftigen Äon stattfindet. Es ist im strengen Sinne ein eschatologisches Ereignis. Hierin stimmt Paulus mit der jüdischen Apokalyptik überein [48]. Jedoch hat die Apokalyptik noch nicht so eindeutig wie Paulus aus der Anwendung des Äonenschemas die Konsequenz gezogen, daß das Gesetz mit der Ankunft des Eschaton zu seinem Ende gekommen ist. Ihr lag es fern, das Gesetz bzw. die Gesetzeswerke schlechthin zum „alten", „bösen Äon" zu rechnen.

Auf diesen Hintergrund ist nun die große Eröffnung, die Paulus in Rö 3, 21f macht, zu verstehen: „Jetzt aber ist ohne Werke des Gesetzes Gerechtigkeit Gottes offenbart worden ..." Eine Analyse des Textes soll den wesentlichen Gehalt von *V. 21f* zeigen.

Νυνὶ δέ [49] bezeichnet die eschatologische Wende, die der Herrschaft der Sünde im alten Äon ein Ende setzt. Diese heilshafte Wende begründet und eröffnet den neuen Äon, die Zukunft des Heiles, das dem Menschen von Gott her zukommt.

Man wird dem Apostel nicht gerecht, wenn man die Aussage von der eschatologischen Wende zu einem „Jetzt, in dem die Predigt den Hörer trifft" [50], verflüchtigt. Freilich läßt sich nicht ohne die Voraussetzung der Heilsverkündigung und der Glaubensentscheidung von der eschatologischen Wende sprechen. Aber diese transzendiert die Augenblicklichkeit der Verkündigung und die Subjektivität der Entscheidung des Hörers immer auch auf das „Christusereignis" [51] hin. Der von Paulus anthropologisch interpretierten Äonenwende liegt bei diesem selbst ein geschichtlicher Rückbezug auf das Heilsereignis des Todes Jesu zugrunde.

[47] Vgl. S. 35–37.

[48] Vgl. auch O. Michel, Römer, 101 Anm. 4: „Paulus denkt im strengen Sinne apokalyptisch: das Verderben des Menschen ist so groß, daß die menschlichen Möglichkeiten erschöpft sind".

[49] Νυνὶ δέ bezeichnet nicht nur einen logischen Gegensatz wie z. B. in 1 Kor 15, 20 (R. A. Lipsius, Römer, 99), sondern vor allem einen zeitlichen (Sanday-Headlam, Romans, 82). Vgl. E. Kühl, Römer, 107: „νυνί enthält ein logisches und ein zeitliches Moment: das logische durch den Gegensatz gegen V. 20, das zeitliche durch den Gegensatz zu 21b und durch das ἐν τῷ νῦν καιρῷ in dem sachlich parallel laufenden V. 26 gefordert ...". Vgl. Rö 5, 9; 6, 22; 8, 1; 2 Kor 5, 16; 6, 2.

[50] R. Bultmann, Der Begriff der Offenbarung im NT, in: Glauben und Verstehen, Bd III, ²1962, 20.

[51] Dieser Begriff weist zwei Strukturkomponenten auf: 1. die Einmaligkeit des geschichtlichen Todes Jesu, 2. seine Auslegung als Heilsereignis, die im Glauben vollzogen wird. Vgl. N. A. Dahl, Die Messianität Jesu bei Paulus, in: Studia Paulina (Fs. für J. de Zwaan), 1953, 83–95.

Χωρὶς νόμου ist betont vorangestellt. Diese Wendung ist aus dem Gegensatz des Apostels zu solchen judenchristlichen Kreisen zu verstehen, die dem Gesetz eine positive Heilsbedeutung neben dem Glauben an Christus zuerkennen wollen.

Ob solche Bestrebungen auch unter den Judenchristen Roms bestanden, kann aus dem Römerbrief nicht so eindeutig geschlossen werden wie aus dem Galaterbrief für die Gemeinden Galatiens. Jedoch bietet der Römerbrief Anzeichen dafür, daß Paulus auch unter den Christen Roms jüdische Eiferer und Restauratoren des Gesetzes vermutet [52], deren Standpunkt und Tätigkeit er allerdings nicht im einzelnen angreift. Ja, es ist durchaus möglich anzunehmen, daß die Christengemeinde von Rom ein starkes, vielleicht sogar überwiegend judenchristliches Gepräge hatte. Denn von einer ausgesprochen heidenchristlichen Missionstätigkeit v o r Paulus außer im Gebiet von Antiochien in Syrien wissen wir nichts. Es liegt aber nahe, das Urchristentum in Rom als ein ausgesprochenes J u d e n christentum zu bezeichnen [53], das sich allerdings durch seine (nicht auszuschließende) missionarische Tätigkeit unter den Heiden Roms bald vor ähnliche Probleme gestellt sah, wie sie die Gemeinde von Antiochien kannte.

Die betont vorangestellte Wendung χωρὶς νόμου [54] in V. 21 steht in Parallele zu διὰ πίστεως in V. 22. Auf den Gegensatz von πίστις und νόμος, der in der paulinischen Rechtfertigungsbotschaft grundsätzlichen Charakter hat, ist noch ausführlich einzugehen. Hier genügt es festzustellen, daß Paulus mit χωρὶς νόμου das Gesetz jetzt, da das Heil gekommen ist, als heilsentscheidenden Faktor für abgetan erklärt.

[52] Darauf deutet besonders die Gegenüberstellung und grundsätzliche Unterscheidung von Juden und Heiden in Kap. 1–3, außerdem die Zurückweisung eines nur aus judenchristlichen Kreisen zu erhebenden Einwandes wie in 3, 8. Auch die breit angelegte Schilderung des Gesetzeskonflikts in Rö 7 und schließlich die Argumentation des Apostels in der Rechtfertigungsproblematik wie auch die Rechtfertigungsterminologie selbst sind nicht aus heidnisch-hellenistischen, sondern nur aus jüdischen Voraussetzungen verständlich.

[53] Von einer großen jüdischen Gemeinde in Rom wissen die Geschichtsquellen Sicheres zu berichten. Die Spannungen innerhalb der römischen Judenschaft, die (wahrscheinlich 49/50 n. Chr.) das Edikt des Claudius über die Judenvertreibung aus Rom veranlaßten, gehen nach Sueton, Claudius 25 (vgl. C. K. Barrett, Die Umwelt des NT [Wissenschaftl. Untersuchungen zum NT, 4], 1959, 55–57) auf „Chrestus“ zurück. Hieraus ist zu entnehmen, daß die Entstehung der römischen Christengemeinde zu einem erheblichen Teil auf die Mitwirkung von Judenchristen zurückgeht. Die Vertreibung der Juden (und der Judenchristen), von der auch Apg 18, 1–3 berichtet, betraf jedoch wahrscheinlich nur wenige, so daß der judenchristliche Charakter der Christengemeinde bestehen blieb.

[54] „Χωρὶς νόμου hat qualitativen Sinn, wie διὰ νόμου in V. 20“ (E. Kühl, Römer, 107). Paulus bedenkt das Gesetz in seiner Bedeutung für die Heilsgeschichte.

Δικαιοσύνη θεοῦ ist der zentrale Begriff im ganzen Satz, der in V. 22 eigens[55] noch einmal hervorgehoben und näher bestimmt wird. Sein Verständnis hängt davon ab, daß der Gegensatz von altem und neuem Äon scharf genug gesehen und die verhängnisvolle Lage aller Menschen unter der Macht der Sünde anerkannt wird. Denn diese Wirkung hat die sich offenbarende Gerechtigkeit Gottes: Sie bringt die menschliche Selbstbehauptung zum Schweigen und läßt den Menschen seine wahre Situation in der Sünde erkennen. Damit hat sich die Gerechtigkeitsoffenbarung Gottes die notwendige Voraussetzung geschaffen, um ihre rettende Macht am Menschen zur Geltung zu bringen.

Δικαιοσύνη θεοῦ ist als Gen. subj. zu erklären[56]. Denn Gottes Heilshandeln am Menschen soll hier herausgestellt werden. Mit Recht bemerkt E. Kühl[57], daß, wenn δικαιοσύνη θεοῦ als Gen. obj., also als „gottgeschenkte Gerechtigkeit" des Menschen im Gegensatz zur „selbsterworbenen Gerechtigkeit", verstanden werden sollte[58], der Genitiv θεοῦ betont vorangestellt werden müßte[59]. Mit dieser Erklärung darf allerdings nicht die Ausrichtung der Gerechtigkeit Gottes auf den Menschen als das Objekt des göttlichen Handelns übersehen werden (vgl. in V. 22 die attributive Ergänzung εἰς πάντας ...). Paulus spricht nicht über Gerechtigkeit Gottes an sich, d. h. über eine metaphysische Eigenschaft Gottes unabhängig vom Gott-Mensch-Verhältnis. Gottes Gerechtigkeit ist sein Handeln zum Heile des Menschen, und dieses sein Handeln kommt tatsächlich am Menschen und im Menschen zur Wirkung. Ja, Gottes Gerechtigkeit als sein Heilshandeln würde sich selber aufheben, wenn sich ihre Macht nicht zur tatsächlichen σωτηρία der Menschen (vgl. 1, 16: δύναμις θεοῦ εἰς σωτηρίαν παντὶ τῷ πιστεύοντι) auswirken würde. Diese Ausrichtung auf den Menschen entfaltet Paulus in V. 22, aber auch in V. 24–26. Insofern hat Oepke etwas Richtiges gesehen, als er die Ausrichtung

[55] Die Partikel δέ ist nicht adversativ, sondern explikativ zu verstehen. Vgl. M. Zerwick, Graecitas Biblica, ³1955, 134: „δέ ... insuper adhibetur progressive et explicative".

[56] Wenn das an dieser Stelle auch nicht eindeutig aus dem grammatischen Satzgefüge hervorgeht, so wird der Gen. subj. doch aus der als Parallele zu Rö 3, 21 anzusehenden Stelle Rö 1, 17 zu erschließen sein, wo δικαιοσύνη θεοῦ zu dem eindeutig als Gen. subj. zu erklärenden ὀργὴ θεοῦ in V. 18 parallel steht. Vgl. O. Kuss, Römer, 116f, und E. Tobac, Justification, 110–120 (mit einem stützenden Hinweis [S. 119] auf das interessante, allerdings erst aus dem 5. oder 6. Jhdt. stammende Freer-Logion in Mk 16, 14 [W], wo die Jünger Jesus auffordern: ἀποκάλυψόν σου τὴν δικαιοσύνην ἤδη ...).

[57] E. Kühl, Römer, 107.

[58] So etwa A. Oepke: ThLZ 78 (1953) 263: „δικαιοσύνη θεοῦ bezeichnet nicht das göttliche Verhalten, sondern das dem Menschen beizulegende Prädikat".

[59] „Θεοῦ ist im Verhältnis dazu (χωρὶς νόμου) unbetont" (E. Kühl, Römer, 107).

des Begriffs δικαιοσύνη θεοῦ auf den Glaubensbegriff betonte. Jedoch können nicht beide Begriffe so miteinander identifiziert und „Gottesgerechtigkeit" als „Glaubensgerechtigkeit" erklärt werden[60], daß die Spannung zwischen δικαιοσύνη θεοῦ und πίστις Ἰησοῦ Χριστοῦ aufgehoben wird.

Πεφανέρωται: Die Gerechtigkeit Gottes ist sichtbar bzw. bekannt geworden[61], sie hat sich geoffenbart. Hier liegt ein im NT häufig begegnender Offenbarungsterminus vor[62]. Die Parallelität dieser Stelle mit Rö 1, 17, wo das Wort ἀποκαλύπτεται gebraucht ist, belegt die synonyme Bedeutung beider Vokabeln bei Paulus[63]. Freilich will auch der Unterschied im Tempus an beiden Stellen beachtet werden. Das Perfekt πεφανέρωται weist hin auf eine in der Gegenwart abgeschlossene geschichtliche Handlung[64]. Der Ereignischarakter, der sich in 1, 17 auf die in der Evangeliumsverkündigung des Paulus im Vollzug befindliche Offenbarung bezieht, ist auch in 3, 21 erhalten geblieben, nur daß hier auf das geschichtliche, einmalige Christusereignis geblickt wird[65], das seinen Heilscharakter gerade darin erweist, daß sein „einmal" in der Gestalt der auf den Glauben bezogenen Offenbarung zum „ein für alle Mal" wird.

Μαρτυρουμένη ὑπὸ τοῦ νόμου καὶ τῶν προφητῶν. Diese Wendung steht in einer gewissen Spannung erstens zu χωρὶς νόμου, zweitens zu der Offenbarungsaussage in V. 21a. „Gesetz und Propheten" sind in ihrer

[60] Vgl. A. Oepke, a. a. O. 260.

[61] Vgl. W. Bauer, Griechisch-deutsches Wörterbuch zu den Schriften des NT und der übrigen urchristlichen Literatur, [5]1958, 1686. Es genügt jedoch nicht, an einen rein noetischen Akt zu denken, wie E. Kühl, Römer, 107, annimmt.

[62] D. Lührmann, Das Offenbarungsverständnis bei Paulus und in den paulinischen Gemeinden (WissMonANT 16), 1965, 21f, weist das Verb φανεροῦν als „eine Neubildung der hellenistischen Zeit" aus, die sich „im Neuen Testament ... 46 mal, davon 12 mal bei Paulus und 10 mal in den Deuteropaulinen" finde.

[63] Vgl. D. Lührmann, a. a. O. 160.

[64] Vgl. Blaß-Debr. § 340: Das Perfekt drückt „die Dauer des Vollendeten" aus. Vgl. auch Sanday-Headlam, Romans, 83: „Contrast the completed φανέρωσις in Christ and the continued ἀποκάλυψις in the Gospel (ch 1, 16)".

[65] D. Lührmann, a. a. O. 148, versteht die „Offenbarung" hier wie auch in 1, 17 als „Auslegung des Christusgeschehens". An beiden Stellen dürfe „Offenbarung" nicht im Sinne des „Revelationsschemas", also nicht vom Gegensatz von früherer Verborgenheit und endzeitlicher Offenbarung her verstanden werden, sondern als „auf den Menschen bezogene Interpretation des Christusgeschehens", wobei eben diese „Interpretation" als „eigenes Heilshandeln Gottes in der Verkündigung" wirksam werde (146). Lührmann sucht hiermit den „anthropologischen Ansatz, den Rudolf Bultmann in seiner Bestimmung (von Offenbarung) zugrunde legt", zu bestätigen (155). Seine temporale und kausale Unterscheidung vom „Christusgeschehen" und der Offenbarung „als ein in der Geschichtlichkeit des Menschen sich ereignendes Handeln Gottes" (163) scheint jedoch die Beziehung des jeweiligen Verkündigungs- und Glaubensaktes auf das Christusereignis zu wenig zu beachten.

Bedeutung als Schriftzeugnis aufgerufen[66]. Mit diesem Zeugnis wird jedoch der Ausschluß des Gesetzes als Heilsweg am Anfang des Verses nicht zurückgenommen, Paulus zitiert hier vielmehr das Ganze der Schrift als vorausschauendes Zeugnis vom Heilshandeln Gottes, das sich „jetzt" in der „Offenbarung" der „Gerechtigkeit Gottes" vollzieht. Das Zeugnis der Schrift wird von Paulus also abgehoben von dem eschatologischen Offenbarungsereignis in der Jetztzeit[67].

Die Frage, ob mit diesem Ausdruck auch eine heilsgeschichtliche Linie, nämlich die „Vorgeschichte"[68] der Offenbarung der Gerechtigkeit Gottes im AT angedeutet wird, muß verneint werden. Das Zeugnis, das „Gesetz und Propheten" zu tragen haben, ist das Zeugnis der in der Gegenwart sich von Christus her erschließenden Schrift. Es ist die Kehrseite des Zeugnisses, das Paulus vor allem in 3, 10–20 anhand der Schriftzitate beschworen hat, und aus dem sich die Erlösungsbedürftigkeit aller Menschen ergab. In 3, 21 erweist dasselbe Zeugnis seine positive Bedeutung und damit die eigentliche Intention der vorhergehenden Schriftzitate.

Διὰ πίστεως in V. 22 deutet die neue Situation an, in der die Menschen auf Grund der geoffenbarten Gerechtigkeit Gottes stehen. Und zwar ist diese Wendung nach ihrer zweifachen Ausrichtung zu verstehen[69]: „Durch den Glauben" wird Gottes Gerechtigkeit an den Menschen wirksam. In dieser Bedeutung ist πίστις synonym mit der Glaubensbotschaft, dem Evangelium, gebraucht[70]. „Durch den Glauben", d. h. zugleich auch: auf Grund der Annahme der Glaubensbotschaft stehen alle, die gläubig geworden sind, in einem neuen Verhältnis zu Gott. Hiermit wird die wirkende Macht der geoffenbarten

[66] Zur geläufigen Verbindung von Gesetz und Propheten als Umschreibung des Schriftkanons vgl. 2 Makk 15, 9; 4 Makk 18, 10; SirProl 8f und im NT besonders Matthäus (5, 17; 7, 12; 22, 40).

[67] Vgl. D. Lührmann, Offenbarungsverständnis, 150: „Zu beachten ist, daß Paulus nicht von einer Offenbarung im Alten Testament spricht ..., daß das Alte Testament ... wohl aber die Verheißung der eschatologischen Offenbarung enthält ..."

[68] O. Michel, Römer, 104 u. 105 Anm. 1. U. Wilckens, Die Rechtfertigung Abrahams nach Römer 4, in: Studien zur Theologie der atl. Überlieferungen, hrsg. von R. Rendtorff und K. Koch, 1961, 119f, stellt im Hinblick auf eine angebliche „Korrespondenz zwischen 3, 31b und 3, 21b" die „erwählungsgeschichtliche Bedeutung des Gesetzes" heraus: „Das Gesetz in seiner ‚Aufrichtung' als γραφή bezeugt das Christusgeschehen als Erfüllung der Erwählungsgeschichte Gottes".

[69] Διά ist hier instrumental-medial gebraucht (A. Oepke: ThWNT II, 65). Allerdings läßt sich διά hier auch wegen der Parallele zu διὰ νόμου in V. 20b als Bezeichnung der wirksamen Ursache verstehen. Beide Möglichkeiten sind zu erwägen.

[70] Vgl. Rö 10, 8 (ῥῆμα τῆς πίστεως); Gal 1, 23 (εὐαγγελίζεσθαι τὴν πίστιν); 3, 2. 5 (ἐξ ἀκοῆς πίστεως); 3, 23. 25 (wo vom Kommen der πίστις die Rede ist); vgl. auch Eph 4, 5; 1 Tim 3, 9; 4, 6. Vgl. R. Bultmann: ThWNT VI 214, und O. Kuss, Römer, 131–154: „Der Glaube" (Exkurs), bes. 136.

Gerechtigkeit Gottes beschrieben. Diese äußert sich für den Menschen im Glauben.

Dieser Glaube ist aber nicht ein rein subjektiver Vollzug des Vertrauens auf Gott[71], sondern ein inhaltlich klar bestimmter Akt des Menschen, der zum Glauben berufen wird. Er ist für Paulus immer πίστις ['Ιησοῦ] Χριστοῦ, d. h. Glaube an Jesus Christus[72]. Der Glaube bindet den Menschen an die Person Jesu Christi. Aber nicht ein ungleiches Verhältnis des einzelnen Menschen zu Jesus ist hier gemeint[73], sondern der Glaube bringt den Menschen in ein Verhältnis zur Tat Jesu Christi. Die entscheidende Heilstat ist für Paulus der Kreuzestod Jesu[74]. Auf seine Bedeutung geht er in den folgenden Versen noch näher ein. Der Tod Jesu ist für ihn deshalb das Heilsereignis, weil Gottes Gerechtigkeit gerade an diesem geschichtlichen Ort offenbar geworden ist. Deshalb ist der Glaube an Jesus Christus für Paulus zugleich auch der Glaube an Gott, „der den Gottlosen gerechtspricht" (Rö 4, 5).

Hiermit sind die wesentlichen Elemente der Offenbarung der Gerechtigkeit Gottes nach Rö 3, 21f genannt. Jedoch wird am Ende dieses Satzes noch eine bedeutsame Aussage gemacht, die den eigentlichen Erfolg des Heilsereignisses von der Intention Gottes her charakterisiert. Gottes Heilswille ist umfassend, universal. Wie alle Menschen unterschiedslos sich vor ihm als Sünder vorfinden, so ist jetzt im Glauben allen Menschen das von Gott angebotene Heil zugänglich. Der Allgemeinheit der Sündenherrschaft entspricht die Allgemeinheit des Glaubensprinzips[75].

In den V. 21 und 22 sind alle Begriffe auf den einen zentralen Begriff der δικαιοσύνη θεοῦ ausgerichtet. Durch sie wird die offenbarwerdende

[71] Etwa als Vertrauen auf die Bundestreue Gottes, der die seinem Volke zugesicherten Verheißungen erfüllen wird.

[72] Ausdrücklich z. B. Gal 2, 16b; Rö 10, 14; Phil 1, 29. J. Haußleiter, Der Glaube Jesu Christi und der christliche Glaube, in: NKZ 1891, 109–145 u. 205–230; und G. Kittel, Zur Erklärung von Rö 3, 21–26, in: ThStKr 80 (1907) 217–233, sowie neuerdings auch H. W. Schmidt, Römer, 66, erklären πίστις ['Ιησοῦ] Χριστοῦ als Gen. subj. und verstehen diese Formel vom Glauben Jesu, den seine Haltung – etwa in seiner Todeshingabe – aufweist. Hiermit wird jedoch das Wesen der πίστις als Annahme der Botschaft von Jesus Christus mißverstanden.

[73] So A. Deißmann, Paulus, 125–128, der von einem „Genetivus mysticus" (S. 126) spricht, und O. Schmitz, Die Christusgemeinschaft des Paulus im Lichte seines Genetivgebrauchs (Ntl. Forschungen, I, 2), 1924.

[74] Vgl. 1 Kor 1, 18. Zur paulinischen Verkündigung von Jesus als dem Gekreuzigten vgl. besonders F. J. Ortkemper, Das Kreuz in der Verkündigung des Apostels Paulus. Lizentiatsarbeit (Maschinenschrift), Kath.-theol. Fakultät Münster 1964/65.

[75] Die Wendung εἰς πάντας τοὺς πιστεύοντας hat ihre Parallele in Rö 1, 16 und 10, 4 παντὶ τῷ πιστεύοντι. Die atl. Herkunft dieser Formulierungen zeigt Paulus selbst in 10, 11 an: λέγει γὰρ ἡ γραφή. πᾶς ὁ πιστεύων ἐπ' αὐτῷ οὐ καταισχυνθή-

Gerechtigkeit Gottes als sein eschatologisches Handeln und als seine im Glauben des Menschen zu ihrem Ziel kommende Heilstat charakterisiert, so daß δικαιοσύνη θεοῦ hier wie auch in 1, 17 geradezu als „ergänzungsbedürftiger Begriff“ [76] erscheint. Jedoch haben die „Ergänzungen“ mehr entfaltende Bedeutung als daß sie dem Begriff der δικαιοσύνη θεοῦ weitere Elemente hinzufügen. Paulus verkündet mit ihrer Hilfe die Gerechtigkeit Gottes als die im alten Äon noch verborgene, jetzt aber offenbar gewordene, deren geschichtliches Wirken der gesamten Menschheit durch den Glauben zugänglich gemacht worden ist.

In *V. 23* wird die Allgemeinheit des Glaubensprinzips eigens durch einen Rückgriff auf die Feststellungen von 1, 18 – 3, 20 begründet: πάντες γάρ ... „Alle nämlich haben gesündigt und ermangeln der Herrlichkeit Gottes“. Hiermit wird indirekt zugleich eine weitere Wirkung der Gerechtigkeit Gottes genannt: Die Mitteilung der Herrlichkeit Gottes. Die δόξα τοῦ θεοῦ [77], die dem Menschen infolge des Sündenfalls abgeht [78], ist das Hoffnungsgut der Gerechtfertigten (Rö 5, 2; 8, 18), das aber in der Gestalt der Rechtfertigung des Sünders jetzt schon mitgeteilt wird (vgl. Rö 8, 30; 2 Kor 3, 18) [79].
Der Feststellung, daß alle gesündigt haben und so der Herrlichkeit Gottes entbehren, schließt sich unmittelbar, ohne das Zeichen eines

σεται. Das Zitat stammt aus LXX Is 28, 16. Das an dieser Stelle fehlende πᾶς könnte aus Joel 3, 5 motiviert sein, da Paulus diese Stelle in 10, 13 als Zitat verwendet. Der ganze Abschnitt Rö 10, 1–13 zeigt einen starken, christologisch begründeten Glaubensuniversalismus. A. Strobel, Untersuchungen zum eschatologischen Verzögerungsproblem (Supplements to Novum Testamentum, II), 1961, 188f, weist nach, daß die beiden von Paulus in Rö 10, 11 (vgl. auch 9, 33) und 10, 13 verwandten Zitate in einer anscheinend „umfassenderen Konzeption“ der Urgemeinde von der messianischen Zeit ihren Platz hatten und daß infolgedessen πᾶς ὁ πιστεύων eine „im Römerbrief ... bereits gängige Formel“ ist, die „in eben dieser universalistischen Anwendung ... auf breiter Front in der gesamten urchristlichen Verkündigung (Act 10, 43; 13, 39; Jo 3, 15f; 11, 26; 12, 46)“ begegnet.

[76] E. Kühl, Römer, 40–42. Vgl. auch A. Oepke: ThLZ 78 (1933) 260f.

[77] Δόξα τοῦ θεοῦ ist nicht Gen. obj. bzw. auct. (so Th. Zahn, Römer, 178f), sondern Gen. subj. oder poss. Vgl. E. Kühl, Römer, 108f.

[78] Nach ApkBar (griech.) 4, 16; vitAd 12 und einer rabbinischen Tradition in Bereschit rabba 12, 5 zu Gen 2, 4 hat Adam durch seinen Sündenfall die „Herrlichkeit Gottes“ verloren. Vgl. auch ApkMos 20f, wo Verlust der Gerechtigkeit und Verlust der Unsterblichkeit parallel stehen. Nach anderen apokalyptischen Stellen (4 Esr 7, 91. 122–25; syrBar 51, 1. 3. 10. 11; 54, 15; äthHen 38, 4; slHen 22, 8) wird der Gerechte am Ende dieses Äons mit dem Lichtglanz der Herrlichkeit Gottes angetan. Vgl. Bousset–Gressmann 277, und G. Kittel: ThWNT II 250.

[79] Zum Verhältnis von δόξα und δικαιοσύνη bei Paulus vgl. J. Jervell, Imago Dei. Gen 1, 26f im Spätjudentum, in der Gnosis und in den paulinischen Briefen (FRLANT 76), 1960, 180–183. Zum Gedanken der Teilhabe an der Herrlichkeit Gottes als „Teilhaben an Christus“ vgl. G. Kittel: ThWNT II 253f.

Übergangs, der Partizipialsatz V. 24 an: δικαιούμενοι ... Dieser Anschluß wird, wie schon bemerkt[80], als eine Härte empfunden[81], ist aber zu verstehen, wenn in den V. 24–26 die Verarbeitung einer vorpaulinischen Tradition durch Paulus angenommen wird[82]. Es stellt sich nun die Frage, welche Aussage Paulus mit dem von ihm eingearbeiteten Satz der Tradition machen will. Die Antwort ist vor allem von den von Paulus in den übernommenen Satz eingefügten Interpretamenten her zu geben, sodann von der interpretierenden Weiterführung des Traditionssatzes in V. 26 her.

In *V. 24* sind die beiden adverbialen Bestimmungen δωρεάν und τῇ αὐτοῦ χάριτι von Paulus eingefügt, um die Rechtfertigung[83], die von Gott an den Sündern (V. 23) vollzogen wird, als eine geschenkweise mitgeteilte, allein[84] in seiner Gnade begründete Tat zu charakterisieren. Hiermit wird ein doppelter Aspekt des paulinischen Rechtfertigungsgedankens sichtbar, der in den V. 21 und 22 noch nicht so ausdrücklich erschien. Die Rechtfertigung geschieht am Sünder (vgl. auch 4, 5) als eine unverdienbare Tat der Gnade Gottes (vgl. 4, 4. 16). Daß der Mensch gerade als Sünder, und nicht wie im AT und Judentum als Gerechter[85], von Gott gerechtgesprochen wird, ist allerdings eine Tatsache, die nur von der χάρις Gottes her verstanden werden kann[86]. Auch δωρεάν bringt an dieser Stelle den Gnadencharakter der Rechtfertigung zum Ausdruck. Zugleich wird hiermit die dem Sünder zuteilwerdende Gerechtsprechung als Gabe bezeichnet. Denn δωρεάν ist adverbial gebrauchter Akkusativ[87] von

80 Siehe S. 52.

81 Vgl. z. B. O. Kuss, Römer, 114: „die Konstruktion wäre zufriedenstellender, wenn V. 23 partizipial wiedergegeben wäre und das Partizipium von V. 24 als Hauptverbum. Paulus liebt aber solche Freiheiten, die dem Grammatiker mißfallen müssen ..." Da aber nicht nur die grammatische Konstruktion in V. 24, sondern vor allem die Exegese des ganzen Zusammenhangs der V. 24–26 Schwierigkeiten bereitet, löst sich auch das Problem des grammatischen Anschlusses in V. 24, wenn der Exeget in V. 24f die Einfügung eines Traditionssatzes annimmt.

82 Siehe S. 48–53.

83 Die Partizipialaussage δικαιούμενοι schließt sich an den Begriff δικαιοσύνη θεοῦ in V. 21f an und entfaltet diesen nach seinem aktiven Gehalt.

84 Das sola gratia ist in diesem Vers so deutlich ausgesprochen, daß man es nicht abstreiten sollte, auch wenn die Ausschließlichkeitspartikel im griechischen Text fehlt. Vom Sinn her wird sie für die Übersetzung gefordert.

85 Vgl. S. 21 u. 42f.

86 Der Begriff χάρις wird in seiner Bedeutung als grundlose, freie Tat Gottes zum Heil des Menschen besonders an den Stellen deutlich, wo die Sünde des Menschen und die Gnade Gottes gegenübergestellt werden: Rö 5, 15. 20f; 6, 1. 17; 7, 25; 1 Kor 15, 9f. Vgl. auch die Stellen, an denen von der Berufung aus Gnade die Rede ist: 1 Kor 15, 10; Gal 1, 6. 15.

87 Vgl. W. Bauer, Wörterbuch, 417.

δωρεά[88]. Jedoch darf der Gabencharakter der Rechtfertigung nicht gegen deren forensische Struktur ausgespielt werden, so daß diese gegenüber der von Gott dem Menschen mitgeteilten Gabe der Gerechtigkeit ganz geleugnet oder doch als ganz in sie übergehend gedacht wird[89]. Die Spannung von forensischer Rechtfertigung, also Gerechtsprechung, die dem Menschen aus der unverfügbaren Gnade Gottes zukommt, und Gabe der Gerechtigkeit, die dem Menschen mitgeteilt wird und ihn zu einem neuen Menschen umwandelt, darf nicht verkürzt werden, sondern sie muß als für das Denken des Apostels charakteristisch angenommen werden. Im Sinne der These Käsemanns[90], die Gerechtigkeit Gottes sei Macht und Gabe zugleich, läßt sich die Gabe der Rechtfertigung, die niemals von ihrem Geber loszulösen ist, als im Gerechtfertigten sich entfaltende Macht Gottes verstehen. Bestätigt wird der Machtcharakter der Gnade, die in der Rechtfertigung des Sünders wirksam wird, durch Paulus in Rö 5, 20f: „Wo sich aber die Sünde mehrt, ist die Gnade überströmend geworden, damit, wie die Sünde durch den Tod geherrscht hat, so auch die Gnade durch Gerechtigkeit herrsche zum ewigen Leben durch Jesus Christus, unsern Herrn."
Der von Paulus übernommene Satz spricht in V. 24 von der Rechtfertigung auf Grund der Erlösung durch Christus Jesus. Die Erlösung, die uns durch Christus zuteil wird, besteht in der Vergebung der Sünden, und zwar, wie in *V. 25* gesagt wird, der vorherbegangenen Übertretungen. Gott macht auf Grund der in Christus dargebotenen Sühne und Erlösung einen neuen Anfang mit seinem Volk. So interpretierten wir den Satz der Tradition[91]. Paulus betont nun dazu den Gnadencharakter des göttlichen Heilshandelns. Mit der

[88] Das Substantiv δωρεά begegnet auch in Rö 5, 15 und 17 in Verbindung mit χάρις, allerdings auch deutlich unterschieden von ihr: ἡ χάρις τοῦ θεοῦ καὶ ἡ δωρεὰ ἐν χάριτι (5, 15) und τὴν περισσείαν τῆς χάριτος καὶ τῆς δωρεᾶς τῆς δικαιοσύνης λαμβάνοντες (5, 17).

[89] R. Cornely, Ep. ad Romanos, 186f, interpretiert den Gabencharakter der Rechtfertigung allzu sehr aus der Sicht der Lehre des Tridentinums über die Rechtfertigung (Sess. VI) und kommt so dazu, die forensische Struktur des paulinischen Rechtfertigungsbegriff nahezu ganz zu leugnen. Cornely übersieht die historische Entwicklung von Paulus bis zum Tridentinum und die gegenüber der apostolischen Zeit völlig andersartige theologische Situation des 16. Jahrhunderts. Daß die Rechtfertigungslehre einer späteren Zeit nicht ohne weiteres mit den paulinischen Äußerungen über die „Rechtfertigung" gleichgesetzt werden darf, sagt M.-J. Lagrange, Romains, 20 (zu Rö 1, 17), gut: „l'idée de justice doit être expliquée d'après le concept de Paul, non d'après une antithèse incomplète. D'ailleurs Cornely ne saurait prétendre que le l'exégèse du V. 17 est tranchée par l'autorité de Concile de Trente, qui n'a pas entendu expliquer ce verset . . .".

[90] E. Käsemann: ZThK 58 (1961) 371.

[91] Vgl. S. 62.

adverbialen Bestimmung διὰ πίστεως[92] in V. 25 betont er aber auch, daß die Rechtfertigung sich nicht einfach als ein objektives Geschehen unabhängig vom Menschen[93] und an einem bestimmten historischen Ort, nämlich am Kreuze Christi, vollzogen hat, sondern daß das in Christus sich ereignende Heil durch den Glauben jedes einzelnen Menschen, d. h. in der gläubigen Annahme des Evangeliums (vgl. 1, 16), Wirklichkeit wird[94]. Es gibt für Paulus kein Rechtfertigungsgeschehen unabhängig und außerhalb des der Rechtfertigung bedürftigen Menschen. Das, was der dem Apostel vorgegebene judenchristliche Satz als „Rechtfertigung“ verkündigte, nämlich eine auf Grund des Todes Christi stattfindende Sündenvergebung und Bundeserneuerung, wird von Paulus nun durch den Glaubensbegriff auf den Einzelmenschen[95] und damit potentialiter auf die gesamte Menschheit angewandt. Die heilsgeschichtliche Wende im Tode Christi vollzieht sich für jeden Menschen, der glaubt (vgl. V. 22), eben im Glauben an Jesus Christus. Dieser Glaube aber ist mehr als das Vertrauen auf Gottes Bundestreue, die sich an seinem Volke bewährt hat und bewähren wird[96]. In diesem Glauben entspricht der

[92] Zum Textbefund vgl. oben S. 51–53. Διά bezeichnet hier das Mittel (C. F. D. Moule, An Idiom Book of New Testament Greek, 1953, 56f). Aber auch hier ist wie in 3, 22 der kausale Gebrauch von διά zu erwägen. Die Entscheidung hängt von der Frage ab, was mit διὰ πίστεως hier näher bestimmt werden soll, das vorhergehende ἱλαστήριον (R. Cornely, Ep. ad Romanos, 190; R. A. Lipsius, Römer, 100; Th. Zahn, Römer, 190; E. Kühl, Römer, 114; A. Schlatter, Gottes Gerechtigkeit, 147) oder die persönliche Aneignung der Sühnekraft (A. Bisping, Römer, 140; O. Bardenhewer, Römer, 60; C. H. Dodd, Romans, 56; H. Lietzmann, Römer, 50; M.-J. Lagrange, Romains, 76; O. Michel, Römer, 109; O. Kuss, Römer, 157). Wenn diese Wendung sich aber als von Paulus in die Vorlage „hineingepreßt“ (E. Käsemann, Zum Verständnis von Römer 3, 24–26, 100) erklären läßt, müßte sie in Parallele zu V. 22 auf die in V. 24f gemachte Aussage über die Rechtfertigung (δικαιούμενοι) bezogen werden.

[93] Von einer Unterscheidung des „objektiven Heilswerkes durch Jesus Christus“ und seiner „subjektiven Aneignung durch den Glauben“, wie sie z. B. O. Kuss, Römer, 124, betont, ist bei Paulus nicht viel zu spüren. Er sieht das Heilswerk Jesu Christi, das er selbstverständlich als eine im Tode Christi sich ereignende objektive Tatsache voraussetzt – so z. B. 3, 24f, viel mehr im Glauben des Menschen sich vollziehen.

[94] Die entscheidende Heilsbedeutung des Glaubens geht eindeutig aus den Stellen hervor, wo Paulus Glauben und Gesetz als sich gegenseitig ausschließende Heilsprinzipien einander gegenüberstellt: Gal 2, 16; 3, 2. 5. 12. 23ff; Phil 3, 9; Rö 3, 21f; 4, 13 u. a.

[95] Die Ausrichtung des Glaubensbegriffs auf den einzelnen kommt bei Paulus besonders in der Entscheidung, die die Verkündigung des Evangeliums fordert, zum Ausdruck: Rö 10, 14f. 17; 1 Kor 15, 1f. 11; 1 Thess 2, 13. Ebenso zeugen die Aussagen bzw. Mahnungen zum Feststehen im Glauben von dem individuellen Charakter des Glaubens: Rö 11, 20; 1 Kor 16, 13; 2 Kor 1, 24; (vgl. 1 Thess 3, 8; Rö 5, 2; 1 Kor 15, 1). Vgl. auch Rö 12, 3. Vgl. R. Bultmann: ThWNT VI 219f.

[96] Vgl. R. Bultmann: ThWNT VI 216.

Mensch dem eschatologischen Geschehen, das sich im Tode Jesu Christi ereignet hat. Das bedeutet aber, daß er der im Tode Christi sich offenbarenden „Gerechtigkeit Gottes“ so entspricht, daß er sein Stehen unter der Macht der Sünde und seine Verdammungswürdigkeit vor Gott erkennt und zugleich sich gnadenweise in die eschatologische Gottesgemeinschaft berufen läßt.

Gnade Gottes und Glaube des Menschen sind die beiden Pole des Rechtfertigungsgeschehens, das durch Jesus Christus, genauer durch seinen Tod, für jeden Menschen Wirklichkeit wird. Paulus sieht anders als die übernommene vorpaulinische Tradition den universalen Charakter des Erlösungs- und Rechtfertigungsgeschehens. Er sieht ebenfalls deutlicher die eschatologische Bestimmtheit des Menschen in der Jetztzeit, in der alter und neuer Äon gleichsam zusammenfallen. Als Glaubender ist der Mensch von dem Heilsereignis in Jesus Christus bestimmt, so daß er nun nicht nur in einem „erneuerten Bund“ [97], sondern, wie es Rö 6, 4 ausdrücklich heißt, in einem „neuen Leben“ steht [98].

Dies erklärt die Wendung πρὸς τὴν ἔνδειξιν τῆς δικαιοσύνης αὐτοῦ in *V. 26,* die eine Formulierung aus dem Traditionssatz in V. 25 aufnimmt und kommentiert. Diese kommentierende Erweiterung besteht darin, daß Paulus offenkundig eine Parallele zu V. 21f zieht: Gottes Gerechtigkeit ist offenbar geworden und zwar [99], wie es, ebenfalls in Parallele zu νυνί V. 21, in V. 26 heißt: ἐν τῷ νῦν καιρῷ. Hiermit ist diese gegenwärtige Zeit, in der der alte Äon zwar immer noch anhält, in die aber seit dem Christusereignis schon der neue Äon hineinreicht, gemeint [100]. Das Zugleich von „noch“ und „schon“ des alten und neuen Äons charakterisiert das „Jetzt“ als Kairos, als Heils- und Entscheidungszeit, in der das Heil für den Glaubenden zwar zugänglich, aber noch nicht vollendet ist [101].

[97] Vgl. S. 37 u. 60.

[98] Vgl. auch 2 Kor 5, 17: „Wenn jemand in Christus ist, so ist er neue Schöpfung“.

[99] Vgl. E. Kühl, Römer, 115: „Die Wiederaufnahme der Zweckbestimmung geschieht lediglich, um die Worte ἐν τῷ νῦν καιρῷ anzuknüpfen, auf denen also hier der ganze Ton liegt, wie in V. 22 auf den präpositionalen Bestimmungen, die dem wiederholten δικαιοσύνη θεοῦ folgen“.

[100] Bei Gebrauch von ἐν τῷ νῦν καιρῷ in Rö 8, 18 liegt der Ton auf dem noch anhaltenden alten Äon, der in der Parusie Christi endgültig abgetan ist. An anderen Stellen, so Rö 11, 5; 2 Kor 8, 14, ist der Sinn der Wendung neutral = „jetzt“.

[101] Vgl. W. Stählin: ThWNT IV 1108. Wenn Stählin sagt, daß Paulus die Wendung ὁ νῦν καιρός „fast immer auf die Periode zwischen den Äonen bezogen gebraucht“, so ist zu fragen, ob Paulus tatsächlich zwischen den beiden Äonen eine eigene 3. „Periode“ annimmt. Ist der Entscheidungs- und eschatologische Charakter der Jetztzeit nicht gerade in dem Zugleich des schon angebrochenen „kommenden Äons“ und des noch anhaltenden, aber schon außer

Der V. 26b ist Abschluß und Zusammenfassung nicht nur des ganzen Satzes V. 24–26, sondern auch des ganzen Abschnitts 3, 21–26: „so daß[102] er gerecht ist und gerechtspricht den aus Glauben an Jesus“. Gott ist δίκαιος καὶ δικαιῶν. Hiermit werden beide Elemente der Gerechtigkeit Gottes, die in den vorhergehenden Versen entfaltet wurden, zusammengefaßt. Diese Doppelung parallelisiert die Doppelung von δικαιοσύνη αὐτοῦ in V. 25 und V. 26[103]. Gottes Gerechtigkeit ist nach dem Verständnis der vorpaulinischen Tradition in V. 25 seine Bundestreue, die sich im Christusereignis als Sündenvergebung manifestiert. Dieses Verständnis von Gerechtigkeit Gottes lehnt Paulus nicht ab[104], sondern er nimmt es in sein Verständnis auf und interpretiert es von seinem eschatologischen Bewußtsein und Glaubensverständnis her. Gott ist nicht nur der Gerechte als der Getreue, der seine Verheißungen an seinem Volk erfüllt, sondern er erweist sich in dem endzeitlichen Jetzt der Christusoffenbarung als der Gerechtsprechende, der auf Grund des Glaubens den Sünder gerechtspricht, d. h. aber, da alle Sünder sind, daß er allen auf Grund des Glaubens Zugang zum neuen Gottesverhältnis verschafft.

Am Ende des Abschnitts 3, 21–26 ist also festzustellen, daß alle Aussagen hierin um den einen Gedanken der Gerechtigkeit Gottes kreisen. In V. 21f wird er unter dem Gesichtspunkt der Wende der Äonen entfaltet, in V. 24f unter dem des Erlösungsgeschehens in Christus und schließlich in einer weiterführenden Interpretation des letztgenannten Gesichtspunkts in V. 26 wiederum unter dem spezifisch paulinischen Gesichtspunkt der eschatologischen Wende abgeschlossen. Der Gedanke der allgemeinen Sündhaftigkeit in V. 23 stört dabei den Gedankengang des gesamten Abschnitts nicht, sondern unterstreicht und begründet wirkungsvoll die Allgemeinheit des neuen Heilsprinzips, des Glaubens an Jesus Christus.

Kraft gesetzten „alten Äons“ gegeben? Vgl. die Parallele auch Gal 4, 4: ὅτε δὲ ἦλθεν τὸ πλήρωμα τοῦ χρόνου, womit das Ende der Zeit, das mit dem Kommen Christi hereingebrochen ist, und so die vom Kommen Christi erfüllte Zeit gemeint ist.

102 Εἰς bezeichnet das Ziel, nämlich der Aussage des ganzen Satzes V. 25f.

103 Daß V. 26b gerade an der Doppelung von δικαιοσύνη θεοῦ anknüpft, wird auch in dem betonten αὐτόν sichtbar, das wohl den Genitiv αὐτοῦ aus dem vorhergehenden δικαιοσύνης αὐτοῦ aufnimmt und nicht nur durch einen Gegensatz zu dem folgenden τὸν ἐκ πίστεως bestimmt wird.

104 Daß Paulus sich „von seiner judenzenden Vorlage“ habe abgrenzen wollen, sagt E. Käsemann, Zum Verständnis von Römer 3, 24–26, 100, indem er einseitig die Interpretation des Traditionssatzes durch Paulus als Korrektur versteht. Ist diese „Korrektur“ nicht auch bejahend, nämlich bezüglich der Deutung des Todes Christi?

§ 7. Rö 1, 17

Rö 1, 17 enthält die Angabe des Hauptthemas des Römerbriefes, das in 3, 21f fast[105] mit gleichen Worten aufgegriffen und weiter ausgeführt wird. Manches zur Erklärung von 1, 17 können wir daher aus der schon behandelten Stelle 3, 21f voraussetzen. Hier sollen vor allem die zu δικαιοσύνη θεοῦ in Beziehung stehenden Begriffe in V. 16–18 beachtet werden, da ihr Gebrauch ein bezeichnendes Licht auf den Begriff der δικαιοσύνη θεοῦ wirft. Zudem soll die Bedeutung des Zitates Hab 2, 4 in Rö 1, 17 für die Botschaft des Apostels gesondert behandelt werden.

1. Exegese von Rö 1, 16. 17

In V. 15 hatte Paulus seinen Entschluß mitgeteilt, „auch euch, denen in Rom, das Evangelium zu verkündigen". V. 16a („denn ich schäme mich des Evangeliums nicht") ist als ein Bekenntniswort zu interpretieren[106]. Τὸ εὐαγγέλιον wird hier nicht näher bezeichnet. Da das Wort aber einen deutlichen Rückbezug auf den Akt der Verkündigung in V. 15 aufweist, ist hier das Evangelium, das Paulus verkündet, gemeint[107]. Wenn das „Evangelium" in V. 16a als „mein Evangelium"[108] verstanden wird[109], entsteht zur folgenden Begründung (γάρ) ein wirkungsvoller Kontrast: „Kraft Gottes ist es nämlich". Das Evangelium, das Paulus verkündet, begründet sich auf Gottes Autorität. Diese Begründung aber erfolgt nicht durch äußerliche Ableitung der Herkunft des Evangeliums, etwa durch Hinweis auf Beauftragung von Gott, sondern durch inneren Krafterweis des Evangeliums selbst. Damit hat Paulus sein eigentliches Thema erreicht, das er im Römerbrief verfolgt: die Darlegung seines Evangeliums als die Botschaft von der „Gerechtigkeit Gottes", die nun in dem vom Apostel verkündeten Evangelium Jesu Christi geoffenbart und als „Kraft Gottes" wirksam wird. Das Stichwort δικαιοσύνη θεοῦ schließt er mit einem weiterführenden und begründenden γάρ in V. 17 an das an, was er in V. 16 über die δύναμις θεοῦ sagt. Eine „Kraft

[105] Abweichend von 3, 21 steht hier als Prädikat ἀποκαλύπτεται, außerdem statt διὰ πίστεως das formelhaft erweiterte ἐκ πίστεως εἰς πίστιν.

[106] Ein Vergleich mit Mk 8, 38 und 2 Tim 1, 8 zeigt, daß es sich bei dieser Wendung um urchristliche Bekenntnisterminologie handelt.

[107] Das Bedürfnis einer erklärenden Ergänzung zu εὐαγγέλιον wurde offenkundig auch in der Textüberlieferung empfunden. So setzt die Koine τοῦ Χριστοῦ und die Vulgata „dei" (wohl mit Rückbezug auf V. 1) hinzu.

[108] Vgl. Rö 2, 16; 16, 25; 2 Kor 4, 3; 1 Thess 1, 5.

[109] So auch O. Michel, Römer, 51.

Gottes"[110] wird das Evangelium[111] genannt, weil sich in ihm Gott selbst wirkmächtig dem Menschen mitteilt, der darum weiß, daß er sein Heil nicht aus sich selbst hat, sondern nur von Gott. Paulus reflektiert hier also die δύναμις θεοῦ nicht als eine Gottes Wesen beschreibende Eigenschaft[112] an sich, sondern er verkündigt sie als die Kraft, mit der Gott zur σωτηρία „für jeden, der glaubt"[113], wirksam ist. Auch hier ist, wie in Rö 3, 21f δικαιοσύνη θεοῦ, die Aussage über Gott anthropologisch[114] orientiert. Denn in der σωτηρία geht es tat-

[110] Δύναμις θεοῦ wird nicht nach einer von J. Weiß, Der erste Korintherbrief (Krit.-exeget. Kommentar über das NT, 5), [9]1910, 26, vertretenen These, die sich auf eine religionsgeschichtl. Parallele aus der Mithrasliturgie (vgl. A. Dieterich, Eine Mithrasliturgie, [3]1923, 46f) stützt, als δύναμις εἰς σωτηρίαν, d. h. als „Rezept, Anweisung zur Genesung", als „Anweisung zum Heil" zu verstehen sein, auch nicht, wie W. Grundmann: ThWNT II 310, meint, als Übernahme einer „dem Paulus bekannten Tora = עוז יהוה", d. h. Kraft Gottes, sondern, wie auch die Parallele in 1 Kor 1, 18 und 2, 3–5 zeigt, im Gegensatz zur mißverständlichen Gestalt des Verkündigungswortes und zur Schwachheit des Verkündigers als die dem Evangelium eignende göttliche Kraft zur endgültigen Rettung im eschatologischen Sinne. Mit Recht betont O. Schmitz, Der Begriff δύναμις bei Paulus, in: Festgabe für A. Deißmann, 1927, 139–167, die „Nichtgegenständlichkeit" des paulinischen Kraftbegriffs und, gestützt auf die atl. Vorstellung von der Gotteskraft, die unlösbare Gebundenheit der „Kraft" an Gott als ihren eigentlichen Träger gegenüber der von F. Preisigke, Die Gotteskraft der frühchristlichen Zeit (Papyrusinstitut Heidelberg, 6), 1922, vertretenen Vorstellung einer mystisch-gegenständlichen „Kraft", die auf den „Allkraftglauben" einer primitiven religionsgeschichtlichen Stufe zurückgeführt wird. Den Zusammenhang des ntl. δύναμις-Begriffs mit der atl. Vorstellung von der Macht Gottes untersucht P. Biard, La Puissance de Dieu (Travaux de l'Institut Catholique de Paris, 7), 1960 (zu Paulus siehe S. 138–161).

[111] Vgl. 1 Kor 1, 18, wo in Parallele zu Rö 1, 16 anstelle von εὐαγγέλιον mit derselben Bedeutung λόγος τοῦ σταυροῦ steht.

[112] Vgl. E. Kühl, Römer, 34: „θεοῦ ist also gen. poss." Wir möchten den Genitiv in Analogie zu δικαιοσύνη θεοῦ in 1, 17 besser als Gen. subj., der sich einem Gen. auct. nähert, erklären.

[113] Beachtenswert ist, daß schon an dieser Stelle der Universalismus des von Paulus verkündeten Heiles deutlich zum Ausdruck kommt. Vgl. oben S. 78. Das hinzugefügte Ἰουδαίῳ τε πρῶτον καὶ Ἕλληνι ist nicht allein durch den beabsichtigten Heilsuniversalismus motiviert (so etwa in Rö 10, 12), sondern es spricht hier wie auch in 2, 9. 10; 3, 9; 10, 12 für unsere Annahme, daß Paulus in der Christengemeinde von Rom mit starken judenchristlichen Voraussetzungen rechnet. Vgl. oben S. 74. Dagegen spricht auch nicht, daß in 1, 14 „Hellenen" und „Barbaren", nicht aber Juden und Heiden gegenübergestellt werden. Denn das in 1, 14 folgende Textglied erklärt diese Gegenüberstellung als Gegensatz von σοφοί und ἀνόητοι. Die Juden haben aber unter dem Gesichtspunkt der Bildung auch als Hellenen zu gelten.

[114] Hier ist besonders auf K. Barth, Der Römerbrief, 1919, hinzuweisen, der bekanntlich in seiner theologisch-kerygmatischen Auslegung des Römerbriefes den theozentrischen Aspekt der paulinischen Botschaft betont, wobei er sich exegetisch besonders auf die Aussagen stützt, in denen die Eigenschaften Gottes beschrieben werden. Aber er sieht zugleich auch richtig, daß Gott

sächlich um die notwendige Rettung[115] des der ἁμαρτία verfallenen Menschen.

Die verheißene σωτηρία ist das eschatologische Gut schlechthin, das auch dem im Glauben Gerechtfertigten noch zukünftig bleibt[116]. Dieselbe Unverfügbarkeit des eschatologischen Heilsgutes ist gemeint, wenn Paulus Rö 8, 24 (τῇ γὰρ ἐλπίδι ἐσώθημεν) den Hoffnungscharakter der schon erfolgten Errettung herausstellt.

Parallel zu V. 16b beginnt V. 17 mit einem weiterführenden und begründenden γάρ: „Denn Gerechtigkeit Gottes wird in ihm (im Evangelium) offenbart". Ἀποκαλύπτεται ist hier wie in V. 18 fester Offenbarungsterminus[117]. Er bezeichnet die öffentliche Kundgabe des an sich verborgenen eschatologischen Heils im Evangelium. Als solche ist sie nicht etwa nur eine äußere Mitteilung, sondern die den Menschen zutiefst betreffende eschatologische Selbstmitteilung Gottes in der Verkündigung des Evangeliums. Die präsentische Zeitform macht deutlich, daß die „Offenbarung" in der Verkündigung im Vollzug ist und so in der Gegenwart wirksam wird[118].

Die als Evangelium heilsmächtig verkündigte und insofern auch in ihm geoffenbarte δικαιοσύνη θεοῦ erscheint jedoch erst dadurch in ihrer ganzen Bedeutsamkeit, daß Paulus ihr in V. 18 die Offenbarung

dem Apostel nicht gegenständlich erscheint, sondern als der in seiner Offenbarung schöpferisch Tätige. Vgl. z. B. a. a. O. 7.

115 Σωτηρία hat von der Grundbedeutung des Verbs σῴζειν her den Hauptsinn von Errettung. Vgl. Liddell–Scott, A Greek-English Lexicon, 1961, 1748 s. v. 1: „of persons, save from death, keep alive". Entsprechend steht σωτηρία Lk 1, 71 (σωτηρία ἐξ ἐχθρῶν), als Gegensatz zu ἀπώλεια Phil 1, 28 (vgl. auch 2 Kor 2, 15; Lk 19, 10), als Gegensatz zu θάνατος 2 Kor 7, 10 und zu ὀργή 1 Thess 5, 9; Rö 5, 9. Neben diesem mehr negativen ist auch der positive Aspekt des Heiles zu sehen, der z. B. durch die Zusammenstellung mit dem Begriff der ζωή betont wird, so in Rö 5, 10 (vgl. auch 2 Kl 19, 1). Im Spätjudentum findet es sich (= ישועה) wie im AT als Ausdruck des Heilshandeln Gottes, CD 20, 20 (Heil und Gerechtigkeit); 1 QS 1, 19; 1 QM 14, 5; 18, 7, aber auch auf die Endzeit bezogen 1 QM 1, 5; PsSal 7, 9; 17, 3 u. a. oder auch näherhin auf das messianische Heil PsSal 17, 50; 18, 7 u. a. TestSim 7, 2; TestLev 2, 11; TestJud 24, 6; TestDan 6, 10; TestNeph 8, 2. 3 u. a. Mit Recht stellt O. Michel, Römer, 52, fest, daß der Begriff σωτηρία in der hellenistischen Missionspredigt eine besondere Rolle spielt. Vgl. dazu besonders das zahlreiche Vorkommen dieser Wortgruppe in den lukanischen Schriften.

116 So in Rö 5, 9; 13, 11. Vgl. auch 10, 9f und 1 Thess 5, 8.

117 Ἀποκαλύπτειν / ἀποκάλυψις ist im NT meistens auf die Enthüllung der eschatologischen Zukunft und der eschatologischen Güter in ihr bezogen (vgl. R. Bultmann, Theologie, 275f). Charakteristisch für die Bedeutung von Offenbarung bei Paulus sind außer Rö 1, 17f noch Rö 2, 5; 8, 18f; 16, 23; 1 Kor 1, 7; 2, 10; Gal 1, 12. 16; 3, 23. Zur Vorbereitung des ntl. Offenbarungsbegriffs in der jüdischen Apokalyptik vgl. A. Oepke: ThWNT III 580f; D. Lührmann, Offenbarungsverständnis, 98–104.

118 Vgl. D. Lührmann, a. a. O. 145f.

der ὀργὴ θεοῦ gegenüberstellt. Schon die Parallelisierung der beiden Verse 17 und 18 bezieht beide Größen aufeinander. Jedoch darf die Zornesoffenbarung nicht einfach mit der Offenbarung der Gerechtigkeit Gottes gleichgesetzt werden[119]. Vielmehr bezeichnet die ὀργή – im Gegensatz zur rettenden δικαιοσύνη θεοῦ – das verurteilende Verhalten Gottes im Gericht[120].

Auch in 1, 17 wird wie in 3, 22 die Offenbarung der Gerechtigkeit Gottes auf den Glauben bezogen. Allerdings ist nicht ganz deutlich, ob die Wendung ἐκ πίστεως εἰς πίστιν das Prädikat[121] oder das Subjekt[122] des Satzes näher bestimmen soll. Daß es sich hier um eine zusammengehörige formelartige Wendung handelt, wird aus einem Vergleich mit ähnlichen Formulierungen bei Paulus[123] anzunehmen, aber auch vom Sinnzusammenhang her zu fordern sein. Allerdings ist diese Formel nicht „nur rhetorisch"[124] gemeint, sondern sie hat ihren Sinn, wie aus einem Vergleich mit Rö 3, 22 hervorgeht, als Bezeichnung der dem Offenbarungsvorgang notwendigen Entsprechung auf der Seite des Menschen. Von geoffenbarter Gerechtigkeit Gottes wird nicht unabhängig vom Menschen, sondern immer im Hinblick auf ihn, d. h. aber für Paulus: aus der Sicht des Glaubens gesprochen. Diese Deutung wird auch durch den Wortlaut des folgenden Zitates

119 Vgl. S. 70.

120 Vgl. Rö 2, 5. 8; 3, 5; 5, 9; 9, 22f; 12, 19; 13, 4f; 1 Thess 1, 10; 2, 16; 5, 9. Zur Bedeutung des Zornes Gottes im AT vgl. J. Fichtner: ThWNT V 395–410 (besonders 408–410 zum Verhältnis von Zorn und Gerechtigkeit Gottes), und zur spätjüdischen Traditionsgeschichte vgl. ThWNT V 414–418 (Sjöberg/Stählin).

121 So Th. Zahn, Römer, 79 („durch die Wortstellung gesichert"); A. Schlatter, Gottes Gerechtigkeit, 41 („... nicht nur auf Grund des Glaubens ..., sondern auch zum Zweck des Glaubens ... geoffenbart"); O. Michel, Römer, 54 („der Glaube empfängt durch das Wort des Evangeliums seinen Grund und sein Ziel ..."); anders G. Hebert, „Faithfulness" and „Faith", in: Theology 58 (1955) 373–379, hier 375: „from God's faithfulness to man's faith".

122 A. Bisping, Römer, 91; R. Cornely, Ep. ad Romanos, 70; E. Kühl, Römer, 40f („δικαιοσύνη θεοῦ ein ergänzungsbedürftiger Begriff"); H. Lietzmann, Römer, 31 („die Formel ἐκ – εἰς scheint eine stufenweise Erreichung des Ziels auszudrücken"); O. Bardenhewer, Römer, 27 („sie wird auf Grund des Glaubens zuerkannt und an den Glaubenden verliehen", mit Verweis auf die Parallelstelle 3, 22); M.-J. Lagrange, Romains, 20 („la justice de Dieu, le pardon, la grâce de Dieu, se manifestent dans l'évangile, et la foi, qui en est le principe, grandit sans cesse"); A. Nygren, Römer, 65 („Gottesgerechtigkeit ..., die auch als Glaubensgerechtigkeit bezeichnet werden kann. Es handelt sich hier um Glauben und ausschließlich um Glauben"); P. Althaus, Römer, 14; E. Gaugler, Römer I, 36f; O. Kuss, Römer, 23f, der die Wendung als „Steigerungsformel" erklärt.

123 2 Kor 2, 16: ἐκ θανάτου εἰς θάνατον und ἐκ ζωῆς εἰς ζωήν; 3, 18: ἀπὸ δόξης εἰς δόξαν; 4, 17: καθ' ὑπερβολὴν εἰς ὑπερβολήν. Vgl. auch LXX Ps 83, 8: πορεύσονται ἐκ δυνάμεως εἰς δύναμιν.

124 So H. Lietzmann, Römer, 31.

aus Hab 2, 4 nahegelegt: ὁ δὲ δίκαιος ἐκ πίστεως ζήσεται. Offenkundig hat die im Zitat enthaltene Wendung ἐκ πίστεως auch die Formulierung δικαιοσύνη θεοῦ ... ἐκ πίστεως ... beeinflußt, während Paulus im selben Sinne in 3, 22 mit διὰ πίστεως anschließen kann. Die Erweiterung εἰς πίστιν bezeichnet dann nicht einen durch menschliches Mitwirken vermehrten Glauben, aber auch nicht nur das im Glauben erreichte Ziel der geoffenbarten Gerechtigkeit Gottes [125], sondern vielmehr ihre andauernde Wirksamkeit [126], der der Mensch mit andauerndem Glauben zu entsprechen hat [127]. Die programmatische Bedeutung des V. 17 wird schließlich durch einen „Schriftbeweis" aus Hab 2, 4 autoritativ gestützt. Durch die Verwendung dieses Schriftzitates in Rö 1, 17 wird allerdings auch der Traditionszusammenhang mit atl. und spätjüdischen Vorstellungen deutlich, die für die Darstellung dessen, was Paulus unter Rechtfertigung versteht, erheblich zu sein scheinen.

2. *Die Verwendung des Zitates Hab 2, 4*

Paulus zitiert Hab 2, 4b in der Fassung der LXX (ὁ δὲ δίκαιος ἐκ πίστεώς μου ζήσεται). Er läßt jedoch das enklitisch verwandte Pronomen μου weg [128] und erhält so einen Text, der dem des MT wenigstens dem Wortlaut nach nahekommt.

Im hebr. Urtext ist der Sinn dieses Verses jedoch nicht ganz eindeutig. Sein Sinn ist „durch Textverderbnis etwas verwischt" [129], und zudem ist die Vers-

[125] So A. Oepke: ThLZ 78 (1953) 263f. Oepke faßt die ganze Wendung als einen „lose angehängten Doppelsatz, dessen erste Hälfte überwiegend zu δικαιοσύνη θεοῦ, dessen zweite Hälfte dagegen dem Sinne nach zu ἀποκαλύπτεται gehört". Oepke sieht also zu wenig die Aussageeinheit dieser Wendung und ihre einheitliche Ausrichtung auf die geoffenbarte Gerechtigkeit Gottes, die nun präsent geworden ist. – Etwas anders H. W. Schmidt, Römer, 28, wonach εἰς πίστιν „vielleicht die in der Rechtfertigung schon beschlossene Hoffnung auf das endgültige Heil anzeigt". Jedoch kann man Schmidts Annahme einer Parallele von εἰς πίστιν und εἰς σωτηρίαν nicht bestätigen, da ἐκ πίστεως εἰς πίστιν einen einheitlichen Ausdruck darstellt. – A. Schlatter, Gottes Gerechtigkeit, 42, beachtet besonders das „kausale Gewicht des ἐκ und das teleologische des εἰς" als Ausdruck für den „Inhalt und das Ziel des paulinischen Evangeliums und des Römerbriefs".

[126] Vgl. A. Fridrichsen, Aus Glauben zu Glauben. Röm 1, 17, in: Coniectanea Neotestamentica XII, 1948, 54: „In der Bibel scheint das Schema (ἐκ – εἰς) die ungebrochene Kontinuität zu betonen".

[127] In 2 Kor 3, 18 liegt in der Wendung ἀπὸ δόξης εἰς δόξαν eine Spannung zwischen gegenwärtiger Anfänglichkeit und zukünftiger Vollendung vor, eine „Gleichzeitigkeit des Habens und Nochnichthabens" (G. Kittel: ThWNT II 255), die man in einem ähnlichen Sinne auch von der Verfügbarkeit und Unverfügbarkeit der Gerechtigkeit Gottes im Glauben aussagen kann.

[128] C hat das Pronomen μου hinter δίκαιος (vgl. auch Hebr. 10, 38).

[129] E. Sellin, Das Zwölfprophetenbuch (Kommentar zum AT, hrsg. v. E. Sellin, XII). II, [3]1930, 397.

abgrenzung nicht ganz sicher. Wenn man von der Annahme einer „unmittelbaren Zusammengehörigkeit von V. 4 und 5“ [130] ausgeht, in V. 4 „nur eine Prämisse“ für V. 5, also in diesem den Schwerpunkt der ganzen Aussage sieht, und zudem V. 4a und 4b als zwei Glieder eines antithetischen Parallelismus betrachtet, ergibt sich folgende Übersetzung [131] von V. 4–5a: „Siehe, der Aufgeblasene, nicht bleibt seine Seele in ihm, während der Gerechte durch seine Treue am Leben bleibt. Wieviel mehr wird der falsche Gewalttäter, der übermütige Mann nicht Bestand haben“. Sachlich handelt es sich hierbei um einen Unheilsspruch, worin der von Paulus zitierte positive Halbvers 4b „gewissermaßen nur mitgeschleppt“ [132] wird. Nach Sellin [133] ist der paulinische Sinn von V. 4b schon dadurch ausgeschlossen, daß אמונה hier nicht „Glaube“, sondern „wie in den Proverbien die fromme Biederkeit, die Treue, Ehrlichkeit“ bedeute. Wird V. 4 aber als eine in sich abgeschlossene Aussage erklärt, ergibt sich der Sinn: „Sieh da, an dem Schurken hat meine Seele kein Gefallen; doch der Gerechte bleibt durch seine Treue leben“ [134]. Der „Schurke“ wäre dann Judas politischer Feind, und אמונה würde Judas treues Festhalten an Gottes Verheißung bedeuten. Dieses Verständnis scheint auch dem Sinn des Pauluszitats nahe zu kommen [135]. „Paulus würde nur auf den Einzelnen anwenden, was in dem Prophetentext dem ganzen Volk gilt, und den Begriff ‚leben‘, d. h. politisch am Leben bleiben, hätte er in die eschatologische Verheißung des Evangeliums transponiert“ [136].

Damit ist aber die Frage nach der Bedeutung des Habakukzitates in Rö 1, 17 für die paulinische Theologie noch nicht beantwortet. Paulus scheint zur Verwendung dieses Zitates durch die in Hab 2, 4 sich findenden beiden Begriffe δίκαιος und πίστις veranlaßt worden zu sein [137], wie ihm aus demselben Grunde auch in Rö 4, 3 die Verwendung von Gen 15, 6 nahegelegen hat. Es ist außerdem möglich anzunehmen, daß das Habakukzitat polemisch gebraucht ist, zumal im Galaterbrief, da Paulus in der Auseinandersetzung mit der „Gerechtigkeit aus Werken des Gesetzes“ die „Gerechtigkeit aus Glauben“ in Hab 2, 4 bestätigt findet [138]. Durch diese polemische Situation sahen

130 E. Sellin, a. a. O. 397.

131 Vgl. E. Sellin, a. a. O. 397f.

132 O. Kuss, Römer, 25.

133 A. a. O. 397f.

134 So K. Elliger, Das Buch der zwölf Kleinen Propheten (ATD 25). II, 1950, 37.

135 Vgl. A. Schlatter, Gottes Gerechtigkeit, 43: „Es liegt kein Anzeichen vor, daß Paulus das Gefüge des semitischen Satzes nicht mehr richtig empfunden habe“.

136 O. Kuss, Römer, 25.

137 Derselbe Anlaß liegt auch bei der Verwendung von Hab 2, 4 in Gal 3, 11 vor. Es läßt sich jedoch aus dem Interesse des Apostels an der Verwendung des Zitats in Rö 1, 17 und Gal 3, 11 nicht ableiten, daß Paulus die Worte δίκαιος ἐκ πίστεως als einen einheitlichen Ausdruck verstanden habe, wie E. Kühl, Römer, 44; H. Lietzmann, Römer, 31; E. Gaugler, Römer I, 37f; A. Nygren, Römer, 67, und H. W. Schmidt, Römer, 28, annehmen.

138 Das rabbinische Spätjudentum hat aus Hab 2, 4 gerade das Gegenteil des von Paulus intendierten Sinnes herausgelesen, indem man באמונתו des MT auf das

manche, besonders A. Nygren[139], die Verwendung des Habakukzitates auch in Rö 1, 17 bestimmt. Doch für die Verwendung von Hab 2, 4 durch Paulus läßt sich noch ein weiterer, wohl entscheidender Gesichtspunkt geltend machen. Es spricht vieles dafür, daß die Verwendung des Zitates aus Hab 2, 4 auf einen allgemein üblichen urchristlichen Gebrauch[140] zurückgeht, und zwar auf einen Gebrauch, der, wie Hebr 10, 38 zeigt, die Verbundenheit von Hab 2, 4 mit (dem von Paulus nicht mitzitierten) vorhergehenden Vers 3[141], also die Interpretationseinheit beider Verse voraussetzt. Dieser Gebrauch ist offensichtlich, wie ein Blick auf 1 QpHab 7, 6 – 8, 3 zeigt, vom apokalyptischen Judentum bestimmt[142].

„Werk" des Menschen, also seine Gebotserfüllung deutete, so MidrKoh 3, 9 (Billerbeck III, 544, wo auch noch andere spätjüdische Deutungen mitgeteilt werden). Eine andere Deutung, die in bMak 23b (Billerbeck III, 542f) bezeugt ist, sieht in Hab 2, 4 die Summe der Tora ausgesprochen, da sich in der אמונה als dem Bekenntnis zum Monotheismus das, was im Gesetz vom Menschen gefordert wird, vollkommen ausdrückt.

139 Es scheint allerdings wohl übertrieben systematisch gedacht, wenn A. Nygren, Römer, 65–72, in dem Schriftzitat von Rö 1, 17 das Thema des ganzen Briefes angegeben sieht, und nicht nur das Thema, sondern auch die Gliederung der ersten acht Kapitel: „für Kap. 1–4 ὁ δίκαιος ἐκ πίστεως, für Kap. 5–8 ζήσεται" (S. 69). Eine solche Verwendung des Schriftzitates lag dem Apostel wohl kaum nahe. Denselben Versuch wie A. Nygren hat auch A. Feuillet, Habacuc II. 4 et l'épître aux Romains, in: NTSt 6 (1959/60) 52–80 unternommen; allerdings gibt er eine andere Einteilung von Rö 1–8 und läßt den 2. Teil in 5, 12 mit der Adam-Christus-Typologie beginnen. Der statistische Beweis (in Rö 1–4 kommt πίστις bzw. πιστεύειν 25 mal vor, in 5–8 dagegen nur 2 mal; ζωή bzw. ζῆν, ζωοποιεῖν kommt in 1–4 außer in Rö 1, 17 nur 2 mal vor, dagegen in 5–8 mehr als 25 mal), den Nygren ins Feld führt, kann zwar die Leitfunktion von Hab 2, 4 für die Darstellung der Rechtfertigung im Römerbrief erweisen, nicht aber die untrennbare Einheit der Wendung δίκαιος ἐκ πίστεως, wie Nygren meint.

140 Vgl. H. Schlier, Der Brief an die Galater (Krit.-exeget. Kommentar über das NT, 7), [12]1962, 133 Anm. 3, der ebenfalls mit Th. Zahn, Der Brief des Paulus an die Galater (Zahns Kommentar zum NT, 9), [3]1922, 155, eine allgemeine Vertrautheit der Christen mit Hab 2, 4 bzw. 2, 3f annimmt, die aus dem „christlichen Elementarunterricht" stamme. Vgl. auch E. E. Ellis, Paul's Use of the O.T., 1957, 93 u. 120, und besonders C. H. Dodd, According to the Scriptures, 1953, 51: „Hence there is reasonable probability that Hab 2, 3–4 should be added to our list of traditional ‚testimonia' from the earliest period".

141 Hab 2, 3: „Noch ist dem Gericht seine Frist gesetzt, doch es drängt dem Ende zu und täuscht nicht. Wenn es verzieht, so harre doch darauf, denn es kommt gewiß und bleibt nicht aus".

142 Die in 1 QpHab 8, 1–3 enthaltene jüdisch-apokalyptische Tradition interpretiert Hab 2, 4 folgendermaßen: „Seine Deutung geht auf alle Täter des Gesetzes im Hause Juda, welche Gott erretten wird aus dem Haus der Gerichts wegen ihrer Mühsal und (wegen) ihrer Treue zum (oder ihres Glaubens an den) Lehrer der Gerechtigkeit". Die „Täter des Gesetzes" sind wie 1 QpHab 7, 11f zeigt, die Mitglieder der Gemeinde der Endzeit. Gott wird sie im Endgericht (vgl. auch 1 Q 14, Frg. 8–10, 8f) erretten, und zwar wegen der in der

A. Strobel[143] hat nun die These aufgestellt, daß in der urchristlichen Verwendung der Stelle Hab 2, 3f dem V. 3 die eigentlich tragende Bedeutung zukomme und Hab 2, 3 „als neutestamentlicher Kardinalbeleg" für die Erfüllung der eschatologischen Erwartung gedient habe. Tatsächlich kommt dem V. 3, wie Strobel richtig bemerkt, nicht nur die Bedeutung eines „Dictum probans" im gewöhnlichen Sinne[144] zu, sondern Hab 2, 3 „hat so etwas wie eine eschatologische Schlüsselfunktion inne". Am deutlichsten tritt diese Funktion in Hebr 10, 35–39 hervor, wo auf die Frage nach dem Ausbleiben der Parusie Christi die aus dem Judentum überlieferte Antwort aus Hab 2, 3f gegeben wird[145]. Ein deutlicher Bezug auf Hab 2, 3 liegt sodann in 2 Petr 3, 8f vor. Diese Stelle steht in einem Zusammenhang, der auf Irrlehren, die die Parusie Christi in Frage stellen, eine Antwort gibt[146]. Auch auf die schwierige Frage, was oder wer in 2 Thess 2, 6f

Endzeit erlittenen Mühsal (vgl. Mk 13, 19), womit die Enttäuschung wegen der Parusieverzögerung gemeint sein könnte (vgl. H. Braun, Radikalismus I, 61), und wegen ihrer Treue zum Lehrer der Gerechtigkeit. Diese Treue hat nicht nur die Person des Lehrers der Gerechtigkeit zum Gegenstand, sondern, wie der gesamte qumranische Hab.-Pescher zeigt (vgl. besonders 2, 7–10; 7, 1–5), vor allem seine „akut-endzeitlich bestimmte autoritative Erklärung der Propheten" (J. Maier, Die Texte vom Toten Meer. II, 139. Vgl. auch K. Elliger, Studien zum Habakuk-Kommentar vom Toten Meer [Beitr. zur histor. Theol. 15], 1953, 191–196). Der Lehrer der Gerechtigkeit erklärt in 1 QpHab 7, 7–8 auch die Verzögerung der Parusie, indem er Hab 2, 3 auslegt: „Seine Deutung ist, daß die letzte Zeit sich in die Länge zieht und länger braucht als (nach) allem, was die Propheten gesagt haben, denn die Geheimnisse Gottes sind wunderbar". Und weiter heißt es von den „Tätern des Gesetzes", die die Parusieverzögerung durch ihre Ausdauer bewältigen, in V. 11–14, daß ihre „Hände nicht ablassen vom Dienste der Wahrheit, wenn sich über ihnen die letzte Zeit hinauszieht. Denn alle Zeitabschnitte kommen nach ihrer Ordnung, so wie Er es ihnen festgelegt hat in den Geheimnissen Seiner Klugheit".

143 A. Strobel, Untersuchungen zum eschatologischen Verzögerungsproblem, 79–116.

144 So z. B. O. Michel, Der Brief an die Hebräer (Krit.-exeget. Kommentar über das NT, 13), [11]1960, 241f, mit einem stärkeren Interesse an V. 4 des Zitates, und T. W. Manson, The Argument from Prophecy, in: JThSt 46 (1945) 129–136, hier 133–135, mit einem spürbaren Interesse an der christologischen Verwendung des AT.

145 In V. 4 des Zitates vertauscht der Hebr. die beiden Vershälften, außerdem verschmilzt er Is 26, 20 mit Hab 2, 3. Diese Freizügigkeit, die nach rabbinischer Exegese durchaus legitim ist (T. W. Manson, a. a. O. 129–136), zeigt, daß Hab 2, 3f „dem Schreiber bereits über das durchschnittliche Maß vertraut war. Er empfand das Schriftwort offenbar nicht nur als Beweisstelle" (A. Strobel, a. a. O. 82).

146 Vgl. K. H. Schelkle, Die Petrusbriefe, 227, wo auch Bezug genommen wird auf die qumranische Auslegung von Hab 2, 3 in 1 QpHab 7, 13f. Vgl. außerdem E. Käsemann, Eine Apologie der urchristlichen Eschatologie, 156. Käsemann konstatiert jedoch einen Widerspruch zwischen 2 Petr 3, 8 (Relativierung

mit τὸ κατέχον bzw. mit ὁ κατέχων gemeint sei[147], fällt neues erhellendes Licht, wenn man annimmt, daß κατέχειν synonym mit χρονίζειν gebraucht wird[148] und in 2 Thess 2, 6f ebenso wie in Hab 2, 3 (μὴ χρονίσῃ) eine Zeitaussage enthalten ist[149].
Da nach Hebr 10, 37f das Zitat Hab 2, 3f im Urchristentum als eine zusammenhängende, einheitliche Aussage aufgefaßt wurde, und dabei nach 2 Petr 3, 8f wie auch nach Hebr 10, 37f der Schwerpunkt der beabsichtigten Aussage deutlich auf V. 3 des Zitates lag, vermutet Strobel[150] weiter, daß auch das von Paulus in Gal 3, 11 und Rö 1, 17 verwandte Zitat Hab 2, 4 in enger Verbindung mit dem vorhergehenden V. 3 zu sehen sei und aus der Verbundenheit von Hab 2, 3 und 4, wie sie das Urchristentum im Gefolge der apokalyptischen Tradition des Judentums angenommen habe, verstanden werden müsse.
Wie steht es nun tatsächlich mit der Verwendung von Hab 2, 3f durch Paulus? Es ist durchaus anzunehmen, daß er die jüdisch-apokalyptische Tradition von Hab 2, 3f, wie sie sich etwa in 1 QpHab 7, 6 – 8, 3 findet, gekannt hat bzw. von ihr beeinflußt ist. Ist aber aus 2 Thess 2, 6f[151] ohne weiteres zu entnehmen, daß Paulus beide Verse des Habakukzitates gebraucht hat und zwar, wie Strobel betont, mit dem besonderen Interesse für V. 3? Denn es muß zweifelhaft erscheinen, ob Paulus sich der Abhängigkeit von Hab 2, 3 an dieser Stelle tatsächlich bewußt war und ob überhaupt aus dieser Stelle Folgerungen für die Echtheit des 2. Thessalonicherbriefes gezogen werden dürfen[152]. Vielmehr zeigen Gal 3, 11 und Rö 1, 17, daß das Interesse des Apostels an Hab 2, 3f bei V. 4 liegt, und zwar bei den

des Zeitbegriffs) und V. 9 (baldige Erwartung). Dagegen weist A. Strobel, a. a. O. 88–97, die Einheitlichkeit von 3, 8f und die Abhängigkeit der in diesen Versen geäußerten Vorstellungen von einer zeitgenössischen spätjüdischen Diskussion um Hab 2, 3 auf.

147 Vgl. W. Bauer, Wörterbuch, 835f; E. Stauffer, Die Theologie des NT, [4]1948, 66 u. Anm. 288; J. Schmid, Der Antichrist und die hemmende Macht, in: ThQ 129 (1949) 323–343.

148 So wird das Piel von אחר, das in Hab 2, 3 von der LXX mit χρονίζειν wiedergegeben wird, in LXX Gen 24, 56 mit κατέχειν übersetzt.

149 Vgl. A. Strobel, a. a. O. 101: „Der Begriff des Katechon ... ist t. t. für die in den Weltplan Gottes einberechnete Parusieverzögerung und als solcher ohne einen näheren Inhalt". Mit A. Strobel (a. a. O. 107) ist κατέχον nicht, wie vielfach vertreten wird, als eine innerweltliche Größe, die das Kommen des Antichrist aufhält, zu begreifen, sondern als der „objektiv festliegende Heilsplan" Gottes, während der κατέχων Gott selbst ist.

150 A. a. O. 173.

151 Vgl. A. Strobel, a. a. O. 200: „... für Paulus beweist doch 2 Thess 2 eindeutig, daß er mit ihr (dieser Tradition) bekannt war und ihr sogar eine bevorzugte Rolle beimaß".

152 Dagegen steht, daß die in 2 Thess 2 anstehende Problematik der Parusieverzögerung sonst bei Paulus nicht in solcher Dringlichkeit erscheint.

von ihm beidemal in gleicher Weise zitierten Worten ὁ δίκαιος ἐκ πίστεως ζήσεται.

Zudem läßt sich weder aus Gal 3, 11 noch aus Rö 1, 17 erschließen, daß Paulus hier vor der Frage nach der ausbleibenden oder sich verzögernden Parusie stand. Vielmehr geht aus beiden Stellen deutlich hervor, daß Paulus das im Auge hat, was durch das Christusereignis inauguriert und jetzt im Vollzug ist, nicht aber, wie Strobel[153] meint, erst „vor seiner Erfüllung“ steht. Diese Zeit, die unter dem Zeichen der geoffenbarten Macht und Gerechtigkeit Gottes steht, ist für Paulus eschatologische Erfüllungszeit, wenn auch nur einer erst begonnenen Erfüllung. Jedenfalls darf man annehmen, daß Paulus Hab 2, 4 deshalb für bedeutsam fand, weil er die Verheißung von Hab 2, 3 als eingetroffen ansieht. „Der Gerechte wird aus Glauben leben“, das versteht sich für den Apostel aus der eschatologisch erfüllten Jetztzeit. Darin ist A. Strobel[154] recht zu geben, daß V. 16 und 17 in Rö 1 vom eschatologischen Erfüllungsgedanken zu verstehen sind, und daß Hab 2, 3 in diesen Versen gleichsam zwischen den Zeilen zu lesen ist. Paulus geht es aber hier entscheidend um die Kraft Gottes bzw. um die Gerechtigkeit Gottes, die nun im Glauben ihre lebenspendende Kraft offenbart. Diese Zeit ist Zeit der Gnade, weil sie von der δύναμις θεοῦ und der δικαιοσύνη θεοῦ erfüllt ist.

Paulus fügt das Schriftzitat aus Hab 2, 4 in Rö 1, 17 mit einem einleitenden καθὼς γέγραπται ein. Dies ist eine bei ihm häufig gebrauchte Zitationsformel[155]. Er zitiert die Schriftstelle allerdings nicht nur als autoritativen Beleg, sondern er nimmt vielfach Änderungen durch Streichungen, Hinzufügungen oder Umstellungen vor, womit er das Schriftwort in einer interpretierten Form darbietet. Es kommt Paulus nicht nur darauf an, daß das, was er sagt, schon im Gesetz und bei den Propheten geschrieben ist, sondern daß das, was geschrieben steht, seinen eigentlichen Sinn nun im Lichte des Christusereignisses

[153] A. a. O. 177 Anm. 2. Strobel weiß auch um die soteriologische Bedeutsamkeit der Rechtfertigungslehre für die Jetztzeit. Aber er betont m. E. zu stark die Gegenwart als von Gott gewährte „Bußfrist“ (S. 198–201), einen Gedanken, den Paulus aus dem Judenchristentum übernommen und „auf Grund und mit Hilfe der Rechtfertigungslehre theologisch vertieft und soteriologisch zu deuten vermocht“ habe. Strobel zeigt hier seine Abhängigkeit von Schoeps' Annahme einer „postmessianischen Zwischenzeit“ (vgl. H. J. Schoeps, Paulus, 106) und von der „Schule der konsequenten Eschatologie“. Vgl. A. Strobel, a. a. O. 201: „Man kommt so zu einer Klärung der Zusammenhänge, die die Konzeption A. Schweitzers zumindest im Prinzip bestätigt“.

[154] A. a. O. 177.

[155] Vgl. Rö 2, 24; 3, 10; 4, 17; 8, 36; 9, 13. 33; 10, 15 Textvariante καθάπερ; 11, 26; 15, 3. 9. 21; 1 Kor 1, 31; 2, 9; 2 Kor 8, 15; 9, 9. Vgl. auch Rö 9, 29. – Ungewöhnlich ist 2 Kor 6, 16 καθὼς εἶπεν ὁ θεός.

freigibt. Insofern sind die von Paulus geführten Schriftbeweise Weissagungsbeweise [156].

Die in Hab 2, 4 enthaltene Weissagung (LXX: ζήσεται) ist jetzt in Erfüllung gegangen. Denn Gerechtigkeit Gottes ist geoffenbart worden, so daß die von der Gerechtigkeit Gottes gekennzeichnete Zeit sich als wahre Heilszeit erweist, in der der Gerechte aus dem Glauben lebt, d. h. aber: im Glauben das eschatologische Leben hat.

§ 8. Rö 10, 3

Diese Stelle steht im Zusammenhang einer theologischen Erörterung, die das Heil Israels zum Gegenstand hat (Rö 9–11). Die Voraussetzung, von der Paulus hier ausgeht, ist: Israel in seiner Gesamtheit, d. h. als „Volk" [157], hat den Glauben an das in Christus erschienene Heil verweigert. Das hindert ihn jedoch nicht, „für ihre Rettung" (ὑπὲρ αὐτῶν εἰς σωτηρίαν) zu beten; sie entspricht seinem herzlichen Wunsche [158] (10, 1). Denn er kann ihnen bezeugen, daß sie Eifer für Gott haben [159], aber nicht „nach rechter Erkenntnis (10, 2). Die ἐπίγνωσις fehlt ihnen, obwohl sie das Gesetz, den Bund mit Gott und die Verheißungen haben (vgl. 9, 4). Denn nicht im Festhalten am Gesetz, am Bund und an den Verheißungen, kurzum an den Vorzügen Israels, erlangen sie das Heil, sondern in der Unterwerfung unter die „Gerechtigkeit Gottes" (10, 3). Eben diese Gerechtigkeit Gottes haben sie verkannt (ἀγνοοῦντες) [160] und ihre eigene Gerechtigkeit aufzustellen gesucht. Darin liegt die eigentliche Schuld Israels in der Gegenwart.

Die δικαιοσύνη τοῦ θεοῦ ist hier aus dem Gegensatz zur ἰδία δικαιοσύνη zu erklären, aber auch von der Aufforderung zur Unterwerfung her, die nach V. 3b im Begriff der δικαιοσύνη θεοῦ enthalten ist [161]. Es liegt

[156] Vgl. O. Michel, Paulus und seine Bibel, 1929, 134–159; C. H. Dodd, According to the Scriptures, 28 u. 51, und E. E. Ellis, Paul's Use of the O.T., 22–28 u. 98–107.

[157] Vgl. Rö 9, 25f (Berufung des neuen Gottesvolkes); 10, 19. 21 (Widerspenstigkeit des Volkes Israel); 11, 1f (= Ps 94, 14).

[158] Vgl. 9, 1–3.

[159] In 9, 31 beschreibt er den Eifer Israels näher: διώκων νόμον δικαιοσύνης.

[160] Das Verb ἀγνοεῖν bezeichnet (schuldhafte oder schuldlose) Unwissenheit, es wird von Paulus vielfach in der Bedeutung „in Unkenntnis lassen" gebraucht: Rö 1, 13; 11, 25; 1 Kor 10, 1; 12, 1; 2 Kor 1, 8; 1 Thess 4, 13. Hier bezeichnet es nicht nur ein „Nicht kennen" (so A. Bisping, Römer, 297; R. A. Lipsius, Römer, 152; W. Bauer, Wörterbuch, 21), sondern das „Verkennen" ihrer wahren Situation und damit auch der Gerechtigkeit Gottes. Vgl. M.-J. Lagrange, Romains, 253; H. Lietzmann, Römer, 95: „Also nicht ‚ohne Kenntnis', sondern ‚ohne richtige Würdigung' ".

[161] Vielleicht liegt hier auch ein Rückbezug auf 9, 31 νόμον δικαιοσύνης vor. Vgl. E. Kühl, Römer, 349.

nahe, hier einen doppelten Begriff [162] oder wenigstens eine doppelte Ausrichtung [163] des Begriffs der δικαιοσύνη θεοῦ anzunehmen: in V. 3a die von Gott herkommende, dem Menschen zugeeignete Gerechtigkeit, wobei also θεοῦ als Gen. auct. aufzufassen ist, und im V. 3b die Gerechtigkeit Gottes als Ausdruck seines Heilswillens und seiner Heilsaktivität, da θεοῦ offenkundig Gen. subj. ist. Dagegen gibt es nicht wenige Exegeten, die in beiden Vershälften δικαιοσύνη θεοῦ entweder als die von Gott dem Menschen beigelegte Gerechtigkeit [164] – unter Berufung auf die angebliche Parallelität von Rö 10, 3 mit Phil 3, 9 (ἐκ θεοῦ δικαιοσύνη) [165] – oder als Eigenschaft Gottes bzw. als Ausdruck seines Heilshandeln [166] erklären.

Tatsächlich aber befriedigen diese Lösungen in beiden Fällen nicht, denn δικαιοσύνη θεοῦ scheint in V. 3b doch anders akzentuiert zu sein als in V. 3a. Folgende Beobachtungen mögen als Grundlage für eine Erklärung des Verses dienen.

In beiden Fällen ist der griechische Terminus für Gerechtigkeit Gottes mit dem Artikel versehen. Es heißt ἀγνοοῦντες τὴν τοῦ θεοῦ δικαιοσύνην und τῇ δικαιοσύνῃ τοῦ θεοῦ οὐχ ὑπετάγησαν. In den bisher von uns besprochenen Stellen Rö 1, 17; 3, 5; 3, 21f stand δικαιοσύνη θεοῦ ohne Artikel, nur in dem aus der vorpaulinischen Tradition stammenden Satz und seiner Weiterführung in 3, 25f stand δικαιοσύνη mit Artikel. Nun beweist das Fehlen und das Setzen des Artikels selbst noch nicht viel. Aber die Regel spricht eher für ein Fehlen des Artikels bei „Übersetzungssemitismen“ [167] und bei Abstrakta [168]. Wenn er aber hier steht, ist anaphorischer Gebrauch des Artikels zu vermuten [169]: Es wird zurückverwiesen auf die bekannte und vorhererwähnte Sache, so in Rö 3, 26; 10, 3b. In V. 3a aber scheint der Artikel veranlaßt durch die Betonung des Gegen-

162 Vgl. A. Bisping, Römer, 297.

163 H. Lietzmann, Römer, 95, spricht hier von einer „schillernden Doppelbedeutung“ des Wortes; „es bezeichnet eine göttliche Eigenschaft, die aber auch aus Gnaden dem gläubigen Menschen verliehen wird“. Vgl. auch P. Althaus, Römer, 12f.

164 R. Cornely, Ep. ad Romanos, 544; Th. Zahn, Römer, 474; M.-J. Lagrange, Romains, 253; O. Bardenhewer, Römer, 152; A. Nygren, Römer, 271; A. Oepke: ThLZ 78 (1953) 259.

165 Vgl. M.-J. Lagrange, Romains, 253, und O. Michel, Römer, 254. Gegen die Verwendung von Phil 3, 9 an dieser Stelle sagt E. Tobac, Justification, 117 Anm. 1, richtig: „Il est d'ailleurs à remarquer que dans Rom. 10, 3, l'opposition n'est pas précisément entre la justice propre et la justice de Dieu, mais entre s'efforcer d'établir la justice propre et reconnaître la justice de Dieu“. Vgl. auch G. Schrenk: ThWNT II 209, 24–31.

166 E. Kühl, Römer, 349; E. Tobac, Justification, 119f; S. Lyonnet: VD 25 (1947) 118; O. Kuss, Römer, 117.

167 Blaß-Debr. § 259; vgl. L. Radermacher, Ntl. Grammatik (Handbuch zum NT, 1), ²1925, 116.

168 Blaß-Debr. § 258: „je abstrakter ein Wort gebraucht wird, um so weniger nimmt es einen anderen Artikel als den generischen an; man kann daher hier z. T. eher fragen, weshalb er stehe, als weshalb er fehle“.

169 Vgl. Blaß-Debr. § 252.

satzes: Verkennung der Gerechtigkeit Gottes und Behauptung der eigenen Gerechtigkeit. Diese Gegenüberstellung erklärt auch die Hervorhebung des Genitivs τοῦ θεοῦ.

Der Begriff der Gerechtigkeit Gottes erklärt sich hier jedoch nicht allein aus der genannten Gegenüberstellung, denn das mit καί angeschlossene Satzglied in V. 3a erscheint als eine Aussage, die die Folge der Verkennung der Gerechtigkeit Gottes ist. Von ἰδία δικαιοσύνη kann erst gesprochen werden, nachdem die δικαιοσύνη θεοῦ erschienen ist.

Rö 10, 3 ist eng mit dem folgenden V. 4, der wie ein Lehrsatz[170] klingt, verbunden. Dieser erklärt und begründet die vorhergehende Feststellung von V. 3b οὐχ ὑπετάγησαν. Die von Paulus verkündigte, jetzt offenbar gewordene δικαιοσύνη θεοῦ ist nicht einfach aus dem Gesetz und den anderen Vorzügen Israels (vgl. 9, 4f) kennenzulernen und zu erwerben. Sie ist offenbar geworden in Christus, so daß das Gesetz an Christus zu seinem „Ende“[171] kommt (V. 4). Die in Christus offenbar gewordene Gerechtigkeit Gottes hebt die Erwartung der Gerechtigkeit aus dem Gesetz (vgl. V. 5) radikal auf. Der in Christus offenbar gewordenen Gerechtigkeit Gottes haben sich die Juden nicht unterworfen (V. 3b). Sie haben den Glauben und somit auch die Anerkennung der Tatsache, daß alle (vgl. παντί) unter der Sündenmacht stehen, verweigert, so daß ihnen Christus nicht zur Gerechtigkeit werden konnte (V. 4)[172].

Auf Grund der dargelegten Zusammenhänge läßt sich die zweimalige Formel ἡ δικαιοσύνη τοῦ θεοῦ in Rö 10, 3 einheitlich erklären, und zwar christologisch. Wenn Paulus in V. 4 Christus als Ende des Ge-

170 Vgl. O. Michel, Römer, 223: „V. 4 klingt wie eine eingefügte lehrhafte These, die einerseits den Gedanken ganz abschließt, andrerseits aber auch zum Folgenden überleitet“. Letzteres betont E. Gaugler, Römer II, 95, zu einseitig.

171 Τέλος heißt hier „Ende“, nicht „Ziel“. Vgl. A. Jülicher, Römer, 299 („Das Gesetz ist seit Christus ungültig“); R. A. Lipsius, Römer, 153; Sanday–Headlam, Romans, 284; H. Lietzmann, Römer, 96; M.-J. Lagrange, Romains, 253; J. Huby, Romains, 364; A. Nygren, Römer, 271f; O. Michel, Römer, 255; E. Gaugler, Römer II, 94–116, der sich besonders mit K. Barths Deutung (Christus als Erfüllung des Gesetzes) auseinandersetzt. Zuletzt hat R. Bring, Die Erfüllung des Gesetzes durch Christus. Eine Studie zur Theologie des Apostels Paulus, in: KerDog 5 (1959) 1–22, noch einmal die Konzeption einer heilsgeschichtlichen Erfüllung und Vollendung des Gesetzes durch die Tat Christi vor allem auf Grund seiner Auslegung von Gal 3, 10ff nachzuweisen gesucht. Bring wird jedoch der Bedeutung der apokalyptischen Vorstellung von der Äonenwende für Paulus nicht gerecht.

172 Χριστὸς εἰς δικαιοσύνην wird in der Regel als „starke Verkürzung“ (Lietzmann) eines Konsekutiv- oder Finalsatzes erklärt, läßt sich hier aber auch als eine Aussageeinheit verstehen: Christus ist zur Gerechtigkeit geworden. Vgl. M.-J. Lagrange, Romains, 253; G. Schrenk: ThWNT II 206, 33f; E. Gaugler, Römer II, 94.

setzes verkündigt, dann kann er das nur, weil in Christus sich die Wende vom Gesetz zum Glauben vollzogen hat. Diese Wende selbst wird wie in Rö 1, 17 und 3, 21f durch die geoffenbarte δικαιοσύνη θεοῦ angezeigt. Sich Christus verweigern heißt, sich der Gerechtigkeit Gottes verschließen [173], ihr Wirken in Christus verkennen und ihrem Anspruch den Gehorsam versagen [174]. Christus selbst erscheint hier als die personifizierte Gerechtigkeit Gottes [175], der man sich im Glauben unterwerfen muß. In Christus ist Gottes Macht den Menschen nahe gekommen, und diese Nähe spricht sich im verkündigten „Wort des Glaubens" (V. 8) aus [176], das auch das „Wort Christi" (V. 17) ist. Die gesamten Ausführungen in Kap. 10 stehen unter einem starken christologischen Aspekt, nämlich dem Aspekt des Herrentums Jesu: ὁ γὰρ αὐτὸς κύριος πάντων (V. 12). Von der in Rö 10 vorherrschenden christologischen Tendenz her wird man die Gerechtigkeit Gottes in V. 3 so erklären müssen, daß Christus als ihr Träger und Repräsentant erscheint [177].

Von dieser Erklärung her fällt nun auch neues Licht auf die δικαιοσύνη θεοῦ in Rö 1, 17 und 3, 21f. Auch an diesen Stellen ist der christologische Aspekt der Gerechtigkeit Gottes nicht zu leugnen [178]. Wenn dort von einer ἀποκάλυψις bzw. φανέρωσις der Gerechtigkeit gesprochen wird, ist an Christus als die Epiphanie und Inkarnation des Herrschertums Gottes zu denken.

Der Frage, von welcher Bedeutung das Israelproblem in Rö 9–11 und darüber hinaus im ganzen Römerbrief für das Verständnis von δικαιοσύνη θεοῦ ist, geht

[173] Vgl. Thomas Aq., In Ep. ad Rom.: Fretté-Maré XX, 525: „Justitiae Dei non sunt subjecti; idest, nolunt subjici Christo".

[174] Vgl. E. Gaugler, Römer II, 93, der zu Rö 10, 3 ein bemerkenswertes Zitat von Schrenk bringt: „Die Kernsünde Israels ist die Ablehnung seines ihm nahen Christus, der des Gesetzes Ende ist".

[175] A. Strobel, Untersuchungen zum eschatologischen Verzögerungsproblem, 177–181, betont besonders das messianische Verständnis des Begriffs der „Gerechtigkeit Gottes" schon innerhalb des AT: „Er ist Name des erwarteten Messias, er ist Bezeichnung dessen, was der Messias ist, wirkt und schenkt, was Gott in und durch ihn den Menschen der Heilszeit offenbart" (177). Als Name für den Messias begegnet im AT allerdings höchstens in Jer 23, 6 und 33, 16 „Jahwe unsere Gerechtigkeit".

[176] A. Strobel, a. a. O. 190, vermutet an dieser Stelle wieder eine Beziehung zu Hab 2, 3 und betont den „futurischen Aspekt von der Nähe des Heils": „Gemeint ist mit ἐγγύς σου wohl nicht nur das soteriologische Heute, das zugleich eschatologischer Kairos ist, sondern eben auch die Nähe der letzten eschatologischen Vollendung".

[177] Vgl. O. Michel, Der Christus des Paulus, in: ZNW 23 (1933) 6–31, bes. 7f.

[178] Vgl. A. Nygren, Römer, 61 u. 113, der an diesen Stellen im Gebrauch des Begriffs „Gerechtigkeit Gottes" gerade ein Moment messianischer Erfüllung sieht. K. Barth, Römer, 10, formuliert die Wirkung der geoffenbarten Gerechtigkeit Gottes mit 2 Kor 4, 6 als „Erkenntnis der Klarheit Gottes in dem Angesichte Jesu Christi". Vgl. auch seine geradezu hymnisch stilisierten Aus-

Christian Müller[179] besonders nach. „Das Israelproblem entscheidet über die Geschichtlichkeit der Offenbarung der δικαιοσύνη θεοῦ“[180], wie auch umgekehrt gelte, „daß der Apostel das Israelproblem 9, 30 – 10, 21 durch die Rechtfertigungslehre“ interpretiert[181]. Gottesvolkexistenz und Charakterisierung durch die δικαιοσύνη besagen für Paulus dasselbe (vgl. 9, 30 mit 10, 4)[182], „δικαιοσύνη θεοῦ meint in solchem Zusammenhang den Anspruch der Gnade Gottes, die dem Gottesvolk die universale Weite verleiht und den Widerstand der Synagoge bricht, um auch sie sola gratia zum Heil zu führen“[183]. Den Begriff der Gerechtigkeit Gottes interpretiert Müller, wie schon zu Rö 3, 5 gezeigt[184], von seiner forensischen Begriffsstruktur her, die bei Paulus grundlegende Bedeutung erhalte. Es gehe dem Apostel in der Rechtfertigungslehre um das Recht Gottes als des Schöpfers. Anstelle des Bundesgedanken setze er den Schöpfungsgedanken, in dem die Eigenart seiner Rechtfertigungslehre wurzele. Der Schöpfungsgedanke, durch den er den überlieferten Bundesgedanken ablöse, ermögliche es ihm, die Universalität des neuen Gottesvolkes, zu dem auch Israel berufen sei, auszusagen und zu begründen.
Mit Recht hebt Müller die christologische Thematik von Rö 10 hervor. Denn das durch die „Rechtfertigungslehre“ gedeutete Christusereignis ist der Grund des paulinischen universalen Gottesvolkgedankens und damit auch der Ausgangspunkt für die Lösung des Israelproblems. Jedoch scheint für Müller der Begriff der Schöpfung bzw. Neuschöpfung geradezu zu einer petitio principii zu werden. Denn die Begriffe κόσμος und σκεῦος geben das nicht allein her, was Müller als paulinischen Schöpfungsgedanken bezeichnet und aus ihnen abzuleiten sucht. Kann man das, was er mit Recht hervorhebt: die Dialektik von Recht Gottes und Volk Gottes, nicht einfacher, nämlich im eschatologischen Handeln Gottes begründet finden?

§ 9. 2 Kor 5, 21

Diese Stelle ist nach der chronologischen Folge der Paulusbriefe die erste, an der δικαιοσύνη θεοῦ steht. Es muß zunächst noch fraglich bleiben, ob Paulus schon an dieser Stelle die Vorstellung und der theologische Zusammenhang bewußt sind, den er mit dem mehrfachen Gebrauch dieser Wendung im Römerbrief entfaltet[185]. Der Zusammenhang, in dem 2 Kor 5, 21 steht, ist jedenfalls ein anderer als im Römerbrief, auch wenn gerade die vorhergehenden Verse das

führungen über die in Jesus Christus erschienene Gerechtigkeit Gottes zu Rö 3, 21 S. 62.

179 Gottes Gerechtigkeit und Gottes Volk.

180 A. a. O. 57.

181 A. a. O. 37; vgl. auch 107f.

182 A. a. O. 107.

183 A. a. O. 108.

184 Vgl. S. 69 Anm. 30.

185 Th. Häring, Δικαιοσύνη θεοῦ, 62f, bemerkt, daß die Formulierung γενώμεθα δικαιοσύνη θεοῦ in 2 Kor 5, 21b „bei jeder Erklärung schwierig“ sei, „weil sie deutlich eine im Gegensatz zu dem ἁμαρτίαν ἐποίησεν gebildete großartige Anschauung ist, nicht wie jene obigen direkt lehrhaften Charakter hat“.

Thema der „Versöhnung“ mit umgreifen, von dem Paulus ja auch im Römerbrief an zentraler Stelle (5, 10f) spricht. Die durchgehende Thematik des ersten Teils dieses Briefes, nämlich das Amt und der Dienst des Apostels, herrscht auch in dem engeren Zusammenhang von 2 Kor 5, 21 vor (vgl. V. 18–20).

Der Gedankengang der unmittelbar vorhergehenden Verse (17–20) erscheint zunächst nicht einheitlich [186], ist aber deutlich von dem doppelten Thema der „Versöhnung“ und des apostolischen Versöhnungsdienstes getragen [187]. In V. 17 interpretiert Paulus den für ihn so kennzeichnenden Ausdruck des „Seins in Christus“ [188] als „neue Schöpfung“. Diese Interpretation setzt voraus, daß in Christus die eschatologische Wende geschehen ist [189]. In V. 18 führt Paulus das „Ganze“, das in V. 17 mit der „neuen Schöpfung“ angedeutet wurde, auf Gott als den Urheber der Versöhnung zurück.

186 Vgl. H. Lietzmann, Korinther, 126 zu V. 17: „Im Folgenden mischen sich Schilderung der Gottestat mit der Betonung des göttlichen Ursprungs seines apostolischen Berufs (V. 18. 20) und Ermahnungen an die Korinther (V. 20; 6, 1) ohne erkennbaren Gedankenfortschritt und klaren Zusammenhang“. Zur Einheitlichkeit des Abschnitts vgl. W. Bousset, Der zweite Brief an die Korinther (Die Schriften des NT, hrsg. von W. Bousset und W. Heitmüller, 2), ³1917, 195f.

187 Neuerdings möchte E. Käsemann, Erwägungen zum Stichwort „Versöhnungslehre im Neuen Testament“, in: Zeit und Geschichte. Dankesgabe an R. Bultmann, 1964, 47–59, in 2 Kor 5, 19–21 „ein vorpaulinisches Hymnenstück“ erblicken, da „in V. 19 von Weltversöhnung statt wie in 18 von unserer Versöhnung gesprochen und das bis in den Schluß von 20 festgehalten wird. Auch V. 21 würde sich als Zitat leichter verstehen lassen“ (50). Demgegenüber urteilt P. Stuhlmacher, Gerechtigkeit Gottes, 77 Anm. 2 (S. 78 weitergehend), vorsichtiger: „2. Kor 5, 18–21 ist ein weitgehend traditionell gesättigter und liturgische Formulierungen spiegelnder Abschnitt“.

188 Sinngemäß ist hier vor „in Christus“ ein Wort wie „Sein“ oder „Leben“ zu ergänzen. Allerdings ist mit E. Lohmeyer, Grundlagen, 140, festzustellen, „daß Paulus an keiner Stelle von einem ‚Sein in Christus‘ spricht. Was ‚in Christus‘ möglich ist, ist ein Leiden und Wirken, ein Denken und Handeln in ihm“. Vgl. 2 Kor 4, 7–18, wo Paulus die mit der Formel (εἶναι) ἐν Χριστῷ ausgedrückte Lebens- und Schicksalsgemeinschaft mit Christus (1 Kor 1, 30; vgl. auch Rö 14, 8; Gal 2, 20; Phil 1, 21) ausdrücklich auf die Leidensgemeinschaft des Apostels und der Gemeinde mit Christus bezieht. Die Formel ἐν Χριστῷ nimmt an unserer Stelle unmittelbar auf 5, 15 Bezug: Die Christen leben dem, der für sie gestorben und auferweckt ist.

189 Das Motiv der "neuen Schöpfung“ (vgl. Gal 6, 15) verweist auf das spätjüdische Zwei-Äonen-Schema (vgl. 4 Esr 13, 26), wie der Nachsatz V. 17b „zum Überfluß ... noch verdeutlicht“ (H. Windisch, Der zweite Korintherbrief [Krit.-exeget. Kommentar über das NT, 6], ⁹1924, 189). Das „Alte“ (vgl. Is 43, 18f) ist der alte Äon, das „Neue“ ist die in Christus heraufgeführte Heilsgegenwart des neuen Äons. (Vgl. Is 65, 17; Apk 21, 3–5). Diesen Zusammenhang verkennt E. Stauffer, Theologie, 122f, der die „neue Schöpfung“ als „Geltungsformel“ erklärt: „Es mag alles beim alten sein – im seinshaften Sinn. Das ist der Vordersatz, der uns vor der Schwärmerei bewahrt. Es ist alles neu geworden – im geltungshaften Sinn. Das ist der Nachsatz, der uns aus dem Nihilismus rettet“.

Gott selbst unternimmt unsere[190] Versöhnung mit sich. Sie geschieht „durch Christus", womit nicht die „Subordination Christi" gegenüber der Letztursächlichkeit Gottes ausgedrückt werden soll[191], sondern die soteriologische Funktion Christi im Versöhnungswirken Gottes[192]. Auch in V. 19 erklärt Paulus in einem fast parallel[193] zu V. 18 gebauten Satz dasselbe Verhältnis von Gott und Christus bezüglich der Versöhnung. Zugleich wird deutlich eine zweifache Wirkung von der Versöhnung ausgesagt: die Nichtanrechnung der Sünden und die Betreuung der Apostel mit dem Wort von der Versöhnung (vgl. V. 18 διακονία καταλλαγῆς). V. 20 geht nun ganz auf die Ausübung des apostolischen Dienstes der Versöhnung. Auch hier liegen wie in den vorhergehenden Versen der theozentrische und der christozentrische Aspekt der Versöhnung ineinander: Der Apostel verkündet das Wort von der Versöhnung „anstelle[194] Christi", und zugleich ist es Gott, der „durch uns euch zuredet".

Der folgende V. 21 scheint nun etwas unmotiviert an den vorhergehenden Zusammenhang angeschlossen zu sein. Denn weder grammatisch noch der Aussage nach ist ein unmittelbarer Bezug auf die vorhergehenden Verse festzustellen. Jedenfalls ist V. 21 nicht unbedingt, etwa als Erklärung, durch die vorhergehenden Ausführungen gefordert[195]. Tatsächlich aber enthält er einen axiomatisch gehaltenen theologischen Grundsatz, der offensichtlich den zuvor entwickelten Gedanken von der Versöhnung abschließend erklären soll.

Für die Auslegung von V. 21 sind zunächst einige Schwierigkeiten im Verständnis des Textes zu klären.

In der ersten Vershälfte steht zweimal ἁμαρτίαν. Die Frage ist, ob beidemale dasselbe gemeint ist. „Den, der Sünde nicht kannte, hat

[190] Ἡμᾶς bezieht sich offensichtlich auf die Gesamtheit der Christen (in V. 19 heißt es κόσμος), während ἡμῖν im selben Vers auf den Apostel bzw. die Apostel bezogen ist, von deren διακονία gesprochen wird. Vgl. A. Plummer, A crit. and exeg. com. on the second epistle of St. Paul to the Corinthians (The International Critical Commentary), 1951, 182.

[191] So H. Windisch, 2. Korinther, 191.

[192] Vgl. Rö 5, 10, wo die Versöhnung mit Gott als eine διὰ τοῦ θανάτου τοῦ υἱοῦ αὐτοῦ geschehene erklärt wird. Vgl. auch W. Thüsing, Per Christum in Deum. Studien zum Verhältnis von Christozentrik und Theozentrik in den paulinischen Hauptbriefen (NtlAbh N. F. 1), 1965, 106f, der an dieser Stelle allerdings weniger die Zuordnung der Mittlerschaft Christi zur theozentrischen Aussage, sondern die „Theozentrik des In-Christus-Seins" betont.

[193] Das als schwierig empfundene ὡς ὅτι (vgl. E.-B. Allo, S. Paul. Seconde épître aux Corinthiens, 1937, 169) wird am besten mit „nämlich" wiedergegeben. Vgl. auch Blaß-Debr. § 396.

[194] Vgl. W. Bousset, 2. Korinther, 190. Anders H. Lietzmann, Korinther, 127: „für die Sache Christi". Ebenfalls E.-B. Allo, A. Plummer, H. Windisch.

[195] Vgl. W. Bousset, 2. Korinther, 190: „Paulus erörtert nachträglich noch, wieviel Gott die Versöhnung sich hat kosten lassen". J. E. Belser, Der zweite Brief des Apostels Paulus an die Korinther, 1910, 191, und H. Lietzmann, Korinther, 127, sehen hier „nochmals" die „Weise der Versöhnung" geschildert. Anders H. Windisch, 2. Korinther, 196: „Die offizielle Presbeia setzt sich in V. 21 fort; nun wird das ‚Evangelium' deutlich ausgesprochen".

er (Gott) für uns zur Sünde gemacht". Γνόντα meint hier eine Kenntnis auf Grund von Erfahrung [196]. Die ἁμαρτία ist demnach als selbstverschuldete Sünde zu verstehen [197]. Der erste Teil dieser Aussage bezieht sich also auf die faktische Sündlosigkeit Jesu [198]. Wie verhält sich dazu die Aussage des zweiten Teils, daß Gott ihn zur Sünde gemacht hat?
Rein formal gesehen hat Paulus hier eine sehr eindrucksvolle Antithese aufgestellt, die noch durch den Chiasmus in beiden Vershälften gesteigert wird. Um die inhaltliche Aussage dieser Antithese zu erfassen, darf man nun nicht ἁμαρτία als abstractum pro concreto auflösen und durch ἁμαρτωλός ersetzen [199]. Denn das würde bedeuten: Gott hat Jesus behandelt, als ob er ein Sünder wäre; in Wirklichkeit aber war er kein Sünder [200]. Die Aussage ist von Paulus nicht nur imputativ und individuell, sondern real und universal (ὑπὲρ ἡμῶν) gemeint.

Seit Augustinus [201] hat man ἁμαρτίαν ἐποίησεν vielfach im Sinne von „Sündopfer" verstanden: Gott habe Jesus zum Sündopfer gemacht [202]. Diese Auslegung beruft sich auf Rö 8, 3 als sinngemäße Parallele [203], wo περὶ ἁμαρτίας als Sündopfer zu erklären sei [204]. Im AT bedeute חטאת sowohl Sünde wie

[196] Vgl. W. Bauer, Wörterbuch, 320, und R. Bultmann: ThWNT I 703; ders., Theologie, 265.

[197] H. Windisch, 2. Korinther, 197, bemerkt einschränkend, daß hier nicht „absolute Sündlosigkeit für Christus bezeugt wird, sondern nur bis zu dem Moment, da Gott ihn zur Sünde machte, und daß die Folgerung gezogen werden kann, daß er nun durch Gottes Zutun ein γνοὺς ἁμαρτίαν wurde". Jedoch diese „Folgerung" hat Paulus selbst nicht gezogen.

[198] Vgl. Hebr 4, 15; 1 Jo 3, 5; 1 Petr 2, 22. Vgl. auch P. Feine, Theologie, 181.

[199] Vgl. R. Cornely, Epistolae ad Corinthios altera et ad Galatas (CSS II, 3), ²1909, 173 „velut summum peccatorem", unter Berufung auf Chrysostomus; R. Bultmann, Theologie, 277: Gott machte „den (ethisch) sündlosen Christus zum Sünder (im forensischen Sinne)".

[200] So W. Bousset, 2. Korinther, 190.

[201] Augustinus, Quaestiones in Heptateuchum IV, 12: CSEL XXVIII, 2, p. 321: „Deus pater Deum filium pro nobis fecit peccatum, id est sacrificium pro peccato". So auch Cyrill Alex. Augustinus folgen Ambrosiaster, Thomas Aq., Cornelius a Lap., A. Ritschl, F. S. Gutjahr, zuletzt noch L. Sabourin, Rédemption Sacrificielle. Une enquête exégétique (Coll. Studia, 11), 1961. Vgl. auch ders., Redemptio nostra et sacrificium Christi, in: VD 41 (1963) 154–174.

[202] Vgl. auch R. de Vaux, Das AT und seine Lebensordnungen. II, 1962, 264.

[203] Vgl. Augustinus, Enchiridion de fide spe et caritate XIII (41): ed. O. Scheel, ³1937: „Propter similitudinem carnis peccati in qua venerat, dictus est et ipse peccatum, sacrificandus ad diluenda peccata".

[204] L. Sabourin: VD 41 (1963) 160, weist darauf hin, daß die LXX περὶ ἁμαρτίας geradezu als terminus technicus für Sündopfer gebrauchte, was ebenfalls in Hebr 5, 3 Spuren hinterlassen habe. Jedoch ist in Hebr 5, 3 das Opfern durch das Verb προσφέρειν ausgedrückt, außerdem steht in 5, 1 ausdrücklich θυσίαι. Vgl. auch 10, 18.

auch Sündopfer. In letzterer Bedeutung gibt die LXX חטאת z. B. in Lev 5, 7 einfach durch ἁμαρτία wieder. Für die Anwendung der atl. Sündopfervorstellung auf Christus in 2 Kor 5, 21 bezieht sich diese Erklärung vor allem auf das Sündopfer des Gottesknechtes in Is 53, 10 [205]. Dagegen ist festzustellen, daß die Parallele zu Rö 8, 3 nicht zwingend, absolut stehendes ἁμαρτία für Sündopfer in der LXX keineswegs allgemein gebräuchlich [206] und im NT überhaupt nicht vertreten ist.
Vielmehr liegt Gal 3, 13 als Parallele zu 2 Kor 5, 21 näher: „Christus ... ist für uns zum Fluch geworden". Wie Paulus hier sagen will, daß Christus uns vom Fluch des Gesetzes dadurch losgekauft hat, daß er sich mit dem Fluch beladen ließ, ja geradezu sich mit ihm identifizierte, so auch in 2 Kor 5, 21a, daß Gott uns dadurch mit sich versöhnte, daß er Christus für uns die Sünde tragen ließ und Christus nun als „Repräsentant der gesamten Sünde" erscheint [207].

Ἁμαρτία bezeichnet hier also die Macht der Sünde, insofern sie in ihrer Machtausübung über die gesamte Menschheit mit ihr geradezu eine Einheit bildet. Durch ἁμαρτίαν ἐποίησεν drückt Paulus die Identifizierung mit unserer Sünde, d. h. mit der gesamten sündig gewordenen Menschheit aus [208]. Allerdings hat diese Aussage ihren eigentlichen Sinn nur im Hinblick auf die zweite Vershälfte.
In der zweiten Vershälfte ist die Wendung γενώμεθα δικαιοσύνη θεοῦ als Entsprechung zu ἁμαρτίαν ἐποίησεν zu erklären, wie überhaupt der ganze Finalsatz als paradox geformte Antithese zu V. 21a zu verstehen ist [209]. Die hier beabsichtigte Antithese darf jedoch nicht da-

[205] Die LXX übersetzt אשם mit περὶ ἁμαρτίας. Zur Auswertung dieser Stelle für das Verständnis von 2 Kor 5, 21 vgl. L. Sabourin, a. a. O. 161.

[206] Vgl. Cremer-Kögel, Bibl.-theol. Wörterbuch, 139f, und Ph. Bachmann, Der zweite Brief des Paulus an die Korinther (Zahns Kommentar zum NT, 8), [3]1921, 272, der bestreitet, daß ἁμαρτία = Sündopfer überhaupt für LXX, auch für Lev 6, 25, anzunehmen sei.

[207] Vgl. P. W. Schmiedel, Die Briefe an die Thessalonicher und an die Korinther (Handkommentar zum NT, II, 1), [2]1892, 208; W. Bousset, 2. Korinther, 190; J. E. Belser, 2. Korinther, 191f; H. Lietzmann, Korinther, 127; E.-B. Allo, Corinthiens II, 172; A. Plummer, Corinthians II, 187; J. Héring, La seconde épître de S. Paul aux Corinthiens (Commentaire du NT, VIII), 1958, 54. Eine eigenartige Erklärung bietet H. Windisch, 2. Korinther, 198: „‚Zur Sünde gemacht' heißt dann einmal: Zur Menschwerdung verurteilt, in Sündenfleisch getan, unter den Bann der Sünde gestellt, dadurch zum Träger aller Sünde gemacht Joh 1, 29 ... zweitens im Sinn von Gal 3, 13 auf den Tod zu beziehen. Auch da ist ihm die Sünde nicht bloß imputiert, sondern er hat sie irgendwie in ihrer ganzen Realität in sich aufgenommen, wie der Sündenbock (Lev 16)". Auf den Sündenbock von Lev 16 hin interpretieren auch Calvin und Beza 2 Kor 5, 21a. Vgl. dazu: A. Schlatter, Ist Jesus ein Sündenbock? (Kämpfende Kirche, 22), 1936, 1–14.

[208] J. Héring, Corinthiens II, 54 betont mit Recht, daß diese mystische Identifikation auf jeden Fall mehr sei als nur eine Imputation.

[209] Vgl. A. Plummer, Corinthians II, 188: „For ἡμεῖς he might have said οἱ μὴ γνόντες δικαιοσύνην", wodurch die Antithese beider Vershälften natürlich noch klarer würde.

durch gemildert werden, daß man „damit wir werden“ [210] durch „damit wir empfangen“ ersetzt [211]. Andrerseits versuchen manche, die Härte des von Paulus gewählten Paradoxon dadurch aufzuweichen, daß sie δικαιοσύνη θεοῦ als abstractum pro concreto erklären, also übersetzen: „damit wir Gerechte werden vor Gott“ [212]. Allerdings ist damit leicht wieder das Verständnis einer forensischen Gerechtsprechung eingetragen, das hier nicht ohne weiteres auf der Hand liegt.

War mit ἁμαρτία die über die Menschheit herrschende Sündenmacht bzw. die Sündigkeit des Menschen im alten Äon gemeint, so wird mit δικαιοσύνη θεοῦ die nun in Christus sich offenbarende Heilsmacht Gottes bezeichnet [213]. Wie in V. 21a die ἁμαρτία als Kennzeichen des Menschen im alten Äon auf Christus übertragen wird, so wird in V. 21b die δικαιοσύνη θεοῦ als Kennzeichen Christi [214] nun auf den Menschen übertragen. Mit dieser Gegenüberstellung kennzeichnet Paulus die Wende der Äonen, die nun in Christus stattgefunden hat. Diese Antithese setzt also die Identität Christi mit der δικαιοσύνη θεοῦ voraus [215]. Diese Voraussetzung ist zu betonen, bevor festgestellt wird, daß die δικαιοσύνη θεοῦ nach V. 21b auf den Menschen übertragen wird. Δικαιοσύνη θεοῦ erscheint hier also geradezu als christologischer Titel, der die Gegenwart des Heiles in Christus kennzeichnet [216].

Was will Paulus mit der paradox formulierten Antithese in V. 21 sagen? Worin liegt der Schwerpunkt der Aussage? Manche sehen ihn

210 Vgl. Gal 3, 13.

211 So E.-B. Allo, Corinthiens II, 172. Vgl. auch F. Amiot, Die Theologie des heiligen Paulus, 1962, 247.

212 Vgl. R. Cornely, Ep. ad Corinthios II, 173; R. Bultmann, Theologie, 277f. Vgl. auch O. Kuss, Römer, 117: „... das Ergebnis von Gottes Heilshandeln in den Menschen“.

213 Nach E. Tobac, Justification, 119, erscheinen „Sünde“ und „Gerechtigkeit Gottes“ wie zwei einander entgegengesetzte Kräfte, die eine, um den Tod, die andere, um das Leben hervorzubringen.

214 Die Verbindung von theozentrischem und christozentrischem Aspekt des Versöhnungsgeschehens in den V. 17–20 hat die christologische Deutung der „Gerechtigkeit Gottes“ genügend vorbereitet.

215 Nach 1 Kor 1, 30 ist Christus „uns Weisheit von Gott, Gerechtigkeit und Heiligung und Erlösung geworden“, damit wir „in Christus Jesus“ seien. Diese Parallele unterstreicht die soteriologische Abzweckung der Identifikationsformeln in 2 Kor 5, 21.

216 Auch J. E. Belser, 2. Korinther, 192, sieht hier in δικαιοσύνη θεοῦ eine „gleichsam personifizierte Gerechtigkeit“. An dieser Stelle kann man noch am ehesten die von A. Nygren, Römer, 61, und A. Strobel, Untersuchungen zum eschatologischen Verzögerungsproblem, 179f, betonte Erklärung von Gerechtigkeit Gottes als messianischem Namen bestätigt finden. Zu beachten ist, daß in 2 Kor 5, 21 δικαιοσύνη θεοῦ durchaus den Eindruck einer festen Formel macht, zumal Paulus sich grammatisch auf das Subjekt in V. 21a hätte beziehen können, um dann statt δικαιοσύνη θεοῦ auch δικαιοσύνη αὐτοῦ zu schreiben.

im Stellvertretungsgedanken. V. 21 sage, daß, wie Jesus an unserer Stelle zur Sünde geworden ist, so wir nun an die Stelle Christi gelangen und in ihm Gerechtigkeit Gottes erlangen [217]. Für den Stellvertretungsgedanken könnte besonders die Formel ὑπὲρ ἡμῶν sprechen [218]. Allerdings ist sie hier wohl eher mit „zu unsern Gunsten" wiederzugeben [219]. Außerdem ist darauf hinzuweisen, daß hier wie auch in den vorhergehenden Versen die Betonung der Tat Christi durch eine starke Hervorhebung der Initiative Gottes eingeschränkt wird. Aber auch der Sühnegedanke ist hier nicht, zumindest nicht ausdrücklich ausgesprochen [220]. Manche möchten an dieser Stelle den Rechtfertigungsgedanken ausgedrückt finden [221]. Allerdings spielt die „Rechtfertigung des Sünders" im 2. Korintherbrief sonst keine Rolle. Und an dieser Stelle zielt Paulus nicht so sehr auf die Gerechtsprechung als vielmehr auf unsere Einigung mit Christus (ἡμεῖς ... ἐν αὐτῷ) und damit allerdings auch auf die Auswirkung der „Gerechtigkeit Gottes" an uns ab [222].

[217] Zu erinnern ist hier an die klassisch gewordene Erklärung Luthers vom „seligen Wechsel" zwischen Christus und den Menschen, vgl. H. D. Wendland, Briefe an die Korinther (NTD 7), [11]1965, 183. Vgl. auch P. W. Schmiedel, 2. Korinther, 208f; H. Windisch, 2. Korinther, 198, der unter anderem auch das „Vikariatsmoment" hervorhebt; H. Lietzmann, Korinther, 127; „Gott hat den sündlosen Jesus mit unserer Sünde beladen (und als unsern Stellvertreter an unserer Statt mit dem Tode bestraft Rm 3, 25 ... und so durch ihn als ἱλαστήριον unsere Schuld gesühnt Rm 3, 25)"; R. H. Strachan, The second Epistle of Paul to the Corinthians (The Moffat NT Commentary, 8), [6]1954, 121.

[218] Vgl. H. Lietzmann, Korinther, 127.

[219] Vgl. Gal 3, 13; E.-B. Allo, Corinthiens II, 171: „à notre profit". J. Héring, Corinthiens II, 54, läßt ὑπὲρ ἡμῶν ganz unübersetzt.

[220] K. Prümm, Theologie des zweiten Korintherbriefes (Diakonia Pneumatos, Bd. II). 1. Teil, 1960, widmet dem Thema „ ‚Gerechtigkeit Gottes' und Sühne" im Anschluß an 2 Kor 5, 21 besondere Aufmerksamkeit: S. 477–480, aber auch S. 480–488; vgl. auch S. 334. Dieser Versuch, in V. 21 eine Gesamtanschauung der paulinischen Erlösungslehre wiederzufinden, erscheint jedoch zu stark vom systematisch-dogmatischen Denken her bestimmt. Vgl. dagegen A. Plummer, Corinthians II, 187f: „it is rash to put our own interpretation on the verse, build a theory of the Atonement upon that interpretation, and then claim for the theory the authority of St. Paul. St. Paul is giving a courageous answer to a difficult question; he is not starting or summarizing a systematized doctrine of reconciliation".

[221] Vgl. H. D. Wendland, Korinther, 183: „Gerechtigkeit ist und bleibt das Ziel ..."; H. Windisch, 2. Korinther, 198f; K. Prümm, a. a. O. 324–339. Allerdings muß auch Prümm (S. 325) zugestehen, daß das Problem des Zeitwortes δικαιοῦν im 2. Korintherbrief auffällig ist und daß „der Blick Pauli vielleicht weniger haftet am Eintritt der Einzelnen in das christliche Sein". Jedoch läßt sich statt dessen nicht, wie Prümm es tut, das Wort „beleben" aus Kap. 3 als gleichbedeutend ins Feld führen.

[222] Zu einer ähnlichen Feststellung kommt auch E. Tobac, Justification, 119:

Der Begriff der „Gerechtigkeit Gottes" ist hier also nicht für sich zu betrachten[223]. Die zentrale Aussage in V. 21 ist unsere Einigung mit Christus oder besser unser Leben „in Christus"[224] als die Wirkung unserer Versöhnung durch Gott und mit Gott. Unser Lebenszusammenhang mit Christus war in den vorhergehenden Versen durchgehender Leitgedanke[225] und wird hier durch γενώμεθα δικαιοσύνη θεοῦ ἐν αὐτῷ ausgedrückt.

So haben wir die Aussage von V. 21 im engen Zusammenhang mit der von V. 17 zu sehen, daß nämlich unser „Sein in Christus" eine „neue Schöpfung" ist. Ebenso wie sich im Begriff der neuen Schöpfung die eschatologische Wende ausdrückt, teilt sich V. 21 im Begriff der Gerechtigkeit Gottes die Signatur des „Neuen" mit, das die Menschheit jetzt „radikal", d. h. von ihrer neuen Verwurzelung „in Christus" her, bestimmt[226].

„La justice de Dieu, ce serait encore l'activité justifiante et salvifique de Dieu se manifestant en notre faveur moyennant notre union au Christ ...".

223 Man wird also alle Erwägungen über die Rechtfertigung des Sünders hier noch zurückhalten müssen, wenn man nicht die Ausführungen anderer paulinischer Briefe wie des Galater- und Römerbriefes hier eintragen will. So sieht z. B. A. Bisping, Erklärung des zweiten Briefes an die Korinther, ²1863, 73, an dieser Stelle ausgedrückt, „daß wir innerlich gerechtfertigt sind".

224 H. Windisch, 2. Korinther, 197, erklärt zu ἐν αὐτῷ: „Durch eine mystische Berührung ist die Gerechtigkeit Christi auf uns ‚übergegangen' ..." Von einer Berührung ist allerdings im V. 21 nicht gesprochen, sondern von einer Identifizierung, die nicht einfach mit den Begriffen der Mystik erklärt werden kann. Zudem ist es nicht die Gerechtigkeit Christi, sondern die „Gerechtigkeit Gottes", die sich „in Christus" an uns auswirkt. Man wird hier besser das Wort Mystik, das besonders von A. Deißmann in die paulinische Theologie eingeführt worden ist, wegen seiner Mißverständlichkeit vermeiden. Vgl. A. Deißmann, Die ntl. Formel „in Christo Jesu", 1892; ders., Paulus, 107–124. Er nennt Mystik „jede Frömmigkeit, die den Weg zur Gottheit durch innere Erfahrung ohne rationale Vermittlung direkt gefunden hat" (118f). Eine vom Psychologischen herkommende Betrachtung verengt jedoch die Aussage der Christusgemeinschaft entscheidend, so daß ihr eschatologisch-soteriologischer Gehalt verloren geht. Vgl. auch J. Weiß, Das Urchristentum, 1917, 355–362: „Die Christus-Mystik". – Mit R. Bultmann, Theologie, 311f, versteht F. Neugebauer, In Christus, 100 u. 111f, die Formel ἐν Χριστῷ in 2 Kor 5, 17 u. 21 unter Hinweis auf das generalisierende τίς V. 17 und auf ἡμεῖς V. 21 betont ekklesiologisch: In der Ekklesia geschieht eschatologisches Heil. – Es ist wohl zuviel gesagt, wenn G. Schrenk: ThWNT II 212, in 2 Kor 5, 21 „die enge Verbindung beider Reihen", nämlich von „Rechtfertigungsglaube und Christusverbundenheit" behauptet. Von den zwei Gedankenreihen ist an dieser Stelle nicht zu sprechen, nicht einmal vom „Rechtfertigungsglauben" im eigentlichen Sinne.

225 Vgl. V. 14: ἀγάπη Χριστοῦ, V. 15: ζῶσιν τῷ ὑπὲρ αὐτῶν ἀποθανόντι, V. 17: ἐν Χριστῷ, V. 18: διὰ Χριστοῦ, V. 19: ἐν Χριστῷ.

226 Gut bemerkt Ph. Bachmann, 2. Korinther, 273, daß die δικαιοσύνη θεοῦ „eine über das ganze Sein entscheidende Größe sei". H. Windisch, 2. Korinther, 199, deutet die neue Realität, die in uns geschaffen ist, mit Hilfe des aus der

Paulus gebraucht an dieser Stelle zum ersten Mal den Begriff der δικαιοσύνη θεοῦ [227]. Man darf wohl annehmen, daß sich ihm der Gedanke an die „Gerechtigkeit Gottes“ nicht unvermittelt eingestellt hat, sondern durch die Reflexion über die eschatologische Wende vom „Alten“ zum „Neuen“ veranlaßt wurde, wie er sie im Begriff der „neuen Schöpfung“ als „in Christus“ geschehen verkündet. Δικαιοσύνη θεοῦ ist für Paulus ein von seinem atl.-jüdischen Verständnis her zutiefst eschatologisch geprägter Begriff. Mit ihm bezeichnet er die Situation der Menschheit „in Christus“ als Situation des Heiles, das nun inmitten des vergehenden „alten Äons“ allen als die neue, entscheidende Möglichkeit von Gott eröffnet wurde [228].

§ 10. Ergebnis

„Gerechtigkeit Gottes“ erscheint bei Paulus als eine ihm aus dem AT sowie aus dem spätjüdischen und vorpaulinisch-urchristlichen Gebrauch vorgegebene formelhafte Wendung, die er zu einer neuen Deutung des christlichen Heilsgeschehens verwendet. In der Verwendung durch Paulus wird der Begriff „Gerechtigkeit Gottes“ umgeprägt zu einer Aussage über das eschatologische Heilshandeln Gottes und die daraus erfolgende Heilssituation des Menschen auf Grund ihres Glaubens an Jesus Christus. Im einzelnen weist der paulinische Begriff der Gerechtigkeit Gottes an den verschiedenen Stellen seines Vorkommens folgende Strukturen auf.

Mit dem Begriff der Gerechtigkeit Gottes nimmt Paulus Bezug auf das atl. Bundesverhältnis, so in Rö 3, 5. Der Grundgedanke dieser Stelle ist, daß Gott seine Gerechtigkeit als Treue zum Bund über die

griechischen Mysteriensprache genommenen Naturbegriffs: „Der sündlose Christus, der nur vorübergehend Sünde gewesen war, teilt uns in mystischer Gemeinschaft mit ihm seine heilige, sündlose, rechtschaffene, gottgefällige Natur mit.“ E.-B. Allo, Corinthiens II, 172, übersieht die Eigenart des Naturbegriffs bei Windisch und bemerkt, daß Windisch gegenüber der sonstigen protestantischen Tradition statt einer nur imputierten Gerechtigkeit eine „justice reçue en nous“ annehme.

227 Es ist hier nicht, wie K. Prümm, Diakonia Pneumatos II, 1, 344, es tut, auf Phil 3, 9 als chronologisch vor 2 Kor 5, 21 stehend Rücksicht zu nehmen, da an dieser Stelle die „Wendung ‚Gottesgerechtigkeit‘ “ nicht im gleichen Wortlaut (ἐκ θεοῦ δικαιοσύνη gegenüber der ἐμὴ δικαιοσύνη ἐκ νόμου) gebraucht wird. In 2 Kor 5, 21 erscheint δικαιοσύνη θεοῦ als ein fester, geprägter Terminus ohne ergänzende Näherbestimmungen.

228 Bei der Wendung ἵνα ἡμεῖς γενώμεθα ... ist nicht so sehr davon zu sprechen, daß wir Gerechtigkeit Gottes erlangen oder gerecht werden, als vielmehr, daß wir in den Bereich, der mit „Gerechtigkeit Gottes“ bezeichnet wird, gelangen. Vgl. S. 18ff zur Deutung der Gerechtigkeit Gottes im AT von K. Koch: „Sädhäq ist nicht im Menschen, sondern der Mensch ist in sädhäq“ (41).

Ungerechtigkeit der Menschen, die sich im Alten Bund als Treulosigkeit des auserwählten Volkes darstellte, siegen läßt. Zugleich nimmt die Verwendung des Begriffs der Gerechtigkeit Gottes an dieser Stelle die spätjüdische Erwartung der eschatologischen Gerechtigkeitsoffenbarung und auch schon die spezifisch paulinische Ausrichtung der „Gerechtigkeit Gottes“ auf die Gesamtheit der Menschen mit auf.

Die spezifisch paulinische Prägung des Begriffs „Gerechtigkeit Gottes“ zeigt sich in Rö 1, 17 und 3, 21–26. Hier steht er in Beziehung zur eschatologischen Offenbarung des Heiles Gottes in Christus und zum Glauben aller Menschen, die den Glauben an Jesus Christus annehmen. Die in Jesus Christus erschienene „Gerechtigkeit Gottes“ greift weit über das hinaus, was im AT unter Bundestreue Gottes verstanden wurde. Sie erweist ihre eschatologische schöpferische Mächtigkeit gerade darin, daß die Sünder nun gerechtgesprochen werden, und zwar aus Gnade. Die Verkündigung der in Christus sich ereignenden Offenbarung der Gerechtigkeit Gottes zielt auf den Glauben hin, der einerseits die Anerkennung der totalen Erlösungsbedürftigkeit des Menschen impliziert, andrerseits als positive Ausrichtung auf Christus das Heilsereignis im einzelnen Menschen zustande kommen läßt.

Ein Vergleich mit der vorpaulinisch-urchristlichen Tradition in Rö 3, 24–26 zeigt, daß das Verständnis des Apostels Paulus von „Gerechtigkeit Gottes“ über den judenchristlichen Gedanken von Sündenvergebung und Bundeserneuerung hinausgreift. Der „Erweis der Gerechtigkeit Gottes“ liegt nach der vorpaulinischen, judenchristlichen Tradition von V. 25 in seiner Barmherzigkeit, mit der er die „vorherbegangenen Sünden“ auf Grund der Sühne, die er selbst „im Blute Christi“ schafft, vergibt. Paulus steht jedoch nicht im Gegensatz zur judenchristlichen Tradition, sondern er bejaht und übernimmt sie, weil er in ihr „legitime Christusverkündigung“ [229] sieht. Der im Traditionssatz zentrale Sühnegedanke wird allerdings von Paulus nicht weiter entfaltet, sondern lediglich aus seiner Verklammerung mit dem judenchristlichen Bundesgedanken gelöst und als gültige Interpretation des Todes Jesu in sein Christusverständnis einbezogen [230]. Paulus interpretiert den judenchristlichen Gedanken, indem er mit dem Sühnegedanken den Glaubensbegriff verbindet und den „Erweis der Gerechtigkeit Gottes“ als die eschatologische Heilsoffenbarung erklärt, die jetzt aus Gnade und durch den Glauben an Jesus Christus allen Menschen zugänglich ist.

[229] K. Wegenast, Tradition, 79.

[230] K. Wegenast, Tradition, 79: „Die Weitergabe von Tradition ist also für Paulus ... keine mechanische Tätigkeit des Gedächtnisses, sondern theologische Arbeit, die die Norm ihrer Interpretation nicht aus dem Text, sondern aus der Offenbarung erhält, die er im Galaterbrief eingehend beschreibt“.

Die Erkenntnis, daß Christus „Ende des Gesetzes“ (Rö 10, 4) ist, läßt die eschatologische Struktur des Begriffs „Gerechtigkeit Gottes“ besonders deutlich werden. Denn der Satz, daß Christus das Ende des Gesetzes sei, erklärt, daß in Christus das Eschaton gegenwärtig ist. Dieser Gedanke wird auch durch 2 Kor 5, 21 unterstrichen, wo sogar die Identität der eschatologisch wirksamen Gerechtigkeit Gottes mit Christus vorausgesetzt wird. Die Gegenwärtigkeit der Gerechtigkeit Gottes in Christus bedeutet für den Glaubenden, daß er „in Christus“ eine neue Existenz ist, für den das Alte vergangen ist.

Die Gegenwärtigkeit des eschatologischen Heiles in Christus, seine gnadenhafte Zuwendung an den Glaubenden und seine Universalität auf Grund des Glaubens an Christus bestimmen im wesentlichen den Begriff der „Gerechtigkeit Gottes“ bei Paulus.

ZWEITER TEIL

ZUM BEDEUTUNGSGEHALT DES PAULINISCHEN RECHTFERTIGUNGSBEGRIFFS

Im I. Teil der Untersuchung wurde die Rechtfertigungsaussage des Apostels Paulus anhand des Begriffs „Gerechtigkeit Gottes" dargestellt. Dieser bezeichnet die Grundstruktur der paulinischen Rechtfertigungsaussage, nämlich das entscheidende und endgültige Heilswirken Gottes, dem gegenüber der Mensch ganz und gar der Empfangende, Begnadete, Gerettete ist. Der Sünder wird in den Bereich der „Gerechtigkeit Gottes" versetzt und erfährt durch das Wirken der Gnade Gottes seine „Rechtfertigung". Der Frage, was durch die „Rechtfertigung" am Menschen geschieht, der ein Sünder vor Gott ist, gilt das besondere Interesse der Theologie.

Im II. Teil dieser Arbeit sollen einzelne Problemkreise, die sich aus der theologischen Diskussion der Rechtfertigungsfrage ergeben, aufgezeigt und unter Heranziehung der einschlägigen Stellen der Paulusbriefe erörtert werden. Durch Interpretation der zentralen Texte vor allem des Römer- und Galaterbriefes ist der Bedeutungsgehalt des paulinischen Rechtfertigungsbegriffs näher zu entfalten. Die umfassende theologische Bedeutung des Rechtfertigungsbegriffs ergibt sich einerseits aus den ihn konstituierenden forensischen und eschatologischen Strukturelementen, andrerseits aus seiner Verbindung mit dem zentral-paulinischen Begriff des Glaubens sowie seiner Verwendung im ethisch-anthropologischen Zusammenhang.

1. Kapitel:

Der forensische und eschatologische Sinn des paulinischen Rechtfertigungsbegriffs

A. Der forensische Sinn der Rechtfertigung

Unserem theologischen Begriff „Rechtfertigung" entspricht im paulinischen Sprachgebrauch das Wort δικαιοῦν bzw. δικαιοῦσθαι. Die Aktivform bedeutet „gerechtsprechen" und wird bei Paulus vom Gerichtsspruch Gottes über den Menschen gebraucht. Die Passivform bezeichnet die Wirklichkeit des Gerechtgesprochenseins. Dem Sprachgebrauch von δικαιοῦν / δικαιοῦσθαι liegt also die Vorstellung von der richterlich urteilenden Gerechtigkeit Gottes zugrunde. Hiervon läßt unser deutsches Wort „Rechtfertigung" nicht mehr viel spüren, zumal es durch den spezifisch theologischen Sprachgebrauch zum terminus technicus der Gnadenlehre geworden ist. Daher wäre es der Klarheit wegen vorzuziehen, im paulinischen Sprachgebrauch von „Gerecht-

sprechung" statt von „Rechtfertigung" zu reden [1]. Doch hat sich die Bezeichnung „Rechtfertigung" auch für die Kennzeichnung dessen, was Paulus unter δικαιοῦν / δικαιοῦσθαι versteht, so allgemein durchgesetzt, daß wir in der Regel bei dieser Bezeichnung bleiben können, zumal mit dem Wort „Rechtfertigung" das forensische Element des richterlichen Urteilens nicht ausgeschlossen wird.
Der forensische Charakter des Begriffs δικαιοῦν / δικαιοῦσθαι geht aus dem Sprachgebrauch der LXX [2] und des Spätjudentums [3] deutlich hervor. Die Frage ist, wie Paulus die forensische Begriffsstruktur verstanden hat und vor allem ob der forensische Charakter des Begriffs bei Paulus eine Minderung der Wirksamkeit des rechtfertigenden Urteils Gottes im Menschen bedeutet.

§ 11. „Forensische" oder „effektive" Rechtfertigung?

In der neuzeitlichen Geschichte der Paulusforschung spielt die Frage, ob das Wort von der Rechtfertigung des Sünders nur „forensische" oder auch „effektive" Bedeutung habe, bei der Interpretation der paulinischen Rechtfertigungslehre eine entscheidende Rolle [4].

Die Wahrnehmung und scharfe Herausstellung des forensischen Charakters des paulinischen Rechtfertigungsbegriffs in der protestantischen Theologie der

[1] Aus diesem Grunde bevorzugt z. B. O. Kuss, Römer, 121–131 (Exkurs), die Termini „Gerechtsprechen", „Gerechtsprechung".

[2] Vgl. Cremer-Kögel, Bibl.-theol. Wörterbuch, 317–324, bes. 321, und G. Schrenk: ThWNT II 216f. M.-J. Lagrange, Romains, 122–128, erkennt den forensischen Sinn des Aktivs δικαιοῦν in der LXX an, bestreitet diese Bedeutung jedoch für das Passiv außer etwa in LXX Ps 50, 4. Das Passiv δικαιοῦσθαι bedeutet in der LXX wie auch bei Paulus in der Regel „gerecht sein". Dagegen weist N. M. Watson, Some observations on the use of δικαιόω in the Septuagint, in: JBL 79 (1960) 255–266, nach, daß die Stellen, die Lagrange zur Begründung seiner These heranzieht, nicht eindeutig für die Interpretation im Sinne von Gerechtsein sprechen und daß zwischen den Bedeutungen „Gerecht-sein" und „als gerecht gelten" nicht, wie Lagrange (a. a. O. 128) für die Zeit des Apostels annimmt, ein fließender Übergang bestehe, sondern der forensisch-deklaratorische Sinn von δικαιοῦν / δικαιοῦσθαι anzunehmen sei, der auch dem hebräischen Sprachgebrauch am meisten entspreche. – Jedoch darf die forensische Bedeutung des Begriffs δικαιοῦσθαι bzw. des hebr. Äquivalents im AT nicht einseitig von dem Gegensatz „als gerecht gelten" und „gerecht sein" verstanden werden. C. H. Dodd, The Bible, 46, bemerkt zur hebräischen Wortbedeutung richtig: „The hiphil of the verb, הצדיק ..., having a causative force, does not mean ‚to make righteous' or even, fundamentally, ‚to declare righteous', but to put a person in the right". Der kausative Wortsinn im Hebräischen schließt allerdings eine stärkere Akzentuierung des forensischen Charakters von δικαιοῦν in der LXX nicht aus.

[3] Vgl. Bousset-Gressmann 379: „Gerechtigkeit ist im späthellenistischen Judentum immer Gerechtigkeit vor Gott. Gott spricht den Frommen gerecht".

[4] Vgl. A. Schweitzer, Geschichte der paulinischen Forschung, [2]1933, 15f; 22–24.

zweiten Hälfte des vorigen Jahrhunderts ließ viele Forscher einen Gegensatz von zwei verschieden begründeten soteriologischen Gedankenreihen des Apostels Paulus annehmen; die eine stehe auf dem juridischen Gedanken der Rechtfertigung, die andere auf dem Begriff der „Heiligung" als einer „realen Neuschaffung" des Menschen durch den „Geist"; so R. A. Lipsius [5]. H. Lüdemann [6] spricht von zwei verschiedenen Gedankenkreisen der paulinischen Erlösungslehre, dem „juridischen" oder „subjektiv-ideellen", der im jüdisch-religiösen Denken des Apostels gründe, und dem „objektiv-realen", der als „ethisch-dualistisch" und „hellenistisch" bezeichnet wird. So auch O. Pfleiderer [7] u. a. Über die genaue Beschreibung beider Reihen und ihr Verhältnis zueinander gehen die Meinungen der Forscher oft auseinander. So läßt H. J. Holtzmann [8] die „forensische" Gerechtigkeitslehre als die „juridisch-objektive" unverbunden neben der „mystischen" als der „ethisch-subjektiven" einherlaufen. Die Annahme zweier voneinander getrennter Gedankenreihen ist heute wohl allgemein überwunden [9]. Ein Rückblick auf den früheren Stand der Forschung vermag jedoch unseren Blick für die in der paulinischen Theologie vorliegende Problematik bezüglich des forensischen Charakters des Rechtfertigungsbegriffs zu schärfen [10].

Der Vorstellung eines kontradiktorischen Gegensatzes von „forensischer" und „realer" Gerechtigkeit erliegen manche protestantische Exegeten, wenn sie, wie z. B. Sanday–Headlam [11], P. Feine [12] und E. Stauffer [13], einseitig die forensische Bedeutung des paulinischen Rechtfertigungsbegriffs betonen und eine effektive Bedeutung bestreiten, wie auch katholische Exegeten, z. B. R. Bandas [14], der umgekehrt die Gerechtigkeit, die dem Menschen von Gott her zuteil wird, als „real, not forensic" bezeichnet. Diese Erklärungen sind in ihrer Einseitigkeit nur als Entgegnungen auf die katholische bzw. evangelische Rechtfertigungslehre zu verstehen. An diesen Beispielen zeigt sich, wie sehr unsere Erklärung der paulinischen Botschaft von der Rechtfertigung von einer später entwickelten theologischen Lehre von der Rechtfertigung mitbedingt ist.

[5] Die paulinische Rechtfertigungslehre unter Berücksichtigung einiger verwandter Lehrstücke nach den vier Hauptbriefen des Apostels dargestellt, 1853, 152–177.

[6] Die Anthropologie des Apostels Paulus, 1872, 170–173.

[7] Das Urchristentum. I, ²1902, 236 u. 263.

[8] Lehrbuch der ntl. Theologie. II, ²1911, 149–154.

[9] Vgl. E. Käsemann, Ntl. Fragen von heute, in: ZThK 54 (1957) 1–21, bes. 12f, und R. Schnackenburg, Ntl. Theologie (Bibl. Handbibliothek, 1), 1963, 94f. L. Cerfaux: DBS IV (1949) 1471: „L'exégèse moderne insistera plutôt sur l'unité de la pensée paulinienne et considérera la ligne mystique et la ligne juridique comme deux composantes inséparables". Vgl. auch J. Giblet, De theologia justitiae Dei apud S. Paulum, in: Collectanea Mechliniensia 39 (1954) 50–55.

[10] Zum ganzen Problem vgl. auch R. Bultmann, Neueste Paulusforschung, in: ThR 8 (1936) 1–22, bes. 9; S. Lyonnet, Justification, jugement, rédemption, principalement dans l'épître aux Romains, in: Littérature et Théologie Pauliniennes, 1960, 166–184; G. Delling, Zum neueren Paulusverständnis, in: NovTest 4 (1960) 95–121, bes. 115f.

[11] Romans, 28–31.

[12] Theologie, 207–213.

[13] Theologie, 121–123.

[14] The Master-Idea of Saint Paul's Epistles, 398. Vgl. auch L. Cerfaux: DBS IV (1949) 1471.

Einem verhängnisvollen Fehler erliegt die Erklärung von E. J. Goodspeed[15], der δικαιοῦσθαι mit „to be made upright" und δικαιοσύνη mit „uprightness" übersetzt. Indem Goodspeed die paulinische Rechtfertigungsaussage ohne weiteres mit anderen paulinischen Heilsaussagen wie „Heiligung", „neue Schöpfung" und „Geistbesitz" gleichsetzt und die Bedeutung von „Rechtfertigung" von diesen Begriffen her erklärt, ohne deren andersartiges Begriffsgefüge zu erkennen, verflacht er die dem paulinischen Rechtfertigungsbegriff ursprünglich anhaftende forensische Struktur.

Daß es sich in der Fragestellung „forensische oder effektive Rechtfertigung" nicht um einen eigentlichen Gegensatz im Sinne eines „entweder-oder" handeln muß, ergibt sich aus folgender Überlegung.
Niemand kann die forensische Bedeutung von δικαιοῦν in der LXX und der Rechtfertigungsvorstellung des Spätjudentums leugnen. Vom Sprachgebrauch der LXX und von der Vorstellung des Spätjudentums ist Paulus abhängig, wie Rö 2, 13[16]; 3, 20[17]; Gal 2, 16[18] und 3, 11[19] deutlich zeigen. Andrerseits wird man nicht bestreiten können, daß dem gerechtsprechenden Urteil Gottes, von dem Paulus spricht, eine effektive Kraft zukommt, wenn man überhaupt Gottes Wort als

[15] Justification, in: JBL 73 (1954) 86–91.

[16] Οὐ γὰρ οἱ ἀκροαταὶ νόμου δίκαιοι παρὰ [τῷ] θεῷ, ἀλλ' οἱ ποιηταὶ νόμου δικαιωθήσονται. Vgl. O. Michel, Römer, 77 Anm. 1: „Die Ausdrucksweise: παρὰ τῷ θεῷ ist ganz offenbar semitisch (‚gerecht vor Gott'. Παρά wird hier wie ἐνώπιον oder ἐναντίον gebraucht). Der Satz war ursprünglich hebräisch oder aramäisch formuliert". Aus dem parallelen Bau beider Satzglieder und der Einheitlichkeit des Gedankens läßt sich auch für δικαιωθήσονται die forensische Bedeutung erschließen. Vgl. auch M.-J. Lagrange, Romains, 129.

[17] Οὐ δικαιωθήσεται πᾶσα σὰρξ ἐνώπιον αὐτοῦ. Dieses von Paulus paraphrasierte Zitat aus Ps 143, 2 setzt ebenfalls den forensisch verstandenen Rechtfertigungsgedanken voraus: Gerechtigkeit des Menschen vor Gott, die von Gott richterlich anerkannt wird. Anders M.-J. Lagrange, Romains, 130. Lagrange möchte annehmen, daß hier nur der Gedanke, daß der Mensch nicht imstande ist, seine Gerechtigkeit vor Gott aufzurichten, vorliege, nicht aber an eine „Gerechterklärung" gedacht sei. Jedoch fehlt im gleichen Zitat Gal 2, 16 ἐνώπιον αὐτοῦ, so daß zumindest in Gal 2, 16 auf einer „Gerechtigkeit vor Gott" nicht der Ton der Aussage liegt. Es scheint vielmehr, daß Paulus hier beide Gedanken: Gerechtigkeit des Menschen vor Gott und ihre Anerkennung durch Gott, zugleich ausgesprochen hat.

[18] Οὐ δικαιωθήσεται πᾶσα σάρξ. Hier liegt wiederum wie in Rö 3, 20 freie Benutzung des Zitates aus Ps 143, 2 vor. Auch hier ist der Gedanke einer richterlichen Gerechtsprechung durch Gott anzunehmen (gegen Lagrange, Romains, 130).

[19] Ἐν νόμῳ οὐδεὶς δικαιοῦται παρὰ τῷ θεῷ. M.-J. Lagrange, Romains, 131, übersetzt: „personne ne peut établir sa justice devant Dieu". Aber auch hier muß der ganze jüdische Rechtfertigungsgedanke vorausgesetzt werden, also: niemand hat Gerechtigkeit vor Gott, die von Gott richterlich anerkannt würde. Im Sinne Pauli wird dieser Gedanke hier in abgeschliffener Form einfach so wiedergegeben: „Niemand wird gerecht vor Gott im Gesetz". Vgl. auch H. Schlier, Galater, 131ff.

ein schöpferisches, gestaltendes Wort ernst nimmt[20]. Der Gegensatz zwischen den beiden genannten „Artikulierungen" der Rechtfertigungsbotschaft entsteht erst dann, wenn man den Effekt des Gnadenwirkens Gottes als eine „substantielle" Umwandlung des Menschen und die „Gerechtigkeit" als eine „qualitas animae" begreifen möchte[21] und von anderer Seite demgegenüber mit der Behauptung eines „extra nos" der Rechtfertigungsgnade protestiert wird[22]. Die Betonung des forensischen Sinnes der „Rechtfertigung" war also ein Anliegen der Reformation am Ausgang des Mittelalters[23]. Gegen-

[20] Das gibt in neuerer Zeit z. B. auch W. Joest, Paulus und das Luthersche Simul Justus et Peccator, in: KerDog 1 (1955) 269–320, zu, wenngleich er die effektive Seite der „Rechtfertigung" stark ethisiert. Vgl. bes. S. 291: Der paulinische „Indikativ meint das göttliche Urteil, das aus der Macht der Sünde heraus- und in das Christusleben hineingesprochen hat, zugleich aber den Vollzug dieses Urteils durch das πνεῦμα Christi im Leben und Wandel der Christen". Vgl. auch ders., Gesetz und Freiheit, ³1961.

[21] Vgl. H. Bornkamm: Archiv für Reformationsgeschichte 39 (1942) 40, und W. Joest, Die katholische Lehre von der Rechtfertigung und von der Gnade (Quellen zur Konfessionskunde. Reihe A, Heft 2), 1954, 3–19, besonders 8f.

[22] Vgl. Martin Luther, Divi Pauli apostoli ad Romanos Epistola: WA LVI, 287, 16–19: „‚Iustitia' et ‚Iniustitia' multum aliter quam philosophi et Iuriste accipiunt, in Scriptura accipitur. Patet, Quia illi qualitatem asserunt anime etc. Sed ‚Iustitia' Scripture magis pendet ab imputatione Dei quam ab esse rei". – So sind die Erklärungen mancher protestantischer Exegeten zu verstehen, z. B. Th. Zahn, Galater, 123–126; ders., Römer, 206–212, der betont, daß δικαιοῦσθαι und δικαίωσις überall „nur" ein Gerechtwerden bzw. Gerechtsein in den Augen und nach dem Urteil Gottes sei; Sanday–Headlam, Romans, 30 u. 36–38; P. Feine, Theologie, 209: „Die durchschlagende Anschauung des Apostels in der Rechtfertigungslehre ist ... die des göttlichen Urteils über den Menschen, nicht dasjenige, was im Menschen vor sich geht". Vgl. auch E. Stauffer, Theologie, 271 Anm. 459: „Extra nos hat sich der entscheidende Wandel der Dinge vollzogen, coram deo". – Bei den genannten Autoren und vielen anderen liegt ein Bemühen vor, zwischen „Gerechtsprechung" als eigentlicher dem Denken des Paulus gemäßer Ausdrucksweise und „Gerechtmachung" als uneigentlicher zu unterscheiden, um so die Unlösbarkeit der Gnadengabe von ihrem Geber zu betonen und den Menschen als stets auf den Zuspruch der Gnade angewiesenen Partner Gottes erscheinen zu lassen. Diese Unterscheidung ist jedoch im Sprachgebrauch des Apostels Paulus zu wenig begründet.

[23] H. Rückert, Artikel „Luther", in: Calwer Kirchenlexikon II, 1941, 100, nimmt für Luthers Rechtfertigungslehre eine doppelte Gedankenreihe an, „Gerechtsprechung durch das Wort der Sündenvergebung" und „Gerechtmachung" als Folge des gerechtsprechenden Gotteswortes. Mit der Betonung der „Gerechtsprechung" entwurzele Luther den scholastischen Begriff der „geschaffenen Gnade" und einer dem Menschen inhärierenden, ihn umwandelnden seelischen Qualität. Dieses Urteil müßte jedoch genauer geprüft werden. Hat Luthers Protest wirklich den Sprachgebrauch und das Denken der Hochscholastik getroffen? Außerdem ist mit H. Hofer, Die Rechtfertigungsverkündigung des Paulus nach neuerer Forschung, 1940, 2, festzustellen, daß Melanchthons philologische Beweisführung, das Verbum δικαιοῦν sei ein verbum forense, die offizielle Formulierung der reformatorischen Rechtfertigungslehre in den Bekenntnisschriften (Conf. August. IV; Apol. IV [II]; Art. Smalc. II 1; FC III)

über den Reformatoren haben das Konzil von Trient und, diesem folgend, die nachtridentinischen katholischen Schriftausleger[24] in einem besonderen Maße die durch die Taufe verursachte gegenwärtige Realität der Rechtfertigungswirkung im Gerechtfertigten betont[25]. Protestantische wie katholische Theologen berufen sich in gleicher Weise bei der Begründung ihrer Thesen auf Paulus[26]. Die strenge Anwendung der historisch-kritischen Methode hat jedoch den Unterschied zwischen Paulus und denen, die sich zur Stützung ihrer Thesen auf ihn beriefen, deutlicher hervortreten lassen[27]. Außerdem ist heute ein wertvolles Bemühen zu erkennen, die in der Vergangenheit polemisch angeschärften Artikulierungen der Rechtfertigungsbotschaft in ihrer Diskussionsfunktion zu erkennen und sie so zu interpretieren[28], daß sie zum Verständnis der von Paulus intendierten Botschaft tatsächlich beitragen.

Eine Variante der oben vorgetragenen Fragestellung, forensische oder effektive Rechtfertigung, stellt die Frage dar, ob die dem Menschen von Gott geschenkte Gerechtigkeit nur „imputiert", d.h. nur

entscheidend beeinflußt hat: Rechtfertigung ist Gerechterklärung, und Rechtfertigung und Heiligung (= „Gerechtmachung") sind zwei voneinander zu unterscheidende Akte.

24 So z. B. Cornelius a Lapide. Vgl. G. Boss, Die Rechtfertigungslehre in den Bibelkommentaren des Kornelius a Lapide (Kath. Leben und Kämpfen im Zeitalter der Glaubensspaltung, 20), 1962, und meine Rezension, in: ThRev 62 (1966) 38–40.

25 Vgl. Denz. 799: „Hanc dispositionem seu praeparationem iustificatio ipsa consequitur, quae non est sola peccatorum remissio (can. 11), sed et sanctificatio et renovatio interioris hominis per voluntariam susceptionem gratiae et donorum ... Huius iustificationis causae sunt ... instrumentalis item sacramentum baptismi, quod est ‚sacramentum fidei', sine qua nulli unquam contigit iustificatio".

26 Freilich ist S. Lyonnet: VD 42 (1964) 122, darin recht zu geben, daß aus den Trienter Konzilsakten hervorgehe, daß das Konzil keine bindende Exegese der paulinischen Texte geben wollte.

27 Vgl. W. Joest: KerDog 1 (1955) 270–321, besonders 291; A. Schlatter, Gottes Gerechtigkeit, 38, zu Rö 1, 17: „Daß zwischen der reformatorischen Auslegung und dem Text eine Entfernung entstand, ergab sich daraus, daß sie völlig vom Verlangen bestimmt war, zu hören, was der Glaubende empfange". Vgl. auch H. Pohlmann, Hat Luther Paulus entdeckt? Eine Frage zur theologischen Besinnung (Studien der Luther-Akademie, N. F. 7), 1959, der zu verstehen gibt, „daß wir auf keinen Fall wie bisher die Gleichstellung Luthers mit Paulus als eine Selbstverständlichkeit voraussetzen und zugrunde legen dürfen und daß wir noch weniger Paulus mit Luther und Luther mit Paulus interpretieren dürfen" (147f).

28 So sind etwa folgende kontroverstheologisch bedeutsame Beiträge zum Rechtfertigungsthema zu verstehen: H. Küng, Rechtfertigung. Die Lehre Karl Barths und eine katholische Besinnung (Horizonte, 2), 1957; W. Joest, Die tridentinische Rechtfertigungslehre, in: KerDog 9 (1963) 41–69; P. Brunner, Die Rechtfertigungslehre des Konzils von Trient, in: Pro veritate (Festgabe für L. Jaeger und W. Stählin), 1963, 59–96; H. Volk, Die Lehre von der Rechtfertigung nach

„äußerlich"[29] zugesprochen sei und damit dem Sünder so „zugerechnet" werde, daß er von Gott angesehen wird, „als ob" er wirklich gerecht sei, oder ob sie eine innere Realität des Menschen sei, so daß der Gerechtgesprochene nun wirklich gerecht ist. Während die erste Fragestellung an der Wirksamkeit des Rechtfertigungswirkens Gottes orientiert war, ist diese auf die Wirklichkeit des gerechtfertigten Menschen gerichtet. Diese Frage hat die neuzeitliche Exegese immer wieder bewegt[30] und zwar, wie man historisch feststellen kann, wiederum aus kontroverstheologischem Interesse[31]. Auch hier ist, wie in der Betonung des Forensischen überhaupt, ein Mißverständnis aufzudecken. Es liegt in dem Gegensatz von „innen" und „außen" vor. Wird der von Gott Gerechtgesprochene durch den „Spruch" Gottes nur äußerlich bestimmt, so daß er inwendig ein Sünder bleibt?[32] Die Unterscheidung von „innerlich" und „äußerlich" gelangte durch Luther in die spätere theologische Diskussion über den Menschen und hat damit die neuzeitliche Interpretation der paulinischen Anthropologie beeinflußt[33]. Infolge dieser Unter-

den Bekenntnisschriften der evangelisch-lutherischen Kirche, in: Pro veritate (a. a. O.) 97–131; H. A. Oberman, Das tridentinische Rechtfertigungsdekret im Lichte spätmittelalterlicher Theologie, in: ZThK 61 (1964) 251–282; E. Schillebeeckx, Das tridentinische Rechtfertigungsdekret in neuer Sicht, in: Concilium 1 (1965) 452–454.

29 Vgl. Martin Luther, Divi Pauli ap. ad Rom. Ep.: WA LVI, 268f: „Sancti intrinsece sunt peccatores semper, ideo extrinsece iustificantur semper ... Intrinsece dico, i. e. quomodo in nobis, in nostris oculis, in nostra estimatione sumus, Extrinsece autem, quomodo apud Deum et in reputatione eius sumus".

30 Vgl. z. B. H. Cremer, Rechtfertigungslehre, 448: „Die Gerechtigkeit, die vor Gott gilt und die es gilt zu haben ..., ist allein die Vergebung der Sünden"; P. Feine, Theologie, 221 Anm. 1 (zu Rö 4, 3ff): „Die Gerechtigkeit wird zugerechnet ... Gott spricht den Gottlosen gerecht, der Gottlose wird nicht ein Gerechter". Feine nennt, wie viele andere, die von Gott her dem Menschen zuteilwerdende Heilstat eine „zunächst uns nur zugesprochene Gerechtigkeit". Dazu kritisch S. Lyonnet, Quaestiones in Epistolam ad Romanos. I, 1955, 174–181: Scholion de iustitia extrinsece imputata.

31 Vgl. Denz. 821: „Si quis dixerit, homines iustificari vel sola imputatione iustitiae Christi, vel sola peccatorum remissione ... aut etiam gratiam, qua iustificamur, esse tantum favorem Dei: A. S." – Zur Diskussion innerhalb der evangelischen Theologie über den imputativen oder effektiven Sinn der „Rechtfertigung" vgl. P. Althaus, Die Gerechtigkeit des Menschen vor Gott, in: Das Menschenbild im Lichte des Evangeliums (Festschrift für E. Brunner), 1950, 31–47.

32 Vgl. P. Feine, Theologie, 225: Die Rechtfertigung, die „zunächst und hauptsächlich das Urteil Gottes über den Menschen ist", schließe nicht aus, daß „der Gerechtfertigte doch ein ‚Gottloser', Röm 4, 5, ein Sünder ist und zunächst bleibt".

33 Vgl. H. Bornkamm, Äußerer und innerer Mensch bei Luther und den Spiritualisten, in: Imago Dei (Gustav Krüger zum 70. Geburtstag), 1932, 85–109, hier 85: „Der Gegensatz ‚außen-innen', ‚äußerlich-innerlich' ist eine jener schematischen Einteilungsformeln, die unter Luthers Händen eine unglaublich reiche und lebendige Verwendung finden".

scheidung spricht auch das Tridentinum von der Rechtfertigung als einer Erneuerung des „inneren“ Menschen [34]. An dieser Unterscheidung haben sich also auf protestantischer und katholischer Seite dogmatische Formulierungen präzisiert.

Paulus betrachtet jedoch den Menschen, auch wenn er vom „inneren“ und „äußeren“ Menschen spricht [35], nicht als in sich gespalten [36], sondern als eine Ganzheit. Der ganze Mensch steht unter zwei verschiedenen heilsgeschichtlichen Aspekten, und zwar unter dem des ersten Adam, also dem der adamitischen Menschheit, und dem des zweiten Adam, also dem der von Christus erlösten, christlichen Menschheit [37]. Durch Gottes Initiative ist die Wende von Adam zu Christus eingetreten. Gottes Heilstat kann jedoch in keiner Weise als eine in ihrem Effekt den Menschen nur „äußerlich“ berührende Tat angesehen, sondern muß als die entscheidende eschatologische gewertet werden, die den Menschen neu schafft [38]. Da die adamitische Menschheit jedoch fortbesteht und die Gesetze der geschichtlichen Kontinuität mit Gottes Heilstat nicht einfach aufgehoben werden, ist die christliche Existenz zwar tatsächlich eine von Gott geschaffene neue, aber als solche ist sie zugleich der Versuchung durch die Sünde, die ihr Sein in der noch fortdauernden adamitischen Menschheit behauptet, ausgesetzt. Diese Spannung läßt sich jedoch nicht als anthropologischer Gegensatz von „innerlich Sünder“ und „äußerlich Gerechter“ verstehen, sondern als „heilsgeschichtliche“, von Gott verfügte Spannung in dieser Zeit, die jedoch in einem grundsätzlichen Sinne „Zeit des Heils“ (2 Kor 6, 2) ist. Dabei ist die Spruchhaftigkeit des göttlichen Heilswirkens, das durch das Wort „Gerechtsprechung“ gut bezeichnet wird, nicht eine Minderung des Heilsgeschehens im und am Menschen. Das ist es nur dann, wenn die „Gerechtigkeit“, die Gott dem Menschen darbietet, als ihm nur „äußerlich“ imputiert gedacht wird [39]. Die Annahme einer nur impu-

[34] Vgl. Denz. 799.

[35] Vgl. Rö 7, 22; 2 Kor 4, 16.

[36] Eine „Gespaltenheit der christlichen Existenz“ wurde bei manchen protestantischen Theologen im Anschluß an M. Luther zumindest zu einer greifbaren Gefahr.

[37] So in Rö 5, 12–19.

[38] Vgl. R. Bultmann, Theologie, 277, zu Rö 5, 19: „So wenig die adamitischen Menschen ‚nur angesehen werden, als ob‘ sie Sünder wären, so gewiß sie vielmehr wirkliche Sünder waren (!), so gewiß sind auch die Glieder der durch Christus eingeleiteten Menschheit wirkliche Gerechte“.

[39] Bei Luther ist die dem Menschen von Gott zugelegte Gerechtigkeit, nämlich die „fremde“ Gerechtigkeit Christi, in dem Sinne eine „äußere“ Gerechtigkeit, als sie den „vollendeten Gegensatz zu aller eingebildet-gesetzlichen oder gnadenhaft-wirklichen Eigengerechtigkeit“ (H. Bornkamm, Äußerer und innerer Mensch, 87) darstellt. Hiermit ist ein kontroverstheologisches Problem angedeutet, das hier nicht weiter verfolgt werden kann.

tierten Gerechtigkeit, wonach der Gerechtfertigte nur angesehen wird, „als ob" er gerecht wäre, während er es in Wirklichkeit doch nicht „ist", bedeutet allerdings eine Verkürzung der Wirksamkeit von Gottes Gerecht*sprechung*[40]. Sobald der forensische Charakter der Rechtfertigung isoliert und die effektive Kraft der Gerechtsprechung ausgeschlossen wird, wird die paulinische Aussage von der Gerecht*sprechung* fehlinterpretiert[41].
Im Lichte dieser Diskussion soll hier nun auf die Frage nach dem forensischen Strukturelement des paulinischen Rechtfertigungsbegriffs eingegangen werden. Dabei scheint weniger die Tatsächlichkeit der forensischen Struktur untersucht werden zu müssen[42], als vielmehr ihre Interpretation durch Paulus. Was bedeutet es, wenn Paulus von der „Gerechtsprechung" des Sünders redet? Was geschieht in dem von Paulus gemeinten Vorgang?

§ 12. Die forensische Struktur des Rechtfertigungsbegriffs bei Paulus

Dem Begriff der „Gerechtigkeit Gottes" kommt, wie dargestellt wurde[43], das forensische Moment in dem Sinne zu, daß er nicht nur die dem AT geläufige Heilshaftigkeit des Bundesverhältnisses Gottes

[40] Vgl. R. Bultmann, Theologie, 277: „Wenn Gott den Sünder rechtfertigt, ‚gerecht macht' (Rm 4, 5), so wird der Mensch nicht nur ‚so angesehen, als ob' er gerecht wäre, sondern er ist wirklich gerecht, d. h. freigesprochen von seiner Sünde durch Gottes Urteil". Bultmann betont mit Recht, daß der „als ob"-Interpretation ein Mißverständnis zugrunde liege, nämlich, „daß die δικαιοσύνη nicht in ihrem forensisch-eschatologischen Sinne verstanden, sondern als sittliche Vollkommenheit mißverstanden wird" (vgl. auch S. 278). Vgl. außerdem W. Joest: KerDog 1 (1956) 291.

[41] Eine einseitige Interpretation der bekannten „Imputationsstellen", Gal 3, 6 und Rö 4, 3ff, im Sinne der Imputationslehre, wie sie von manchen protestantischen Exegeten bis in unsere Tage vertreten wird (vgl. z. B. V. Taylor, Forgiveness and Reconciliation, 44–48), verliert immer mehr ihre Berechtigung, je entschiedener man die genannten Stellen aus dem gesamten Zusammenhang der paulinischen Rechtfertigungsaussagen zu verstehen sucht. Das gibt auch V. Taylor, a. a. O. 47f, zu: „For the purpose of a historical study of the doctrine of justification, and especially the idea of imputation, their interest and importance are great; but for the heart of St. Paul's teaching their significance is negligible. These passages should not be allowed to stand in the foreground when we think of justification".

[42] Für den Sprachgebrauch von δικαιοῦν / δικαιοῦσθαι bei Paulus nehmen z. B. E. Tobac, Justification, 196f („La justification est un acte forensique") und O. Kuss, Römer, 121–131 (Exkurs: Gerechtsprechen, Gerechtgesprochenwerden und die Gerechtigkeit der Gerechtgesprochenen) mit klarer Entschiedenheit eine „forensische", „juristische" Grundbedeutung an. Dieser Annahme ist grundsätzlich beizustimmen. Jedoch ist noch genauer zuzusehen, wie Paulus die forensische Struktur des Gerechtigkeitsbegriffs interpretiert.

[43] Vgl. S. 18–22; 43.

mit seinem Volk, sondern auch die gerechtsprechende Tätigkeit Gottes gegenüber den Menschen, die ihre Sündhaftigkeit vor ihm erkennen und bekennen, zum Ausdruck bringt[44].

Der Begriff „Gerechtsprechung", auf das Verhältnis Gottes zu den Menschen angewandt, ist in seiner Bildhaftigkeit im AT und Judentum sehr ernst genommen worden. Ihm liegt das Bild Gottes als eines Richters zugrunde[45]. Jedoch hat sich die Anwendung dieses Bildes in der Entwicklung vom AT zum Judentum verschoben. Während sich im atl. Schrifttum bis Deuterojesaja die Richterfunktion Gottes auf das Leben des Volkes im Bund mit Gott erstreckt[46], wird im nachexilischen Judentum und Spätjudentum[47] das Richteramt Gottes immer mehr auf das Gericht Gottes am Ende des Einzellebens oder der Weltgeschichte verlegt[48]. Dabei spielt der Vergeltungsgedanke eine entscheidende Rolle[49].

Im Vergleich mit dem Judentum ist es uns möglich, die Eigenart der paulinischen Begriffsbildung klarer zu erkennen. Während nach der Lehre des Judentums Gottes richterliches Endurteil „unparteiisch"[50] und „unbeteiligt"[51] feststellt, was an Gerechtigkeit auf Seiten des Menschen vorhanden ist, und den Menschen daraufhin als „Ge-

[44] Vgl. G. Schrenk: ThWNT II 207: „Die δικαιοσύνη θεοῦ schließt die Gerechtsprechung ein".

[45] Vgl. H.-D. Wendland, Die Mitte der paulinischen Botschaft, 1935, 15f: „Daß das Gleichnis ‚Gott ist Richter' neben dem Vater- oder Königs-Gleichnis das biblische Denken beherrscht, hängt damit zusammen, daß das Recht und die Herstellung des Rechts in Gerechtigkeit Urelemente und Urfunktionen der kreatürlichen menschlichen Gemeinschaft sind, ohne die wirkliche Gemeinschaft überhaupt nicht bestehen kann. ‚Gerechtigkeit' und Herstellung des Rechts sind Gleichnisse für wirkliche Gemeinschaft zwischen Gott und Mensch". – Vgl. auch G. Schrenk: ThWNT II 207; H. H. Walz – H. H. Schrey, Gerechtigkeit in biblischer Sicht, 1955, 58; 66f; 69f; 91–93.

[46] Vgl. S. 17–22.

[47] Vgl. H. Cremer, Rechtfertigungslehre, 112: „Allen Pseudepigraphen gemeinsam, ja ihr eigentlicher Inhalt ist die Gerichtshoffnung im Glauben an das Königtum Gottes. Die Hoffnung ist Reichs- und Gerichtshoffnung". – Vgl. z. B. aethHen 1, 1 und passim; 4 Esr 3–7, bes. 7, 69–80. Hier wird das Verhältnis Gottes zum Menschen als ein reines Rechtsverhältnis angesehen, das am Ende zum Austrag kommt. Vgl. H. Cremer, a. a. O. 117; 127.

[48] Diese Feststellung gilt besonders für das pharisäisch-rabbinische Judentum. Dies verdeutlichen einige Stellen aus den pharisäisch orientierten Psalmen Salomos: 2, 36–40; 7, 4; 9, 8–10; 15, 6–15. Zur Zweigleisigkeit von Gerechtigkeit und Barmherzigkeit Gottes in den Psalmen Salomos vgl. auch H. Braun, Vom Erbarmen Gottes, und Billerbeck IV, 3–6.

[49] Vgl. H. Preisker: ThWNT IV 718f (Der Lohngedanke im Spätjudentum): „Von dem Blick aufs Gericht, das verdienten Lohn oder gerechte Strafe zuspricht, soll der Mensch sein sittliches Handeln bestimmt sein lassen".

[50] Vgl. H. Braun, a. a. O. 42.

[51] Bousset–Gressmann 381.

rechten" anerkennt[52] oder nicht, wird von Paulus zwar die Selbstverständlichkeit der Gerichtserwartung mit dem Judentum geteilt[53], jedoch die Möglichkeit einer vom Menschen beizubringenden und nachzuweisenden Gerechtigkeit grundsätzlich bestritten[54]. Nach Paulus stellt Gott nicht die etwa vorhandene Gerechtigkeit des Menschen fest, sondern er stellt sie her[55]. Gott spricht gerecht und so, nur so ist der Mensch von Gott her gerecht. Von dieser Sicht der „Gerechtigkeit Gottes" aus ist alle aus dem eigenen Vermögen behauptete Gerechtigkeit des Menschen Selbstgerechtigkeit[56], Gerechtigkeit aus dem Gesetz[57].

Wenn R. Bultmann[58] die Gerechtigkeit als „die Bedingung für den Empfang des Heils, des Lebens" bestimmt und in diesem Sinne δικαιοσύνη als „forensischen Begriff" bezeichnet, so ist das für die Heilslehre der Synagoge richtig: Der Mensch muß Gerechtigkeit aufweisen, um vor Gott bestehen zu können und das Heil zu erlangen. Bei Paulus jedoch gewinnt die Aussage über die Gerechtigkeit des Menschen mehr die Bedeutung des Heiles selbst[59], da Gott den Menschen gerechtspricht und dadurch erst dessen Gerechtigkeit zustandekommt. Der forensische Charakter der Gerechtigkeit des von Gott Gerechtgesprochenen besteht nicht in der Geltung und Anerkennung dessen, was der Mensch hat[60], nicht in seiner δικαιοσύνη παρὰ τῷ

[52] Vgl. E. Tobac, Justification, 194: „Le Juif qui se trouverait dans cette condition ... aurait droit à une manifestation en sa faveur de la justice justifiante de Dieu au jour du jugement".

[53] Vgl. H. Braun, Gerichtsgedanke und Rechtfertigungslehre bei Paulus (Untersuchungen zum NT, 19), 1930, 41.

[54] Vgl. S. 72.

[55] Vgl. Rö 5, 19: δίκαιοι κατασταθήσονται οἱ πολλοί.

[56] Vgl. Rö 10, 3; Phil 3, 9.

[57] Vgl. Phil 3, 9.

[58] Theologie, 272f.

[59] Es wird nicht ganz deutlich, ob Bultmann, a. a. O. 272, nur die jüdische Position mit der Bezeichnung „Heilsbedingung" angibt oder auch die paulinische. Jedenfalls wird auch nach Bultmanns Interpretation der paulinischen Lehre „nicht allein das Heil, sondern schon seine Bedingung von Gott selbst geschenkt". Dann ist allerdings im Sinne des Paulus nicht mehr von einer echten „Heilsbedingung" zu sprechen. – J. Becker, Das Heil Gottes, 262f, stellt mit Recht die „Realität der Rechtfertigung" heraus, trennt jedoch andrerseits zu sehr zwischen Gerechtigkeit als Geltung und dem Heilsempfang als ihrer Folge (vgl. S. 252).

[60] In diesem Sinne könnte auch der forensische Charakter des λογίζεσθαι εἰς δικαιοσύνην in Rö 4, 3. 5. 22; Gal 3, 6 (Zitat aus Gen 15, 6) erklärt werden, wie es R. Bultmann, Theologie, 274, auch tut. Jedoch läßt sich hier nicht ohne weiteres in eindeutiger Weise der „forensische Sinn" präsumieren, wie es die protestantische Exegese vielfach getan hat, weder für die ursprüngliche Bedeutung von Gen 15, 6 noch für das paulinische Verständnis dieses Zitates. Auch hier ist auf die paulinische Interpretation des durch das jüdische Denken nahegelegten „forensischen Sinnes" zu achten. Jedenfalls ist der Glaube für Paulus nicht ein „Werk", auch nicht der Ersatz eines „Werkes", das nun „als

ϑεῷ [61], sondern in der paradoxen Tatsache, daß Gott den Sünder gerechtspricht, also in der δικαιοσύνη ἐκ ϑεοῦ [62].

Es zeigt sich also, daß Paulus den forensischen Charakter des Gerechtigkeitsbegriffs, wie er im Judentum vorliegt, aufgreift, ihn aber entscheidend umprägt. Der Mensch bedarf der Gerechtigkeit, d. h. der Anerkennung durch das endgerichtliche Urteil Gottes. Das steht für Paulus wie für das Judentum fest [63]. Die Geltung seiner Gerechtigkeit verschafft sich jedoch nach Paulus der Mensch nicht selbst, weder die Geltung noch seine Gerechtigkeit, sondern „Gottes Gerechtigkeit ist offenbar geworden" (Rö 3, 21), d. h. aber für Paulus: Gottes gerechtsprechendes Urteil ergeht jetzt über den Menschen und schafft jetzt, in der durch den Glauben an Christus gekennzeichneten Heilszeit, aus dem Menschen, der sich im Glauben als Sünder erkennt, einen Gerechten. Der Gerechtigkeitsgedanke hat damit bei Paulus im Vergleich zum Judentum eine wesentliche Akzentverschiebung erfahren. Die Geltung, die der Mensch als Heilsbedingung vor Gott haben muß, wird bei Paulus nicht durch die sittliche Qualität des Menschen konstituiert, sondern sie wird durch eine Verfügung Gottes, also durch Gott selbst geschaffen.

Damit ist klar, daß der im Judentum überlieferte juridisch-forensische Sinn des Gerechtigkeitsbegriffs von Paulus in zweifacher Weise überschritten wird. Das „Gerichtsurteil" Gottes über den Menschen ergeht in der Gegenwart, und zwar in der doppelten Gestalt als heilshafte „Gerechtigkeit Gottes" und als „Zorn Gottes" [64]. Das Urteil Gottes hat schöpferische Kraft. Die Gerechtsprechung des Sünders hat nicht nur forensische, sondern als forensische auch „effektive" Bedeutung.

Gerechtigkeit angerechnet" würde, sondern es liegt eine Entsprechung von Glauben und der von Gott dargebotenen Gerechtigkeit vor. Zur Interpretation dieser Stelle siehe S. 185–195.

[61] Vgl. Gal 3, 11.

[62] Vgl. Phil 3, 9.

[63] So auch E. Tobac, Justification, 197. Tobac meint, daß Paulus keine Diskussion über den Begriff der Rechtfertigung mit den Juden führe, sondern über die „Ökonomie der Rechtfertigung". Jedoch muß diese Ansicht insofern korrigiert werden, als sich in der paulinischen Diskussion über die Art der Rechtfertigung unvermeidlich auch eine Verschiebung des Begriffsinhaltes „Rechtfertigung" ergibt. Es zeigt sich, daß das juristische Bild von der Gerechtsprechung durch die von Paulus intendierte Sache, nämlich die Aussage des in Christus gegenwärtigen Heiles, überschritten wird.

[64] Vgl. Rö 1, 17f. – Mit dieser Feststellung ist jedoch die Gültigkeit eines „Gerichtes nach den Werken", das auch den Christen, also den Gerechtfertigten bevorsteht, für Paulus nicht geleugnet. Jedoch hat der Gerichtsgedanke bei Paulus nicht mehr die zentrale und überwiegende Bedeutung wie im Judentum. Die Tatsächlichkeit des Endgerichtes erscheint bei Paulus vielmehr als Hintergrund der Gnadenpredigt und als ein Motiv, aber auch nur ein Motiv der Paränese. Vgl. H. Braun, Gerichtsgedanke, 38.

Diese Feststellung wird durch die Exegese weiterer Stellen[65] bei Paulus bestätigt, an denen das Verb δικαιοῦν im Aktiv und Passiv vorkommt.
Nach *Rö 4, 5* spricht Gott im Gegensatz zur jüdischen Rechtfertigungslehre den „Gottlosen" gerecht. Das kann nach dem Gefälle des Zusammenhangs[66] nur eine grundsätzliche Änderung des Relationsgefüges, in dem der Mensch zu Gott steht, bedeuten. Die Gerechtsprechung der Gottlosen, die nur dem Glaubenden (πιστεύοντι δέ V. 5) greifbar und begreifbar ist, bedeutet die Schaffung eines neuen Verhältnisses des Menschen zu Gott. Der von Gott paradoxerweise gerechtgesprochene „Gottlose" ist der auf Grund der gnadenhaften Gerechtsprechung „aus Glauben an Jesus" (Rö 3, 26) Existierende.

In *Rö 3, 30* ist der Sinn der Aussage eindeutig, trotz der futurischen Form δικαιώσει[67], auf die in der Gegenwart von Gott geschaffene Einheit der Heilsgemeinschaft von Juden und Heiden gerichtet. Ihr effektiver Sinn kann also nicht zweifelhaft sein. Denselben Sinn zeigt der Gebrauch von δικαιοῦν in Gal 3, 8.

In *Rö 8, 30* und *8, 33* zeigt sich am Gebrauch des Verbums δικαιοῦν sowohl die forensische Struktur als auch der effektive Sinn des paulinischen Rechtfertigungsbegriffs besonders deutlich. Paulus argumentiert im Zusammenhang beider Stellen von der Vorstellung eines Rechtsstreites aus[68], in dem „wir" die Angeklagten sind (vgl. V. 31 und 33) und Gott als der Richter erscheint, der zugleich auch Rechtshelfer ist, indem er „für uns" eintritt (V. 31). In der Funktion des Rechtshelfers, „der für uns eintritt", erscheint in V. 34 auch „Christus Jesus ... zur Rechten Gottes". Als Ankläger sind die Mächte Sünde, Gesetz, Fleisch und Tod zu denken (vgl. 8, 3. 4. 6. 7). Nach V. 3 hat Gott die ἁμαρτία „im Fleische" verurteilt, indem er seinen Sohn sandte. Und dennoch steht die ἁμαρτία mit ihrem Gefolge wieder auf, um gegen die gegenwärtige Herrschaft der Leben spendenden δικαιοσύνη (vgl. V. 10) zu protestieren und den von Gott Berufenen und Gerechtfertigten (V. 30) die Freiheit des Sohnesstandes (vgl. V. 14–17 und 23) zu bestreiten und diese wieder in die Sklaverei unter die alten Mächte zu zwingen (vgl. V. 15). Dieser aus den alten

[65] Die Exegese dieser Stellen soll hier nicht ausgeführt, sondern ihrem Verlauf nach nur angedeutet werden.

[66] Diese Stelle kommt im Zusammenhang noch bei der Besprechung des paulinischen Glaubensbegriffs zur Sprache. Hier sei nur gesagt, daß es Paulus in Rö 4 auf die Gnadenhaftigkeit und Unverdienbarkeit des Gottesverhältnisses ankommt.

[67] Das Futur ist nicht zeitlich, sondern „gnomisch" oder „logisch" gemeint (vgl. O. Kuss, Römer, 178).

[68] So auch C. Müller, Gottes Gerechtigkeit und Gottes Volk, 54.

Mächten sich rekrutierenden Opposition gegen den Heilsplan Gottes gilt die markante, alle weitere Streiterei abschneidende Feststellung in V. 31: Wenn Gott für uns ist, wer ist dann wider uns? Als verdeutlichende Variante hierzu läßt sich V. 33 verstehen: „Gott ist es, der gerechtspricht; wer wird da verurteilen?“ [69] Paulus deutet also in Kap. 8 die Situation der Christen in der Gegenwart als Kampfsituation. Sie müssen bereit sein, Trübsal, Bedrängnis, Verfolgung, Hunger, Blöße, Gefahr, Schwert zu ertragen (vgl. V. 35). Indem sie das alles auf sich nehmen, zeigt sich an ihnen, daß die alten Mächte nichts wider sie vermögen. Als eigentlichen Grund hierfür gibt Paulus in V. 30 und 33 den Rechtsspruch Gottes zugunsten der Seinigen an. Alles, was sich gegen Gottes Plan erheben mag, kann seinen Sieg nicht verhindern. Das ist die Aussageabsicht des „Kettenschlusses“ [70] in 8, 30. In diesem Vers überholt und interpretiert das an vierter Stelle stehende ἐδικαίωσεν die vorhergehenden Begriffe προέγνω, προώρισεν und ἐκάλεσεν. In dem Wort ἐδικαίωσεν erreicht das zuvorgeschilderte „prädestinierende“ [71] und berufende Handeln Gottes eine Steigerung, die die Sieghaftigkeit des Werkes Gottes deutlich hervortreten läßt. Umgekehrt wird auch der Begriff des δικαιοῦν an dieser Stelle durch den Zusammenhang der ganzen Kette in V. 29f interpretiert: Das Rechtfertigungsgeschehen am Menschen kommt deswegen zu seinem Erfolg, weil es in der aller menschlichen Zustimmung und Bewährung vorhergehenden Heilsbestimmung Gottes gründet [72]. Das abschließende ἐδόξασεν zeigt nur noch die letzte Entfaltung dessen an, was in dem Rechtfertigungsspruch Gottes schon enthalten ist [73]. So sehr der Begriff des δικαιοῦν an dieser Stelle in seiner Bedeutsamkeit hervorgehoben wird, die V. 33 nur noch bestätigt, so wird doch zugleich auch deutlich, daß der paulinische Rechtfertigungsbegriff nicht in einer äußeren forensischen Bedeutung

[69] Es scheint nicht nötig, hier wegen des Futurums (ἐγκαλέσει, κατακρινῶν) an eine „zukünftige Gerichtssituation“ (O. Michel, Römer, 216) zu denken. Der Gegenwärtigkeit des „Rechtsstreites“ mit den Mächten entspricht vielmehr die Annahme eines logischen Futurs.

[70] Vgl. O. Michel, Römer, 211.

[71] C. Müller, Gottes Gerechtigkeit und Gottes Volk, 89, versteht die Rechtfertigung hier als „Wirkung der prädestinierenden Neuschöpfung in Christus“.

[72] Vgl. hierzu auch O. Bardenhewer, Römer, 131f; J. Kürzinger, Römer, 36; A. Schlatter, Gottes Gerechtigkeit, 283f; M.-J. Lagrange, Romains, 217; K. H. Schelkle, Paulus Lehrer der Väter, 312.

[73] Vgl. J. Jervell, Imago Dei, 182: „Doxa ist das Gepräge des Rechtfertigungsstandes“. Vgl. auch E. Tobac, Justification, 202; A. Nygren, Römer, 249–251; O. Michel, Römer, 212; M.-J. Lagrange, Romains, 217: „L'aoriste est donc une anticipation de certitude“; H. Schlier, Das, worauf alles wartet. Eine Auslegung von Römer 8, 18–30, in: Interpretation der Welt. Fs. f. R. Guardini, 1965, 599–616, hier 613–615. W. Thüsing, Per Christum in Deum, 130, spricht bei der Behandlung dieser Stelle von der δικαιοσύνη als dem „Angeld der Doxa“.

stecken bleibt[74]. Die hier gebrauchte Rechtsprechungsvorstellung dient gerade zur Betonung dessen, daß das Werk Gottes im Menschen zum Gelingen gekommen ist.

Für den Passivgebrauch von δικαιοῦν ist zunächst festzustellen, daß δικαιοῦσθαι in der Regel mit adverbialen Bestimmungen verbunden ist. Nur Rö 2, 13 steht δικαιοῦσθαι absolut, allerdings, wie die erste Vershälfte (δίκαιοι παρὰ τῷ θεῷ) beweist, im eindeutig jüdischen Sinne zur Bezeichnung der endgerichtlichen Anerkennung der Gerechtigkeit des Menschen, die er selbst erworben hat[75]. In Rö 3, 4 begegnet die Passivform von δικαιοῦν im Zitat aus Ps 51, 6. Der Zusammenhang und das atl.-jüdische Verständnis des Psalmzitates sprechen für die forensische Bedeutung von δικαιωθῇς; vorausgesetzt wird die Vorstellung von einem Rechtsstreit Gottes mit Israel[76]. An den übrigen Stellen zeigt die Verbindung mit adverbialen Bestimmungen, daß δικαιοῦσθαι als Bezeichnung des Rechtfertigungsvorgangs am Menschen, dessen logisches Subjekt (im Passiv ausgedrückt) Gott ist, mehr als Formalbegriff steht, der materialiter durch die hinzugesetzten Bestimmungen aufgefüllt und dadurch umgeprägt wird. So beschreibt Rö 3, 24 δικαιούμενοι δωρεὰν τῇ αὐτοῦ χάριτι mit Hilfe einer doppelten Adverbialbestimmung, daß Rechtfertigung ein Gnadengeschehen ist[77]. Rö 3, 28 bestimmen πίστει und χωρὶς ἔργων νόμου die Rechtfertigung, vom Menschen her betrachtet, als ein Glaubensgeschehen. Dasselbe gilt für Gal 2, 16; 3, 24; Rö 5, 1. Die Bestimmungen ἐν τῷ αἵματι αὐτοῦ Rö 5, 9, ἐν τῷ ὀνόματι τοῦ κυρίου ἡμῶν 1 Kor 6, 11 und ἐν Χριστῷ Gal 2, 17 betonen die christologische Komponente des Rechtfertigungsgeschehens. In all diesen Verbindungen ruht das Interesse der Aussage mehr auf den Umstandsbestimmungen des Rechtfertigungsvorgangs als auf einer genaueren Fixierung der juridischen Struktur dieses Vorgangs selbst. Jedenfalls läßt sich sagen, daß an diesen Stellen auf dem forensischen Moment keine besondere Betonung liegt[78]. Die von Paulus geprägten Verbindungen mit δικαιοῦσθαι beschreiben das Heilswirken Gottes entweder unter dem Gesichtspunkt seiner Christusbezogenheit oder unter dem der Glaubenserfahrung.

So dürfen wir wohl sagen, daß δικαιοῦν / δικαιοῦσθαι bei Paulus nicht so sehr Material- als vielmehr Formalbegriffe sind. Auch wenn sowohl in der Terminologie als auch in der Beschreibung der vorausgesetzten Situation, so besonders in Rö 3, 1–8 und Kap. 8, der jüdische

[74] Vgl. H. W. Schmidt, Römer, 152.
[75] Vgl. O. Michel, Römer, 77 Anm. 1.
[76] Vgl. S. 65f.
[77] Vgl. S. 80f.
[78] In diesem Sinne ist M.-J. Lagrange, Romains, 122–133, hier 128f, zu verstehen, wenn er den „eindeutigen“ forensischen Sinn für die paulinische Aussage bestreitet bzw. für den Passivgebrauch von δικαιοῦν die Übersetzung „gerechtwerden“ bevorzugt.

Gerichtsgedanke bestimmend ist, so liegt doch nie auf der forensischen Struktur der Aussagen als solcher der Nachdruck. Paulus hat die aus atl.-jüdischer Tradition übernommenen Termini nicht willkürlich gebraucht und umgeprägt, sondern er hat sie in einem ganz bestimmten Sinn seiner Heilsbotschaft dienstbar gemacht. Hierbei unterstreicht das Rechtsstreitmotiv die unbedingte Überlegenheit Gottes gegenüber den von den „Mächten" des alten Äons gefangengehaltenen Menschen; aber auch die vor allem im rabbinischen Denken beheimatete forensische Rechtfertigungsvorstellung hält sich durch, insofern es auch bei Paulus auf die Anerkennung und die Annahme des Menschen durch Gott ankommt. Diese Struktur durchzieht die paulinische Botschaft von der Gnadenhaftigkeit des Heilsverhältnisses, der göttlichen Wirkursächlichkeit dieses Verhältnisses und seiner Gegenwärtigkeit. So wird die Kategorie des Juridischen durch Paulus von ihrer spätjüdischen Einengung auf den (der paulinischen Charakterisierung nach sogenannten) Begriff der „Werkgerechtigkeit" befreit und zum Ausdruck der neuen Heilsbotschaft umgeformt. „Rechtfertigung" besagt für Paulus die von Gott in dieser Zeit rechtskräftig gesetzte Verfügung des Heiles aller Menschen. Gerade der Verfügungscharakter des göttlichen Heilswirkens wird durch die juridisch-forensische Struktur des Rechtfertigungsbegriffs deutlich gemacht. Gottes Verfügung erschöpft sich aber nicht in einem nur äußerlich bleibenden Dekret, sondern sie bedeutet die wirksame Schaffung einer neuen Realität durch Gott. Die von Gott geschaffene neue Wirklichkeit des Gerechtfertigten ist jedoch nicht als eine statische Verfaßtheit des Menschen zu denken, sondern als eine Beziehungsrealität, d. h. eine Wirklichkeit, die in nichts anderem besteht als in dem von Gott geschaffenen neuen Verhältnis des Menschen zu Gott, das von Gott her Herrschaft und vom Menschen aus Gehorsam beinhaltet [79].

Mit dieser Feststellung über das paulinische Verständnis der forensischen Struktur der „Rechtfertigung" ist jedoch noch nichts gesagt

[79] C. Müller, Gottes Gerechtigkeit und Gottes Volk, 74, lehnt mit Recht das Verständnis von Gerechtigkeit als abstrakte Rechtsidee ab; δικαιοσύνη sei vielmehr „Rechtsverwirklichung". Das scheint zumindest etwas mißverständlich zu sein. Ist die δικαιοσύνη nicht schon Wirklichkeit, noch bevor der Gehorsam der Gerechtfertigten (= Glaubenden) sie zu „verwirklichen" beginnt? Paulus betont die Priorität der χάρις, ihre grundlegende Verwirklichung durch Gott, noch bevor der Mensch ihr entspricht. Dem 6. Kap. des Römerbriefes geht kausal die Rechtfertigungsbotschaft von Rö 3, 21 – 4, 25 voraus. Die Begriffe δικαιοσύνη, δικαιοῦν / δικαιοῦσθαι sind daher einerseits als Verhältnisbegriffe zu verstehen, andrerseits aber auch als Bezeichnungen für die von Gott dem Menschen zuvorkommende Ermöglichung dieses Verhältnisses, das im Glauben als Wirklichkeit erfahren wird. Beides läßt sich in etwa mit dem Begriff der Beziehungsrealität erfassen, d. h. das mit δικαιοσύνη bezeichnete neue Verhältnis ist dank der χάρις Gottes schon jetzt, im Glauben, Realität.

über den Glauben des Apostels an Gottes richterliche Gerechtigkeit im „Gericht nach den Werken" (vgl. Rö 2, 1–13), das auch am Gläubigen und damit grundsätzlich Gerechtgesprochenen als Gericht nach „dem Werk, das ein jeder aufgebaut hat" (1 Kor 3, 14), vollzogen wird (vgl. 2 Kor 5, 10; Gal 6, 4). Darüber im einzelnen zu handeln, gehört nicht zur Aufgabe unserer Untersuchung[80]. Im folgenden Kapitel soll jedoch gezeigt werden, daß die Rechtfertigungsbotschaft des Apostels sich nicht nur auf eine schon in der Gegenwart erfolgende Heilsmitteilung an die Menschen bezieht, sondern auch die Dimension der zukünftigen, noch ausstehenden Heilsvollendung kennt.

B. Der eschatologische Sinn der Rechtfertigung

§ 13. Gegenwärtige oder zukünftige Rechtfertigung?

Aus Rö 3, 21–26 geht deutlich hervor, daß Paulus die Offenbarung der „Gerechtigkeit Gottes" und damit die „Rechtfertigung der Sünder" als gegenwärtige Heilswirklichkeit beschreibt[81]. Es gibt jedoch andere Stellen in den paulinischen Hauptbriefen, die die „Rechtfertigung" als ein Zukunftsgut erscheinen lassen, so vor allem Rö 2, 13; 5, 19 und Gal 5, 5[82]. Es stellt sich also die Frage, ob Paulus die Rechtfertigung als einen Heilsakt, entweder als eine in der Gegenwart schon vorhandene und im Endgericht nur noch zu vollendende oder als eine, zwar in einem gewissen Sinne vorweggenommene, doch grundsätzlich zukünftige Heilswirklichkeit betrachtet[83]

[80] Vgl. dazu besonders E. Kühl, Rechtfertigung auf Grund Glaubens und Gericht nach den Werken bei Paulus; H. Braun, Gerichtsgedanke; J. Schmid: LThK ²IV 730f (Der Gerichtsgedanke in der Schrift), und die jüngst erschienene Dissertation von L. Mattern, Das Verständnis des Gerichtes bei Paulus (AThANT 47), 1966.

[81] Die Gegenwärtigkeit der Rechtfertigung ergibt sich ebenso eindeutig aus Rö 5, 1. 9. 17; 8, 10. 30; 9, 30 und 1 Kor 6, 11.

[82] Nach R. Bultmann, Theologie, 275, wären auch die präsentischen Aussagen in Gal 2, 16; 3, 11; 5, 4 zu berücksichtigen, da sie „der Sache nach ... auf das Urteil im künftigen Gericht gehen". Doch ist in Gal 2, 16 das „zeitlose Präsens des Lehrsatzes" nicht nur auf die Rechtfertigungserwartung des Juden, sondern auch auf die durch den Glauben an Christus erfolgende bzw. schon erfolgte Rechtfertigung (δικαιωθῶμεν, V. 16b) zu beziehen. Gal 3, 11 besagt in seiner Grundsätzlichkeit nur etwas für die Situation des Menschen unter dem Gesetz. In Gal 5, 4 liegt ein Präsens de conatu vor, vgl. Blaß-Debr. § 319. Wir können also diese Stellen für die Erwägung, ob Paulus in der Rechtfertigung ein Zukunftsgut sieht, außer acht lassen.

[83] J. Weiß, Urchristentum, 388, zu Rö 5, 1, spricht von einer für Paulus „bezeichnenden ‚Vordatierung' eines eigentlich eschatologischen Heilsereignisses";

oder ob Paulus zwei zeitlich unterschiedene Rechtfertigungsakte annimmt[84]. Diese Fragestellung hängt mit der vorhergehenden nach dem forensischen Sinn der „Rechtfertigung" zusammen, insofern auch hier die Realität der „Rechtfertigung" für die Gegenwart des von Gott Gerechtgesprochenen in Frage gestellt ist. Darum möchten manche Forscher die Realität der Rechtfertigung gewahrt wissen, indem sie betonen, daß die Gegenwärtigkeit der Rechtfertigung als „Aktualität" [85] und „reale Anteilnahme an den eschatologischen Heilsgütern" [86] nicht einer bloßen „Manifestation" [87] der eschatologischen Rechtfertigung geopfert werden darf. Tatsächlich läßt sich im Sinne des Paulus nicht eine zukünftige, „eschatologische", an das jüngste Gericht gebundene Rechtfertigung gegen eine gegenwärtige, „reale" und „aktuale", mit dem „ersten" Kommen Christi gegebene Rechtfertigung ausspielen wie auch nicht umgekehrt.

Bei der Diskussion um den „eschatologischen" Charakter der Rechtfertigung ist zunächst festzustellen, daß das Wort „eschatologisch" nicht einheitlich gebraucht wird[88]. Während die traditionelle Theologie den Begriff Eschatologie im Sinne des dogmatischen Traktates „von den letzten Dingen" gebrauchte[89], also auf den Komplex des überlieferten Glaubensgutes anwandte, der das Endschicksal des Menschen und der ganzen Welt behandelt[90], wird

E. Tobac, Justification, 202: „Nous croyons toutefois que la justification conserve partout dans S. Paul sa portée messianique et eschatologique"; A. Schweitzer, Die Mystik des Apostels Paulus, 1954, 201: „Auszugehen ist von der Feststellung, daß die Rechtfertigung eigentlich futurisch gemeint ist".

[84] Vgl. z. B. H. Hofer, Rechtfertigungsverkündigung, 54–56 (Die zwei Akte der Rechtfertigung); C. Haufe, Die sittliche Rechtfertigungslehre des Paulus, 1957, 64: „Die erste Rechtfertigung ist ausgerichtet auf die eschatologische und erhält von dieser ihre Bedeutung".

[85] Vgl. R. Bandas, The Master-Idea of Saint Paul's Epistles, 404: „Actual, not Eschatological"; M.-J. Lagrange, Romains, 134–137 (Le sens eschatologique de justifier, justification).

[86] R. Schnackenburg, Ntl. Theologie, 95.

[87] So R. Schnackenburg, a. a. O. 95, gegenüber E. Käsemann: ZThK 58 (1961) 375.

[88] Vgl. hierzu B. Rigaux, La seconde venue de Jésus, in: La Venue du Messie. Messianisme et Eschatologie (RechBibl 6), 1962, 174–216, bes. 174–177; K. Rahner: LThK ²III 1094–1098; ders., Theologische Prinzipien der Hermeneutik eschatologischer Aussagen, in: Schriften zur Theologie, IV, 1960, 401–428.

[89] In einem allgemeinen Sinn bleibt selbstverständlich die Eschatologie immer „Lehre von den letzten Dingen". Vgl. M. Goguel, Le caractère, à la fois actuel et futur, du salut dans la théologie Paulinienne, in: The Background of the N.T. and its Eschatology (Festschrift C. H. Dodd), 1956, 322–341: „Toute religion est eschatologique ..." (322).

[90] So ist z. B. die Ablehnung des eschatologischen Charakters der Rechtfertigung bei R. Bandas, The Master-Idea of Saint Paul's Epistles, 704–707 (und, trotz Anerkennung einer gewissen Berechtigung dieser Bezeichnung, auch bei M.-J.

in der heutigen Theologie – nicht zuletzt auf Grund einer intensiveren Besinnung auf die eschatologische Struktur biblischer Aussagen – auch das in der Gegenwart schon wirksame Heil des Menschen als „eschatologisch“ bezeichnet. Der Grund für diese Bezeichnung liegt darin, daß das „Christusereignis“, in dem das jetzt schon wirksame Heil des Menschen begründet ist, als das eschatologische Geschehen schlechthin verstanden wird. Das „Christusereignis“ bezeichnet dabei den Tod Jesu in seiner von Gott verfügten unbedingten, universalen Heilsbedeutung für die Menschen, also die Eröffnung des von Gott den Menschen geschenkten Heiles im Tode Jesu, dessen der einzelne Mensch im Glauben und in der Taufe teilhaftig wird. Am stärksten ist die Gegenwärtigkeit des Eschatologischen und damit die eschatologische Qualifikation der Gegenwart des Glaubenden von R. Bultmann betont worden. Bei Bultmann wird die Eschatologie allerdings um die Dimension einer zeitlich sich erstreckenden Zukunft verkürzt und wesentlich als Gegenwärtigkeit des göttlichen Heiles für den einzelnen Glaubenden definiert[91]. Diese Auffassung blieb jedoch nicht ohne Widerspruch. So hat vor allem O. Cullmann[92] die Bezeichnung „eschatologisch“ nur auf die zukünftige Vollendung des Menschen beschränken und das schon erfüllte Heil in seiner ntl. Gegenwartsgestalt mit dem Wort „heilsgeschichtlich“ benennen wollen[93]. Diese Unterscheidung kann jedoch nicht als geglückt gelten, da hiermit der vom NT gemeinte definitive Charakter des Christusereignisses ver-

Lagrange, Romains, 134–137), von der Position der traditionellen Eschatologie aus zu verstehen. Er betont den aktuellen, also präsentischen Charakter der Rechtfertigung, den er nach den überkommenen Begriffen der Eschatologie allerdings nicht als eschatologisch bezeichnen kann. – Ganz anders E. Tobac, Justification, 199ff, der den eschatologischen Charakter der Rechtfertigung bejahen kann, da er in ihr die Erfüllung der jüdischen, eschatologischen oder, wie Tobac sagt, „messianischen“ Rechtfertigungserwartungen sieht, also nicht von einem dogmatischen, sondern von einem biblischen Verständnis der Eschatologie ausgeht.

91 Vgl. R. Bultmann, Weissagung und Erfüllung, in: Glauben und Verstehen, II, ³1961, 162–186, bes. 171: „Nach dem Neuen Testament ist Christus das Ende der Heilsgeschichte nicht in dem Sinne, daß er das Ziel der geschichtlichen Entwicklung bedeutet, sondern weil er ihr eschatologisches Ende ist“; 175; 178f; ders., Geschichte und Eschatologie, ²1964, bes. 46–53 (Die Geschichtsanschauung des Paulus).

92 O. Cullmann, Christus und die Zeit. Die urchristliche Zeit- und Geschichtsauffassung, ³1963; ders., Heil als Geschichte. Heilsgeschichtliche Existenz im NT, 1965, bes. 56–61.

93 Cullmann folgt hiermit einem Vorschlag von G. Delling, Zeitverständnis des NT, 1940, 120, der dahin geht, das Wort „eschatologisch“ im Sinne des NT auf die Zukunftserwartung zu beschränken, wobei Delling selbst aber auf den Gebrauch dieser Unterscheidung verzichtet, da er die Einführung neuer Termini vermeiden möchte.

loren geht[94] und andrerseits die wesentliche Einheit von Anfang und Vollendung des Heiles unberücksichtigt bleibt. Auch andere Unterscheidungen wie „präsentische" und „futurische Eschatologie"[95], oder „gegenwarts- und zukunftseschatologisch"[96] sowie „endzeitlich" und „schlußzeitlich"[97] können nicht den Anspruch der Eindeutigkeit des im NT Gemeinten erheben. Denn das Phänomen des Eschaton ist nach dem Zeugnis des NT eine Einheit, die im „Christusereignis" gründet und von daher die Gegenwart und Zukunft des Glaubenden einheitlich eschatologisch qualifiziert.

Zur Bestimmung des ntl. Begriffs des „Eschatologischen" ist von der jüdischen Heilslehre auszugehen. Hierin findet die Kategorie des „Eschatologischen" berechtigte Anwendung auf die messianische Erwartung[98]. Das Eschaton wird zeitlich verstanden; es bezeichnet die Zukunft im Gegensatz zur Gegenwart, und zwar nicht die Zukunft schlechthin, sondern die Zukunft als eine Zeit des Heiles gegenüber einer unheilvollen Gegenwart. Vor allem das apokalyptische Judentum, aber auch das Rabbinentum erwartete vom (baldigen)[99] Ende der Geschichte das Heil der Gerechten[100]. Das Ende sollte sich in der Gestalt eines (messianischen) Gerichtes ereignen[101]. Über die Frage,

[94] G. Backhaus, Kerygma und Mythos bei D. F. Strauss und R. Bultmann (Theol. Forschung, hrsg. von H. W. Bartsch, 12), 1956, 68, macht mit Recht darauf aufmerksam, „daß das eschatologische Geschehen bei ... Cullmann in der Beobachtung zeitlicher Kategorien im Grunde erschöpft ist, während es das menschliche Begreifen von Zeit seiner ganzen Struktur nach de facto transzendiert".

[95] So z. B. W. G. Kümmel, Futurische und präsentische Eschatologie im ältesten Urchristentum, in: NTSt 5 (1958/59) 113–126. – Der Begriff der „präsentischen Eschatologie" schließt sich an den von C. H. Dodd eingeführten Begriff der „realized eschatology" (vgl. W. G. Kümmel, Das Neue Testament, 493–496) an. Er bezeichnet die christliche Präsenz des Heiles, das im Judentum noch als ganz und gar zukünftig und ausständig gewertet wird.

[96] So A. Wikenhauser, Das Evangelium nach Johannes (RNT 4), ²1957, 279.

[97] So G. Backhaus, a. a. O. 69.

[98] Vgl. P. Volz, Eschatologie, 63–77; 173–186; 201–203; J. Bonsirven, Le Judaisme Palestinien. I, 1934, 307–321; F. Nötscher, Zur theologischen Terminologie, 158–172; R. Meyer: RGG ³II 662–665; R. Schnackenburg: LThK ²III 1088.

[99] Da die eschatologischen Vorstellungen des Spätjudentums aus verschiedenen Anschauungskreisen stammen, ist zu verstehen, daß man sowohl über den Ablauf der Endereignisse im einzelnen wie auch über den Zeitpunkt des Weltendes und der vorhergehenden Geschehnisse sehr unterschiedlich dachte. Im allgemeinen läßt sich sagen, daß das Judentum zur Zeit Christi ein baldiges Eintreffen des Endes bzw. der vorbereitenden Endereignisse erwartete. Vgl. P. Volz, Eschatologie, 135–147.

[100] Vgl. oben S. 34–44. Vgl. auch R. Schnackenburg, Gottes Herrschaft und Reich, 1959, 32–47.

[101] Ob das Endgericht mehr eine Sache Gottes oder des Messias sei, ist im spätjüdischen Schrifttum wie auch im NT nicht eindeutig festgelegt. Vgl. P. Volz, Eschatologie, 274–277.

ob der Messias erst als Richter am jüngsten Tage kommen werde, um damit die messianische Heilszeit einzuleiten[102], oder ob der Messias schon während der Zeit der Geschichte, also in diesem Äon erscheinen und eine messianische Endzeit einleiten werde[103], bestand im Spätjudentum keine einheitliche Auffassung. Jedenfalls ist nach dem Geschichtsbild des Spätjudentums als „eschatologisch" das Ende der Unheilsgeschichte und damit der Anbruch der messianischen Heilszeit oder, in der Sprache des Spätjudentums, die Ablösung des „alten Äons" durch den „neuen Äon"[104] zu bezeichnen. Wie diese Vorstellungen auf Paulus eingewirkt haben und wie Paulus Zeit und Geschichte angesichts des „Christusereignisses" neu verstanden hat, soll im nächsten Abschnitt zur Sprache kommen.

Bezüglich der Rechtfertigungslehre stellt sich das eschatologische Problem als das von „präsentischer" und „futurischer" Rechtfertigung dar, da einige Exegeten bei dieser Unterscheidung an zwei verschiedene „Aspekte" derselben Wirklichkeit denken[105], andere dagegen zwei voneinander zu unterscheidende Akte annehmen[106]. Was hat sich Paulus dabei gedacht, wenn er präsentische und futurische Aussagen nebeneinander gebraucht? Ist er sich des Widerspruchs nicht bewußt geworden, oder liegt vielleicht gar kein echter Widerspruch vor, wenn er einerseits sagt: „Wir s i n d gerechtfertigt" (Rö 5, 1. 9; vgl. 1 Kor 6, 11), und andrerseits: „so w e r d e n durch den Gehorsam des e i n e n zu Gerechten gemacht werden die vielen" (Rö 5, 19), und: „wir erwarten im Geiste aus Glauben die Hoffnung der Gerechtigkeit" (Gal 5, 5)? Wer diese Aussagen auf zwei verschiedene Akte in der Gegenwart bzw. Vergangenheit und in der Zukunft deuten will, muß zeigen, daß es sich in beiden Akten tatsächlich um ein und dieselbe Wirklichkeit handelt und wo ihr Einheitspunkt liegt. Wer dagegen annimmt, daß Paulus ein und dieselbe Heilswirklichkeit zugleich in ihrer Gegenwärtigkeit und Zukünftigkeit sieht, muß erklären, worin der Unterschied von Gegenwart und Zukunft für den Gerechtfertigten besteht und von welchem Wert das „Interim" und seine ethische Anforderung für ihn ist. Hier zeigt sich, daß die Frage, wie in der paulinischen Rechtfertigungsbotschaft die „Ethik" der

[102] So Berakot 1, 5.

[103] So 4 Esr 7, 26ff. Vgl. F. Nötscher, a. a. O. 166.

[104] Vgl. H. Sasse: ThWNT I 206f.

[105] So E. Tobac, Justification, 203; G. Schrenk: ThWNT II 210f: Die Rechtfertigung ist „etwas Gegenwärtiges und Zukünftiges zugleich"; O. Kuss, Römerbrief, 125f; 129.

[106] So H. Hofer, Rechtfertigungsverkündigung, 54f; C. Haufe, Rechtfertigungslehre, 64. R. Schnackenburg, Ntl. Theologie, 95, spricht von einer „anfangsweisen" Verwirklichung des Heiles in der Gegenwart, die er jedoch als eine „reale Anteilnahme an den eschatologischen Heilsgütern verstanden" wissen will. Vgl. ders.: LThK ²VIII 1036.

Gerechtgesprochenen begründet wird[107], auch in unserer Fragestellung eine Rolle spielt[108].

Die Annahme, daß Paulus die eine Heilswirklichkeit, die er „die Gabe der Gerechtigkeit“ (Rö 5, 17) nennt, zugleich für gegenwärtig und zukünftig hält, hat E. Käsemann[109] mit einigen guten Gründen vertreten. Käsemann löst das Problem der divergierenden paulinischen Rechtfertigungsaussagen dadurch, daß er einerseits den Charakter der Rechtfertigungs*gabe*, also ihre Präsenz ernst nimmt, andrerseits die Gabe als eine den Menschen in Dienst nehmende Herrschaftsmacht charakterisiert, die immer auch den neuen Gehorsam der Gerechtgesprochenen zugleich intendiert und deren Heilskraft wesentlich in der „promissio“ besteht. Käsemanns Deutung der Rechtfertigungsgnade als ständig sich erfüllende göttliche „promissio“ setzt das eschatologische Schema von Verheißung und Erfüllung voraus. Hier muß jedoch gefragt werden, inwiefern die Erfüllung, die in der Heilsgegenwart als Gerechtgesprochensein erfahren wird, wirklich Erfüllung ist, also „Realität“ besitzt und wie sich zu ihr die noch ausstehende Erfüllung verhält. Käsemann sagt zwar: „Die göttliche promissio setzt also Realität“. Aber wirkt diese „Realität“, die für den biblischen Sprachgebrauch nicht als ontische im Sinne der griechischen Philosophie, sondern als Beziehungsrealität gedacht werden muß, nicht so „real“ und „aktual“ im Gerechtgesprochenen, daß dieser tatsächlich auch aus ihrer Präsenz zu leben vermag? Käsemann scheint demgegenüber das Hauptgewicht der Heilsrealität auf die Verheißung, also auf das, was im Menschen noch nicht Gegenwart geworden ist, zu legen, wenn er sagt: „Gegenwart des Geistes erfahren nicht bloß christliche Enthusiasten, sondern auch jüdische Apokalyptiker. Was die paulinische Theologie beiden gegenüber auszeichnet, ist vielmehr die unerhörte Radikalisierung und Universalisierung der promissio in der Lehre von der iustificatio impii“ [110]. Jedoch ist zu fragen, ob nicht die „Rechtfertigung des

[107] Diese Frage soll in einem späteren Abschnitt eigens behandelt werden; siehe S. 250.

[108] Die Erkenntnis, daß die ethischen Forderungen bei Paulus nicht von seiner eschatologischen Grundanschauung zu lösen sind, ließ auch R. Kabischs Werk, Die Eschatologie des Paulus in ihren Zusammenhängen mit dem Gesamtbegriff des Paulinismus, 1893, als Vorarbeit für eine geplante, jedoch nicht ausgeführte Darstellung der paulinischen „Ethik“ entstehen (vgl. sein Vorwort). R. Kabisch kommt neben J. Weiß das Verdienst zu, als erster in der Neuzeit die *grundsätzliche* Bedeutung der Eschatologie für die Theologie des Paulus erkannt zu haben, während bislang die Eschatologie nur als Anhang oder als *ein* Kapitel der Lehre des Paulus galt. Vgl. A. Schweitzer, Geschichte der Paulinischen Forschung, 41–49; W. G. Kümmel, Das Neue Testament, 274ff.

[109] ZThK 58 (1961) 373–378.

[110] ZThK 58 (1961) 375.

Gottlosen" bei Paulus ihren Grund weniger in der Verheißung des zukünftigen Heiles als vielmehr in Jesus Christus selbst hat, der die Offenbarung der „Gerechtigkeit Gottes" in der Jetztzeit ist. Die paulinischen Rechtfertigungsaussagen lassen erkennen, daß von der in Christus begründeten Heilsgegenwart aus eine heilvolle Zukunft eröffnet wird, nicht umgekehrt. Bei Käsemann scheint jedoch die christologische Begründung der Heilsgegenwart zu kurz zu kommen. Wir haben jedenfalls Käsemanns Konzeption von Gegenwarts- und Verheißungscharakter der Rechtfertigung im Auge zu behalten, wenn nun die Aussagen des Paulus über „gegenwärtige" und „zukünftige" Rechtfertigung im Zusammenhang seiner Geschichtsauffassung untersucht werden.

§ 14. Der Rechtfertigungsbegriff des Paulus vor dem Hintergrund seiner Eschatologie

1. Das paulinische Geschichtsverständnis

Paulus lebte als Christ in dem Bewußtsein, zu dem Geschlecht zu gehören, auf das „das Ende der Zeiten (τὰ τέλη τῶν αἰώνων)[111] gekommen ist" (1 Kor 10, 11). Damit ist nicht gemeint, daß er einer Weltuntergangsstimmung erlegen wäre. Vielmehr bedeutet das „Ende der Zeiten" einerseits das Vergehen der „Gestalt dieser Welt" (1 Kor 7, 31), andrerseits den Anbruch des Heiles, das „Offenbarwerden der künftigen Herrlichkeit" (Rö 8, 18), die „Freiheit der Herrlichkeit der Kinder Gottes" (8, 21). Daher versteht sich, daß die geschichtliche Bedeutung der Gegenwart für Paulus auf ihrem Verhältnis zum „Ende der Zeiten" gründet[112].

In der Beurteilung seiner gegenwärtigen geschichtlichen Situation lehnt Paulus sich an die spätjüdische Äonenvorstellung an[113]. „Dieser Äon"[114], der von der Macht des Bösen[115] beherrscht wird, gehört für ihn trotz seiner gegenwärtig noch anhaltenden Wirksamkeit (Gal

[111] Der Plural τὰ τέλη bezieht sich wohl auf die Vorstellung einer Vielzahl von Weltperioden in der Vergangenheit, die nun insgesamt ihr Ende und damit ihre Aufhebung in dem πλήρωμα der Jetztzeit gefunden haben. Vgl. G. Delling, Zeitverständnis, 112; Sasse: ThWNT I 203.

[112] Vgl. H. D. Wendland, Geschichtsanschauung und Geschichtsbewußtsein im NT, 23–39; O. Kuss, Römer, 275–291 (Exkurs: Die Heilsgeschichte); R. Schnackenburg: LThK ²III 1088–1093 (Eschatologie im Neuen Testament); H. Conzelmann: RGG ³II 665–672 (Eschatologie IV. Im Urchristentum); G. Schrenk, Die Geschichtsanschauung des Paulus, in: Studien zu Paulus, 1954, 49–80.

[113] Vgl. S. 35–37.

[114] Vgl. Rö 12, 2; 1 Kor 1, 20; 2, 6. 8; 3, 18; 2 Kor 4, 4.

[115] Vgl. 1 Kor 2, 8; 2 Kor 4, 4.

1, 4)[116] in einem grundsätzlichen Sinne, nämlich von Christus her, der Vergangenheit an, denn sein Ende ist jetzt schon mit dem Kommen Christi (Gal 3, 19) eingetreten. Die Aussagen, die Paulus über die Jetztzeit macht, haben daher nicht nur einen temporalen, sondern einen qualitativen Sinn. Das „Jetzt" ist für den Christen nicht einfach ein beliebiger Zeitpunkt in einem linear gedachten Zeitablauf[117], sondern das „Jetzt" ist in seiner Qualität bedingt durch das Christusereignis. Die Tatsache, daß Gott in der „Fülle" der Zeit seinen Sohn gesandt hat (Gal 4, 4) und damit den „Tag des Heiles" (2 Kor 6, 2) heraufführt, qualifiziert die Jetztzeit als neue Zeit: „Das Alte ist vergangen, siehe Neues ist geworden" (2 Kor 5, 17). Alles, was nicht „in Christus" (V. 17a) ist, gehört vom „Jetzt" des Heiles aus gesehen zu den ἀρχαῖα. Dies sind die Dinge, deren die Gläubigen sich „jetzt" schämen (vgl. Rö 6, 21). „Jetzt" aber, da sie „Gott erkannt" haben, vielmehr da sie „von Gott erkannt" sind (Gal 4, 9), haben sie sich gelöst von einem Leben nach den Gesetzen „dieses Äons". Zwar sind auch die an Christus Glaubenden noch nicht endgültig „diesem Äon" entronnen. Aber sie haben nun ihr Leben durch den Glauben[118] und durch die Taufe[119] in Christus gegründet und sich damit den Anforderungen des „neuen Lebens" (Rö 6, 4; vgl. Rö 7, 6) unterworfen[120].

Das Kommen Christi, die „Sendung des Gottessohnes" (Rö 8, 3; Gal 4, 4), bedeutet also das Ende des „alten Äons" und damit die Äonenwende. Der Schnitt zwischen dem alten und dem neuen Äon liegt im Tode Jesu am Kreuze. Seine Auferstehung[121] ist der Erweis der neuen Wirklichkeit, die mit seinem Tode angebrochen ist. Sie ist der Erweis der Lebensmacht Gottes, die die Herrschaft der Verderbensmächte, namentlich der Sünde und des Todes bricht[122] (vgl. 1 Kor 15, 21–26. 55–57). In diesem Sinne spricht Paulus Rö 10, 4 von Christus als dem „Ende des Gesetzes". Dieses bedeutet das Ende des Anspruchs des „alten Äons", auf keinen Fall sein Ziel[123]. Der Anbruch des neuen Äons, der sich in Jesus Christus ereignet, ist also nicht als ein Vorgang, der sich kontinuierlich aus dem Alten entwickelt, zu verstehen, sondern als die Offenbarung der Lebensmacht Gottes, die die ihr entgegenstehenden Mächte des alten Äons, Sünde, Tod und Gesetz, radikal entmachtet.

116 Die nähere Bestimmung „dieses Äons" durch ἐνεστώς kennzeichnet ihn „als etwas drohend Hereinstehendes", H. Schlier, Galater, 33.

117 Vgl. G. Delling, Zeitverständnis, 135.

118 Vgl. Gal 2, 20.

119 Vgl. Rö 6, 3–11.

120 Vgl. Rö 6, 12–23.

121 Vgl. H. Sasse: ThWNT I 207, 45–50.

122 Vgl. R. Kabisch, Die Eschatologie des Paulus, 320f.

123 Vgl. S. 97 Anm. 171.

Nun ist allerdings bezeichnend, daß Paulus zwar unmißverständlich von der Offenbarung der Gerechtigkeit Gottes als Erweis seiner Macht (vgl. Rö 1, 17; 3, 21) spricht, jedoch dieses Ereignis nicht ausdrücklich den Anbruch des „neuen Äons" nennt[124]. Paulus verläßt hier die Kategorien des apokalyptischen Äonenschemas und spricht von dem νῦν (Rö 3, 21) oder dem νῦν καιρός (3, 26) als der Eröffnung des Heiles und dem Glauben an Christus (3, 22), in dem die Offenbarung der „Gerechtigkeit Gottes" erfahren wird[125]. Er hat also das apokalyptische Äonenschema nur soweit benutzt, als es ihm zur Kennzeichnung des Bruchs, den der Tod Jesu als eschatologisches Ereignis gegenüber der Herrschaft der Sünde darstellt, dienlich sein konnte[126]. Jesu Tod wird im „Jetzt" der Verkündigung des Evangeliums als Eschaton erfahren[127]. Im Glauben wirkt das Christusereignis seine end-gültige und end-geschichtliche Intensität aus. Sie besteht darin, daß das Christusereignis dem Glaubenden als seine neue Möglichkeit erscheint, nämlich als die Möglichkeit, der noch anhaltenden Bedrohung durch die Gewalt des „alten Äons" (vgl. Gal 1, 4) im Anschluß an Christus zu entgehen. Der Glaubende hat das Ende des „alten Äons" schon hinter sich, schon „im Rücken"[128], da er sich „in Christus", d. h. grundsätzlich, schon dem „Neuen" zugewandt hat.

Der Bezug auf das Eschaton, das in Christus gekommen ist, stellt nur

[124] Vgl. H. E. Weber, „Eschatologie" und „Mystik" im NT (Beitr. zur Förderung christl. Theol., II, 20), 1930, 11; H. Sasse: ThWNT I 206, 18–22; O. Kuss, Römer, 278. Zu Eph 1, 21 vgl. dieselben.

[125] G. Schrenk, Geschichtsanschauung, 78.

[126] Hier zeigt sich die Grenze der Abhängigkeit des Apostels von der Apokalyptik. Zur Bedeutung der Apokalyptik bei Paulus vgl. L. Goppelt: ThLZ 89 (1964) 321–344, besonders 324–328.

[127] Vgl. zu Rö 1, 16f S. 85–89.

[128] O. Kuss, Römer, 289; H. J. Schoeps, Paulus, 96. – Unter Bezugnahme auf Rö 10, 4 (Christus das Ende des Gesetzes) suchen E. Fuchs, Christus das Ende der Geschichte, in: Zur Frage nach dem historischen Jesus (Ges. Aufsätze II), 1960, 91, und H. Conzelmann: RGG ³II 669f, die Äonenwende bei Paulus als „Ende der Geschichte" zu interpretieren. Vgl. auch E. Dinkler: The Idea of History in the Ancient Near East, 1955, 170–214 (Earliest Christianity), bes. 182; ders.: RGG ³II 1477, und H. J. Schoeps, Paulus, 95–110: Paulus als „Denker der postmessianischen Situation". Die Deutung des „Gesetzes" als Geschichte scheitert jedoch an den geradezu geschichtslosen Aussagen des Apostels über das Gesetz und seine Unheilsfunktion. Die paulinische Beschreibung des Menschen unter dem Gesetz hat nicht so sehr die Zeit vor Christus als einen Geschehenszusammenhang im Auge als vielmehr die Verlorenheit des Menschen unter der Macht der Sünde. Der alte Äon, der in Christus grundsätzlich sein Ende gefunden hat, ist nach paulinischer Anschauung nicht die Geschichte schlechthin, sondern die verfehlte Geschichte der Menschheit ohne Christus, die als negative Möglichkeit auch in der Heilsgegenwart des Glaubenden noch ernst genommen werden muß.

die eine Seite des Geschichtsbewußtseins des Paulus dar[129]. Im „Jetzt" des Glaubens ist der Zugang zum eschatologischen Heil zwar grundsätzlich eröffnet, aber der Glaubende wird nicht zum Schwärmer, der die noch anhaltende Wirksamkeit des alten Äons leugnete. Als „neue Schöpfung" (2 Kor 5, 17) weiß er sich grundsätzlich dem Ablauf des „Alten" entnommen. Aber er lebt das „neue Leben" (Rö 6, 4) oder das „Leben im Glauben" nicht zeit- und geschichtslos, sondern „im Fleische" (Gal 2, 20)[130], das bedeutet: Der Christ lebt nach Paulus in der paradoxen Einheit von Glaube und Geschichte. Das Leben des Glaubenden „im Fleische" ist nicht als ein Signum seiner Zugehörigkeit zum „alten Äon" zu verstehen, sondern sein Leben „im Fleische" bedeutet die Möglichkeit der Verfehlung seiner Heilszukunft, die ihm auf Grund des Christusereignisses als „neues Leben" schon eröffnet ist. Die Spannung zwischen dem schon erfahrenen „Neuen" und der Möglichkeit, die Zukunft des schon erfahrenen „Neuen" zu verfehlen, löst sich nach der paulinischen Anschauung bei der Parusie Christi, deren Nähe für Paulus in 1 Thess 1, 9f; 4, 13–17; 5, 1f; Phil 4, 5; 1 Kor 7, 29. 31; 15, 23 feststeht und in Rö 8, 17–25; 13, 11f; 1 Kor 15, 35–37 vorausgesetzt wird. Hiermit wird die noch ausstehende Geschichte trotz ihrer grundsätzlichen zeitlichen Begrenztheit als Heilsmöglichkeit für den Menschen ernst genommen, und zwar nicht nur im Sinne einer noch bleibenden Frist zur Bekehrung für die noch nicht Glaubenden (vgl. Rö 9–11), sondern auch als Möglichkeit für die Glaubenden im Hinblick auf die baldige Parusie Christi.

Paulus hat nun beide Gedanken miteinander zu verbinden gewußt[131]: einerseits den an die bereits erfolgte Offenbarung der „Gerechtigkeit Gottes" durch den Glauben an Christus, andrerseits den an die noch ausstehende „Rettung" (vgl. Rö 5, 9) und „Verherrlichung" (vgl. Rö 5, 2). Mit diesem Gegenüber treibt er nicht etwa nur ein geschicktes dialektisches Spiel, sondern er vermag damit die durch den

[129] Vgl. H. D. Wendland, Geschichtsanschauung, 28: „Die Geschichtsanschauung des Paulus ist Christus-Glaube". Vgl. auch G. Schrenk, Geschichtsanschauung, 78f.

[130] Vgl. 2 Kor 10, 3 (περιπατεῖν ἐν σαρκί); Phil 1, 22–24, wo Paulus das ζῆν ἐν σαρκί bzw. ἐπιμένειν ἐν σαρκί mit dem ἀναλῦσαι und dem σὺν Χριστῷ εἶναι abwägt. Vgl. E. Lohmeyer, Der Brief an die Philipper (Krit.-exeget. Kommentar über das NT, 9), [12]1961, 64: „‚Fleisch' ist der Inbegriff von Geschichte und Welt". G. Delling, Zeitverständnis, 107–109, versteht das „Sein mit Christus" (Phil 1, 24) in Parallele zum griechischen Denken als „Ausdruck einer absoluten, überzeitlichen Existenzweise", grenzt die ntl. Bestimmung dieses Ausdrucks jedoch dadurch ab, indem er ihn als „Paradox" einer „zeitenthobenen Lebendigkeit" bezeichnet. Zur Auslegung der ganzen Stelle Phil 1, 22–26 vgl. auch H. E. Weber, „Eschatologie" und „Mystik", 54–58, hier 57: „Nun ist freilich die Bindung an Christus auch die Wendung zur ‚Geschichte' ".

[131] Vgl. W. G. Kümmel: NTSt 5 (1958/59) 123.

Glauben an Christus begründete „heilsgeschichtliche“ Existenz des Christen zu beschreiben, die nicht nur einseitig durch das zurückliegende Heilsgeschehen erfaßt und bestimmt wird, sondern die ihre bleibende Bedeutung von der Zukunft erhält, die mit dem Christusgeschehen eröffnet wurde. „Jetzt ist unser Heil näher als damals, da wir gläubig wurden“ (Rö 13, 11)[132]. „Heilsgeschichte“ ist die Jetztzeit der Glaubenden insofern, als Gott seinen Sohn in der „Gleichgestalt des Fleisches der Sünde“ gesandt hat, d. h. als der Sohn Gottes Mensch, das ἔσχατον Zeit, das Heil Geschichte geworden ist[133] und die so durch Christus qualifizierte Geschichte der Ort ist, an dem die Glaubenden ihr zukünftiges Heil erwarten.

Der Begriff „Heilsgeschichte“ ist nicht so eindeutig, wie vielfach angenommen wird[134]. Daher bedarf seine Verwendung für die Darstellung der paulinischen Theologie einer kurzen Erläuterung. Er wird in der Regel gebraucht zur Bezeichnung der menschlichen Geschichte unter dem Gesichtspunkt des Heiles oder mit anderen Worten: zur Beschreibung der Geschichte Gottes mit den Menschen[135]. O. Cullmann[136] bevorzugt diesen Begriff, um die urchristliche Zeit- und Geschichtsauffassung zu erklären. Allen ntl. Schriften liege ein lineares Zeitverständnis im Gegensatz zum zyklischen des Hellenismus zugrunde. Die linear aufgefaßte biblische Offenbarungsgeschichte habe in der

132 Die hier ausgesprochene „Naherwartung“ (vgl. Sanday–Headlam, Romans, 379–381; M.-J. Lagrange, Romains, 319–321; E. Gaugler, Römer II, 302–307; O. Kuss, Römer, 285f) ist nicht für sich Thema einer Reflexion, sondern sie wird in einem paränetischen Zusammenhang als Motiv der „Wachsamkeit“ (vgl. auch 1 Thess 5, 6) verwandt. Daß die Kürze der Zeit bis zur Parusie aber auch die Gestalt des christlichen Lebens in der „Jetztzeit“ wesentlich bestimmt, zeigt z. B. 1 Kor 7, 29. 31. – W. Michaelis, Der Herr verzieht nicht die Verheißung, 1942, 55–58, betont mit Recht, daß Paulus Rö 13, 11f „seine Betrachtung mehr an den rückliegenden Ereignissen“ ausrichtet. „Die in der Vergangenheit liegende Tatsache der Bekehrung ist dem Apostel ein Unterpfand für die Nähe des Jüngsten Tages“.

133 Vgl. H. D. Wendland, Geschichtsanschauung, 26: „Die Offenbarung und das Heil“ haben „eine Art von Zeitlichkeit“ geschaffen, „die zuvor nicht war, nämlich die erfüllte Zeit, und auch einmal nicht mehr sein wird, am Tage des Endes“.

134 O. Kuss, Römer, 286, hält ihn für „vortrefflich geeignet“, um das „Ganze“ der „Kundgebungen Gottes“ in der Geschichte zu bezeichnen. Hingegen urteilt G. Schrenk, Geschichtsanschauung, 58: „Das Wort Heilsgeschichte ist mehr ein Bonmot als ein brauchbarer Begriff. Es wirkt in ihm nach die Schleiermachersche Idee des ‚Gesamtlebens‘ “. C. K. Barrett, From first Adam to last. A study in Pauline theology, 1962, 4, hat recht, wenn er sagt: „This is an attractive term, and if it is carefully defined it can be applied to the Pauline system. It is not however completely satisfactory“. – Zum Thema vgl. neuerdings auch C. Dietzfelbinger, Heilsgeschichte bei Paulus? (Theologische Existenz heute, N. F. 126), 1965, und L. Goppelt, Paulus und die Heilsgeschichte: Schlußfolgerungen aus Röm. IV und I. Kor. X. 1–13, in: NTSt 13 (1966) 31–44.

135 Vgl. R. Schnackenburg: LThK ²V 148–153 (Die biblische Heilsgeschichte).

136 Christus und die Zeit.

Einmaligkeit der Christustat ihre Mitte, von der aus sich die Zeit in eine heilsgeschichtliche Vergangenheit und Zukunft teile [137].

„Heilsgeschichte" umfaßt danach das Ganze der Geschichte von der Schöpfung bis zur Parusie unter dem Gesichtspunkt der göttlichen Heilsveranstaltungen.

Für das AT und den Zusammenhang von AT und NT hat G. v. Rad [138] den Begriff der „Heilsgeschichte" besonders vertreten. „Heilsgeschichte" sei im AT nicht die bloße Aneinanderreihung von einzelnen Ereignissen, sondern die Darstellung der überlieferten Einzelgeschichten auf eine geschichtliche Zukunft hin, „die Gott aus seinen Händen entlassen wird" [139]. Die „eigentümliche Offenheit" der Geschichtsüberlieferungen Israels auf Zukunft hin fordere ihre ständige Neuinterpretation, die in der Interpretation des AT im NT ihre Endgültigkeit erreiche [140].

O. Kuss[141] sieht die Berechtigung zur Anwendung des Begriffs „Heilsgeschichte" auf das paulinische Geschichtsverständnis darin begründet, daß sich nach Paulus „durch die Geschichte ... in ihrem Auf und Ab ... – nur dem Auge des Glaubenden, des durch die Offenbarung Gottes Belehrten – eine kontinuierliche Reihe von geschichtlich faßbaren, dem Interesse der Weltgeschichte jedoch zumeist entgehenden und auch häufig nicht zugänglichen Kundgebungen Gottes" [142] ziehe. Tod und Auferweckung Jesu sollen die Mitte der so verstandenen „Heilsgeschichte" darstellen.

Kuss setzt für das paulinische Geschichtsverständnis die lineare Geschichtsbetrachtung voraus, die zweifellos dort, wo Paulus im Weissagungsbeweis auf das AT rekurriert, wie in Rö 4 und Gal 3, vorliegt. Aber die Verheißungen des AT findet Paulus nicht schlechthin als Daten der vorchristlichen Geschichte vor, sondern sie erscheinen ihm als solche erst vom Christusgeschehen her. Paulus sieht die „Kundgebungen Gottes" im Alten und Neuen Bund weder in einem „kontinuierlichen Ablauf" (Kuss), noch beschreibt er sie in ihrem zeit-

137 Vgl. O. Cullmann, a. a. O. 117–134; ders., Heil als Geschichte, 131–146 und 166–267 (Die neutestamentlichen Haupttypen).

138 Theologie II, 370–401.

139 G. von Rad, Theologie II, 374.

140 Vgl. G. von Rad, a. a. O. 397; ders., Antwort auf Conzelmanns Fragen, in: EvTh 24 (1964) 388–394: „Es handelt sich ja nicht um eine in Erz gegossene Heilsgeschichte von Adam bis Christus, aber doch um einen heilsgeschichtlichen Trend, um einen theologischen Griff hinaus in die größeren Räume der Geschichte, und da sich das NT nun seinerseits selber geschichtstheologisch vielfältig mit dem AT verschränkt hat, hört die Sache auf, eine spezifisch alttestamentliche Angelegenheit zu sein. Auch Paulus hat in Rö 5, 13f. 20 die alttestamentliche Geschichte großartig-gewaltsam periodisiert. Ist hier gar nichts Lineares? Wird hier jede erwählungsgeschichtliche Kontinuität bestritten?" (391).

141 Römer, 275–291.

142 Ebd. 286. – Vgl. auch J. Munck, Paulus und die Heilsgeschichte (Acta Jutlandica, XXVI, 1), 1954, der allerdings der Meinung ist, daß Paulus die gesamte „Heilsgeschichte" auf die „Fülle der Heiden" (Rö 11, 25) als den „entscheidenden Wendepunkt" gerichtet sehe und sich selbst daher wegen seiner apostolischen Funktion an den Heiden als die entscheidende heilsgeschichtliche Gestalt betrachtet habe (vgl. 41, 53 u. a.).

lichen Nacheinander, sondern er sieht die Geschichte vielmehr als durch das Christusgeschehen gebrochen. Die Zeit vor Christus ist nicht Heilsgeschichte, sondern Unheilsperiode, in der der Mensch unter den Mächten „dieses Äons", nämlich der Sünde, des Todes, des Gesetzes und des Fleisches, steht. Das schließt selbstverständlich nicht aus, daß Paulus ein zusammenhängendes Wissen von den im AT berichteten Ereignissen der Geschichte Israels gehabt und die Werte des Alten Bundes anerkannt hat, wie Rö 9 zeigt. Aber er unterscheidet in Rö 9, 8 doch die „Kinder der Abstammung (aus Israel)" und die „Kinder der Verheißung (die an Abraham ergangen ist)", um zu zeigen, daß die Heilsgeschichte der Jetztzeit, also der Erfüllungszeit nicht die geradlinige Fortführung der atl. Bundesgeschichte ist, sondern durch das besondere Eingreifen Gottes in Christus zustandegekommen ist. Die Geschichte des „Neuen Bundes" ist also nicht schon in der des „Alten Bundes" schlechthin im voraus festgelegt, sondern das Christusereignis beendet die Geschichte als Geschichte der sündig gewordenen Menschheit und eröffnet zugleich eine neue, vom Ende, das Christus ist, und damit auch vom endgültigen Heil gekennzeichnete „Geschichte", die wir Heilsgeschichte im paulinischen Sinne nennen können.

Innerhalb dieser paulinischen heilsgeschichtlichen Betrachtung haben die Ereignisse der atl. Geschichte, die Paulus nun zur Beschreibung des eschatologischen Heilsgeschehens in der Jetztzeit heranzieht, vorzüglich typologische Bedeutung [143]. Die typologische Betrachtungsweise, die er als ein Prinzip der atl.-jüdischen Eschatologie vorfindet und die zu seiner Zeit in der jüdischen und urchristlichen Apokalyptik unter starker Benutzung der orientalischen Wiederkehrvorstellung [144] zur (vielfach breit ausmalenden) [145] Darstellung der Endzeit angewendet wurde, erlaubte es Paulus, einen eklektischen Gebrauch mit den im AT geschilderten Ereignissen zu machen. Diese dienen ihm nicht als Schriftbeweise, die er etwa aus einer als Ganzes verstandenen Offenbarungsurkunde entnähme, sondern in der Auswahl der von ihm herangezogenen atl. Ereignisse wird deutlich, daß es ihm auf ihren Entsprechungscharakter zum Christusgeschehen ankommt. Sie beweisen als solche nichts für sich. Ihre Beweiskraft besteht vielmehr in ihrem direkten oder antithetischen Bezug auf das Christusereignis. Von hierher werden sie zu sprechenden Bildern „eines sich in der Ge-

[143] Vgl. R. Bultmann, Ursprung und Sinn der Typologie als hermeneutischer Methode, in: ThLZ 75 (1950) 205–212; G. v. Rad, Die typologische Auslegung des AT, in: EvTh 12 (1952/53) 17–33; L. Goppelt: ThLZ 89 (1964) 321–344; ders.: ThWNT VIII 251–256, und K. Galley, Altes und neues Heilsgeschehen bei Paulus (Arbeiten zur Theologie I, 22), 1965, der allerdings – in kritischer Auseinandersetzung mit dem üblichen Gebrauch des Wortes „Typologie" (vgl. vor allem 54–57) – den Begriff „Typos" für die Darstellung der Entsprechung von „Altem" und „Neuem" bei Paulus vermieden wissen möchte. Doch erscheinen seine Bedenken (S. 56f) nicht gravierend genug, um die eingeführte Bezeichnung wieder abzuschaffen.

[144] Zu der altorientalischen Anschauung, daß die Ereignisse der Urzeit sich in der Endzeit wiederholen, vgl. H. Gunkel, Schöpfung und Chaos in Urzeit und Endzeit, [2]1921. Nach R. Bultmann: ThLZ 75 (1950) 207, entstand die Typologie durch „Eschatologisierung des Wiederholungsmotivs". Kritisch hierzu L. Goppelt: ThLZ 89 (1964) 334–336, und K. Galley, a. a. O. 60–65.

[145] Vgl. vor allem die spätjüdischen Apokalypsen, die sich durchweg an die Urgestalten der atl. Geschichte anlehnen.

schichte vollziehenden Heilshandelns Gottes"[146]. Als von Gott gesetzte Zeichen und Hinweise signalisieren sie für diejenigen, die sie verstehen, die Ankunft der Endzeit und des eschatologischen Heilsgeschehens. Dieses erscheint im Lichte der Entsprechung von „Altem" und „Neuem" den atl. Ereignissen nicht nur relativ gleich, sondern überbietet sie zugleich in absoluter, endgültiger Weise[147]. Beispiele hierfür sind die Sara-Hagar-Geschichte (Gal 4, mit Allegorese vermischt), die Glaubensgerechtigkeit Abrahams (Rö 4; vgl. Gal 3), die Adam-Christus-Parallele (Rö 5, 12–21; 1 Kor 15, 24f. 44–49), der alte und der neue Bund (2 Kor 3, 6–13) sowie die Auslegung einzelner Ereignisse der Wüstenwanderung in 1 Kor 10, wozu Paulus selbst folgende Erklärung gibt: „Das aber ist an jenen vorbildlich geschehen; aufgeschrieben aber ist es zur Ermahnung für uns, auf die die Enden der Äonen gekommen sind" (1 Kor 10, 11). Hieraus wird der Sinn der Typologie bei Paulus deutlich: Als vergangenes Geschehen sind die atl. Ereignisse typisches Geschehen; als „aufgeschriebenes" Geschehen bezeugen sie der gegenwärtigen Generation die eigentliche Intention des Typos, die im Antityp entdeckt wird.

„Heilsgeschichte" gibt es also für Paulus im Sinne von „Endzeit", d. h. der gegenwärtigen Zeit, die zur Vergangenheit hin durch Christus als das „Ende der Äonen" und zur Zukunft hin durch die Parusie Christi begrenzt ist und so „in höchstem Maße als einmalige Erfüllung offenbar"[148] wird. Sie ist der καιρός, der von Gott als letzte Zeit geschaffen ist, der καιρὸς εὐπρόσδεκτος (2 Kor 6, 2), den die Gläubigen kennen und den sie mit ihrer Wachsamkeit erfüllen (Rö 13, 11), in dem sie ihr Heil wirken sollen (Phil 2, 12), der aber auch wegen der Spannung der Glaubensexistenz voller Prüfungen und Leiden ist (Rö 8, 18. 23; 12, 2)[149].

Da die Naherwartung der Parusie[150] das eschatologische Geschichts-

[146] L. Goppelt: ThLZ 89 (1964) 334. Das bedeutet allerdings nicht, daß „von hier aus ... das ganze AT als τύπος auf die Endzeit hin" erscheint, wie O. Michel, Paulus und seine Bibel, 153, meint. Es geht vielmehr „um spezielle Teleologie je eines besonderen atl. Geschehens" (K. Galley, a. a. O. 51).

[147] Darauf weisen besonders deutlich die Steigerungsformeln (πολλῷ μᾶλλον und οὐχ ὡς – οὕτως) in Rö 5, 12–21 hin.

[148] G. Delling, Zeitverständnis, 135; vgl. auch 136: „Für die jüdische Zukunftserwartung liegt der Schnitt so, daß die Gegenwart inhaltlich auf der Seite der Vergangenheit liegt – für die christliche Heilsgewißheit so, daß die Gegenwart inhaltlich schon zur Zukunft gehört". Vgl. auch G. Bornkamm, Mythos und Evangelium, 25: „Paulus meint faktisch eine neue Geschichte; ... die neue Geschichte Christi ... hat wie alle Geschichte ihre Vergangenheit, ihre Gegenwart und Zukunft".

[149] Vgl. besonders Rö 5, 3f, wo als Kennzeichen des gegenwärtigen Heilsstandes neben der „Hoffnung auf die Herrlichkeit" die θλίψεις genannt werden, womit nicht Trübsal und menschliche Belastungen schlechthin gemeint sind, sondern insofern sie durch die Gnade Gottes (vgl. V. 2) Geduld (ὑπομονή, vgl. 8, 25 u. a.) und darüber hinaus (Paulus bedient sich hier eines Kettenschlusses) Bewährung (δοκιμή) und so Stärkung der Hoffnung bewirkt.

[150] Vgl. B. Rigaux, La seconde venue de Jésus, 178–187.

verständnis des Apostels Paulus entscheidend geprägt hat[151], stellt sich die Frage, ob das Ausbleiben der Erfüllung dieser Erwartung, also die „Parusieverzögerung", eine Umstrukturierung seines eschatologischen Bewußtseins veranlaßt hat, und ob damit die Heilslehre des Apostels nicht eine stärkere Bezogenheit auf die „heilsgeschichtliche" Vergangenheit erfahren hat. Hierzu ist zu sagen, daß die Umstellung von einem stark ausgeprägten eschatologischen Gegenwartsbewußtsein des Urchristentums zu einem institutionellen Kirchenbewußtsein, wie es die späteren Schriften des NT bezeugen, zwar bei Paulus noch nicht stattfindet, daß eine solche Umstrukturierung aber bei ihm durchaus schon vorbereitet ist. Die sich längende Zeit bis zur Parusie Christi hat wohl nicht in dem Maße zu einer Enttäuschung geführt, wie man oft gemeint hat[152]. Denn Paulus hat von Anfang an Gemeinden gegründet und in ihnen ein eschatologisches Bewußtsein geweckt, das der Entwicklung kirchlicher Strukturen nicht hinderlich war. Zudem war seine Heilsbotschaft nicht einseitig an der „Naherwartung" orientiert, sondern von Anfang an zuerst an dem Glauben, durch den das Heil schon als in Christus gegenwärtig erfahren wird. So wird z. B. 1 Thess 4, 3–8 die Mahnung zur Heiligung nicht etwa, was nahe gelegen hätte, mit der Naherwartung der Parusie, sondern mit der in der Taufe erfahrenen Berufung durch Gott und der Sendung des Hl. Geistes begründet. Mit der Beziehung auf die „heilsgeschichtliche" Vergangenheit ist also nicht notwendig eine Auflösung des eschatologischen Bewußtseins gegeben. Der etwas später geschriebene Römerbrief ist ein Zeugnis dafür, daß das sich anmeldende „Problem der Parusieverzögerung" nicht zu einer einseitigen Verlagerung der Heilslehre auf die vergangene Erfahrung des Gläubigwerdens führt, sondern daß das

151 Vgl. R. Schnackenburg, Gottes Herrschaft, 148.

152 Besonders A. Schweitzer, Mystik, 100f; 112–114, und die auf ihn zurückgehende „Schule der konsequenten Eschatologie" (M. Werner, F. Buri) betonen die „Parusieverzögerung" als Grund für die Umformung der ursprünglichen eschatologischen Heilslehre des Urchristentums zur „eschatologischen Christusmystik" des „Gestorben- und Auferstandenseins mit Christo" bei Paulus. In den Spuren der „konsequenten Eschatologie" wandelt auch H. J. Schoeps, Paulus; vgl. besonders 104–110. „Die Sakramente sollen der Parusieverzögerung entgegenwirken, indem sie den erhöhten Christus – seine Wiederkehr vorwegnehmend – in der Gemeinde gegenwärtig machen" (110f). „Um die Parusieverzögerung zu erklären, die Fragen der Gläubigen zu beheben und den Angriffen der Ungläubigen vorzubeugen, ist Paulus ‚Schriftsteller' geworden, der erste Theologe der Christenheit" (121). Zur Kritik der „konsequenten Eschatologie" vgl. W. Michaelis, Der Herr verzieht nicht die Verheißung, 63–73; H. Schuster, Die konsequente Eschatologie in der Interpretation des Neuen Testaments, kritisch betrachtet, in: ZNW 47 (1956) 1–25. Vgl. auch R. Schnackenburg: LThK ²VII 777f und J. Gnilka, „Parusieverzögerung" und Naherwartung in den synoptischen Evangelien und in der Apostelgeschichte, in: Catholica 13 (1959) 277–290, bes. 286f.

eschatologische Bewußtsein von der Nähe des Heiles sowohl an der Zukunft der Parusie Christi wie auch an der Vergangenheit der Bekehrung orientiert bleibt (vgl. Rö 13, 11f), weil die vergangene Heilserfahrung in Christus nicht nur das Ende des alten Äons, sondern auch die Eröffnung der Zukunft, also Anfang der Heilsvollendung ist[153]. Von diesem bleibenden eschatologischen Bewußtsein sind auch die Rechtfertigungsaussagen des Apostels Paulus getragen.

2. *„Rechtfertigung" als Aussage über die Gegenwärtigkeit des eschatologischen Heils*

Die Rechtfertigungsbotschaft des Apostels setzt einen Zeitbegriff und ein Geschichtsbild voraus, in denen die gegenwärtige Heilszeit nicht nur als eschatologische Erfüllung der Verheißung Gottes gesehen wird, sondern auch als Eröffnung einer Zukunft, die die Vollendung des gegenwärtigen Heiles bringt. In diesen Rahmen ordnen sich auch die futurischen Heilsaussagen des Paulus ein, die nun exegesiert werden sollen (a). Aus der richtigen Einordnung dieser Aussagen ergibt sich das „eschatologische" Verständnis des paulinischen Rechtfertigungsbegriffs (b).

a) Die futurischen Heilsaussagen

Zunächst ist festzustellen, daß die drei Stellen[154], an denen die Rechtfertigungsaussage auf die Zukunft bezogen ist, Rö 2, 13; 5, 19 und Gal 5, 5, keinen Gegensatz zur gegenwärtigen Rechtfertigung ausdrücken.

In *Rö 2, 13* spricht Paulus die Rechtfertigungsthese des Judentums aus: „Nicht die Hörer des Gesetzes sind vor Gott gerecht, sondern diejenigen, die das Gesetz tun, werden gerechtgesprochen werden"[155].

[153] Gegen J. A. T. Robinson, Jesus and His Coming. The emergence of a doctrine, 1957, 160f. Vgl. W. G. Kümmel: NTSt 5 (1958/59) 125: „Darum hat sich zwar in den nachpaulinischen neutestamentlichen Schriften die Betonung der eschatologischen Erfüllung in der geschichtlichen Vergangenheit des Menschen Jesus und der geschichtlichen Gegenwart der Gemeinde Christi verstärkt, aber die Erwartung der nahen Heilsvollendung ist bis hin zur johanneischen Theologie die sinngebende Grenze der präsentischen Heilsaussage geblieben".

[154] Unberücksichtigt bleiben hier die futurischen Aussagen in Rö 3, 20 und Gal 2, 16, da es sich um Zitate aus LXX handelt, sowie in Rö 3, 30, wo wir mit E. Kühl, Römer, 129, O. Kuss, Römer, 178 u. a. (O. Michel, Römer, 112; R. Bultmann, Theologie, 274: „vielleicht") ein „gnomisches", „logisches" Futur annehmen. Zur Begründung vgl. G. B. Winer, Grammatik des ntl. Sprachidioms, [6]1855, § 40 (S. 251). Für ein „zeitliches" Futur tritt ein G. Schrenk: ThWNT II 222.

[155] Vgl. O. Michel, Römer, 77 Anm. 1: „Die Ausdrucksweise δίκαιοι παρὰ θεῷ ist ganz offenbar semitisch ... Der Satz war ursprünglich hebräisch oder

Paulus bekennt sich zu diesem Grundsatz. Daneben aber stellt er fest, daß kein Mensch auf Grund von Gesetzeswerken vor Gott gerecht wird (vgl. Rö 3, 20). Denn alle sind Sünder (vgl. 3, 9–12. 23). Paulus gebraucht in Rö 2, 13 das Futur [156], denn er erwartet mit den Juden zusammen die Gerechtsprechung vom zukünftigen Gericht Gottes über die Welt, wovon in V. 12 ausdrücklich die Rede ist (κριθήσονται). Die vom Juden erwartete Heilszukunft hat sich nach Paulus nun aber schon erfüllt, zwar anders als der Jude erwartete, nämlich ohne Gesetz und durch Glauben an Jesus Christus (vgl. Rö 3, 21f). Die Zukunftserwartung, die in der Rechtfertigungsaussage von Rö 2, 13 vorliegt, hat also ihre „christliche" Erfüllung in der Gegenwart gefunden. Ob darüber hinaus der Grundsatz von Rö 2, 13 auch für die Christen noch Geltung hat in dem Sinne, daß auch sie ihre Gerechtsprechung vom zukünftigen Weltgericht noch erfahren werden [157], ist aus dem Kontext dieser Stelle nicht abzuleiten. Jedenfalls lag Paulus im Zusammenhang von Rö 1, 18 – 3, 20 zunächst daran, das Bild der vorchristlichen, heillosen Menschheit zu entwerfen. In diesem Rahmen ist auch Rö 2, 13 zu verstehen.

In *Rö 5, 19* erhält die futurische Aussage über die Rechtfertigung (δίκαιοι κατασταθήσονται) ihre volle Bedeutung von der Adam-Christus-Typologie in Rö 5, 12–21 her. Der Antithese Adam-Christus entspricht die andere, zwar hier nicht ausdrücklich genannte, aber doch in verschiedenen Begriffspaaren deutlich abgewandelte von altem und neuem Äon. Hierzu gehören auch die in V. 19 genannten antithetischen Glieder παρακοή – ὑπακοή und ἁμαρτωλοὶ κατεστάθησαν – δίκαιοι κατασταθήσονται. Wie durch Adams Ungehorsam die Menschen zu Sündern wurden, so werden sie durch Christi Gehorsam „als Gerechte ‚konstituiert' [158] werden".

aramäisch formuliert". – Als Parallele zu ποιηταὶ νόμου vgl. Jak 1, 23; 4, 11, außerdem 1 Makk 2, 67; 13, 48; 1 QpHab 7, 11; 8, 1; 12, 4f. Offenkundig handelt es sich hier um einen festen Terminus zur Bezeichnung der „Gesetzestreuen", der „offenbar eschatologisch ausgerichteten Kreisen geläufig gewesen" ist. Vgl. J. Maier, Texte II, 146.

156 Vgl. A. Schlatter, Gottes Gerechtigkeit, 87: „δικαιωθήσονται ist ein ernst gemeintes Futurum". Vgl. auch Sanday–Headlam, Romans, 59; M.-J. Lagrange, Romains, 135; E. Tobac, Justification, 200; O. Kuss, Römer, 68.

157 So etwa E. Kühl, Römer, 78. Kühl betont, daß für Christen dieselben Maßstäbe der Beurteilung im Endgericht gelten wie für Juden und Heiden, jedoch mit dem Unterschied, daß die „Entscheidung über Rechtfertigung, Errettung und Teilnahme am Leben" nicht von den Gesetzeswerken abhängt, sondern für den Christen hat das Gericht „nur noch die Bedeutung, daß es den relativ höheren oder geringeren Wert seiner sittlichen Lebensarbeit zum Ausdruck bringt". Damit ist jedoch von Kühl das Endgericht verharmlost, denn es ist ja eigentlich nicht mehr von der Möglichkeit des Heilsverlustes die Rede.

158 Thomas Aq., In ep. ad Rom.: Fretté-Maré XX, 458: „causae enim similes sunt suis effectibus; inobedientia autem primi parentis, quae habet rationem

Das „konstitutive" Element der Gerechtigkeit der Gerechten ist der rechtfertigende Urteilsspruch Gottes. Dieser wird durch das Verb καθίστημι ausgedrückt, ohne daß hiermit ein Gegensatz von Urteil und Wirklichkeit intendiert würde[159]. Die Sünder gelten nicht nur als solche, sondern sie sind wirklich Sünder. Ebenso ist auch die Aussage über die Gerechten zu deuten[160]. So wenig die forensische Bedeutung der Antithese ἁμαρτωλοὶ κατεστάθησαν – δίκαιοι κατασταθήσονται die effektive Bedeutung ihres Aussageinhaltes ausschließt, so wenig schließt das Futur κατασταθήσονται eine echte präsentische Bedeutung der in ihr ausgedrückten Rechtfertigungsaussage aus.

Die futurische Zeitform stellt den zukünftigen Zustand aller Menschen vom Standort der Äonenwende, also von Christus aus dar[161]. Sie werden durch die Gehorsamstat Christi zu Gerechten gemacht werden. Der Hauptakzent des ganzen Verses liegt auf der Auswirkung der Gehorsamstat Christi im Gegensatz zum Ungehorsam Adams. Nun erschöpft sich die futurische Aussage über die Wirkung der ὑπακοή Christi nicht, wie einige meinen[162], in der rein innerzeitlichen Erwartung, daß sich die Fruchtbarkeit des Todes Christi in der Zukunft auf die einander folgenden Generationen der Christen erstrecken werde. Denn eine Beschränkung der Heilsaussage auf diejenigen, die tatsächlich einmal die Rechtfertigung auf Grund des Glaubens erfahren werden, liegt nicht im Blick der Aussage von V. 19. Der typologischen Redeweise entspricht es vielmehr, daß, wie in Adam die adamitische Menschheit, in Christus die neue, eschatologische Menschheit, also jedesmal die Gesamtheit, verkörpert erscheint. Über das Heil des einzelnen wird in diesem Vers nichts gesagt[163]. Paulus spricht in Rö 5, 12–21 einem echten Universalismus

injustitiae, constituit peccatores et injustos: igitur obedientia Christi, quae habet rationem justitiae, constituit justos". Vgl. auch Sanday–Headlam, Romans, 142; M.-J. Lagrange, Romains, 111.

159 Vgl. A. Oepke: ThWNT III 447–449: „Die Betonung eines Auseinanderklaffens von Urteil und Wirklichkeit liegt aber im Ausdruck nicht". Vgl. auch O. Kuss, Römer, 239.

160 E. Kühl, Römer, 189, betont zu einseitig, daß hier von einer „Stellung", die den Menschen von Adam her bzw. von Christus her zugewiesen sei, die Rede sei, ohne daß diese Stellung auf ein persönliches Verhalten der Menschen zurückgeführt werde.

161 Vgl. R. Bultmann, Theologie, 274f.

162 Sanday–Headlam, Romans, 142; M.-J. Lagrange, Romains, 112.

163 Vgl. C. K. Barrett, From first Adam to last, 73: „A distinction must be made between the anthropological and the cosmic effects of Adam's work, and of Christ's. As far as Adam is concerned, both are necessarily universal; Christ's victory over the demonic powers must also be universal, but the same cannot be said of his anthropological achievement. If the powers are defeated, they are defeated, and this will be true for all mankind; but it will not necessarily follow from this that each several man is rightly related to God".

das Wort, wie besonders aus dem mehrfachen Gebrauch von πάντες und πολλοί deutlich wird. Daß er jedoch nicht an eine schicksalhafte, naturhafte Heilsvermittlung an die Menschheit denkt, zeigt V. 17, wo er von denen spricht, die die Gabe der Gerechtigkeit empfangen haben. Bezeichnend ist, daß dieses Empfangen nicht als ein zukünftiges, sondern als ein gegenwärtiges (λαμβάνοντες) dargestellt wird, da es von den Glaubenden jetzt schon vollzogen wird. Überhaupt steht das ganze Kap. 5 unter der Prämisse, daß „wir also aus Glauben gerechtgesprochen sind" (V. 1). Hierdurch wird die universale Tendenz der V. 12–21 nicht eingeschränkt, wohl aber vor dem Mißverständnis einer gnostisch vereinfachten Heilsmitteilung bewahrt.

Das durch Christi Gehorsam begründete universale Heil ist zugleich gegenwärtig und zukünftig. Das Futur κατασταθήσονται zeigt eine echte zukünftige Erstreckung der Rechtfertigung an. Das bedeutet jedoch nicht ein „partim – partim", eine teils gegenwärtige, teils zukünftige Rechtfertigung oder eine „erste" und „zweite", „End-Rechtfertigung"[164]. Das Futur läßt sich nicht, wie E. Kühl[165] meint, auf die „Behandlung der Gerechtfertigten im künftigen Endgericht" beziehen, wie umgekehrt die präsentischen Rechtfertigungsaussagen in Rö 1, 17; 3, 21–31 und Gal 2, 16f nicht einseitig auf die rein innerzeitliche Gegenwärtigkeit des Heiles, also auf einen verfügbaren Heilsbesitz zu deuten sind. Das Futur stellt vielmehr fest, daß die Rechtfertigung als Mitteilung des Heiles an die Menschen zukünftig ist, insofern die Heilswirklichkeit vom Christusereignis und von der heilsbedürftigen adamitischen Menschheit aus betrachtet wird. Diese Betrachtung hat jedoch auch für die Zeit nach Christus, d. h. für den Zustand des Christen, der die Heilswirklichkeit in der Rechtfertigung durch den Glauben schon erfahren hat, ihre Gültigkeit. Denn für ihn bleibt die in der Rechtfertigung geschenkte Gabe des „Lebens" (V. 18) immer auch eine zukünftige[166]. Der Glaubende erfährt die Gegenwart als Heilszeit. Das gegenwärtige Heil aber erfährt er zugleich als ein zukünftiges. Denn die grundsätzlich von Christus eröffnete Heilswirklichkeit wird nicht in der zeitlich begrenzten Erfahrung des Glaubenden erschöpft. In diesem Sinne ist Rö 5, 19 ein

[164] H. Hofer, Rechtfertigungsverkündigung, 58.

[165] Römer, 190. Im gleichen Sinne auch H. Lietzmann, Römer, 64f; A. Schlatter, Gottes Gerechtigkeit, 192, O. Kuss, Römer, 239. W. Thüsing, Per Christum in Deum, 215f, spricht im Hinblick auf die Parallele von V. 17, 18 und 19 von einer „eschatologischen Gerechtsprechung", versteht diese jedoch im Sinne der jüdisch-rabbinischen Vorstellung (vgl. J. Becker, Das Heil Gottes, 269) als Gerechtsprechung im Endgericht, auf die nach Paulus die „Rechttat Christi am Kreuze" (5, 18) schon hinwirke.

[166] Vgl. Rö 5, 17. 21.

Beleg für die eschatologische Tragweite der mit dem Tode Christi begründeten und im Glauben erfahrenen Rechtfertigungstat Gottes.

In *Gal 5, 5* wird die Zukünftigkeit der Gerechtigkeit in zweifacher Weise ausgedrückt: Die Gerechtigkeit selbst wird hier als „Hoffnungsgut" bezeichnet[167], und selbst die Christen „erwarten" noch das Hoffnungsgut der Gerechtigkeit. In welchem Sinne kann hier von einem H o f f n u n g s g u t der Gerechtigkeit gesprochen werden, das zudem von den Christen – ἡμεῖς sind Paulus und alle, die es mit dem Glaubensprinzip halten, gegenüber den judenchristlichen Gegnern – noch erwartet wird, wenn Paulus Rö 5, 1. 9; 9, 30; 1 Kor 6, 11; Phil 1, 11; 3, 9 doch eindeutig von der jetzt schon erfolgten Rechtfertigung spricht? Ist es möglich, daß Paulus hier im Galaterbrief, wo er überhaupt das Thema der „Rechtfertigung" zum ersten Mal in Angriff nimmt, noch stärker von der jüdischen Vorstellung einer forensischen und eschatologischen Gerechtsprechung im Endgericht abhängt?[168] Tatsächlich wird im Galaterbrief nicht ausdrücklich von einer jetzt schon erfolgten Rechtfertigung gesprochen, sondern die Aussagen über die Rechtfertigung aus Glauben in Gal 2, 16f u. a. haben allgemeingültigen Charakter und sind durch die Antithese zum jüdischen Rechtfertigungsprinzip bedingt. Sie könnten also in Analogie zum jüdischen Denken als Ausdruck einer zwar jetzt schon im Glauben eröffneten, aber erst im Endgericht realisierten Möglichkeit der Gerechtsprechung verstanden werden. Jedoch ist an allen Stellen im Galaterbrief, die über die Rechtfertigung handeln, nicht ausdrücklich ein Bezug auf die Zukunft ausgesprochen – außer eben in Gal 5, 5 (und 2, 16 in einem Psalmzitat). Im Gegenteil liegt es nahe, auch die Aussagen des Galaterbriefes auf die schon erfolgte Rechtfertigung zu beziehen, da die entsprechenden Aussagen durch den Glaubensbegriff oder durch ἐν Χριστῷ (2, 17) näher bestimmt werden, wodurch ja, besonders im Römerbrief, nicht nur die eröffnete Möglichkeit der Rechtfertigung, sondern der Vollzug des Rechtfertigungswirkens Gottes in der Jetztzeit selbst ausgedrückt wird[169]. Nach dem Urteil mancher Exegeten[170] bindet Paulus in Gal 5, 5 die

[167] Der Genitiv ist epexegetisch zu erklären, vgl. E. de Witt Burton, A critical and exegetical Commentary on the epistle to the Galatians (The International Critical Commentary), [5]1956, 279; G. Schrenk: ThWNT II 211.

[168] Diesen Standpunkt vertritt E. Tobac, Justification, 200f. Vgl. auch A. Oepke, Der Brief des Paulus an die Galater (Theol. Handkommentar zum NT, 9), [2]1957, 119, zu Gal 5, 5: „Hier wird die u r s p r ü n g l i c h e eschatologische Fassung der Rechtfertigung sehr deutlich".

[169] Vgl. H. Braun, Gerichtsgedanke, 80f.

[170] Außer A. Oepke, Galater, 119, vgl. E. Burton, Galatians, 471; H. W. Beyer – P. Althaus, Der Brief an die Galater (NTD 8), [10]1965, 42; G. Schrenk: ThWNT II 210f; K. Stalder, Das Werk des Geistes in der Heiligung bei Paulus, 1962, 457–459.

Rechtfertigung an das zukünftige Endgericht. Das Endgericht sei die „letzte und volle Enthüllung der Wirklichkeit der in Christus geschehenen Rechtfertigung“ [171]. Hiervon ist allerdings an keiner Stelle der paulinischen Briefe die Rede. Der Gedanke an das Endgericht auch für den Christen [172] ist für Paulus unzweifelhaft [173]. „Aber es bleibt doch beachtenswert, daß Paulus im Rahmen der Rechtfertigungslehre den Glaubenden ohne jeden Vorbehalt eines Gerichtsurteils die Rettung in Aussicht stellt ..., ja daß er diese Errettung selbst gelegentlich als ein dem Glaubenden zufallendes eschatologisches Rechtfertigungsurteil faßt“ [174]. Wir können also in Gal 5, 5 nicht einen ausdrücklichen Bezug auf das Endgericht finden [175] und insofern den Hinweis auf die Zukunft auch nicht als Aussage über eine erwartete endgültige „Bestätigung der Entscheidung“, die vom Glaubenden schon „als Gegenwartswirklichkeit ergriffen wird“ [176], verstehen.

Die Bezeichnung der Gerechtigkeit als Hoffnungsgut zielt zwar nicht notwendig auf das Endgericht, wohl aber auf die eschatologische Er-

[171] K. Stalder, a. a. O. 459. – Eine noch mehr auf das Endgericht einengende Formulierung hat K. Müller, Beobachtungen zur paulinischen Rechtfertigungslehre, in: Theologische Studien (M. Kähler zum 6. 1. 1905 dargebracht), 1905, 87–110: „Die erhoffte δικαιοσύνη und die Errettung im Endgericht sind synonym“ (92). Müller meint, daß der paulinische Gedanke der Gegenwärtigkeit der Gnade nicht gegen die „beherrschende eschatologische Stimmung“ aufkomme. Mit Recht macht Müller gegenüber Cremers Darstellung der paulinischen Rechtfertigungslehre auf das eschatologische Bewußtsein des Apostels aufmerksam. Offensichtlich liegt jedoch ein zu starrer Begriff von Eschatologie vor, wenn nach Müller das eschatologische Gut in einem grundsätzlichen Sinne mit dem Endgericht bei der Parusie zusammenfallen soll. Bei der Rechtfertigungsgnade kann es sich dann nur um eine „Vorauswirkung“ (93) handeln.

[172] Vgl. 2 Kor 5, 10.

[173] Vgl. H. Braun, Gerichtsgedanke, 34f u. ö.

[174] H. Braun, Gerichtsgedanke, 77. Nach Braun bewirkt das paulinische Nebeneinander von Gerichtsgedanke und Rechtfertigungsglaube eine für das Christenleben sehr fruchtbare Spannung, die nicht durch eine einfache Systematisierung aufgehoben werden darf. Vgl. auch G. Schrenk: ThWNT II 211, 30–35.

[175] Eine Beziehung auf das Endgericht liegt im Gebrauch von δικαιοῦσθαι 1 Kor 4, 4 vor. Hier ist von einer Gerechtsprechung im „Gericht nach den Werken“ die Rede, das bei der Ankunft des Herrn (V. 5) stattfinden wird. Doch hat diese Stelle für die Frage nach dem Verhältnis von Endgericht und Rechtfertigung nur bedingte Bedeutung, da hier nur von der Erwartung des Endgerichts die Rede ist – ohne einen erkennbaren Bezug zu den zentralen Rechtfertigungsaussagen. Außerdem dient der in V. 4 ausgesprochene Gedanke nur zur Begründung der Mahnung von V. 5. A. Robertson – A. Plummer, A critical and exegetical Commentary on the first epistle of St. Paul to the Corinthians (The International Cricital Commentary), 77, meint, daß das Verb δικαιοῦν hier nur in einem allgemeinen Sinne („Am I acquitted“), nicht im spezifisch theologischen Sinne zu verstehen sei.

[176] So H. E. Weber, „Eschatologie“ und „Mystik“, 92.

wartung des Heilsgutes, das hier „Gerechtigkeit" genannt wird. Für Paulus hat auch das schon erlangte Heil immer noch den Aspekt des Zukünftigen. Aber auch das Umgekehrte gilt: Für Paulus hat das zukünftige Heil seinen eigentlichen Grund im schon erfahrenen Heilsgut. So sieht Paulus in 1 Thess 5, 8–10 den engen Zusammenhang der „Heilshoffnung" (ἐλπίδα σωτηρίας) mit dem Tode Jesu als ihrer Begründung und dem dadurch eröffneten Leben der Christen. Weitere Parallelen, in denen die Zukünftigkeit des Hoffnungsgutes als im Heilswerk Christi und der Heilserfahrung des Menschen begründet erscheint, sind Rö 5, 2 (δικαιωθέντες οὖν ἐκ πίστεως ... καυχώμεθα ἐπ' ἐλπίδι τῆς δόξης αὐτοῦ), 4f (ἡ δὲ ἐλπὶς οὐ καταισχύνει, ὅτι ἡ ἀγάπη τοῦ θεοῦ ἐκκέχυται ἐν ταῖς καρδίαις ἡμῶν διὰ πνεύματος ἁγίου τοῦ δοθέντος ἡμῖν) und 8, 24 (τῇ γὰρ ἐλπίδι ἐσώθημεν), worin „das ἐσώθημεν kräftig gilt" [177]. Auch in Gal 5, 5 ist die Erwartung des zukünftigen Heilsgutes begründet in einer schon der Vergangenheit angehörenden Heilserfahrung, nämlich im Empfang des Geistes als „Vorgabe" des Heiles [178] und im Glauben [179]. Beide Aussagen über die schon feststellbare Heilserfahrung der Christen, Geistmitteilung und Glaube, gehören dem weiteren Kontext dieser Stelle an (vgl. Gal 2, 16; 3, 2. 5. 14 u. a.), wo sie im scharfen Gegensatz zur gegnerischen Behauptung des Gesetzesprinzips stehen. Auch in 5, 5 spielt dieser Gegensatz eine Rolle: Den beiden Bestimmungen πνεύματι und ἐκ πίστεως steht ἐν νόμῳ in V. 4 gegenüber. Wie aber in V. 4 von einem δικαιοῦσθαι ἐν νόμῳ gesprochen wird, so ist auch im konsequenten Gegensatz dazu in V. 5 eine Aussage über das δικαιοῦσθαι ἐκ πίστεως oder ἐν Χριστῷ (vgl. Gal 2, 17) zu erwarten. Diese Aussage wird in V. 5 auch mit der Wendung ἐλπίδα δικαιοσύνης nicht verhindert, „wohl aber wird unwillkürlich ein Charakteristikum der inneren Struktur des δικαιοῦσθαι durch solche Umschreibung aufgedeckt. Das Gerechtfertigtwerden aus dem in der Liebe wirkenden Glauben ist immer auch ... eine Gerechtigkeit ..., die in sich auf ihre Erfüllung noch wartet" [180]. Auch hier ist wie sonst bei Paulus die πίστις der Grund der Rechtfertigung und zugleich, zusammen mit dem πνεῦμα, als die πίστις δι' ἀγάπης ἐνεργουμένη (V. 6) die im Gerechtfertigten wirkende Kraft, durch die die empfangene Gerechtigkeit zu der ihr immanenten Entfaltung und Vollendung gelangt.

[177] R. Bultmann: ThWNT II 529.

[178] Vgl. Rö 8, 23: τὴν ἀπαρχὴν τοῦ πνεύματος ἔχοντες; 2 Kor 1, 22: δοὺς τὸν ἀρραβῶνα τοῦ πνεύματος ἐν ταῖς καρδίαις ἡμῶν. Vgl. auch Röm 5, 5.

[179] Vgl. M.-J. Lagrange, Saint Paul. Êpître aux Galates (Études Bibliques), 1950, 137: „ce sont deux principes d'opération distincts".

[180] H. Schlier, Galater, 233f. – Vgl. auch M.-J. Lagrange, Romains, 136: „La justice présente emporte avec elle son espérance".

Zugleich erfolgt in V. 5 eine bedeutsame Kennzeichnung der Christen, die „durch den Geist" und „aus Glauben" an dem „Hoffnungsgut der Gerechtigkeit" jetzt schon Anteil haben. Sie sind trotz des schon erlangten Heiles nicht Besitzende, sondern „Erwartende". Ἀπεκδέχεσθαι [181] bezeichnet bei Paulus die das Ende erwartende Haltung der Christen. Hiermit überschneidet sich die Bedeutung dieses Wortes mit der von ἐλπίς [182]. Auch im ἀπεκδέχεσθαι ist eine Erwartung gemeint, die in dem begründet ist, was der Erwartende schon erlangt hat [183]. Es scheint also, daß es sich hier in der Verbindung beider Wörter um einen Pleonasmus handelt, mit dem Paulus weniger die „Gerechtigkeit" aus der Gegenwart in die Zukunft verlegen, als vielmehr die Haltung derer, die die Rechtfertigung jetzt schon erfahren, als eine eschatologische kennzeichnen will. Nicht so sehr die Rechtfertigung als vielmehr die Gerechtfertigten warten auf ihre Vollendung. Die Betonung der eschatologischen Haltung der Gerechtfertigten erfolgt in Gal 5, 5 jedoch nicht unmotiviert, sondern sie gehört zu dem Gegensatz von V. 4 und V. 5. Die eschatologische Erwartung der Rechtfertigung ist bei denen, die sich auf das Gesetz verlassen, unbegründet und sinnlos gegenüber denen, die sich auf die Gnade Gottes, das Werk Christi, den Geistempfang und den Glauben, der in der Liebe wirksam ist, verlassen. Die eschatologische Erwartung der Rechtfertigung ist in Wahrheit nur bei denen begründet, die sie von Gott, von seiner Gnade, erwarten.

Neben den genannten Stellen, die von einer Zukünftigkeit des Heiles in der Rechtfertigung sprechen, sind, wenigstens summarisch, auch die Heilsaussagen, die in einem mehr oder weniger engen Zusammenhang mit der „Rechtfertigung" bei Paulus den eschatologischen Aspekt des Heiles betonen, zu berücksichtigen. Hierzu gehören in erster Linie Rö 5, 9 (πολλῷ οὖν μᾶλλον δικαιωθέντες νῦν ἐν τῷ αἵματι αὐτοῦ σωθησόμεθα δι'αὐτοῦ ἀπὸ τῆς ὀργῆς); 6, 8 (εἰ δὲ ἀπεθάνομεν σὺν Χριστῷ, πιστεύομεν ὅτι καὶ συζήσομεν αὐτῷ); 8, 13 (εἰ δὲ πνεύματι τὰς πράξεις τοῦ σώματος θανατοῦτε, ζήσεσθε) und verschiedene Zitate aus dem AT in 1, 17 (ζήσεται, vgl. Gal 3, 11)[184]; 10, 5 (ζήσεται, vgl. Gal

[181] Vgl. H. Schlier, Galater, 233 Anm. 1: „Das Wort hat im NT einen ausgesprochen eschatologischen Sinn. Es bezieht sich auf das Erwarten einerseits der Offenbarung des Herrn wie 1 Kor 1, 7 Phil 3, 20 Hebr 9, 28, andererseits der damit verbundenen Enthüllung der Herrlichkeit des Menschen und der Kreatur wie Röm 8, 19. 23. 25".

[182] Vgl. R. Bultmann: ThWNT II 527: ἐλπίς „umfaßt eben diese drei Momente in ihrer Einheit: die Erwartung des Künftigen, das Vertrauen und die Geduld des Wartens".

[183] Vgl. W. Grundmann: ThWNT II 55: „Der Begriff ἀπεκδέχεσθαι bezeichnet also die Existenz der Christen als eine solche, die aus dem Empfangen heraus die Vollendung erwartet".

[184] Vgl. S. 89–95.

3, 12); 10, 13 (σωθήσεται); 9, 33 (οὐ καταισχυνθήσεται, vgl. 10, 11). Wenn wir einmal absehen von der paulinischen Verwendung der soeben genannten Zitate, die selbstverständlich für sich schon ein Zeugnis der eschatologischen Heilserwartung des atl. Menschen bzw. der LXX sind[185], so ist für die übrigen Stellen festzustellen, daß an keiner Stelle nur von einer Zukünftigkeit des Heiles gesprochen wird (vgl. das S. 143ff zu Rö 2, 13; 5, 19 und Gal 5, 5 Gesagte). Vielmehr ist die zukünftige Errettung (Rö 5, 9) und das eschatologische Leben (Rö 6, 8; 8, 13) immer im gegenwärtigen Heils-„besitz" begründet, der in dem „Sühnewerk" Christi geschaffen (Rö 5, 9) und in der Taufe dem Christen zugeeignet wurde (Rö 6, 8). Die Heilsgegenwart selbst, die hier als Rechtfertigung (Rö 5, 9), als Verbundenheit mit Christus (Rö 6, 8) oder als Geisteinwohnung (Rö 8, 13; vgl. V. 11) dargestellt wird, wird ebenso entschieden betont wie die Heilszukunft. Beide, Gegenwärtigkeit und Zukünftigkeit des einen Heiles, finden ihren Einheitspunkt in dem „Christusereignis", d. h. in seinem Tod und in der Zueignung seines Todes an den Christen in der Taufe. Dieses Christusereignis selbst ist ein „eschatologisches Geschehen"[186], insofern Jesus den Menschen durch seinen Tod die „Rettung", das „Leben", d. h. aber heilshafte Zukunft eröffnet und schenkt. Diese Feststellung vermag die oben schon für die futurischen Rechtfertigungsaussagen erarbeitete Sicht der christologisch begründeten Zukünftigkeit der Rechtfertigung kräftig zu unterstreichen.

b) Die eschatologische Dimension der „Rechtfertigung"

Die im vorigen Abschnitt behandelten Stellen der paulinischen Briefe zeigen deutlich eine Spannung von gegenwärtigem und zukünftigem Heil, von erfolgter Rechtfertigung und noch ausstehender Vollendung. Sie zeigen zugleich, daß die Rechtfertigungsaussagen nicht auf einen ersten, vorläufigen und zweiten, endgültigen Rechtfertigungsakt zu verteilen sind, sondern daß die Rechtfertigung für Paulus eine Ganzheit darstellt, wie auch der Begriff der σωτηρία nicht in Anfangs- und Endheil auseinanderfällt und ebenso der Begriff der ζωή nicht zerlegt werden darf. Paulus kennt nur eine Rechtfertigung, die im Gegensatz zur jüdischen Rechtfertigungserwartung nicht eine noch ausstehende, mit dem Vergeltungsgericht verbundene ist, sondern die auf Grund der Heilstat Jesu Christi jetzt schon gegenwärtig ist und als solche eine ihr Wesen bestimmende eschatologische Erstreckung auf-

[185] Vgl. S. 21.

[186] Vgl. N. A. Dahl, Die Messianität Jesu bei Paulus, 92f: „Das Kommen, der Tod, die Auferstehung und die Erhöhung Christi sind schon erfüllte Geschehnisse der Endzeit und markieren das Ende des alten Äons und die Inauguration des neuen".

weist. Worin diese eschatologische Erstreckung besteht, soll nun kurz gezeigt werden.

R. Bultmann, der ebenfalls die soeben angedeuteten Zusammenhänge erwägt [187], betont, daß Paulus mit seiner These von der Gegenwärtigkeit der δικαιοσύνη dieser den eschatologischen wie auch den forensischen Sinn nicht nehme[188]. Das „Paradoxe seiner Behauptung ist eben dieses, daß Gott sein eschatologisches Gerichtsurteil schon jetzt (über den Glaubenden) spricht, daß das eschatologische Geschehen schon Gegenwart ist bzw. in der Gegenwart anhebt“ [189]. Bultmann stützt sich mit Recht auf die Offenbarungsterminologie in Rö 1, 17 (ἀποκαλύπτεται) und 3, 21 (πεφανέρωται), um das gegenwärtige Rechtfertigungswirken Gottes als eschatologisches Geschehen zu erweisen. Jedoch ist gegenüber Bultmann das Bedenken anzumelden, ob die einseitige Betonung der gegenwärtigen Wirklichkeit des Eschaton dieses selbst nicht um sein eigentliches Wesen als zukünftiges Heilsgeschehen bringt. Bultmann weiß wohl, daß die paulinische These von der Gegenwart der Gerechtigkeit als Antithese gegenüber dem jüdischen Standpunkt gebildet ist, der die Gerechtigkeit vom Gericht Gottes noch erwartet [190]. Aber diese in der Situation des Paulus begründete Antithese kann nicht die völlige Verlegung des Eschatologischen in die Gegenwart legitimieren, wie Bultmann es für Paulus tut. Auch Paulus weiß um eine echte eschatologische Zukunft und eine zukünftige Eschatologie. Wenngleich er auch nicht in den Rechtfertigungsaussagen, wie oben gezeigt wurde, von einer Bestätigung des gegenwärtig wirksamen Rechtfertigungsurteils im Endgericht spricht, so ist doch deutlich gesagt, daß auch für den Gerechtfertigten das Heil sich nicht einfach in der Gegenwart erschöpft, sondern einer weiteren Entfaltung und Vollendung harrt, die sich im Gerechtfertigten, von Gott gewirkt, in der Zeit und auf das Ende der Zeit hin vollzieht. Insofern der Christ ein Erwartender und Hoffender ist (vgl. Gal 5, 5; Rö 8, 23–25), ist er gerettet. Die eschatologische Qualifizierung des Gerechtfertigten besteht nicht nur darin, daß er das Eschaton im Christusereignis schon erfahren hat, sondern auch darin, daß er die Vollendung seines im Grunde schon gerechtfertigten Lebens noch von der Zukunft erwartet. Dies ist gegenüber Bultmanns Betonung der Gegenwärtigkeit der δικαιοσύνη besonders hervorzuheben, aber auch gegenüber H. Conzelmann [191], der annimmt, daß Paulus das „Noch nicht“ des Heiles nur „in der

[187] R. Bultmann, Theologie, 275–280.

[188] A. a. O. 276.

[189] A. a. O. 276.

[190] Vgl. S. 147–149.

[191] RGG ³II 669.

Abgrenzung gegen schwärmerischen Enthusiasmus (in Korinth: 2 Kor 5, 7 ...)" gebrauche[192].

Für unsere Darstellung der eschatologischen Struktur des paulinischen Rechtfertigungsbegriffs soll hier auch kurz die Sicht E. Tobacs berücksichtigt werden, der katholischerseits bisher wohl am nachdrücklichsten den eschatologischen Charakter der Rechtfertigung hervorgehoben hat[193]. Auch Tobacs Erklärung des eschatologischen Sinnes der Rechtfertigung bei Paulus zeigt eine gewisse Einseitigkeit, die jedoch von einer anderen Art ist als die Bultmanns. Er lehnt ebenfalls die Annahme zweier Rechtfertigungsakte ab. „La justification présente, c'est en même temps la justification future"[194]. Er nennt diese eine Rechtfertigung die „messianische". Den messianischen Charakter der Rechtfertigung erklärt er damit, daß für Paulus wie für das Judentum die Rechtfertigung in dem Dekret der Zulassung zum messianischen Reich bestehe[195]. Die Rechtfertigung stelle also das Zulassungsdekret zur Teilnahme am endzeitlichen Leben im messianischen Reich dar. Die gegenwärtige Rechtfertigung habe zwar definitiven Charakter, aber sie bedürfe noch der Bestätigung und eschatologischen Erfüllung im Endgericht, das Paulus im Anschluß an zeitgenössische apokalyptische Vorstellungen für unmittelbar bevorstehend gehalten habe. Jedoch sei bei Paulus noch keine Lockerung der eschatologischen Spannung festzustellen, wie z. B. Titius[196] annimmt. Erst später, „lorsque la perspective du règne eschatologique s'éloigna et que le règne présent ou préparatoire absorba toute attention, la disjonction entre la justification présente et future, entre la justice et le salut, s'opéra aussi définitivement"[197]. Die Rechtfertigung bewahre jedoch bei Paulus ganz und gar den Cha-

[192] Vgl. dagegen jedoch die eindeutig auf eine zukünftige Heilserlangung bzw. -vollendung gerichtete Stelle Phil 3, 12.

[193] E. Tobac, Justification, 199–203. – Auch M.-J. Lagrange, Romains, 134–137, bezieht sich in seiner Behandlung des „eschatologischen Sinnes der Rechtfertigung" auf E. Tobac, er unterscheidet sich allerdings wesentlich von der Sicht Tobacs, indem er die Definitivität des eschatologischen Charakters der gegenwärtigen Rechtfertigung abschwächt und die Bedeutung der „guten Werke" für die endgültige Rechtfertigung betont.

[194] A. a. O. 203. – Vgl. auch O. Kuss, Römer, 129.

[195] A. a. O. 201.

[196] A. Titius, Der Paulinismus unter dem Gesichtspunkt der Seligkeit, 1900, 205, von dem Tobac (S. 201 Anm. 1) folgenden Satz zitiert: „So läßt sich nicht leugnen, daß sich eine, wenn auch kaum spürbare Lockerung des eschatologischen Zusammenhanges und damit eine gewisse Abschwächung des definitiven Charakters der Rechtfertigung schon bei Paulus nachweisen läßt, und daß somit bei ihm selbst jene Entwicklung einsetzt, die so schnell der nachfolgenden Generation diesen großen Wurf des Apostels unverständlich machte, die Nichtbeachtung des eschatologischen Ursprungs des Rechtfertigungsgedankens".

[197] E. Tobac, Justification, 201 Anm. 1.

rakter der messianischen Verheißung und Erwartung, die ihre Erfüllung bei der Wiederkunft Christi erfährt.

Tobac betont also stark das „Noch-nicht" der Vollendung. Er erkennt demgegenüber zu wenig, daß für Paulus das Ein-für-alle-mal des Heilswerks Christi selbst schon das ist, was die Juden mit ihrer messianischen Erwartung noch vor sich haben. Was der Christ noch vor sich hat, ist wirklich nur die Vollendung dessen, was ihm mit Christus jetzt schon geschenkt ist, wenngleich diese Vollendung in reicher Form entfaltet wird, nämlich als δόξα [198], ἀνάστασις [199], Teilnahme an der βασιλεία θεοῦ [200], ζωὴ αἰώνιος [201] u. a. Jedoch sind auch diese messianischen Güter nicht einseitig nur als Vollendungsgüter zu sehen, sondern zugleich als gegenwärtig wirksame [202] und eben in diesem „Zugleich" als „eschatologische" Heilsgüter. Tobacs Verständnis des „messianischen" Charakters der Rechtfertigung bewertet das gegenwärtige Gut der von Gott geschenkten Gerechtigkeit nur in dem Sinne als eschatologisch, als es wie in der jüdischen Auffassung die B e d i n g u n g der Teilnahme am messianischen Reich darstellt und einen „droit au salut" begründe. Jedoch kann er zur Begründung seiner Behauptung nur auf die Bezogenheit von „Reich Gottes" und „Rechtfertigung" in 1 Kor 6, 10. 11 hinweisen [203], eine Stelle, die keine direkte Verknüpfung beider Begriffe im Sinne von Tobac ausweist. Die außerdem von ihm herangezogenen Stellen, die von der Verheißung der κληρονομία an Abraham (Gal 3, 8. 9. 18; Rö 4, 13) sprechen, müssen im Sinne von Paulus zunächst auf die erfüllte Heilsgegenwart der Glaubenden, nicht im oben angegebenen Sinne auf eine von den Christen noch erwartete Vollendung bezogen werden.

Wie stellt sich nun die eschatologische Dimension des paulinischen Rechtfertigungsbegriffs dar? Auszugehen ist von der Gegenwärtigkeit der uns von Gott zuteilwerdenden Rechtfertigung, die Paulus entschieden betont. Sie hat ihren Grund in dem Christusereignis, auf das der Glaubende schon zurückschauen kann, aus dem er seine neue Existenz grundsätzlich bestimmt weiß. Die in der Gegenwart des Glaubenden schon erfolgte Rechtfertigung (Rö 5, 1. 9; 8, 30; 1 Kor 6, 11) ergibt sich für Paulus aus der Offenbarung der Gerechtigkeit Gottes in Christus (Rö 1, 17; 3, 21f. 25f). Diese Offenbarung kenn-

198 Vgl. Rö 5, 2; 8, 18; Phil 3, 21; 1 Thess 2, 12.

199 Vgl. Rö 6, 5; 1 Kor 15, 21–23; 1 Thess 4, 16.

200 Vgl. Rö 5, 17; 1 Kor 6, 9f; 15, 50; Gal 5, 21; 1 Thess 2, 12.

201 Vgl. Rö 5, 17. 21; 6, 22; Gal 6, 8. Vgl. auch Phil 4, 3.

202 So gehört das eschatologische Gut der δόξα schon jetzt dem Gerechtfertigten, wie Rö 8, 30 deutlich zeigt. Ebenso ist die Kraft der Auferstehung Christi schon jetzt in der „Neuheit des Lebens" der Getauften (Rö 6, 4) wirksam. Und der ungewöhnliche Begriff δικαίωσις ζωῆς (Rö 5, 18) zeigt die wesentliche Identität von gegenwärtigem Rechtfertigungsgut und eschatologischem Leben.

203 E. Tobac, Justification, 200.

zeichnet das Christusereignis als eschatologisches Geschehen und qualifiziert die Existenz des Glaubenden. Der Glaubende steht also in der Erfüllung der Endzeit, ungeachtet des noch anhaltenden, aber schon grundsätzlich außer Kraft gesetzten alten Äons.

Da der Glaubende also jetzt in der Spannung von alter und neuer Existenz steht und sich unter dem Anspruch der Gerechtigkeit weiß, die ihm als eschatologische Gabe geschenkt ist, erkennt er zugleich mit dem gegenwärtigen eschatologischen Heilsbesitz das „Noch-nicht" der Vollendung seines grundsätzlich schon geretteten Daseins. Das gegenwärtige Heil erfährt er so zunächst als ἀπαρχὴ τοῦ πνεύματος (Rö 8, 23)[204], und die gegenwärtige Gerechtigkeit ist eher ein Hoffnungsgut (Gal 5, 5) als ein gesicherter Besitz. Zwar hat der Christusgläubige die eschatologische Offenbarung der Gerechtigkeit Gottes in der Jetztzeit schon im Glauben erfahren, aber er erwartet zugleich auch noch die ἀποκάλυψις der „kommenden Herrlichkeit" (Rö 8, 18), die „Offenbarung der Söhne Gottes" (Rö 8, 19), die υἱοθεσία[205] und die ἀπολύτρωσις τοῦ σώματος ἡμῶν (Rö 8, 23). Die präsentischen und futurischen Heilsaussagen haben also ihren Erklärungsgrund in der eschatologischen Gegenwartsgestalt des Christen. Der Christ erlebt als „geschichtliches Wesen" auch das eschatologische Heil nicht anders als in seiner zeitlichen Erstreckung von Gegenwart und Zukunft, von Anfang und Vollendung, zwischen denen es ein Wachstum des Heils-„besitzes" und eine Bewährung gibt[206].

Beides ist also in gleicher Weise zu betonen, die Gegenwärtigkeit des Heiles als eschatologische Bestimmung des Gerechtgesprochenen, Glaubenden und die Erwartung der eschatologischen Vollendung des gegenwärtigen Heilsstandes.

Von diesem doppelten Aspekt der „Gerechtigkeit" aus ist auch der zunächst schwer verständliche Satz *Rö 8, 10* zu verstehen: εἰ δὲ Χριστὸς ἐν ὑμῖν, τὸ μὲν σῶμα νεκρὸν διὰ ἁμαρτίαν, τὸ δὲ πνεῦμα ζωὴ διὰ δικαιοσύνην. Die richtige Auslegung dieses Verses hängt zunächst davon ab, wie man σῶμα und πνεῦμα verstehen will[207]. Da im Zusammenhang von dem neuen Sein des Christen, von seinem Wandel κατὰ πνεῦμα, die Rede ist, ist anzunehmen, daß beide Wörter dialektisch (μέν – δέ) das Wesen des Menschen, und zwar jeweils den ganzen Menschen, bezeichnen[208]. Während die anthropologische

[204] Vgl. Rö 8, 23; 2 Kor 1, 22; 5, 5.

[205] Allerdings hat der Christ auch schon das πνεῦμα υἱοθεσίας empfangen, vgl. Rö 8, 15.

[206] Vgl. H. D. Wendland, Ethik und Eschatologie in der Theologie des Paulus, in: NKZ 41 (1930) 757–783 u. 793–811; M. Goguel, Le charactère du salut, 329f; 335.

[207] Die verschiedenen Deutungen siehe bei O. Kuss, Römer, 502f.

[208] Anders O. Kuss, Römer, 503, der mit H. Lietzmann, Römer, 80, feststellt: „Der Wortparallelismus ist strenger als der des Gedankens", und der σῶμα zwar

Deutung für σῶμα selbstverständlich ist, und zwar im Sinne des „von der σάρξ beherrschten σῶμα“ [209], lassen der vorhergehende und der folgende Vers es nicht zu [210], πνεῦμα so „einfach“ auf den „menschlichen Geist“ zu beziehen, wie es gelegentlich getan wird [211]. Die Rücksicht auf den Kontext verbietet es jedoch nicht grundsätzlich, πνεῦμα in V. 10 auf den Menschen zu beziehen [212], da auch V. 16 in ausdrücklicher Unterscheidung vom göttlichen Geist das πνεῦμα ἡμῶν genannt wird. Wenn wir das πνεῦμα in V. 10 antithetisch zum σῶμα auf den Menschen beziehen, so muß in dem anthropologisch verstandenen πνεῦμα das von Gott neu geschenkte Lebensprinzip, das πνεῦμα θεοῦ οἰκεῖ ἐν ὑμῖν aus V. 9 deutlich mit herausgehört werden [213]. „Sünde“ und „Gerechtigkeit“ müssen als Gegensatz erklärt werden. Da ἁμαρτία die Sünden m a c h t bedeutet, darf man auch in der von Gott geschenkten δικαιοσύνη [214] den Charakter der „Macht“, die den Gerechtgesprochenen in Dienst nimmt für Gott (vgl. Rö 6, 13. 18. 19. 22), nicht unbeachtet lassen. In etwas vereinfachender Paraphrase könnte man den Sinn des Satzes folgendermaßen wiedergeben: Als Christen seid ihr in Bezug auf den Herrschaftsanspruch der Sünde tot [215], aber lebendig [216] gegenüber dem Anspruch der Gerechtigkeit

vom „Leib der Sünde“ (vgl. Rö 6, 6), πνεῦμα dagegen von dem in der Taufe mitgeteilten Geist versteht.

209 R. Bultmann, Theologie, 201. Vgl. Cremer–Kögel, Bibl.-theol. Wörterbuch, 1039: „Das σῶμα ass die überkommene Basis der menschlichen, sündig gewordenen Natur, die organisierte σάρξ . . .“.

210 Vgl. O. Michel, Römer, 193.

211 So auch H. Bertrams, Das Wesen des Geistes nach der Anschauung des Paulus (NtlAbh IV, 4), 1913, 9.

212 Vgl. I. Hermann, Kyrios und Pneuma (StANT II), 1961, 65f, der gegen die anthropologische Deutung des πνεῦμα in V. 10 Bedenken anmeldet und πνεῦμα θεοῦ, πνεῦμα Χριστοῦ und Χριστὸς ἐν ὑμῖν in V. 9–11 mit folgenden Worten als Synonyma erklärt: „Diese Unbekümmertheit im Sprachgebrauch von Pneuma ist aber nur denkbar, wenn Pneuma für Paulus der konkrete Ausdruck für Gottes bzw. Christi Gegenwärtigkeit unter den Menschen ist“ (66). – Nach K. Stalder, Das Werk des Geistes, 440, ist die Frage, ob πνεῦμα auf den „göttlichen“ oder „menschlichen“ Geist geht, für den Sinn des Satzes verhältnismäßig gleichgültig.

213 So auch M.-J. Lagrange, Romains, 198; Sanday–Headlam, Romans, 198; R. Bultmann, Theologie, 209.

214 Die Schwierigkeit der Auslegung von V. 10 kommt zu einem nicht geringen Teil von der zu engen Fassung der δικαιοσύνη als Gabe Gottes.

215 Die wörtliche Übersetzung müßte natürlich das διὰ ἁμαρτίαν als Angabe des Grundes für das Totsein des von der σάρξ beherrschten Menschen wiedergeben, also: wegen der (zum Tode verurteilten, vgl. V. 3) ἁμαρτία tot, oder besser: auf Grund der Hörigkeit des σῶμα gegenüber der zum Tode verurteilten ἁμαρτία tot. Entsprechendes gilt für διὰ δικαιοσύνην, also wörtlich: auf Grund der (vom rechtfertigenden Gott verliehenen Gabe der) Gerechtigkeit.

216 „Ζωή Substantiv statt des Adjektivs ‚lebendig‘, parallel zu νεκρόν“ (H. Lietzmann, Römer, 80).

auf Grund der Kraft des euch verliehenen πνεῦμα, das den neuen Dienst des Christen ermöglicht (vgl. V. 13). Die christliche Existenz erweist sich gerade darin als „Leben“ [217], daß sie sich nicht einseitig auf den Besitz des πνεῦμα verläßt, sondern dem Anspruch der von Gott geschenkten Gerechtigkeit zu entsprechen sucht. Nur in dieser Beschreibung der Gegenwartsgestalt des christlichen Lebens gilt der Satz, daß der „Leib“, d. h. der alte Mensch, „tot ist wegen der Sünde“, d. h. unter der Macht der Sünde, die das Todesurteil Gottes erhalten hat (vgl. Rö 8, 3), an sein Ende gekommen ist [218]. Der Begriff „Gerechtigkeit“ bezeichnet also bei Paulus die eschatologische Gabe Gottes, aus der der Glaubende zu „leben“ vermag und der er in seinem Leben zu entsprechen hat. Die Tatsache aber, daß der Gerechtfertigte noch „im Fleische“, jedoch nicht „nach dem Fleische“ lebt, daß er so auch die transitorische Gestalt der Geschichte an sich selbst erlebt, läßt ihn die schon erlangte eschatologische Erlösung zugleich immer auch als eine noch zukünftige erwarten. Aus der eschatologischen Erfüllung, die er erfahren hat, entsteht für ihn eine Verheißung [219], die aber immer in der erfahrenen Erfüllung begründet bleibt. Diese Verheißung läßt keine neue und wesentlich andere Erfüllung erwarten als die schon erfahrene, nämlich die offenbare Vollendungsgestalt der einen im Christusereignis begründeten eschatologischen Erfüllung. So eröffnet die eschatologische Erfüllung, deren Gegenwartsgestalt der Glaubende erlebt, eine Zukunft, die den Glaubenden hoffen läßt. So kann Paulus sagen, daß die Gegenwartsgestalt unseres eschatologischen Heiles auf Hoffnung gegründet ist (vgl. Rö 8, 24) [220]. Es liegt also am Menschen selbst als geschichtlichem Wesen, daß er das eschatologische Heilsgut der „Gerechtigkeit“ nicht „an sich“ haben kann, sondern daß er seiner nur teilhaft wird in der zeitlichen Erstreckung seines Lebens. Ein unmittelbarer und Sicherheit erheischender Zugang zum Heil „an sich“

[217] O. Kuss, Römer, 504, bemerkt, daß der Begriff „Leben“ in V. 1–11 „eine Art Zwischenbedeutung zu haben“ scheine, da er Gegenwart und Zukunft umschließe und „der gegenwärtigen Situation der Glaubenden zwischen Heilsempfang und Heilsvollendung gerecht zu werden“ suche.

[218] O. Kuss, Römer, 503, sieht den Satz also im Grunde genommen richtig, wenn er annimmt, „es handle sich in beiden Gliedern des Hauptsatzes um eine Beschreibung des Heilszustandes“, und den ersten Teil des Hauptsatzes also nicht konzessiv faßt, wie es etwa M.-J. Lagrange, Romains, 198, und K. Stalder, Das Werk des Geistes, 439, tun.

[219] Vgl. G. Schrenk: ThWNT II 210: „Die Heilsgegenwart ergibt eine Heilszukunft, indem die Rechtfertigung zeitüberbrückende Gnade ist, die den Anfang des neuen Äons schon in sich faßt, so daß angesichts des νυνὶ δέ, welches Vollendungsgehalt besitzt, alles bis zum Ziel Geschehene Interim wird“.

[220] Vgl. M.-F. Lacan, „Nous sommes sauvés par l'Espérance“ (Rom VIII, 24), in: A la Rencontre de Dieu. Mémorial A. Gelin, 1961, 331–339, und H. Schlier, Das, worauf alles wartet, 608f.

wäre Gnosis; demgegenüber charakterisiert Paulus das Heil als Erfüllung und Verheißung zugleich[221].
Die so verstandene eschatologische Dimension des paulinischen Rechtfertigungsbegriffs hat allerdings nichts zu tun mit einer sog. „dynamischen Eschatologie", wie sie für die altorientalische Weltzeitalterlehre nachzuweisen ist, wonach „jede Segenszeit" – und deren gibt es ja religionsgeschichtlich gesehen viele – „im relativen Sinne Endzeit" [222] ist. Die Rechtfertigungsbotschaft des Apostels Paulus beansprucht, von einer unvergleichlichen Heilsgegenwart Zeugnis abzulegen, nämlich von der Gegenwart eines an sich zukünftigen Heiles, dessen Gegenwärtigkeit in dem geschichtlichen Ereignis des Todes Christi begründet ist und nur den Glaubenden offen steht und glaubwürdig ist.
Bei der Erhebung des eschatologischen Sinnes der „Rechtfertigung" ist zugleich auch schon sichtbar geworden, von welcher Tragweite der Glaubensbegriff für das richtige und damit auch für das eschatologische Verständnis der paulinischen Rechtfertigungsbotschaft ist.

§ 15. Zusammenfassung (aus A und B)

Zur Bestimmung dessen, was bei Paulus „Rechtfertigung" heißt, ist die Einsicht in die forensische und eschatologische Struktur der Begriffe δικαιοσύνη und δικαιοῦν / δικαιοῦσθαι von wesentlicher Bedeutung. Die forensische und eschatologische Begriffsstruktur läßt sich für Paulus allein schon aus dem Grunde nicht leugnen, weil ihm die entsprechenden Begriffe aus dem atl.-jüdischen Raum als eindeutig das Gerichtsurteil Gottes und die Erwartung der „Rechtfertigung" am Ende der Zeiten implizierende Begriffe vorgegeben sind. Jedoch gilt es zu erkennen, in welchem Sinne Paulus die forensische und eschatologische Begriffsstruktur aufnimmt und interpretiert.
Der forensische Charakter des paulinischen Rechtfertigungsbegriffs besteht darin, daß Gottes richterliches Urteil über den Menschen, das sich im Tode Christi offenbart, von dem durch dieses Ereignis betroffenen Menschen im Glauben erfahren wird als Selbsterkenntnis seines Sünderseins und damit verbunden als ein Ergriffenwerden von der Gnade Gottes. Gott verfügt im Rechtfertigungsurteil über den Menschen, indem er ihn von seinem Sündersein freispricht. Die

[221] In diesem Sinne ist Käsemanns These, daß das Wesen der paulinischen „Rechtfertigung" in der „unerhörten Radikalisierung und Universalisierung der promissio" bestehe, zu bejahen, da sie eine wichtige und bisher nicht genug beachtete Seite der paulinischen Rechtfertigungsbotschaft herausstellt. Vgl. ZThK 58 (1961) 375.

[222] Vgl. A. Jeremias, Die außerbiblische Erlösererwartung, 1927, 74.

Gerechtsprechung des Sünders läßt einen neuen Menschen erstehen. Das verfügende Handeln Gottes bedeutet also eine Neuschaffung, so daß die Gottlosigkeit des Sünders durch eine ihm eingestiftete neue Beziehung zu Gott überwunden wird. In diesem Sinne ist der Gerechtfertigte „neue Schöpfung", „in Christus".

Der forensische Charakter des Rechtfertigungsbegriffs, wie er vom Judentum auf Paulus gekommen ist, ist also in einem eindeutigen Sinne neugeprägt: Er bedeutet nicht mehr die Anerkennung der Gerechtigkeit, die der Mensch aus eigener Kraft hat, auch nicht einfach die Imputation einer fremden Gerechtigkeit, nämlich der Gerechtigkeit Christi, sondern die den alten Menschen neuschaffende Verfügung Gottes mit dem Resultat einer echten Gerechtigkeit aus Gnade, die zum „Besitz" des gerechtgesprochenen Menschen wird, ohne damit in dessen eigenmächtige Verfügung einzugehen. Rechtfertigung heißt also: Der Sünder läßt sich von Gottes Gnadenwirken ergreifen und neugestalten. Sie findet ihren Ausdruck in der Beziehung zwischen Gott und den Gerechtfertigten, die durch den Gehorsam des Gerechtfertigten dargestellt wird, die aber durch die vorgängige Gnade Gottes schon Wirklichkeit ist. Diese wird somit am besten als Beziehungsrealität verstanden.

Der eschatologische Charakter des paulinischen Rechtfertigungsbegriffs besteht darin, daß die „Rechtfertigung" vom Glauben als das eschatologische Handeln Gottes erfahren wird. Die eschatologische Bedeutung der Rechtfertigung ist in dem „Christusereignis" begründet, in dem Paulus die endgültige und entscheidende Offenbarung der „Gerechtigkeit Gottes" im Vollzug weiß, also das Eschaton als schon angebrochen erkennt. Die Gegenwartsgestalt des eschatologischen Rechtfertigungshandelns Gottes eröffnet zugleich eine „Heilsgeschichte" in dem Sinne, daß das erwartete eschatologische Heil Gegenwart geworden ist und nun in seiner zeitlichen Erstreckung die noch ausstehende Vollendung intendiert. Beide jedoch, die Gegenwartsgestalt der Rechtfertigung und ihre noch ausstehende Vollendung, sind wesentlich identisch, da sie im Christusereignis ihre einheitliche Begründung haben.

Die Anerkennung des forensich-eschatologischen Charakters des Rechtfertigungsbegriffs bewahrt vor einer gnostischen Vereinfachung der „Rechtfertigung" im Sinne eines rein präsentischen Heilsbesitzes. Dieser Vereinfachung macht sich etwa jene Erklärung des paulinischen Rechtfertigungsbegriffs schuldig, die das Rechtfertigungsgeschehen als naturhafte Veränderung des Menschen verstehen will [223], aus der das neue sittliche Handeln des Gerechtfertigten gleichsam automatisch entstehe.

[223] R. Reitzenstein, Die hellenistischen Mysterienreligionen, ³1927, 258–261, weist vor allem für die hermetische Literatur einen Begriff der Gerechtigkeit nach,

Das hier erarbeitete Verständnis des forensischen und eschatologischen Sinnes der „Rechtfertigung" bei Paulus kann durch den weiteren Gang der Untersuchung über die Verwendung des Glaubensbegriffs und die Begründung der Ethik in der paulinischen Rechtfertigungsbotschaft noch bestätigt werden.

der die Gabe Gottes als verfügbare, naturhafte „Eigenschaft und Kraft des Menschen" erscheinen läßt. Dieser Begriff sei, zumindest in Rö 6, 7 und 1 Kor 6, 11, auch für Paulus nachweisbar. Vgl. auch R. Asting, Die Heiligkeit im Urchristentum (FRLANT N. F. 29), 1930, 213–215, und die berechtigte Kritik dazu von K. Stalder, Das Werk des Geistes, 200–203.

2. Kapitel:

„Rechtfertigung aus Glauben"

Die Exegese von Rö 3, 21–26 und 1, 17 hat auf den für das Rechtfertigungsverständnis wesentlichen Zusammenhang von „Gerechtigkeit Gottes" und „Glauben" aufmerksam gemacht. „Gerechtigkeit Gottes" wäre ein Begriff und nichts mehr als dies, wenn nicht die Ausrichtung der „Gerechtigkeit Gottes" auf den „Glauben" wahrgenommen würde oder anders, wenn nicht der Glaube als die Haltung der Glaubenden der auf sie gerichteten Offenbarung der Gerechtigkeit Gottes entsprechen würde.

Die enge Beziehung des Glaubensbegriffs auf die „Gerechtigkeit Gottes" wie überhaupt auf die „Rechtfertigung" bei Paulus drückt sich schon in den sprachlichen Verbindungen zwischen der Wortgruppe πίστις – πιστεύειν und der von δικαιοσύνη – δικαιοῦν aus. Hauptsächlich erscheinen im paulinischen Sprachgebrauch folgende Verbindungen:

1. Die Verbindungen mit πίστις Ἰησοῦ Χριστοῦ:
   a) Rö 3, 22: δικαιοσύνη θεοῦ διὰ πίστεως Ἰησοῦ Χρ.
      Phil 3, 9: δικαιοσύνη ... ἡ διὰ πίστεως Χριστοῦ.
   b) Rö 3, 26: δικαιοῦν τὸν ἐκ πίστεως Ἰησοῦ.
      Gal 2, 16: δικαιοῦσθαι διὰ πίστεως Χ. Ἰ. bzw. ἐκ πίστεως Χριστοῦ.

2. Die Verbindungen mit absolutem Gebrauch von πίστις:
   a) Rö 9, 30; 10, 6: δικαιοσύνη ἐκ πίστεως.
   b) Phil 3, 9: ἐκ θεοῦ δικαιοσύνη ἐπὶ τῇ πίστει.
   c) Rö 3, 30; Gal 3, 8: δικαιοῦν ἐκ bzw. διὰ τῆς πίστεως.
   d) Rö 3, 28: δικαιοῦσθαι πίστει.
      Rö 5, 1; Gal 3, 24: δικαιοῦσθαι ἐκ πίστεως.
   e) Rö 4, 5. 9: λογίζεται ἡ πίστις εἰς δικαιοσύνην.
   f) Rö 4, 11. 13: δικαιοσύνη τῆς πίστεως.

3. Rö 10, 10: πιστεύειν εἰς δικαιοσύνην.

Aus dieser Aufstellung geht hervor, daß πίστις an einigen Stellen nur durch den attributiven Genitiv Ἰησοῦ Χριστοῦ wesentlich bestimmt wird und daß gerade diese Stellen [1] zentrale Rechtfertigungsaussagen

[1] Rö 3, 22. 26; Gal 2, 16 (2 mal); Phil 3, 9. Außerdem auch Gal 3, 22.

enthalten. Außerdem ist zu erkennen, daß die Verbindungen mit dem präpositonalen Anschluß ἐκ bzw. διὰ πίστεως überwiegen. Eine genauere Betrachtung der Stellen zeigt, daß diese Verbindungen durchweg antithetisch zur „Gerechtigkeit aus dem Gesetz" bzw. „aus Gesetzeswerken" gebraucht werden[2].

Um die paulinische Aussage „Rechtfertigung aus Glauben" richtig zu verstehen, stellt sich also die doppelte Aufgabe, den paulinischen Glaubensbegriff näher zu untersuchen, und zwar unter Berücksichtigung der Genitivverbindung πίστις Ἰησοῦ Χριστοῦ, sodann die spezifische Anwendung des paulinischen Glaubensbegriffs im Zusammenhang der Rechtfertigungsaussagen des Apostels darzustellen, und zwar unter besonderer Berücksichtigung seiner Gesetzeslehre.

A. Der Glaubensbegriff nach Paulus

Aus unseren bisherigen exegetischen Ausführungen geht hervor, daß der Glaube für Paulus kein ausschließlich theoretischer Akt der Wahrnehmung der Offenbarungswirklichkeit ist, sondern der Ausdruck eines ganzheitlichen Vollzugs des Glaubenden, der dem in der Offenbarung erfahrenen Anspruch Gottes zu entsprechen sucht. Der Glaubende erfährt die Offenbarung Gottes in und durch Jesus Christus. Darum ist der Glaube nicht einfach übergeschichtlich, sondern er richtet sich auf eine geschichtliche Wirklichkeit, nämlich auf Jesus Christus. Für Paulus ist der Glaube eine πίστις Ἰησοῦ Χριστοῦ. In seinem Sinne vom Glauben sprechen, heißt also, von vornherein einen ganz bestimmten Glaubensinhalt bejahen, der mit der Verbindung πίστις Ἰησοῦ Χριστοῦ beschrieben wird.

§ 16. Verschiedenartige Deutungen der πίστις Ἰησοῦ Χριστοῦ

Für die Auslegung der Formel πίστις Ἰησοῦ Χριστοῦ stellt sich die Frage, ob der Genitiv Ἰησοῦ Χριστοῦ das Objekt oder den Urheber der πίστις bezeichnet. Vor allem ist zu fragen, welche Art von Beziehung mit dem Wort πίστις ausgedrückt wird, eine rein intellektuelle Beziehung auf die mit dem Namen Jesus Christus bezeichnete, jedoch in der Geschichte schon zurückliegende Heilstat oder auch eine Lebensbeziehung auf den im Glauben gegenwärtigen Christus. Die Formel πίστις Ἰησοῦ Χριστοῦ wurde bisher sehr unterschiedlich gedeutet, wie ein Einblick in die Forschungsgeschichte dieses Gegen-

[2] Vgl. Rö 3, 20–22; 3, 28–30; 9, 30–32; 10, 5. 6; Gal 2, 16; 3, 2. 5; 3, 9. 10; 3, 21. 22; Phil 3, 9.

standes zeigt[3]. Im großen und ganzen lassen sich fünf voneinander abweichende Auslegungen unterscheiden, die an manchen Punkten allerdings auch ineinandergreifen und hier nur um der besseren Übersicht willen nebeneinandergestellt werden.

1. Die πίστις Ἰησοῦ Χριστοῦ wird als „Glaube an Jesus Christus" verstanden[4], der Genitiv also als Gen. obj. erklärt[5]. „Jesus Christus" bezeichnet die Glaubenswahrheit, die der Glaubende annimmt und „für wahr hält"[6]. Der Glaube an Jesus Christus enthält neben dem intellektuellen auch ein Vertrauenselement: Der Glaubende vertraut auf den in Christus geoffenbarten Gnadenwillen Gottes und erwartet von ihm seine Erlösung[7]. Der Glaube an Jesus Christus bildet zusammen mit der Taufe[8] die Initiation des christlichen Lebens. Er eröffnet dem Menschen die Lebensgemeinschaft mit Christus und

[3] Eine ausführliche Darstellung der Problemgeschichte, allerdings unter dem besonderen Gesichtspunkt seines Themas, bietet E. Wißmann, Das Verhältnis von Πίστις und Christusfrömmigkeit bei Paulus (FRLANT N. F. 23), 1926, 1–29. Einen Einblick in das Problem, unter Einbeziehung der Literatur der jüngsten Vergangenheit, vor allem der Darstellung Bultmanns in seiner Theologie und im ThWNT VI, gewährt auch F. Neugebauer, In Christus, 150–174.

[4] So, allerdings mit unterschiedlicher Betonung der im Glaubensbegriff enthaltenen Elemente des Vertrauens auf Gott, der Anerkennung der Person Jesu, der Annahme der durch ihn geoffenbarten Glaubenswahrheit und des Gehorsams: F. C. Baur, Paulus, der Apostel Jesu Christi. Sein Leben und Wirken, seine Briefe und seine Lehre. Teil II, [2]1867, 161f; R. A. Lipsius, Die paulinische Rechtfertigungslehre, 106–120; A. Ritschl, Rechtfertigung und Versöhnung II, 324–326; B. Weiß, Lehrbuch der Biblischen Theologie des NT, [7]1903, 316; O. Pfleiderer, Paulinismus, [2]1890, 169; ders., Urchristentum I, 247; W. Wrede, Paulus, [2]1907, 67; H. J. Holtzmann, Ntl. Theologie II, 133; E. Tobac, Justification, 211–218; R. G. Bandas, The Master-Idea of Saint Paul's Epistles, 337–342; W. Bousset, Kyrios Christos (FRLANT N. F. 22), [3]1926, 174; 178f; W. H. P. Hatch, The Pauline Idea of Faith in its Relation to Jewish and Hellenistic Religion (Harvard Theological Studies, II), 1917, 38; A. Schlatter, Glaube, 265–275; W. Mundle, Der Glaubensbegriff des Paulus, 1932, passim; R. Bultmann: ThWNT VI 218ff; ders., Theologie, 315ff; H. Schlier, Galater, 92f; O. Kuss, Römer, 135–139.

[5] Vgl. A. Schlatter, Glaube, 586f. S. 587 jedoch einschränkend: „Über die Art der Beziehung des Glaubens auf Jesus sagt der Genitiv für sich allein nichts aus; er bringt nur zum Ausdruck, daß der eine Begriff mit dem anderen verbunden und als ihm eignend betrachtet wird; welcher Art diese Verbindung sei, ergibt sich nur aus der besonderen Beschaffenheit des Verhältnisses, von dem die Rede ist".

[6] Vgl. z. B. F. C. Baur, Paulus II, 161; E. Tobac, Justification, 227; W. Mundle, Glaubensbegriff, 16; O. Kuss, Römer, 137.

[7] Vgl. W. Mundle, Glaubensbegriff, 39; vgl. auch Cremer-Kögel, Bibl.-theol. Wörterbuch, 888f.

[8] Vgl. W. Mundle, Glaubensbegriff, 82; O. Kuss, Römer, 146. Manche sehen die Christusgemeinschaft objektiv an die Taufe, subjektiv an den Glauben geknüpft. So R. A. Lipsius, Galater, 40; W. Heitmüller, Taufe und Abendmahl bei Paulus, 1903, 22f; W. H. P. Hatch, Faith, 43f.

vermittelt sie [9]. Da in diesem Glauben die Anerkennung des Herrentums Jesu eingeschlossen ist, bedeutet er zugleich auch eine dauernde gehorsame Unterordnung unter den Kyrios Jesus [10]. Die dauernde Verbundenheit des Gläubigen mit Christus, die von vielen als mystische Lebenseinheit bezeichnet wird, ist das Ziel des anfänglichen Glaubens [11].

2. Πίστις Ἰησοῦ (Χριστοῦ) wird im Sinne eines Gen. subj. ausgelegt und als „Glaube Jesu" verstanden [12]. Die Erklärung des Genitivs als Gen. obj. wird dabei ausdrücklich abgelehnt [13]. Die πίστις Ἰησοῦ bzw. Ἰησοῦ Χριστοῦ ist also der „Glaube, den Jesus selbst in den Tagen seines Fleisches bestätigt hat" [14]. Diese Auslegung wurde jedoch wegen ihrer Unwahrscheinlichkeit nicht allgemein akzeptiert [15]. J. Haußleiter, der die genannte Erklärung für die Verbindung πίστις Ἰησοῦ bzw. Ἰησοῦ Χριστοῦ in Rö 3, 22 und 26 vertrat, legte später die Verbindung πίστις Χριστοῦ bzw. Χριστοῦ Ἰησοῦ, wie sie in Gal 2, 16 vorkommt, im Sinne eines Gen. auctoris aus [16]. Indem er von der Verbindung, „welche die tiefsten Wurzeln im ganzen paulinischen Sprachgebrauch" [17] habe, nämlich πίστις ἐν Χριστῷ ausgeht, versteht er πίστις Χριστοῦ als den „von Christus gewirkten, in ihm ruhenden Glauben" [18]. Diese Erklärung erscheint zumindest erwägenswert und findet auch heute noch in einem eingeschränkten Sinne Anwendung [19].

[9] Vgl. W. H. P. Hatch, Faith, 38f.

[10] Vgl. A. Ritschl, Rechtfertigung II, 322; O. Pfleiderer, Paulinismus, 170f; A. Schlatter, Glaube, 274–276; W. Mundle, Glaubensbegriff, 16ff; 39; 73; O. Michel, Römer, 48f; 90 u. 227; R. Bultmann, Theologie, 318f.

[11] Vgl. F. C. Baur, Paulus II, 177: „... der Glaube kann daher selbst nur als die Einheit des Menschen mit Christus genommen werden". Vgl. auch R. A. Lipsius, Rechtfertigungslehre, 157f; O. Pfleiderer, Paulinismus, 174f; H. J. Holtzmann, Ntl. Theologie II, 134f; W. Wrede, Paulus, 70; W. Mundle, Glaubensbegriff, 114–141; 149–171: „Der paulinische Glaube als Christusgemeinschaft".

[12] J. Haußleiter, Der Glaube Jesu Christi und der christliche Glaube, 1891; G. Kittel, Πίστις Ἰησοῦ Χριστοῦ bei Paulus, in: ThStKr 79 (1906) 419–436; neuerdings wieder H. W. Schmidt, Römer, 66.

[13] G. Kittel, a. a. O. 424: „Der erste Eindruck, den der einfältige Leser haben muß, spricht gegen die objektive Fassung".

[14] J. Haußleiter, Der Glaube Jesu Christi, 10.

[15] Vgl. H. Lietzmann, Römer, 48; für die neueste Zeit O. Kuss, Römer, 157.

[16] J. Haußleiter, Was versteht Paulus unter christlichem Glauben?, in: Greifswalder Studien, 1895, 159–182.

[17] A. a. O. 174. Haußleiter hat jedoch als Belegstellen nur Eph 1, 15; Kol 1, 4; Gal 5, 6; außerdem vier Stellen aus den Pastoralbriefen. Die Verbindung πίστις ἐν Χριστῷ ordne sich als „ein besonderer Fall der zentralen paulinischen Formel ἐν Χριστῷ εἶναι unter" (170).

[18] J. Haußleiter, a. a. O. 178. Vgl. auch S. 177f: „Christus wirkt den Glauben, indem er sich mitteilt ... Und nun bleibt er wirksam hinter dem Glauben stehen, dessen rettende Kraft darin liegt, daß der lebendige Christus wie sein Urheber, so sein Träger ist".

[19] Vgl. A. Schlatter, Glaube, 269f, wonach der Glaube nicht nur „Glaube an

3. Die πίστις Ἰησοῦ Χριστοῦ wird von vornherein als mystische Christusgemeinschaft verstanden. Der Genitiv Ἰησοῦ Χριστοῦ ist ein genitivus mysticus" oder „communis" [20]. Es gibt keinen Glauben an Christus, sondern nur einen Glauben in Christus. Christus ist dabei nicht als eine „‚historische' Größe" vorgestellt, sondern als „eine Realität und Macht der Gegenwart, eine ‚Energie' " [21]. „Der lebendige Christus ist das Pneuma" [22].

4. Der Glaube an Christus wird losgelöst und unabhängig von der „Christusfrömmigkeit" als Bezeichnung der Zugehörigkeit zur christlichen Religion und als gläubige Annahme der Heilsbedeutung Christi verstanden [23]. Diese Interpretation legt das größte Gewicht auf das „Fürwahrhalten" und das „Glaubensbekenntnis" [24]. Der Glaube an

Jesus Christus" ist, sondern auch „Jesus gehörender Glaube"; M. Meinertz, Theologie II, 127 („genitivus originis"); H. Schlier, Galater, 93, der die Grundbedeutung der πίστις Ἰησοῦ Χριστοῦ als „Glaube an Jesus Christus" wegen der antithetischen Parallele dieser Wendung mit ἔργα νόμου, z. B. Gal 2, 16, ergänzt durch die Bedeutung: Glaube an Jesus Christus, den Jesus gibt. „Der Glaube an Jesus Christus lebt als Glaube an ihn und durch ihn".

[20] A. Deißmann, Paulus, 126f; W. Michaelis, Rechtfertigung aus Glauben bei Paulus, in: Festgabe für A. Deißmann, 1927, 116–138; W. H. P. Hatch, Faith, 45f, der zwar Deißmanns gen. myst. für eine „unnecessary grammatical category" hält, die πίστις Χριστοῦ aber doch in demselben Sinn erklärt, nämlich als „faith experienced in fellowship with the pneumatic Christ" (vgl. auch 65f: der Glaube sei „itself the mystical state in which the Christian lives"); O. Schmitz, Die Christusgemeinschaft des Paulus im Lichte seines Genetivgebrauchs, 91–134: „der auf oder in Christus hinein gerichtete Glaube" (107f) oder einfach „Christus-Glaube"; die fraglichen Genitive seien „im Sinne einer ganz allgemeinen Näherbestimmung zu verstehen" (125). Vgl. auch K. Mittring, Heilswirklichkeit bei Paulus (Ntl. Forschungen, I, 5), 1929, 150f. Auch E. Lohmeyer, Grundlagen paulinischer Theologie, gehört trotz seiner eigenen theologischen Sprache letztlich hierher. Für ihn ist der „Christus-Glaube" das metaphysische Prinzip des gläubigen Erlebens (116–118). Πίστις Ἰησοῦ Χριστοῦ „ist nicht nur der Glaube, den Christus hat, auch nicht nur der, den er gibt, sondern vor allem der Glaube, der er selber ist" (121). „In der viel umrätselten Wendung ‚Christusglaube' enthüllt sich eine unlösliche Gebundenheit an die Gestalt Christi" (122).

[21] A. Deißmann, Paulus, 107f.

[22] A. Deißmann, Paulus, 109.

[23] So mit nachdrücklicher Ablehnung der unter 1 bis 3 aufgezeigten Positionen, vor allem der Identifizierung von „Christusglauben" und „Christusmystik", E. Wißmann, Πίστις und Christusfrömmigkeit. Wißmann bezieht sich in der scharfen Unterscheidung beider Größen auf H. Lüdemann, Anthropologie des Apostels Paulus, 1872, und W. Heitmüller, Die Bekehrung des Paulus, in: ZThK 27 (1917) 136–153, deren Annahme eines Nebeneinanders von Glaube und Mystik als zweier Gedankenreihen und verschiedener Formen der paulinischen Frömmigkeit er zu bestätigen sucht (vgl. E. Wißmann, a. a. O. 29 und 117).

[24] E. Wißmann, a. a. O. 38 und 40.

Christus stiftet kein persönliches Vertrauensverhältnis, sondern bedeutet lediglich die gehorsame Annahme des christlichen Kerygmas [25].

5. Die πίστις Ἰησοῦ Χριστοῦ wird unter Bezugnahme auf das hebräische Urwort für πίστις, אמונה, als „Treue Jesu Christi" erklärt, und zwar in dem Sinne der ntl. Erfüllung der Treue Gottes, die er nun in Christus offenbart [26]. Wie im AT אמונה als Bezeichnung für Gottes Treue, also als göttliches Attribut, gebraucht wird, so bezeichnet auch πίστις als ntl. Nachfolgevokabel von אמונה nicht eigentlich eine Aktivität des Menschen, sondern ein Verhalten Gottes in Jesus Christus auf den Menschen hin, dem der Glaubende in dem „stellvertretenden Glauben Christi" antwortet [27]. Diese Auslegung stützt sich auf den wohl zu beachtenden Unterschied von griechischer und hebräischer Denkungsart, sie erweist sich aber wegen ihrer ungesicherten philologischen und sprachgeschichtlichen Argumente als unhaltbar [28].

Um zu erfassen, was Paulus tatsächlich unter πίστις Ἰησοῦ Χριστοῦ versteht, bedarf es einer Untersuchung des Sprachgebrauchs.

[25] Vgl. E. Wißmann, a. a. O. 81–85. Es ist verständlich, wenn Wißmann sich für die Behauptung eines dogmatischen Glaubens auch auf die Zustimmung katholischer Exegeten (B. Bartmann, K. Pieper, E. Tobac) bezieht. Vgl. z. B. a. a. O. 38 Anm. 2 das Zitat von E. Tobac, Justification, 211: „La foi, pour Saint Paul, comprend toujours un élément intellectuel: c'est l'acception de l'Évangile, la réception de la prédication apostolique" (vgl. auch a. a. O. 68 Anm. 1). Jedoch sieht er auch (74 u. 83), wie von katholischen Exegeten zugleich eine „tendance à l'union que produit la foi ... avec le Christ" (Tobac, Justification, 217) und ein Vertrauensmoment im paulinischen Glaubensbegriff (vgl. Tobac, Justification, 216) vertreten wird. – Daß katholische Exegeten bei der Erklärung der πίστις Ἰησοῦ Χριστοῦ die inhaltlich-dogmatische Seite des Glaubens herausstellen, geschieht wohl im Gegensatz zu dem von Protestanten vielfach in den Vordergrund gerückten Fiduzialglauben. Vgl. R. Cornely, Ep. ad Romanos, 183 u. 196f; ders., Ep. ad Galatas, 457f; A. Bisping, Römer, 89f; ders., Galater, 210f; H. Th. Simar, Theologie, 204–209; B. Bartmann, St. Paulus und St. Jakobus über die Rechtfertigung, 44f; K. Prümm, Diakonia Pneumatos II, 1, 379f mit 419–421.

[26] G. Hebert: Theology 58 (1955) 373–379; diesen weitgehend bestätigend T. F. Torrance: ET 68 (1956/57) 111–114 und 221–222. Zur Kritik der von Torrance vorgetragenen Ausführungen vgl. C. F. D. Moule, in: ET 68 (1956/57) 157 und 222. – K. Barth, Römer, 58 u. 62, interpretiert πίστις [Ἰησοῦ] Χριστοῦ in Rö 3, 22 als „Treue Gottes", die sich „in Jesus Christus bewährt".

[27] T. F. Torrance: ET 68 (1956/57) 113: „pistis Jesou Christou ... is a polarized expression ... Jesus Christ is not only the faithful Yes of God to man, but is also the faithful Amen of man to God ... Jesus Christ is also Believer, but Believer for us, vicariously Believer".

[28] J. Barr, Semantics, 187–205, der die Kritik Moules an Torrance (vgl. oben Anm. 26) teilt, kritisiert die von Hebert und Torrance vertretene Position richtig, wenn er sagt, daß der Sinn von „Vertrauen" und „Glaube" als Wiedergabe von πίστις ebenso hebräisch sei wie der von „Treue" und daß der erst genannte Sinn im NT zentrale Bedeutung erhalten habe.

§ 17. Der Sprachgebrauch von πίστις / πιστεύειν

Eine begriffsgeschichtliche Erarbeitung der Wortgruppe πίστις / πιστεύειν nach ihrer griechischen und atl.-jüdischen Herkunft kann hier nicht ausführlich gegeben werden [29]. Hier soll nur der religiöse Sprachgebrauch von „Glauben" vor und außerhalb des NT kurz skizziert werden. Sodann ist der paulinische Glaubensbegriff im Rahmen des ntl. Sprachgebrauchs darzustellen.

1. Vorgeschichte

Πίστις / πιστεύειν vom Stamme πειθ- [30], bedeutet ursprünglich „Vertrauen", „sich verlassen auf" [31]. Diese Wortgruppe wird im religiösen Sinne vom klassischen Griechisch so gut wie gar nicht gebraucht [32]. Im späteren Hellenismus kann es statt νομίζειν (sc. θεοὺς εἶναι) auch πιστεύειν heißen [33].

Dieser Sprachgebrauch wird durch die Propaganda treibenden Religionen gefördert, da sie πίστις „an die in ihr verkündigte Gottheit" fordern [34]. Da die gnostisierenden Strömungen der hellenistischen Zeit dem Menschen eine „geoffenbarte" Erkenntnis der Gottheit eröffnen wollen, erhält die πίστις, allerdings nur in einem sehr beschränkten Maße [35], als Wechselbegriff zu γνῶσις die Bedeutung der religiösen Überzeugung, der „Annahme des Offenbarungswortes" wie des Besitzes „der neuen übernatürlichen Erkenntnis" [36].

Eine ganz andere Struktur weist der Glaubensbegriff des AT auf [37], dessen zentrale Wirklichkeit der Bund Jahwes mit seinem Volke dar-

[29] Zur Vorgeschichte des paulinischen Glaubensbegriffs sei verwiesen auf W. H. P. Hatch, Faith; Cremer-Kögel, Bibl.-theol. Wörterbuch, 871–876 (Sprachgebrauch der Profan-Gräzität), und vor allem auf die Spezialuntersuchungen des ThWNT VI 175–182: „Der griechische und hellenistische Sprachgebrauch" (R. Bultmann); 182–197: „Der atl. Begriff" (A. Weiser); 197–203: „Der Glaube im Judentum" (R. Bultmann). Eine kurze, inhaltsreiche Übersicht über die Glaubensaussagen des AT und des Spätjudentums bietet R. Schnackenburg: LThK [2]IV 913–915. Vgl. auch J. B. Bauer, Der Glaube im AT, in: Bibeltheol. Wörterbuch. I, [2]1962, 514–519.

[30] Vgl. S. Schulz, Die Wurzel ΠΕΙΘ (ΠΙΘ) im älteren Griechisch. Diss. Bern 1952.

[31] Vgl. Liddell–Scott 1407f.

[32] Vgl. ThWNT VI 178f. – Auch dort, wo πίστις auf die Götter bezogen wird (Aesch Pers 800; Soph Oed Tyr 1445), liegt kein eigentlich religiöser Sprachgebrauch vor. Vgl. auch R. Gyllenberg, Glaube bei Paulus, in: ZsystTh 13 (1936) 613–630: „Der griechische Geist war zu rational und die griechische Götterwelt zu unpersönlich, um eine Entwicklung religiösen Vertrauens hervorzurufen" (619). Vgl. ders., Pistis. I–II, 1922 (schwedisch).

[33] Vgl. ThWNT VI 179.

[34] ThWNT VI 180f.

[35] Vgl. R. Gyllenberg: ZsystTh 13 (1936) 620.

[36] Ebd.

[37] Vgl. E. Pfeiffer, Glaube im AT, in: ZAW 71, N. F. 30 (1959) 151–164.

stellt. Zwar kennt das AT keinen einheitlichen Sprachgebrauch von „Glauben“ [38]. Aber unter den verschiedenen Termini, die den Glaubensvollzug des atl. Menschen angeben, hat das Hiphil vom Wortstamm אמן (= sicher sein) das Sprechen von dem, was wir Glauben im religiösen Sinne nennen, so stark beeinflußt, daß wir mit seiner Hilfe den Begriff des atl. „Glaubens“ im wesentlichen bestimmen können [39]. Auch die LXX gebraucht πιστεύειν nur [40] als Übersetzung von האמין.

Zunächst ist האמין ein reiner Formalbegriff, der nur auf ein personhaftes Verhältnis Anwendung findet, um die Übereinstimmung, die in diesem Verhältnis bezüglich einer Sache, insbesondere eines Wortes, herrscht, und die darauf sich gründende persönliche Gewißheit zu bezeichnen (z. B. Gen 45, 26; Ex 4, 1. 8f; 3 Kön 10, 7; Mi 7, 5; Jer 12, 6; Job 15, 15). Im Bezug auf Gott heißt האמין „Amen“ sagen zu Gott und zu seinem Wort [41] (vgl. Dt 27, 15–26) und so Sicherheit finden in Gott [42]. So bedeutet Glaube Gehorsam gegen die Forderung Gottes (vgl. Dt 9, 23), aber auch, da Gottes Wort Verheißung ist, ein Sichverlassen auf Gott (vgl. Gen 15, 6; Ps 106, 24). Der so Glaubende weiß sich fest in seinem Gottesverhältnis begründet. Er erkennt Gottes Initiative als vorgängig und sein eigenes Verhalten als sekundär. So wird im atl. Glaubensbegriff die Struktur des „Bundes“ sichtbar. Der Einzigkeit Jahwes, der Israel erwählt hat, entspricht das Bundesvolk durch die Einzigkeit seines Glaubens [43] (vgl. Is 43, 10). Besonders bei Isaias wird der Gedanke der unbedingten Gebundenheit an Gott verschärft, indem jede menschliche Sicherung als Existenzbasis für das Bundesvolk abgelehnt wird (vgl. Is 30, 15f). Im Glauben allein hat Israel Bestand (vgl. Is 7, 9). Da die Propheten in ihrer „Glaubenspredigt“ zu-

[38] Vgl. ThWNT VI 182.

[39] Zu den sinnverwandten Verben ist vor allem בטח, das die LXX hauptsächlich mit πεποιθέναι und ἐλπίζειν wiedergibt, zu rechnen (vgl. ThWNT VI 191–193). Die in diesem Verb ursprünglich ausgedrückte Ichbezogenheit des subjektiven Sicherheitsgefühls (z. B. Ri 18, 7. 27) geht schließlich durch Angleichung an das synonym gebrauchte האמין zugunsten eines Beziehungsbegriffs verloren, z. B. Jer 39, 18; Mi 7, 5; Soph 3, 2; Spr 3, 5; Ps 78, 22 u. a. Eine ähnliche Bedeutungsentwicklung hat חסה = „Zuflucht suchen“ bzw. „finden“ (vgl. ThWNT VI 193).

[40] Eine Ausnahme ist Jer 25, 8.

[41] Vgl. ThWNT VI 187.

[42] Vgl. zuletzt James Barr, Semantics, 177: „... the question of the hiph'il and its function in he'ᵉmin. Here there are two possibilities to discuss, (a) a declarative-estimative function, such as ‚regard as firm or reliable‘; ... (b) a so-called ‚internal-transitive‘ function, defined as used for ‚the entering into a certain condition and, further, the being in the same‘. I shall argue that the latter represents the true function of the hiph'il in he'ᵉmin“. – J. Barr setzt sich in der Begründung seiner These mit der Gegenposition auseinander, die er von E. Pfeiffer: ZAW 71, N. F. 30 (1959) 151–164, vertreten sieht. Dieser gibt dem Hiphil he'ᵉmin die Bedeutung „für fest, sicher, zuverlässig erklären oder halten“.

[43] Das Verb האמין wird niemals auf die Beziehung zu Götzen angewandt, sondern ausschließlich auf das Verhältnis zu Gott. Vgl. A. Weiser: ThWNT VI 188.

gleich auch zu einer Entscheidung für Jahwe und seinen Bund (als Kehrseite der Abwendung vom Baalskult) aufrufen, erhält der Glaube hier schon das Gepräge der persönlichen Entscheidung und Zugehörigkeit zur Heilsgemeinde[44]. Eine letzte Vertiefung erhält der atl. Glaubensbegriff durch das Motiv der Hoffnung bei Deuterojesaja. Hatte schon in Is 28, 16[45] und 30, 18 der Glaube den Charakter der Treue auf Zukunft hin gezeigt, so tritt die eschatologische Komponente des Glaubensbegriffs vollends deutlich bei Deuterojesaja in Erscheinung. In Is 40, 31 richtet der Prophet die müde gewordenen Exulanten (vgl. V. 27 u. 29) wieder auf mit dem Ruf: „Die auf Jahwe harren, schöpfen neue Kraft". Vgl. auch Is 51, 5; Ps 43, 5; 130, 5[46].

In der LXX steht πιστεύειν, wie schon bemerkt, fast ausschließlich[47] zur Wiedergabe von האמין und πίστις (abwechselnd mit ἀλήθεια) nur als Wiedergabe von אמונה. Da die Übersetzer πίστις und Derivate, der griechischen Wortbedeutung entsprechend, im Sinne von „Vertrauen", „Treue" gebrauchten, wurde in diesen Worten wohl das Vertrauensmoment, das im hebräischen Begriff אמונה/האמין in einem ausgesprochen religiösen Sinne vorlag, eingefangen. Aber damit war noch nicht der erst im NT erscheinende volle Begriff der πίστις erreicht. Die besonders für den paulinischen πίστις-Begriff so wesentliche Komponente des Hörens und Gehorchens wird in der LXX nicht[48] mit πίστις / πιστεύειν, sondern mit ἀκοή / ἀκούειν wiedergegeben. Daß Paulus aber mit der Betonung des Hörens auf das Evangelium und des Gehorsams gegen das Wort Gottes dem atl. Bundesgedanken, in dem „Hören, Gehorchen und Tun eins" sind[49], tatsächlich entspricht, zeigt, daß sein Glaubensbegriff nicht nur vom Gebrauch des Wortes πίστις in der LXX abzuleiten ist, sondern auch die Elemente, die in der LXX mit den Worten ἀκούειν, ἀκοή, ὑπακούειν, ὑπακοή angezeigt werden, umfaßt[50].

Der Glaubensbegriff des Spätjudentums enthält die atl. Elemente, bringt diese aber unterschiedlich zur Sprache. Während das apokalyptische Schrifttum stärker das Moment der Treue zum Bund mit Gott[51] und der beharrlichen Erwartung der Erfüllung der göttlichen Verheißung[52] betont, verengt sich der Vollzug des Glaubens im rabbinischen Spätjudentum zu einem

[44] Vgl. R. Gyllenberg: ZsystTh 13 (1936) 622. Gyllenberg bemerkt, daß אמונה in dieser bei den Propheten auftauchenden Bedeutung sich „der Verwendung von πίστις in der hellenistischen religiösen Sprache" nähert.

[45] Vgl. Rö 9, 33 u. 1 Petr 2, 6.

[46] An den genannten Stellen wird die Hoffnung, die das Verhältnis zu Gott bestimmt, durch die Verben קוה und יחל ausgedrückt, die in den späteren Schriften des AT synonym mit בטח gebraucht werden. Vgl. ThWNT VI 194f.

[47] Nur in Jer 25, 8 wird πιστεύειν für שמע gebraucht.

[48] Die einzige Ausnahme ist die in der vorigen Bemerkung angeführte, die den später vom NT eingeführten Glaubensbegriff schon vorwegnimmt.

[49] R. Gyllenberg, ZsystTh 13 (1936) 623.

[50] Bezeichnend für diese Entwicklung ist der paulinische Begriff ὑπακοὴ πίστεως, Rö 1, 5; 16, 26.

[51] Vgl. 1 QS 8, 2f; 1 QH 2, 21f. 28; 4, 39; 7, 8; 16, 7; 1 QpHab 2, 4; 8, 2; 4 Esr 3, 32; vgl. auch äthHen 46, 8. Die „Treuen" sind die „Gläubigen" (4 Esr 7, 131; syrBar 42, 2; 54, 16. 21).

[52] Vgl. 1 QpHab 8, 1f; syrBar 42, 2; 54, 21; 59, 2. 10; TestDan 5, 13 u. 6, 4 (Var. bfg); vgl. auch TestLev 8, 2.

am Einzelgebot orientierten Gesetzesgehorsam[53], wobei der Glaube selbst zu einem verdienstlichen Gesetzeswerk wird[54].

Eine besondere Ausprägung erhält der jüdische Glaubensbegriff durch den jüdischen Abwehrkampf gegen hellenistische Überfremdung in der Makkabäerzeit und durch die Situation der Juden in der Diaspora. Bezeichnenderweise fällt in diesem religiös-politischen Abwehrkampf der atl. Glaubensbegriff jedoch der Hellenisierung zum Opfer, da die persönliche Überzeugung sowie der feste und unveräußerliche Glaubens- und Wahrheitsbesitz ausschlaggebend werden für das Verhältnis des Menschen zu Gott. Glauben heißt „Zeugnis ablegen" (äthHen 105, 1) und „die Glaubenswahrheit bekennen" (äth Hen 46, 7f; 63, 5. 7. 8)[55]. Der Glaubensinhalt ist für den Juden der Monotheismus (vgl. 4 Makk 7, 21; 12, 2; 16, 26; Arist 237)[56]. Der Erkenntnis vom wahren Gottesglauben entspricht die missionarische Werbung für diesen Glauben (vgl. Sib III 715–724)[57].

2. *Paulus*

Die große Bedeutung des Glaubensbegriffs für Paulus im Vergleich zu den übrigen Schriften des NT geht aus folgenden statistischen Angaben hervor. Während die synoptischen Evangelien insgesamt nur 24 mal und das Johannesevangelium keinmal das Substantiv πίστις zählen, kommt es im Römerbrief allein schon 40 mal vor. Vergleichbar ist etwa das Vorkommen von πίστις im Hebräerbrief, wo es 32 mal steht, allerdings in einer vom paulinischen Sprachgebrauch zu unterscheidenden Bedeutung[58]. Der weitaus größte Teil der Stellen mit πίστις ist im Römer- und Galaterbrief anzutreffen, also gerade in den Schriften, die für die Erhebung des paulinischen Rechtfertigungsbegriffs von besonderer Bedeutung sind.

Der ntl. Gebrauch des Verbs πιστεύειν unterscheidet sich von dem des Substantivs vor allem dadurch, daß es bei Paulus weniger häufig erscheint – im Römerbrief 21mal –, dagegen in den synoptischen Evangelien insgesamt 34 mal und, was besonders auffällt, bei Johannes 98 mal, was sich aus der Eigenart der johanneischen Verwendung von „glauben" im Sinne eines „Erkennens" des

[53] Billerbeck III, 191.

[54] Vgl. A. Schlatter, Glaube, 29–32.

[55] E. Wißmann, Πίστις und Christusfrömmigkeit, 41, nimmt die genannten Stellen als Beleg dafür, daß der Terminus „Glaube" im Spätjudentum Fachausdruck für die Frömmigkeit und die Religion sei. – Zur philosophischen Prägung des Ein-Gott-Glaubens bei Philo vgl. Bousset–Gressmann, 194, und R. Bultmann: ThWNT VI 202f.

[56] Vgl. W. Bousset, Kyrios Christos, 123f: „Das Πρῶτον πίστευσον, ὅτι εἷς ἐστιν θεός wurde Erkenntnismerkmal des Judentums in der Zerstreuung".

[57] Vgl. auch R. Bultmann: ThWNT VI 180f: „Der Sprachgebrauch der religiösen Propoganda".

[58] Neben dem allgemeinen urchristlichen Sinn von „Glaube" als Annahme des Evangeliums begegnet vor allem in Hebr 11 der „Sinn von πίστις als Vertrauen und Hoffnung . . . , doch so, daß daneben auch immer der von Gehorsam und Treue zur Geltung kommt" (R. Bultmann, Theologie, 92f). Unpaulinisch erscheint die „Definition" des Glaubensbegriffs in V. 1: „die Überzeugung von Dingen, die man nicht sieht".

Offenbarers Gottes und seines Heils als eines Grundzugs dieses Evangeliums erklärt[59].

Da die paulinischen Schriften zeitlich gesehen am Anfang der ntl. Bücher stehen, läßt sich keine Abhängigkeit des paulinischen Sprachgebrauchs von dem anderer ntl. Schriftsteller nachweisen. Die Tatsache, daß Paulus dem Glaubensbegriff große Bedeutung beimaß und zum Angelpunkt seiner Theologie machte, läßt darauf schließen, daß der Sprachgebrauch von πίστις / πιστεύειν in einem großen Umfang beim vorpaulinischen Christentum bekannt war, so daß er sich darauf stützen und ihn leicht weiterentwickeln konnte[60].

Der paulinische Glaubensbegriff ist wie überhaupt der des ganzen NT im wesentlichen von seiner Vorgeschichte im hebräischen und griechischen AT aus zu erfassen. Ein erheblicher Einfluß des griechischen Denkens auf den ntl. Gebrauch der Wortgruppe πίστις / πιστεύειν ist nicht festzustellen[61]. Der allgemeine Sinn von „vertrauen", „Glauben schenken", den das Wort im Griechischen hat, läßt sich stellenweise auch für das NT nachweisen[62]. Πίστις bezeichnet zunächst ganz allgemein das Vertrauen demjenigen gegenüber, der sich mit dem Anspruch der Wahrhaftigkeit an mich wendet. Das eigentliche religiöse Moment des Glaubens liegt darin begründet, daß Gott es ist, dessen im Evangelium geoffenbartes Wort Glauben verlangt[63].
Während der jüdische „Glaube" im wesentlichen eine Sache des Vertrauens auf den Bundesgott und der Treue zu ihm ist[64], ist für den paulinischen Glaubensbegriff von grundlegender Bedeutung, daß der Mensch nicht ohne weiteres in der Gemeinschaft mit Gott steht,

59 Auf die teilweise Übereinstimmung des johanneischen mit dem paulinischen Sprachgebrauch macht R. Bultmann: ThWNT VI 227, aufmerksam. Vgl. auch R. M. Pope, Faith and Knowledge in Pauline and Johannine Thought, in: ET 41 (1930) 421–427; A. Decourtray, La conception johannique de la foi, in: Nouvelle Revue Théol. 91 (1959) 561–576; H. Schlier, Glauben, Erkennen, Lieben nach dem Johannesevangelium, in: Besinnung auf das NT. Exegetische Aufsätze und Vorträge. II, 1964, 279–293.

60 Vgl. E. de Witt Burton, Galatians, 485: „There can be little doubt that it was largely to Paul that the Christian movement owed that strong emphasis on faith, and the prominence of the word in the Christian vocabulary which is reflected in N.T. as a whole".

61 E. de Witt Burton, Galatians, 478–485: „πίστις and πιστεύω in N.T., clearely show the influence alike of the Greek usage of the words and of the Hebrew thought, of which they became the vehicle. The words are Greek, the roots of the thought are mainly in the experience and writings of the Hebrew prophets and psalmists".

62 Vgl. Mk 11, 31; 13, 21; Lk 22, 67; Jo 4, 21. 50; Apg 27, 25; 1 Kor 11, 18.

63 Vgl. Mk 1, 15: πιστεύετε ἐν τῷ εὐαγγελίῳ; Apg 8, 12; Rö 10, 14. An den zahlreichen Stellen des Johannesevangeliums gilt der Glaube dem mit der Person des Verkündigers identischen Kerygma (vgl. R. Bultmann: ThWNT VI 224), letzten Endes aber Gott, dessen Offenbarer der Verkündiger ist.

64 Diese Struktur von Glauben ist im NT vor allem im Glaubensbegriff des Matthäusevangeliums erkennbar: Glaube als „Gehorsam bzw. Treue gegenüber dem Willen Gottes, dem Gesetz" (G. Barth, Gesetzesverständnis, 107).

als ob es diese Gemeinschaft mit Gott nur zu erneuern und durchzuhalten gelte. Glauben ist vielmehr eine Sache der Entscheidung gegenüber dem neuen Faktum, das dem Menschen in der Predigt des Evangeliums verkündet wird. Insofern der Glaube die Verkündigung des Evangeliums voraussetzt und die Bereitschaft des Menschen zur Annahme der Botschaft vom Heil ausdrückt, deckt sich der paulinische Sprachgebrauch von πίστις / πιστεύειν mit dem der anderen Schriften des NT.

Zwei wesentliche Elemente des paulinischen Glaubensbegriffs sind also zu erkennen: Der Glaube ist auf das christliche Kerygma gerichtet, und er hat Entscheidungscharakter.

Dem paulinischen Glaubensbewußtsein ist es selbstverständlich, daß es einen christlichen Glauben nur als einen „Glauben an Gott“ [65] bzw. „an Christus“ [66] gibt. Die hierfür grundlegende [67] Formel πιστεύειν εἰς [68] gibt es weder im Profangriechischen noch in der LXX [69]. Sie gehört der Missionssprache an und bezeichnet wohl in Analogie zur Taufformel βαπτίζειν εἰς [70] den Akt des „Gläubigwerdens“, mit dem die Bejahung eines bestimmten Glaubensinhaltes verbunden ist. Im selben Sinne kann auch πιστεύειν ὅτι [71] und für den Substantivgebrauch πίστις mit dem Gen. obj.[72] stehen. Auch dort, wo πιστεύειν absolut steht und das „Gläubigwerden“ [73] bzw. das „Gläubigsein“ [74] bezeichnet, ist die Zustimmung zur erkannten Glaubenswahrheit eingeschlossen [75]. „Glauben“ hat also zunächst die Bedeutung „für wahr halten“ [76], und zwar bezüglich des Berichtes von der Heilsbedeutung Jesu. Das „Für-wahr-halten“ schließt die Bekehrung und

[65] 1 Thess 1, 8: ἡ πίστις ὑμῶν ἡ πρὸς τὸν θεόν; Rö 4, 3. 5. 24. Vgl. Hebr 6, 1; Mk 11, 22: ἔχετε πίστιν θεοῦ.

[66] Phm 5: ἣν ἔχεις πρὸς τὸν κύριον. Vgl. Eph 1, 15; 1 Tim 3, 13; 2 Tim 3, 15.

[67] Vgl. Cremer–Kögel, Bibl.-theol. Wörterbuch, 906.

[68] Rö 10, 14; Gal 2, 16; Phil 1, 29.

[69] Vgl. R. Bultmann: ThWNT VI 203: „Man wird dieses πιστεύειν εἰς schwerlich als eine Fortentwicklung von πιστεύειν cDat = ‚vertrauen‘ verstehen dürfen“.

[70] Vgl. J. Haußleiter, Was versteht Paulus unter christlichem Glauben? 162–170; Cremer–Kögel, Bibl.-theol. Wörterbuch, 906.

[71] Rö 6, 8; 10, 9; 1 Thess 4, 14.

[72] Vgl. Rö 3, 22. 26; Gal 2, 16. 20; 3, 22; Phil 3, 9: διὰ πίστεως Χριστοῦ; 1, 27: τῇ πίστει τοῦ εὐαγγελίου. Vgl. 2 Thess 2, 13; Eph 3, 12; Jak 2, 1; Apk 2, 13; 14, 12.

[73] Vgl. Rö 1, 16; 3, 22; 10, 4; 13, 11; 1 Kor 3, 5; 15, 2. Vgl. auch Mk 16, 16f; Lk 8, 12; Jo 4, 53; 19, 35; 20, 29; Apg 5, 14; 8, 12f u. ö.

[74] Πιστεύοντες, πιστεύσαντες, πεπιστευκότες stellen im NT geradezu technische Bezeichnungen für die Christen dar.

[75] Vgl. 1 Kor 15, 4; Eph 1, 13.

[76] Vgl. E. Wißmann, Πίστις und Christusfrömmigkeit, 38; W. Mundle, Glaubensbegriff, 16; O. Kuss, Römer, 137.

die Taufe ein [77]. Der Glaubende wird durch die Taufe in die Gemeinschaft der Christusgläubigen, das ist die Kirche, aufgenommen [78]. Insofern die Bekehrung des Menschen zum Evangelium eine persönliche Entscheidung erfordert, hat der Glaube für Paulus auch Entscheidungscharakter. Der Glaube als Hinwendung des von Gott berufenen Menschen zum Evangelium enthält ein aktives Moment [79]. Hierdurch wird die Gnadenhaftigkeit der göttlichen Berufung jedoch in keiner Weise in Frage gestellt. Denn es handelt sich im Glauben nicht um einen rein eigenmächtigen Entschluß des Menschen etwa auf Grund eigener Einsicht in die Wahrheitsgründe des Kerygmas [80], sondern um eine Bewegung des menschlichen Willens, die von Gottes Ruf schon „hervorgerufen" ist [81]. Daß die persönliche Freiheit des Menschen im Glauben nicht unwichtig ist, zeigt sich gerade daran, daß er den Glauben der Botschaft gegenüber auch verweigern und damit schuldig werden kann [82].

R. Bultmann [83] spricht von der gläubigen Hingabe des Menschen als einer „Bewegung des Willens" und sieht den „Tatcharakter der πίστις" einerseits dadurch ausgedrückt, daß Paulus „die πίστις als ὑπακοή versteht ..., andererseits ganz ungewollt dadurch, daß er die πίστις nie, wie etwa Augustin, als inspiriert bezeichnet".

Die von Bultmann vertretene Auffassung wird von F. Neugebauer [84] dadurch kritisiert, daß er auf den angeblich anderen Ort der menschlichen Entscheidung innerhalb der paulinischen Konzeption hinweist. Sie werde „nicht im Zusammenhang des Indikativs", sondern erst „im Zusammenhang des Imperativs"

[77] Vgl. W. H. P. Hatch, Faith, 42–44; W. Mundle, Glaubensbegriff, 79; O. Kuss, Römer, 146f. Das Verhältnis von Glaube und Taufe wird jedoch von Paulus nicht näher präzisiert.

[78] Die Glaubenden heißen gelegentlich οἰκεῖοι τῆς πίστεως (Gal 6, 10), da sie eine οἰκία oder, wie Paulus sagt, eine ἐκκλησία bilden, in der sie einander „erbauen" sollen (vgl. 1 Kor 14, 12). Zur ekklesiologischen Struktur des πίστις-Begriffs vgl. F. Neugebauer, In Christus, 168–171.

[79] Vgl. R. Bultmann, Theologie, 300 u. 330.

[80] R. Gyllenberg: ZsystTh 13 (1936) 624, weist auf den Unterschied der paulinischen πίστις zum philosophischen Glaubensbegriff Philos hin: „Bei Philon herrscht die Reflexion, bei Paulus die Verkündigung. Bei Philon ist alles statisch aufgebaut, bei Paulus ist alles dramatisches Geschehen. Darum geschieht auch das Denken des Paulus nicht in den logischen Begriffen der griechischen Philosophie, sondern in den Formen einer Verkündigung, die selbst Tat ist und zur Entscheidung treibt".

[81] Aus 2 Kor 5, 20 geht beides hervor, daß Gottes Anruf zur Versöhnung an den Menschen ergeht und daß der Mensch ihm in Freiheit zu entsprechen hat. Vgl. auch Rö 4, 17. „Der κλῆσις Gottes entspricht die πίστις des Menschen. Sie können überhaupt voneinander nicht getrennt werden, ohne daß man in eine unpaulinische, rationale Deutung gerät" (R. Gyllenberg: ZsystTh 13 [1936] 627).

[82] Vgl. Rö 2, 8; Gal 5, 7.

[83] R. Bultmann: ThWNT VI 221.

[84] In Christus, 165–169.

relevant, dem die „Entscheidung Gottes“ zugrunde liege. Der Glaube sei also „primär die Entscheidung Gottes“ [85].
Um das Mißverständnis einer totalen Passivität des Menschen im Glauben und damit im Heilswirken Gottes zu vermeiden – man spricht auch wohl von dem „Widerfahrnis“ [86] des Glaubens –, wäre jedoch besser von der vorgängigen Berufung Gottes und, auch im Sinne Bultmanns, von der „Glaubenstat“ des Berufenen zu sprechen [87]. Das Argument Neugebauers, Paulus habe „nie das gläubige Tun und das gläubige Verhalten als πίστις und πιστεύειν bezeichnet“, da er „das Heilsgeschehen des Glaubens nie zur Aufgabe des Menschen machen“ [88] konnte, trifft nicht. Denn die Glaubenstat unterscheidet sich von jedem sonstigen sittlichen Tun des Menschen grundsätzlich dadurch, daß in ihr göttliche Berufung und menschliche Antwort so zusammengehen, daß zwar die menschliche Antwort nicht heilsentscheidend wird, aber auch nicht zu einer Antwort Gottes auf seinen eigenen Anruf. Vgl. Gal 5, 8: Für Paulus stammt der Gehorsam der Glaubenden von Gott, ohne daß er dadurch Gehorsam Gottes würde.

Wie wenig der Entscheidungscharakter des Glaubens mit menschlicher Eigenmächtigkeit gegenüber Gott zu tun hat, zeigt sich daran, daß Paulus den Glauben als „Gehorsam“ versteht. Die ὑπακοή ist die dem gnadenhaften Anruf Gottes entsprechende Haltung des Menschen [89]. Ihre Bedeutung für den paulinischen Glaubensbegriff zeigt sich etwa in Rö 10, 16. Paulus klagt, daß „nicht alle (Juden) dem Evangelium gehorsam wurden“, obwohl sie das Kerygma Christi gehört haben (vgl. V. 18). Ihr Ungehorsam besteht in der Ablehnung des Evangeliums oder, wie Paulus in Rö 10, 3 sagt, in ihrer „Eigengerechtigkeit“, die sie aufzurichten suchen, wodurch sie die „Gerechtigkeit Gottes“ verkennen. Hier zeigt sich, daß der Glaube nicht nur eine äußere Anerkennung des Evangeliums ist, sondern vielmehr die persönliche Unterordnung unter seinen Anspruch. Das bedeutet zuerst die Preisgabe der „Eigengerechtigkeit“, die der Grund der Verstocktheit gegenüber dem Angebot Gottes im Evangelium ist. Indem der Mensch sein Streben nach Gerechtigkeit auf Grund von Werken aufgibt [90] und dem Wort von der Gnade Gottes im Evangelium traut,

[85] F. Neugebauer, a. a. O. 165.

[86] G. Delling: NovTest 4 (1960) 114.

[87] O. Kuss, Römer, 138, nennt den Glauben sogar eine „Leistung“ des Glaubenden, was jedoch mißverständlich ist, da bei diesem Wort leicht an einen selbständigen Beitrag des Menschen zu seinem Heil gedacht wird.

[88] F. Neugebauer, a. a. O. 169.

[89] Der Ausdruck ὑπακοὴ πίστεως in Rö 1, 5 und 16, 26 bezeichnet den Gehorsam sowohl als Forderung der Glaubensbotschaft bzw. ihres Verkündigers wie auch als Vollzug des christlichen Glaubens. Vgl. R. Gyllenberg: ZsystTh 13 (1936) 613–630: „Es besteht von Hause aus eine gewisse Konkurrenz zwischen ἀκούειν und πιστεύειν, ἀκοή und πίστις“ (623).

[90] R. Bultmann, Theologie, 300, spricht von der „radikalen Preisgabe der Kauchesis“, d. h. des menschlichen Sichverlassens auf die eigenen Möglichkeiten.

wird er ein Glaubender. Die Tatsache jedoch, daß Gott sich gerade in dem gekreuzigten Jesus den Menschen schenkt, läßt das Kreuz als Gegenstand und Grund des subjektiven Glaubensaktes des Menschen erscheinen. An diesem Grund des Glaubens nimmt derjenige, der den Gehorsam des Glaubens verweigert, Ärgernis. Indem der Glaubende sich dem Anspruch Gottes im Evangelium nicht verweigert und für Jesus entscheidet, öffnet er sich dem Gnadenwirken Gottes. Der Glaubende wird also auf Grund des Gehorsams ein anderer; er gehört nicht mehr sich selbst, sondern dem, dem er sich unterworfen hat, Jesus Christus. Hier zeigt sich schon, daß der Glaubensbegriff bei Paulus tief in das Gefüge der Rechtfertigungsbotschaft, die nichts anderes als Gnadenbotschaft ist, hineinreicht.

Die Erkenntnis, daß der Glaube bei Paulus den Charakter des Gehorsams hat, ist auch für die Erklärung der Formel πίστις Ἰησοῦ Χριστοῦ wichtig. Diese Formel bedeutet sowohl die Annahme des Kerygmas, dessen Thema Jesus Christus ist, als auch die gehorsame Unterordnung des Glaubenden unter Jesus Christus.

In Rö 10, 16 (ἀλλ' οὐ πάντες ὑπήκουσαν τῷ εὐαγγελίῳ) und kurz vorher in V. 14 (εἰς ὃν [κύριον] οὐκ ἐπίστευσαν) ist der Gehorsam bzw. der Glaube auf das Evangelium[91] und dessen Inhalt gerichtet. Der Inhalt des Evangeliums wird in Rö 10, 9 mit zwei parallel laufenden christologischen Glaubensaussagen angegeben, die mit den beiden synonym gebrauchten Verben ὁμολογεῖν und πιστεύειν verbunden sind. Die erste Aussage lautet: κύριον Ἰησοῦν (εἶναι)[92], die zweite: ὅτι ὁ θεὸς αὐτὸν ἤγειρεν ἐκ νεκρῶν. Beide Satzglieder enthalten dem Gegenstand nach keinen wesentlichen Unterschied. Der Kyriosglaube ist Glaube an die Auferweckung Jesu. Da Paulus hier von einem Bekenntnis des Glaubens spricht und sein Inhalt formelhaft geprägt erscheint, wird mit Recht vermutet, daß diesem Vers ein Taufbekenntnis zugrunde liegt[93]. Der Täufling bekennt Jesus als den „Herrn" und ordnet sich seinem Herrschaftsanspruch ganz und gar unter. Beides, die Anerkennung Jesu als des von Gott auferweckten Christus

[91] Mit εὐαγγέλιον bezeichnet Paulus die Heilsbotschaft (vgl. Rö 1, 16 u. ö.). Er nennt es das εὐαγγέλιον θεοῦ (Rö 1, 1; 15, 16 u. ö.), um Gott als Urheber der Botschaft anzugeben, εὐαγγέλιον τοῦ υἱοῦ αὐτοῦ (Rö 1, 9) oder τοῦ Χριστοῦ (Rö 15, 19 u. ö.), um den Inhalt und göttlichen Träger der Botschaft zu bezeichnen, aber auch als τὸ εὐαγγέλιόν μου (Rö 2, 16; 16, 23; vgl. 1 Kor 15, 1), εὐαγγέλιον ἡμῶν (2 Kor 4, 13). Daneben gebraucht Paulus in gleicher Bedeutung τὸ ῥῆμα τῆς πίστεως (Rö 10, 8); das ist zugleich das Wort der Glaubensverkündigung und das Wort, das Glauben fordert; ῥῆμα Χριστοῦ (Rö 10, 17), das Wort Christi selbst, als dessen Bote sich Paulus weiß; κήρυγμα (Rö 16, 25; 1 Kor 1, 21; 2, 4; 15, 14) und λόγος (1 Kor 1, 18: λόγος τοῦ σταυροῦ; 2 Kor 5, 19: λόγος τῆς καταλλαγῆς).

[92] B sa Clem lesen ὅτι κύριος Ἰησοῦς, was mit obiger Lesart gleichbedeutend ist.

[93] Vgl. O. Michel, Römer, 258.

und der Gehorsam ihm gegenüber, ist in der πίστις Ἰησοῦ Χριστοῦ ausgedrückt. Dabei macht es keinen Unterschied, ob Χριστοῦ oder Ἰησοῦ voransteht[94] oder ob einer dieser beiden Namen fehlt. Denn Χριστός ist im urchristlichen Sprachgebrauch schon bald Eigenname wie Ἰησοῦς geworden und hat als Messiastitel an selbständiger Bedeutung verloren, je selbstverständlicher der Kyriostitel auf Jesus angewandt wurde[95].

Daß die πίστις Ἰησοῦ Χριστοῦ nicht als Gen. subj., sondern im Sinne des gläubigen Bekenntnisses zu Jesus Christus als dem neuen Herrn zu verstehen ist, zeigen deutlich die Formulierungen in Rö 10, 14, wo Paulus den Glauben an den Herrn Jesus Christus voraussetzt, sowie in Gal 2, 16, wo er selbst die πίστις Ἰησοῦ Χριστοῦ als ein πιστεύειν εἰς Χριστὸν Ἰησοῦν auslegt, und in Phil 1, 29, wo das Glauben an Christus dem Leiden für ihn gegenübergestellt wird.

Da „Jesus Christus" als Objekt des Glaubensaktes erscheint, tritt der so verstandene christliche Glaube in Spannung mit dem „Glauben an Gott" (1 Thess 1, 8)[96].

W. Bousset[97] spricht von einer Verdoppelung des Glaubensobjektes bei Paulus und erklärt sie dadurch, daß Paulus in der Formulierung des „Glaubens an Jesus" von einem „bereits formulierten Gemeindebekenntnis" zum Kyrios Jesus abhängig sei. Dazu muß jedoch festgestellt werden, daß der Christusglaube bei Paulus nirgendwo konkurrierend neben den Gottesglauben tritt, sondern daß die Synthese dadurch hergestellt wird, daß gerade im Christusglauben die Dimension der Offenbarung Gottes sichtbar wird und umgekehrt der Gottesglaube sich an Christus als dem geschichtlichen Ort der Offenbarung Gottes orientiert. Der Glaube sieht in Jesus Gott selbst am Werk, wie schon die auf vorpaulinische Tradition zurückgehenden Glaubensformeln in Rö 4, 24 und 10, 9 deutlich zeigen: Gott hat Jesus, „unseren Herrn", von den Toten erweckt. In diesem Glaubenszeugnis sind Gott als Totenerwecker und Jesus als „unser Herr" zusammen ein Glaubensgegenstand[98].

[94] H. Lietzmann, Römer, 23, läßt mit v. Dobschütz als „Motiv der Umstellung das grammatische" gelten.

[95] Vgl. O. Michel, Römer, 258f; N. A. Dahl, Die Messianität Jesu, 84–87; L. Cerfaux, Le Christ dans la théologie de saint Paul (Lectio Divina, 6), ²1954, 361–374; F. Hahn, Christologische Hoheitstitel. Ihre Geschichte im frühen Christentum (FRLANT 83), 1963, 213f. Die Erklärung F. Neugebauers, In Christus, 147–149, daß sich Ἰησοῦς Χριστός zum κύριος-Titel bei Paulus wie der Indikativ zum Imperativ verhalte, enthält zwar eine gute Beobachtung bezüglich des imperativischen Charakters des Kyriostitels, ist aber in ihrer Beziehung auf die beiden Titel zu schematisch.

[96] G. Kittel: ThStKr 79 (1906) 426, meint, daß Gott allein das dem paulinischen „Glauben" eignende Objekt sei. G. Schläger, Bemerkungen zur πίστις Ἰησοῦ Χριστοῦ, in: ZNW 7 (1906) 356–358, löst das Problem der Deutung dadurch, daß er den Genitiv streicht, da dieser im Gegensatz zum absoluten Gebrauch von πίστις nur an sehr wenigen Stellen stehe und hier „als späterer Zusatz gelegentlich eingedrungen" sei.

[97] Kyrios Christos, 179.

[98] Vgl. auch W. Mundle, Glaubensbegriff, 94.

Die Frage nach der Bedeutsamkeit des christlichen Glaubens als Glaube an Jesus Christus stellt sich dadurch mit besonderer Schärfe, daß gelegentlich – z. B. von H. Braun[99] – danach gefragt wird, ob „Jesus Christus" als „Objekt" des Glaubens notwendig zum paulinischen Glaubensverständnis gehöre; denn – so argumentiert Braun – für Paulus sei der Glaube nichts anderes als „Ruhmverzicht" und „Wissen um den paradoxen Gnadenerweis Gottes" [100]. Es sei also die Frage zu stellen, ob Paulus nicht auf Grund eines solchen Glaubensbegriffs auf die „metaphysischen Daten der Christologie" [101] verzichten könne.

H. Braun gibt die Antwort, daß diese Frage von Paulus noch nicht durchdacht worden sei. Braun sucht nun selbst die Antwort im Sinne des Paulus zu geben und findet zunächst, daß das „Ja zur Christologie und das Ja zur paradoxen Gnade Gottes ... untrennbar" sind. Der Glaube als Verzicht auf das „Rühmen" impliziere jedoch nicht neue, bessere Verhaltungsweisen für den Glaubenden. Das wäre nur eine Wiederholung des von Paulus abgewiesenen Gesetzesweges. Der Glaubende akzeptiere vielmehr nur „das Geschehnis der gnädigen Zuwendung Gottes". Dies „Geschehnis ... heißt Jesus Christus". Insofern seien Christologie und „existentieller Glaube" untrennbar.
Da Paulus aber das Erlösungswerk Christi in verschiedenen Weisen beschreiben könne, sei zwischen „Christologie als Anrede und expliziter Christologie" zu unterscheiden.

Hiermit ist die Frage, ob die Angabe bestimmter christologischer Aussagen zum Begriff des Glaubens gehören, gut präzisiert. Es geht darum, ob die Angabe, daß der Glaube auf „Jesus Christus" gerichtet sei, nur als eschatologische Ausrichtung des Glaubensbegriffs zu deuten ist oder ob mit der christologischen Aussage auch eine unentbehrliche Näherbestimmung dafür gegeben ist, in welchem Sinne Jesus für den Glaubenden relevant wird, eben als Messias, als Kyrios, als Auferstandener und Heilbringer.
Hierzu ist zunächst zu sagen, daß die christologischen Angaben als Gegenstand des Glaubens bei Paulus nicht dazu dienen sollen, um an historische Fakten zu erinnern, sondern sie sind Ausdruck seiner Verkündigung, in der Jesus Christus und mit ihm das eschatologische Heil dem Glaubenden begegnet. Daher ist die christologische Aussage für den Glauben unentbehrlich. Die Beziehung des Glaubenden zum verkündigten Herrn ist also immer gebunden an einen bestimmten Ausdruck der Verkündigung, der allerdings insofern austauschbar ist, als die Anschauungskreise der Glaubenden, nämlich (im Urchristentum) von Judenchristen und Heidenchristen, verschieden sind und das

[99] Der Sinn der ntl. Christologie, in: Ges. Studien zum NT und seiner Umwelt, 1962, 243–282.
[100] A. a. O. 244f.
[101] A. a. O. 245.

eine Evangelium von Jesus Christus auf die verschiedenen Vorstellungsmöglichkeiten übertragen werden muß. Das bedeutet jedoch nicht, daß die christologischen Bestimmungen des Glaubens beliebig sind, sondern ihre Gültigkeit besteht gerade darin, daß das Christusereignis, im urchristlichen Kerygma: Tod und Auferstehung Jesu, sich in ihnen expliziert und mitteilt. Aber es ist auch zu beachten, daß die erste uns in der paulinischen Verkündigung erreichbare Stufe des Kerygmas, nämlich „Jesus Christus", schon eine explizite christologische Angabe enthält.

Jesus Christus als dem Herrn im Kerygma zu begegnen, bedeutet für den Glaubenden, daß er sich dem Gnadenangebot Gottes beugt. Darüber hinaus wird durch diese Begegnung mit Christus aber auch eine dauernde Christusgemeinschaft begründet, aus der der Glaubende ständig lebt.

§ 18. Glaube und Christusgemeinschaft

Einer besonderen Erwägung bedarf die Frage, ob der Glaube an Christus auch eine Gemeinschaft des Glaubenden mit ihm begründet und, wenn diese Frage zu bejahen ist, welcher Art diese Christusgemeinschaft ist. Von dieser Frage ist eine andere zu unterscheiden, ob Paulus die Christusgemeinschaft auch auf einem anderen Wege begründen kann als durch den Glaubensbegriff [102]. Daß der Gedanke der Christusgemeinschaft tatsächlich bei ihm eine Rolle spielt, zeigen die Formeln ἐν Χριστῷ, σὺν Χριστῷ und die mit σύν zusammengesetzten Verben, soweit sie auf das Verhältnis zu Christus bezogen sind. Auf diesen Zusammenhang ist bei der Frage nach der Bedeutung der Taufe für den Rechtfertigungsbegriff einzugehen. Hier sei nur die Frage erörtert, ob und wieweit der paulinische Glaubensbegriff auch an eine Gemeinschaft des Glaubenden mit Christus denken läßt.

Die Frage, ob der Glaube an Jesus Christus auch eine Gemeinschaft mit ihm schafft, ist nur vom Glaubensbegriff her zu entscheiden. Meist wird als selbstverständlich angenommen, daß Christusglaube und Christusgemeinschaft dasselbe bedeuten[103]. Für diese Annahme ist der Begriff der „Glaubensmystik" [104] ein sprechender Ausdruck, aber

[102] Besonders W. Mundle, Glaubensbegriff, 114–140, setzt zu schnell Glauben als „Gläubigwerden" und Taufe ineinander, um so die „Christusgemeinschaft" zugleich aus beiden hervorgehen zu lassen.

[103] E. Sommerlath, Der Ursprung des neuen Lebens nach Paulus, 1923, 84–86. Vgl. E. de Witt Burton, Galatians, 485: „To Paul, also, we doubtless owe the conception of faith as creating a mystical union with Christ, which appears in his letters, and of the influence of which the post-Pauline Literature gives evidence".

[104] K. Deißner, Paulus und die Mystik seiner Zeit, 1918, 96f; 134f. W. Mundle,

ebenso eine fragwürdige Schöpfung. Denn zu schnell scheinen hier zwei disparate Begriffe miteinander verbunden zu werden, und zudem ist der Begriff der „Mystik" nicht so eindeutig, daß er ohne weiteres auf das, was Paulus mit „Sein in Christus" bzw. „mit Christus" ausdrückt, anzuwenden ist [105].

Zu beachten ist noch, daß A. Schweitzer [106] von der „Mystik des Sterbens und Auferstehens mit Christo" als der zentralen Idee des Paulus spricht, ohne den Glauben dabei überhaupt zu erwähnen. Der Glaube hat „als solcher" nach Schweitzer keine „effektive Bedeutung", sondern er wird der Taufe als dem Initiationsakt des „Seins in Christo" untergeordnet [107]. Hier wird die „naturhafte" Verbundenheit mit dem „mystischen Leib Christi" [108] radikal vom „Glauben" getrennt, jedoch unter völliger Verkennung der Bedeutsamkeit des Glaubensbegriffs für die paulinische Theologie.

Nach den Darlegungen in § 17 ist der Glaube an Christus zunächst ein „für-wahr-haltender" oder besser: ein für-zuverlässig-haltender Glaube, die Anerkennung der Heilsbedeutung Jesu Christi. Schon auf Grund dieser Feststellung, daß es sich im Glauben um ein positives Verhalten Christus gegenüber handelt, ist zu erwarten, daß aus dem Glauben ein dauerndes Verhältnis zu Christus entsteht, welches das ganze Leben des Glaubenden bestimmt. Diese Annahme wird durch Paulus selbst bestätigt.

In *Rö 10, 9. 14* läßt die Beziehung des Verbs πιστεύειν bzw. ὁμολογεῖν auf den Kyrios Jesus darauf schließen, daß nicht nur an einen anfänglichen, in der Taufe bekannten Christusglauben gedacht ist, sondern daß der Glaube als Glaube an Christus den Christen dauernd bestimmt, so daß sein Leben nun zu einem „Bekenntnis" zu Christus wird. Diese Deutung ist möglich, da ὁμολογεῖν und πιστεύειν synonym gebraucht werden [109] und zugleich „ein Verpflichtetsein und

Glaubensbegriff, 131; E. Weber, „Eschatologie" und „Mystik", 13–17 (S. 20 spricht er sogar von einem „‚mystischen' Hoffnungsglauben"); vgl. auch 82f; 86f („Kreuzesmystik"); 88 („eschatologische Mystik"). K. Mittring, Heilswirklichkeit bei Paulus, 150f, differenziert mehr und spricht unter besonderer Berufung auf Gal 3, 26 von dem Glauben, der „seinen Ort hat nur ‚in Christus' ".

105 A. Wikenhauser, Die Christusmystik des Apostels Paulus, ²1956, 60, meint auf Grund des „mystischen" Elementes, das bei Paulus neben dem „theologischen" vertreten sei, von „Christusmystik" bei Paulus sprechen zu können und sieht den Apostel vor der „pantheistisch gestalteten hellenistischen Einigungsmystik" durch seinen „streng persönlich gefaßten Gottesbegriff bewahrt". Vgl. auch die Einschränkungen, die M. Dibelius, Paulus und die Mystik, 1941, 17ff, macht.

106 Mystik, 202–204.

107 A. a. O. 117f.

108 A. a. O. 127.

109 Glaube und Bekenntnis werden auch in 2 Kor 4, 13 eng miteinander verbunden.

eine Verpflichtung, eine Bindung und einen Anspruch“ [110] ausdrücken.

Vor allem zeigt *Gal 2, 20,* daß der „Glaube an den Sohn Gottes“ eine das gegenwärtige Leben des Christen bestimmende Größe ist. Die Apposition: „der mich geliebt und sich für mich dahingegeben hat“, gibt den Grund der glaubenden Verbundenheit mit Christus an. Die Liebe Christi und seine Hingabe „für mich“ wird vom Glaubenden durch ein „Leben im Glauben“ beantwortet. Das „Leben im Glauben“ setzt also eine Verbundenheit mit Christus auf Grund des Glaubens oder, wie Gal 2, 16 sagt, auf Grund der Tatsache, daß „wir an Jesus Christus gläubig geworden sind“, voraus. Das „Leben im Glauben“ hat erhaltende Bedeutung; es erhält dem Glaubenden seinen Ursprung in der Liebe Christi. Hiermit befindet sich der Glaubende im Gegensatz zu dem, der aus „Werken des Gesetzes“ (V. 16) seine Gerechtigkeit zu erlangen sucht. Für diesen ist Christus umsonst gestorben (vgl. V. 21), während der Tod Christi sich im Leben des Glaubenden fruchtbar auswirkt, so daß der Glaube nun in der Liebe wirksam wird (vgl. 5, 6).

Von einem „Zusammenleben“ mit Christus, das Paulus dem Glaubenden zuschreibt, ist auch in *Rö 6, 8* die Rede. Auf Grund von Taufe und Glaube – Paulus schiebt das Wort πιστεύομεν ganz unvermittelt in seine Taufbetrachtung ein – leben die Christen in der Gemeinschaft mit Christus. Voraussetzung für diese Erklärung ist, daß συζήσομεν als logisches Futur erklärt werden kann und πιστεύομεν nicht nur den Sinn des hoffenden Vertrauens [111], nämlich auf die eschatologische Erfüllung, hat, sondern dem sonstigen paulinischen Sprachgebrauch von πιστεύειν gemäß die Annahme des Kerygmas und das Festhalten an ihm bedeutet [112]. Diese doppelte Voraussetzung trifft insofern zu, als auch in V. 5 der Zusammenhang für ἐσόμεθα die Erklärung als logisches Futur nahelegt [113] und in V. 11 von dem „Leben mit Gott in Christus Jesus“ als einer gegenwärtigen Realität gesprochen wird. Der Gedanke an den Glauben als Grund für die Lebensgemeinschaft mit Christus ist allerdings insofern überraschend, als Paulus zuvor von der Taufe als Grund des neuen Lebens gesprochen hat. Hieraus darf zumindest geschlossen werden, daß Glaube und Taufe für Paulus keinen Gegensatz bilden. Wieweit beide einander entsprechen, ist aus dem Zusammenhang nicht ohne weiteres zu ersehen.

[110] O. Michel: ThWNT V 212.

[111] So M.-J. Lagrange, Romains, 148; O. Kuss, Römer, 305.

[112] O. Michel, Römer, 155f, will in dem eingeschobenen πιστεύομεν sogar „einen Hinweis auf das urchristliche Bekenntnis“ sehen.

[113] Vgl. E. Kühl, Römer, 204.

Eine Bestätigung für unsere Annahme, daß der Glaube an Christus eine das Leben des Glaubenden umfassende Gemeinschaft mit Christus begründet, findet sich indirekt auch in *Phil 1, 29*. Paulus erinnert die Philipper an ihre Begnadung zum Glauben, um hieraus ein Motiv für das „Leiden für Christus" zu erhalten, zu dem die Christen bereit sein müssen. Das „Leiden für Christus" setzt den „Glauben an Christus" [114] nicht nur voraus, sondern hält ihn durch und verwirklicht ihn auf eine besondere Weise. Das von den besonderen Umständen auferlegte Leiden liegt also in der Konsequenz des Glaubens an Christus und stellt eine besondere Form der im Glauben begründeten Lebensgemeinschaft mit Christus dar.

Schließlich sei noch auf *Phm 5* hingewiesen, wo Paulus von dem Glauben des Philemon spricht, den dieser „zum Herrn Jesus hat". Das Glaubensverhältnis zu Jesus ist mit ἔχεις deutlich als gegenwärtig bestehendes und wirksames gekennzeichnet. Hieraus wird zugleich auch klar, daß es sich im Glauben an Jesus um ein individuelles, persönliches Verhältnis handelt, eine Komponente der Beziehung zu Christus, die neben der ekklesiologischen eigene Beachtung verdient. Der Glaube an Jesus Christus versetzt in die Gemeinschaft der Glaubenden, das ist die Kirche, und begründet ein persönliches Verhältnis zu Christus.

Die Frage nach der Art der Christusgemeinschaft läßt sich zunächst dahingehend beantworten, daß ein naturhaftes Einswerden des Glaubenden mit Christus durch den paulinischen Glaubensbegriff selbst ausgeschlossen wird. Glauben bedeutet für Paulus nicht eine Verschmelzung des Individuums mit Gott bzw. mit Jesus Christus, sondern die Anerkennung der Heilsbedeutung Jesu Christi und seines Herrenrechtes. Der Gehorsamscharakter des Glaubenden läßt vielmehr an eine „personale" Gemeinschaft zwischen dem Glaubenden und dem „Herrn Jesus Christus" denken.

Das personhafte Verhältnis des Glaubenden zu Christus beruht einerseits auf der Berufung zum Glauben durch Gott, andrerseits auf der Anerkennung und dauernden Bejahung des von Gott gestifteten neuen Glaubensverhältnisses in Christus. Auch für die Glaubensgemeinschaft mit Christus, die das Leben des Glaubenden bestimmt, bleibt das eschatologische Christusereignis begründend. Dieses geht jedoch nicht derart in den Glauben ein, daß dieser selbst nur, wie einige [115] wollen, als eschatologisches Geschehen beschrieben werden kann. Auf Grund

[114] Vgl. E. Lohmeyer, Philipper, 78: „es ist nicht nur ein Wortspiel ..., sondern tief in dem paulinischen Begriff des Glaubens begründet".

[115] Vgl. F. Neugebauer, In Christus, 167; H. Braun, Der Sinn der ntl. Christologie, 244: „Jesus bzw. das von ihm beschaffte Heil g e s c h i e h t vielmehr im Ruhmverzicht des Glaubenden; das Verhältnis ist nicht persönlich, sondern dynamisch ... Solch Geschehen ist ein Geschehen der Endzeit".

der Feststellung, daß der Glaubende im Glaubensakt, der auf das eschatologische Christusgeschehen gerichtet ist und auf Christus, den „Herrn", gerichtet bleibt, selbst auch aktiv wird oder anders: daß Gott den Menschen im Glauben zugleich befähigt und beansprucht, ist es möglich, von einer dauernden, das Leben des Glaubenden gestaltenden, im Glauben begründeten Christusgemeinschaft zu sprechen.

Abschließend ist also festzustellen, daß für Paulus „Glaube an Jesus Christus" einerseits der Verzicht auf die Eigengerechtigkeit, die der Mensch auf Grund von „Werken des Gesetzes" aufzurichten sucht, und die Ausrichtung auf das Christusereignis ist; insofern läßt sich von einem eschatologischen Glaubensbegriff sprechen. Andrerseits ist der Glaube auch die im Leben durchgehaltene Ausrichtung des Glaubenden auf Christus. Diese Feststellung läßt vom Glauben als einem „persönlichen Verhältnis" [116] zu Christus sprechen.

B. Glaube und Rechtfertigung

§ 19. Das Verhältnis beider Begriffe zueinander

Unter der im Vorhergehenden begründeten Voraussetzung, daß πίστις bei Paulus grundsätzlich Glaube an Jesus Christus bedeutet, ist nun das Verhältnis dieses Begriffs zum paulinischen Rechtfertigungsbegriff zu untersuchen. Eine Schwierigkeit in der Bestimmung dieses Verhältnisses wird auf den ersten Blick dadurch sichtbar, daß Paulus von der Offenbarung der Gerechtigkeit Gottes durch den Glauben an Jesus Christus spricht (vgl. Rö 3, 21f), und ein andermal davon, daß der Mensch aus Glauben gerechtgesprochen wird (vgl. Gal 2, 16; Rö 5, 1).

Mit der ersten Formulierung [117] wird deutlich, daß die Offenbarung der Gerechtigkeit Gottes streng an den Glauben, der sich auf Jesus Christus richtet, gebunden ist. Dieser Gedanke wird verständlich, wenn man bedenkt, daß die Offenbarung der Gerechtigkeit Gottes für Paulus mit dem Christusereignis identisch ist [118]. Der auf Jesus Christus gerichtete Glaube ist also das Medium, durch das der Mensch die Offenbarung der Gerechtigkeit Gottes erfährt. Darum verbindet Paulus in Rö 3, 21 die πίστις mit der δικαιοσύνη θεοῦ durch die Präposition διά.

116 Vgl. R. Bultmann: ThWNT VI 212.

117 Vgl. S. 77.

118 Hier ist an die Aussage von 1 Kor 1, 30: Jesus Christus ist „uns von Gott her zur Gerechtigkeit ... geworden", und 2 Kor 5, 21 (vgl. S. 99ff) zu erinnern.

Die zweite Formulierung, „gerechtgesprochen aus Glauben", läßt den Glauben mehr als die Bedingung der Rechtfertigung erscheinen. Zudem betrachtet die Formulierung mit δικαιοῦσθαι das Rechtfertigungsgeschehen als ein Empfangen des Rechtfertigungsurteils Gottes. Dabei läßt die in Gal 2, 16 stark betonte Antithese der Rechtfertigung „aus Glauben" zur Rechtfertigung „aus Werken des Gesetzes" den jüdischen Gedanken an eine vom Menschen zu erfüllende Heilsbedingung noch deutlicher werden [119]. Es stellt sich also die Frage, ob der Glaube die vom Menschen zu erfüllende Bedingung ist, um das eschatologische Rechtfertigungsurteil, das Gott in Christus spricht, zu erlangen, oder ob es genügt, den Glauben als das Mittel der göttlichen Zuwendung der Rechtfertigungsgnade und ihres Empfangs von seiten des Menschen zu verstehen [120].

Den Glauben als eine „Vorbedingung der Rechtfertigung" zu verstehen, lehnt besonders A. Deißmann[121] ab, und zwar mit der Begründung, daß hiermit die Vorstellung einer „Belohnung der Glaubensleistung des Menschen durch Gott" verbunden werde. Paulus selbst habe vielleicht zu diesem Mißverständnis die Veranlassung gegeben „durch die starke Verwertung eines Septuagintawortes über den Abrahamsglauben", besonders im vierten Kapitel des Römerbriefes (4, 3). Das Wort „anrechnen" in diesem Zitat unterstütze „jene mechanische Auffassung". Deißmann erklärt seinerseits den Glauben „als das Erlebnis der Rechtfertigung". Damit fällt er in das entgegengesetzte Extrem, indem er den Glauben zu einer psychologischen Kategorie macht und das Rechtfertigungswirken Gottes so zu einem individuellen Erleben des Menschen werden läßt. W. Michaelis [122] hat die These Deißmanns wiederholt und weiter ausgebaut. Mit diesem versteht er den Zusammenhang von Rechtfertigung und Glauben als Rechtfertigung „im Glauben". Zwar sei „die Verbindung von ἐν πίστει mit δικαιοσύνη usw. nicht belegt"; das sei aber, wie schon Deißmann[123] bemerkt, nur „Zufall". Stattdessen sei auf „Kontrastparallelen" (δικαιοσύνη bzw. δικαιοῦσθαι ἐν νόμῳ, Phil 3, 6; Gal 3, 11; 5, 4) und „Kontaktparallelen" (δικαιοῦσθαι ἐν Χριστῷ, Gal 2, 17 u. a.) hinzuweisen. Bei diesen Wendungen bedeute das ἐν „die Sphäre, in der δικαιοῦσθαι statthat" [124]; keinesfalls sei es instrumental gemeint. Hiermit wird also auch abgelehnt, den Glauben als das Mittel der Aneignung der Rechtfertigung zu verstehen.

119 W. Michaelis, Rechtfertigung aus Glauben, 130, stellt fest, daß die Wendung δικαιοῦσθαι ἐκ πίστεως als eine „antithetische Formulierung" gegenüber δικαιοῦσθαι ἐξ ἔργων νόμου zu erklären sei. Die formale Parallelität beider Wendungen gibt also zu der Frage Anlaß, wieweit auch der Glaube als Heilsbedingung bei Paulus verstanden wird.

120 G. Schrenk: ThWNT II 209, sieht auch in Rö 3, 21f (διὰ πίστεως) wie in 1, 17; 3, 22–28; 4 und 5, 1 den Glauben als eine „Bedingung" charakterisiert. Tatsächlich dürfte der Unterschied in der sachlichen Bedeutung von διά und ἐκ πίστεως bei Paulus nicht zu groß sein. Vgl. H. Schlier, Galater, 92.

121 Paulus, 132.

122 Rechtfertigung aus Glauben, 137.

123 Paulus, 132 Anm. 8.

124 W. Michaelis, a. a. O. 137.

Den beiden genannten Autoren ging es vor allem darum zu verhindern, daß der Glaube als Leistung des Menschen mißverstanden und so die Gnadenhaftigkeit der Rechtfertigung durch Gott verkannt werde[125]. Von einem Werkcharakter des Glaubens kann bei Paulus allerdings nicht die Rede sein. Aber auch eine Interpretation, die das Rechtfertigungsgeschehen in einem als „Erlebnis" verstandenen Glauben aufgehen läßt, entspricht nicht der Konzeption des Paulus. Denn in dieser Auslegung sind Glaube und Rechtfertigung nicht genügend unterschieden.

Nach der Formulierung des Apostels, δικαιοῦσθαι ἐκ πίστεως, muß immer auch das „woher" der Rechtfertigung deutlich hervorgehoben werden[126]. Die Rechtfertigung kommt ebenso aus dem Glauben wie auch „aus Gott" (Phil 3, 9). Dies soll nicht bedeuten, daß die Rechtfertigung teils aus Gott, teils aus dem Glauben des Menschen hervorgeht. Vielmehr ist der Glaube des Menschen von der Gnade Gottes nicht losgelöst, sondern von ihr ermöglicht und umfangen. Darum läßt sich im Sinne des Paulus der Glaube mit der Gnade Gottes zusammen als das Prinzip der Rechtfertigung ansehen. Das heißt: Nur dem Glauben, der sich selbst ganz Gott verdankt, ist die Rechtfertigung als Gabe Gottes geschenkt. Dieser Glaube ist wirklich Heilsglaube: Er vermittelt dem Menschen das Heil Gottes. So wird der Glaube am besten als das Prinzip und Mittel der Rechtfertigung verstanden.

Allerdings läßt die Gegenüberstellung von „Rechtfertigung aus Glauben" und „Rechtfertigung aus Gesetzeswerken" leicht an den Glauben als eine Heils*bedingung* denken[127]. Aber diese Erklärung übersieht leicht, daß die Heilsbedingung des Glaubens nur im Gegensatz zu der der Gesetzeswerke steht, und daß die Rechtfertigung nicht vom Glauben wie von einem menschlichen Werk abhängig ist. Eine Stütze scheint der Gedanke, daß der Glaube von Paulus auch als Vorbedingung der Rechtfertigung, eben als *neue* Heilsbedingung angesehen werde, an der Verwendung des LXX-Zitats aus Gen 15, 6 in Rö 4, 3ff und Gal 3, 6 zu finden. Da Paulus diesem Zitat besonderen Wert beimißt, wenn er seine These von der „Rechtfertigung allein durch Glauben" (Rö 3, 28) verteidigt, sei hier auf die Verwendung von Gen 15, 6 eingegangen.

[125] Vgl. besonders W. Michaelis, a. a. O. 122.

[126] Auch H. Schlier, Galater, 92, sieht in der präpositionalen Wendung ἐκ πίστεως gegenüber διὰ πίστεως eine Angabe über das „Woher des Gerechtwerdens".

[127] Vgl. M.-J. Lagrange, Romains, 87: „la foi est tout ce que demande Dieu en donnant la justice". – Auch H. Braun, Gerichtsgedanke, 81, sieht in Rö 4, 3ff einen Beleg dafür, daß Paulus gelegentlich inkonsequenterweise den Glauben als ein „Werk" und eine Heilsbedingung ansehe, während sonst der Glaube bei ihm „als gottgewirkte Funktion" gelte.

Im einzelnen entstehen hierbei folgende Fragen: Von welcher Bedeutung ist das LXX-Zitat für Paulus? Sicher hat ihn besonders die Beziehung der Begriffe πιστεύειν und δικαιοσύνη in Gen 15, 6 veranlaßt, diese Stelle zu berücksichtigen. Aber für ihn stellen diese beiden Stichworte ja keine farblosen Formbegriffe dar, sondern sie sind innerhalb seiner Theologie geprägt von der Erkenntnis des eschatologischen Rechtfertigungsgeschehens in der Gegenwart. Es fragt sich also weiter: In welchem Verhältnis stehen einerseits die beiden Begriffe πιστεύειν und δικαιοσύνη des Zitats nach der Vorstellung des Apostels zueinander, und andrerseits, in welchem Verhältnis stehen der Glaube und die Gerechtigkeit Abrahams zur These des Paulus von der Rechtfertigung aus Glauben an Jesus Christus?

P. Feine[128] möchte annehmen, daß der Glaube Abrahams als „Vertrauen auf die göttliche Verheißung“ präformierend für den christlichen Glauben gewesen sei. Paulus habe „Abraham als den ersten Glaubenshelden nicht im jüdischen ..., sondern im christlichen Sinne vor Augen“ stellen wollen. Hiermit wäre die Frage zu stellen, ob Paulus den Glauben Abrahams und überhaupt seine geschichtliche Gestalt unter typologischem Aspekt betrachtet habe, wie etwa G. von Rad[129] annimmt.

§ 20. Die „Anrechnung des Glaubens zur Gerechtigkeit“

Wenn Paulus von Abraham spricht, wie vor allem in Rö 4 und Gal 3, richtet sich sein Interesse über die geschichtliche Gestalt, wie sie in den Berichten der Genesis geschildert wird, hinweg auf die Gegenwartsgeneration der mit ihm lebenden Gläubigen. Er nennt ihn den πατὴρ πάντων ἡμῶν (Rö 4, 16) und betont, daß es nicht auf die fleischliche Abstammung von Abraham ankomme, sondern auf die Beteiligung an der Verheißung, die dem Abraham zuteil wurde (vgl. Rö 9, 8). Freilich setzt er dabei immer die historische Bedeutung Abrahams als „unseres Stammvaters dem Fleische nach“ (Rö 4, 1) voraus. Aber diese wird als solche eigentlich nicht theologisch relevant[130].

Unter dieser Voraussetzung ist auch der Gebrauch des LXX-Zitats aus Gen 15, 6 in Rö 4, 3 zu erklären. Es ist von vornherein nicht zu erwarten, daß Paulus eine historische Interpretation des atl. Textes gibt. Vielmehr muß in den Blick kommen, was ihn an der zitierten

[128] Theologie, 217.

[129] Theologie II, 341: „Paulus denkt heilsgeschichtlich-typologisch; er sieht in dem Glauben Abrahams eine Präfiguration des Christusglaubens ...“

[130] Ein gutes Beispiel für die theologische Bedeutungslosigkeit der Abstammung vom historischen Abraham enthält 2 Kor 11, 22.

Stelle interessiert und welchen Sinn er dem Text gibt. Dies läßt sich aus dem Zusammenhang in Rö 4 gut erkennen, da Paulus das Zitat anschließend mit eigenen Worten weiterführt und interpretiert. Um die Interpretation des Paulus besser zu erfassen und von seiner Vorlage abheben zu können, sei zuvor eine kurze Erklärung des zugrundeliegenden Textes aus der LXX vorgelegt. Außerdem muß erkannt werden, in welchem Sinne das Spätjudentum diese Stelle verstanden hat und wieweit etwa dieses Verständnis die Interpretation des Paulus beeinflußt hat.

Das von Paulus wörtlich übernommene LXX-Zitat, ἐπίστευσεν δὲ Ἀβραὰμ τῷ θεῷ καὶ ἐλογίσθη αὐτῷ εἰς δικαιοσύνην, verändert den Wortlaut des hebräischen Textes nicht wesentlich, legt aber seinen Sinn vor allem durch die Übersetzung des Verbs חשב mit λογίζεσθαι in einer bestimmten Hinsicht fest.

M. Buber[131] sieht in dem Wort λογίζεσθαι (anrechnen) als Übersetzung von חשב eine „Einengung, Verkargung jener ursprünglichen Lebensfülle", die der von ihm angenommenen Wortbedeutung[132] eigen sei, zu einer „richterlichen Abwägung der Schuld- und Unschuldposten gegeneinander" [133]. Er übersetzt den ganzen Vers folgendermaßen: „Er aber vertraute IHM (Jahwe); das achtete er ihm als Bewährung" [134].

Buber ist darin recht zu geben, daß das griechische Wort λογίζεσθαι eine kommerzielle Bedeutung hat, allerdings neben zwei anderen, im klassischen Griechisch belegten Wortbedeutungen: „bedenken, schließen" und seltener „halten für" [135]. Die LXX unterlegt diesen Wortsinn auch der Übersetzung von חשב. Jedoch geht diese Übersetzung nicht an der hebräischen Wortbedeutung vorbei, da חשב auch den Sinn von „anrechnen„ haben[136] und so auch in Gen 15, 6 übersetzt werden kann[137], wenngleich der Gedanke des Rechnens hier nicht die Eindeutigkeit und Schärfe des griechischen Sprachgebrauchs von λογίζεσθαι erhält.

Letzten Endes ist die Bedeutung von חשב in Gen 15, 6 nur aus dem Zusammenhang zu erklären, das bedeutet aber: aus der Sicht des Bundesverhält-

[131] Zwei Glaubensweisen, 1950, 45.

[132] Ebd. 44: „seine Hauptbedeutung ist ‚besinnen' geworden, und zwar entweder als Bedenken, Planen oder als Einschätzen, Bewerten, Erachten".

[133] Ebd. 45.

[134] M. Buber – F. Rosenzweig, Die fünf Bücher der Weisung, 1954, 41.

[135] Vgl. Liddell–Scott, A Greek-English Lexicon, 1054; H. W. Heidland: ThWNT IV 287.

[136] Vgl. Lev 7, 18; 17, 4; Num 18, 27.

[137] Vgl. E. König, Wörterbuch, 128f, der „anrechnen" als Grundbedeutung angibt und in metaphorischer Verwendung die Bedeutungen „erdenken", „sinnen"; G. von Rad, Das erste Buch Mose (ATD 2–4), [6]1961, 153; H. Junker, Genesis (Echter-Bibel), 1949, 52; La Sainte Bible, 22.

nisses Gottes mit Abraham, dessen Grundlage die Berufung durch Gott und die gläubige Hingabe Abrahams ist[138]. חשב drückt dann die Übereinstimmung aus, die zwischen Gott und Abraham besteht, und zwar als Anerkennung Abrahams durch Gott. Grund der Anerkennung ist die vertrauende Zustimmung Abrahams zur Verheißung der Nachkommenschaft durch Gott, von der im vorhergehenden Vers die Rede war. Das Vertrauensverhältnis Abrahams zu Gott ist für das atl. Glaubensbewußtsein nicht ein Gegenstand der exakten kaufmännischen Bewertung, sondern der persönlich beurteilenden Behandlung durch Gott. Diese Interpretation wird dadurch bestätigt, daß „Gerechtigkeit" im AT nicht ein Seinsbegriff, sondern ein Verhältnisbegriff ist. Glaube kann also nicht in Gerechtigkeit umgerechnet werden, sondern das Glaubensverhältnis bedeutet das von Gott anerkannte rechte Verhältnis des Menschen zu Gott, eben „Gerechtigkeit". Diesen von Abraham gehegten Vertrauensglauben „rechnet" Jahwe „an".

Unter dem Einfluß der griechischen Wortbedeutung von λογίζεσθαι besagt das LXX-Zitat, daß Gott den Glauben des Abraham wegen seines Wertes anrechnet und daß der bei Gott gebuchte Wert des Glaubens die „Gerechtigkeit" ist[139]. Hiermit ist der hebräische Glaubensbegriff jedoch wesentlich umgeprägt. War dem hebräischen Wort האמין die Bedeutung eines beharrlichen, hingebenden Vertrauens eigen, so ist im Begriff des πιστεύειν mehr der Bekenntnisglaube, wie er in der hellenistischen Zeit dem Judentum geläufig war, ausgedrückt. War der Vertrauensglaube des Juden im AT mehr gemeinschaftsgebunden, da der einzelne in der Geschichte des Bundes stand und von ihrer durchgehenden Gläubigkeit getragen wurde, so betont das hellenistische Judentum der LXX mehr die persönliche Entscheidung des einzelnen, die es im Glaubensakt des Vaters Abraham schon vorgebildet sieht[140].

Das Judentum und Spätjudentum präzisieren den Verdienstcharakter des Glaubens Abrahams.

[138] Vgl. G. von Rad, Die Anrechnung des Glaubens zur Gerechtigkeit, in: ThLZ 76 (1951) 129–132: „Einem Minimum an Handlung steht ein Dialog zwischen Jahwe und Abraham gegenüber, hinter dem gewiß viel mehr eine konzentrierte theologische Reflexion als eine volkstümlich erzählerische Überlieferung steht" (129). G. von Rad setzt für diesen theologisch durchreflektierten Satz „ganz bestimmte sakrale Traditionen" voraus, nämlich die kultische „Anrechnung" der Opferdarbringung durch den Priester. Gegenüber der kultischen Anrechnungspraxis stelle Gen 15, 6 geradezu einen revolutionär polemischen Widerspruch dar, da der Vorgang der Anrechnung jetzt in den „Rahmen eines ganz persönlichen Verhältnisses Jahwes zu Abraham" (132) verlagert erscheine. Vgl. auch H. W. Heidland, Die Anrechnung des Glaubens zur Gerechtigkeit (BWANT IV, 18), 1936.

[139] Der Ausdruck ἐλογίσθη εἰς δικαιοσύνην wird nach Gen 15, 6 auch als geläufige Übersetzung in LXX Ps 105, 31; 1 Makk 2, 52 und Jub 30, 17. 19 verwandt.

[140] Vgl. S. 169f.

Nach 1 Makk 2, 52 ist der Glaube Abrahams, seine „Treue in der Versuchung“ [141], genauer: seine „vorbildliche“ [142] Gesinnung bei der Opferung des Isaak [143], und diese Treue bzw. seine Gesinnung „wird ihm zur Gerechtigkeit angerechnet“. Die Zurechnung der Gerechtigkeit hat hier den Charakter einer Vergeltung nach Verdienst, die im Judentum für jede Gesetzeserfüllung erwartet wird [144].

Auch die Rabbinen betonen den Verdienstcharakter (זכות) des Glaubens [145]. So MekEx 14, 31: „... und so findest du, daß Abraham, unser Vater, nur durch das Verdienst des Glaubens ... diese und die zukünftige Welt ererbte“ [146].

Hier zeigt sich die Verengung des Glaubens zum „Werk“. Damit bestimmt der Mensch selbst auf Grund seines Glaubenswerkes die Gerechtigkeit [147], die ihm im Gericht durch Gott anerkannt wird. Zwar wird der Glaube selbst im Spätjudentum nie unmittelbar als „Werk“ bezeichnet [148]. Aber es wird ihm mit den Werken der Gesetzeserfüllung zusammen rettende Kraft zugeschrieben [149].

Da es Paulus darauf ankommt, das radikal Neue des Glaubens an Jesus Christus als des von Gott eingesetzten Heilsweges gegenüber dem Weg der Gesetzeswerke herauszustellen, fällt für ihn alles, was Ausdruck der jüdischen Frömmigkeit ist, also mit der Gesetzeserfüllung auch der jüdische Glaube, unter den Begriff des „Werkes“. Diese Feststellung ist von Bedeutung für das Verständnis von Rö 4, 3–5. Rein formal gesehen knüpft Paulus an den atl.-jüdischen Glaubensbegriff an. Soweit dieser aber zum Ausdruck der jüdischen Frömmigkeit wird, lehnt er ihn in radikaler Weise ab. Diese Ablehnung ist darin begründet, daß er in dem Bemühen der spätjüdischen Frömmigkeit, das er als „Werk“ bezeichnet, die ganze Selbstbehauptung des Menschen gegenüber Gott ausgedrückt sieht, mit der

141 Vgl. auch Sir 44, 19f.

142 Vgl. O. Schmitz, Abraham im Spätjudentum und im Urchristentum, in: Aus Schrift und Geschichte (A. Schlatter zum 70. Geburtstag), 1922, 99–123, bes. 100.

143 Vgl. auch Jak 2, 21–23.

144 Zur Deutung Abrahams als des Exponenten des gesetzestreuen Judentums vgl. syrBar 57, 1–2; Jub 11, 15 – 23, 10.

145 Vgl. zur „Anrechnung des Glaubens“ als einer verdienstlichen Leistung bei den Rabbinen Billerbeck III, 199–201.

146 Vgl. auch MekEx 15, 1.

147 Vgl. Bousset-Gressmann 387: „Für das normale Verhältnis zwischen Gott und dem Frommen ist die Gerechtigkeit des letzteren entscheidend“.

148 Es ist wohl vom Verdienst des Glaubens die Rede, nicht aber vom „Werk“ (im paulinischen Sinne). Auch Philo (RerDivHer 90; 93f) denkt, wenn er vom ἔργον des Glaubens spricht, nicht an das „Werk“ im paulinischen Sinne, sondern für ihn ist der Glaube eine philosophische „Tugend“, sogar die höchste, und „Werk einer großen und olympischen Vernunft“. Vgl. Bousset-Gressmann 194f; Billerbeck III, 197f.

149 So steht in 4 Esr 9, 7f u. 13, 23 der Glaube neben den Werken, da er nicht eigentlich Gesetzeserfüllung ist, sondern als Glaube an die göttliche Offenbarung des Gesetzes die Erfüllung des Gesetzes erst fordert.

sich der Mensch gegen das von Paulus verkündete Gnadenangebot Gottes sperrt. Paulus nennt die menschliche Selbstbehauptung καύχησις (Rö 3, 27; vgl. 4, 2). Die Juden waren in der Situation der καύχησις[150], da sie sich des Gesetzes rühmten, das ihnen als Ausweis besonderer Bevorzugung durch Gott gegenüber den Heiden galt. Ist nun aber der „Glaube“ gekommen (vgl. Gal 3, 25) und hat sich nun Gottes Gerechtigkeit in Jesus Christus geoffenbart (vgl. Rö 3, 21f), so ist der Vorzug des Gesetzes und damit die privilegierte Stellung der Juden hinfällig. Denn jetzt spricht Gott Juden und Heiden in gleicher Weise durch den Glauben gerecht (vgl. Rö 3, 30).

In diesem Zusammenhang[151] seiner Gnadenbotschaft verwendet Paulus das Zitat Gen 15, 6. Auch der Glaube Abrahams beweist ihm den Gegensatz von Gesetzeswerken und Glauben. Das Unerhörte ist, daß Paulus dem Judentum die Berufung auf das LXX-Zitat streitig macht, das eben im Judentum zweifellos im Sinne der Verdienstfrömmigkeit verstanden wurde, und dieses nun im Sinne seiner Gnadenbotschaft versteht. Für ihn spricht Gen 15, 6 nicht vom Verdienst Abrahams, sondern von der Zuwendung der Gerechtigkeit durch Gott auf Grund des Glaubens, der jedes Pochen auf eigenes Verdienst ausschließt. Gerade am Glauben Abrahams wird der Gegensatz des Glaubens zur jüdischen καύχησις deutlich. Paulus wendet also das Zitat in einem Sinne an, der für den Juden überraschend sein muß; denn der Jude ist ja gerade davon überzeugt, daß Abraham auf seiner Seite steht und daß seine Frömmigkeit und die Erwartung, daß Gott seine Verdienste „anrechnen“ werde, im Beispiel Abrahams selbst schon begründet ist. Wie gelingt es aber Paulus, sich Gen 15, 6 dienstbar zu machen und diese Stelle in seinem Sinne auszulegen?

In den auf das Zitat folgenden V. 4 und 5[152] spielen der Gegensatz ἐργαζόμενος – μὴ ἐργαζόμενος und der Begriff λογίζεσθαι[153] die Haupt-

150 Vgl. R. Asting, Kauchesis, 1925 (norwegisch); R. Bultmann: ThWNT III 648–650; O. Kuss, Römer, 219–224 (Exkurs: Das Sichrühmen des Juden und das Sichrühmen der Glaubenden, des Apostels und seiner Gegner), bes. 219f.

151 Den Zusammenhang von Kap. 4 mit 3, 21–31 stellen U. Wilckens, Die Rechtfertigung Abrahams nach Römer 4, 112f, und G. Klein, Römer 4 und die Idee der Heilsgeschichte, in: EvTh 23 (1963) 424–447, besonders 429, mit Recht heraus, jedoch mit sehr unterschiedlichem Interesse, nämlich Wilckens, um seine These von der „erwählungsgeschichtlichen“ Konzeption des Paulus zu belegen, und Klein, um daraus die angebliche „Entsakralisierung und Profanisierung des Judentums“ (427) abzuleiten.

152 M.-J. Lagrange, Romains, 86, meint, daß die Partikel δέ in V. 4 eher für eine Weiterführung als für eine Erklärung dessen, was in V. 3 gesagt wurde, spreche. Doch ist diese Weiterführung gerade charakteristisch dafür, wie der Apostel das Zitat in V. 3 verstanden hat und verstanden wissen will.

153 Λογίζεσθαι wird in Rö 4 außerdem noch in den V. 6, 8 (Ps 32, 2), 9 (Gen 15, 6), 10, 11, 22 (Gen 15, 6), 23 u. 24 verwendet.

rolle. V. 4 besagt: Der „Wirkende" verdient seinen Lohn κατ' ὀφείλημα: Ihm wird kein λογίζεσθαι κατὰ χάριν zuteil. Das aber ist für Paulus der Skopos des Schriftzitates[154]. Die „Anrechnung" des Glaubens ist nicht das Anrechnen einer Leistung, sondern, wie V. 4 sagt, ein „Anrechnen aus Gnade"[155]. Sie wird dem „Nicht-Wirkenden" zuteil. Der „Nicht-Wirkende" ist aber nicht einfach der Untätige, sondern, wie die folgende Ergänzung zeigt, der Glaubende[156]. Umgekehrt kann man also auch sagen: Der Glaubende ist der, der auf sein „Werk", d. h. aber auf die Anrechnung seines Tuns nach Verdienst verzichtet. Dieser Verzicht auf Selbstbehauptung gehört wesentlich zum Glauben. Es ist ein Verzicht, der aus der Selbsterkenntnis des Menschen, ein ἀσεβής zu sein, kommt und der auf Grund dieser Erkenntnis Gottes Rechtfertigungswirken Raum gibt (V. 5)[157].

Der Sinn des LXX-Zitats ist von Paulus also in entscheidender Weise umgeprägt. Das gelingt ihm dadurch, daß er paradoxerweise gerade dem Verb λογίζεσθαι, das im hellenistischen Judentum der LXX den Sinn des geschäftlichen Rechnens hatte, durch die Hinzufügung von κατὰ χάριν den Sinn des „Anrechnens aus Gnade" gibt. Ob dieser Ausdruck in Rö 4, 4 „genau das besagt, was חָשַׁב im Grundtext ... ausdrückte"[158], mag dahingestellt bleiben. Jedenfalls ist die Absicht der Aussage des Zitats durch die Erklärung von V. 4 deutlich geworden. Dem Abraham wurde nicht auf Grund von Verdiensten, d. h. nicht nach Schuldigkeit, „angerechnet", sondern aus Gnade.

Nun heißt es aber im V. 5: „Der Glaube wird ihm zur Gerechtigkeit angerechnet". Ist hiermit nicht ausdrücklich das Leistungsdenken,

[154] Das beweist allein schon die Tatsache, daß Paulus aus dem Schriftzitat an erster Stelle den Begriff λογίζεσθαι herausgreift, um ihn in V. 4 durch ein κατὰ χάριν näher zu erklären.

[155] Vgl. O. Kuss, Römer, 182; H. W. Heidland: ThWNT IV 293f. – Auch Gal 3, 6 ist für ἐλογίσθη der Sinn von λογίζεσθαι κατὰ χάριν anzunehmen. Vgl. H. Schlier, Galater, 128.

[156] Vgl. A. Schlatter, Glaube, 338. Nach Schlatter ist das „Wirken" des Menschen immer ein Wirken zum Tode. Im Glauben erkenne der Mensch, daß sein Wirken unter der Verurteilung steht (vgl. 324f). Schlatter teilt hier eine wichtige Einsicht in den Gegensatz von Glaube und Werk mit. Jedoch darf diese Erkenntnis, die an einer bestimmten Stelle bei Paulus gewonnen ist, nicht ohne weiteres ins Grundsätzliche und zu einer anthropologischen Lehre ausgeformt werden, wie Schlatter unter dem Einfluß Luthers zu tun geneigt ist. Paulus spricht von der Wertlosigkeit des menschlichen Wirkens nicht „objektiv" beschreibend, gleichsam von einem neutralen Standpunkt aus, sondern nur aus der heilsgeschichtlichen Perspektive, also von Christus her. Dagegen kennt er für den neuen Menschen in Christus den Imperativ zum Wirken, z. B. Phil 2, 12.

[157] Nach O. Michel, Römer, 117, haben wir es bei dem Satz „θεὸς δικαιοῖ τὸν ἀσεβῆ" mit einer „antithetischen Kampfformel" zu tun, „die sich gegen den Satz richtet, daß Gott nur den Frommen (εὐσεβής, δίκαιος) rechtfertigt".

[158] So H. W. Heidland: ThWNT IV 294.

wenn auch in sublimerer Form, wieder eingeführt? Oder wird hier von einer nur äußeren Zurechnung des Glaubens als Gerechtigkeit gesprochen, so daß der Glaube für den Glaubenden als Gerechtigkeit gilt, während dieser in Wirklichkeit aber nicht gerecht ist?[159] Beide Fragen sind zu verneinen. Zur ersten ist zu sagen, daß Paulus den Leistungsgedanken in V. 5a ausdrücklich ausgeschaltet hat. Der Glaubende ist der „Nicht-Wirkende“, d. h. der, der nicht auf seine Werke pocht. Rö 4, 16a interpretiert Paulus den Glauben ausdrücklich als „Raum“ der Gnade. Im Glaubenden gewinnt Gottes Gnade Raum und vollbringt ihr Werk. Das Werk der Gnade ist die Gerechtigkeit. Diese wird dem Glaubenden als Gnadengabe, nicht als Lohn „nach Schuldigkeit“ zuteil. Wenn Paulus diesen Zusammenhang von Glaube und Gerechtigkeit mit dem Verb λογίζεσθαι ausdrückt, so wird er dazu einfach durch das Vorkommen dieses Wortes im Zitat Gen 15, 6 veranlaßt[160]. Was λογίζεσθαι in V. 4 und 5 bedeutet, wird jeweils durch den Zusammenhang bestimmt[161]. Der so entstandene Satz: „sein Glaube wird zur Gerechtigkeit angerechnet“, sagt also nicht mehr als das, was Paulus unter Rechtfertigung des Sünders versteht: Dem an Christus Glaubenden wird gnadenweise die „Gerechtigkeit“ zuteil, so daß aus dem Sünder nun tatsächlich ein Gerechter wird. Hiermit ist auch die zweite Frage beantwortet. Von einer nur äußeren „Imputation“ des Glaubens als Gerechtigkeit ist hier nicht die Rede[162].

Die V. 4 und 5 zeigen, daß Paulus Gen 15, 6 nicht nur einfach wiederholt, sondern interpretiert. Hierdurch wird die Aussage dieser Stelle in einem ganz bestimmten, von Paulus intendierten Sinne aktualisiert. Seine Interpretation ist bestimmt von dem Gegenüber von Glaube und Werk[163] oder, wie in Gal 3 besonders herausgestellt wird, von Glaube und Gesetz. Dieser Gegensatz steht für Paulus fest[164]. Er ist eine heilsgeschichtliche Gegebenheit, die für den an

[159] Die früher von evangelischen Exegeten stark betonte „nur äußere“ Gerechtsprechung des Sünders, ohne daß er „ein Gerechter wird“ (P. Feine, Theologie, 209 Anm. 1), stützte sich in der Regel auf Rö 4, 5. Vgl. auch B. Weiß, Bibl. Theologie, 317; A. Köberle, Rechtfertigung und Heiligung, ³1930, 75 Anm. 3. Dagegen R. Bultmann, Theologie, 277; H. W. Heidland: ThWNT IV 294, 37–43.

[160] Vgl. auch M.-J. Lagrange, Romains, 86f: Paulus mische in V. 5 das Bild des glaubenden Abraham ein. O. Kuss, Römer, 182, nimmt nur eine formale Entlehnung des Wortes aus der LXX-Fassung des Zitates Gen 15, 6 an.

[161] Vgl. O. Michel, Römer, 116; M.-J. Lagrange, Romains, 86.

[162] Vgl. A. Schlatter, Gottes Gerechtigkeit, 162: „Zur Vorstellung ‚Schein, Fiktion, Titel‘ hat die Zurechnung bei Paulus keine Beziehung ... Ein göttlicher λογισμός hat aber die göttliche Macht in sich. Der Mensch ist das, was das göttliche Urteil von ihm sagt“.

[163] Vgl. H. Lietzmann, Römer, 53.

[164] H. J. Schoeps, Paulus, 212, spricht das Axiomatische dieses Gegensatzes bei

Christus Glaubenden „evident“ ist, d.h. nicht eines eigentlichen Beweises bedarf.

Sein „Schriftbeweis“ ist also nicht ein logisch zwingender Beweis im Sinne einer einsichtigen Deduktion. Paulus „beweist“ mit Gen 15, 6 seine These von der Rechtfertigung aus Glauben, die er in Rö 3, 28 formuliert: Der Mensch wird gerechtgesprochen durch den Glauben allein [165], ohne die Werke des Gesetzes. Die Wahrheit dieses Satzes ergibt sich ihm nicht etwa mit zwingender Notwendigkeit aus der Schrift [166], sondern sie ist ihm von einer anderen Seite her gegeben, nämlich, wie er in Gal 1, 12 sagt, durch die „Offenbarung Jesu Christi“, dem er auch sein Apostolat verdankt (vgl. Gal 1, 1). Die „Offenbarung Jesu Christi“ [167] ist für ihn der neue hermeneutische Ansatz zum Verständnis der Schrift [168]. Aus diesem Ansatz eröffnet sich ihm die Schrift und beginnt auch die Gestalt Abrahams als Zeuge für die in Christus gegebene Gerechtigkeit aus Glauben zu sprechen.

Den „Schriftbeweis“ führt Paulus gegen die Behauptung der Juden, in den Gesetzeswerken einen Heilsweg zu besitzen, der durch den Christusglauben nicht überflüssig gemacht werden könne. Auch gegenüber Judenchristen mußte Paulus mit der Schrift argumentieren. Sie konnten sich leicht auf das Prinzip eines Heilsweges, der Gesetzeswerke und Christusglauben addiert, berufen, wie das Beispiel der galatischen Gemeinden beweist. Daß auch die Christengemeinde in Rom einen starken Anteil an Judenchristen hatte, ist sehr wahrscheinlich. Die Verwendung desselben Zitats in Gal 3, 6 und Rö 4, 3 könnte ein Beweis dafür sein, daß auch die Gemeinde von Rom mit den Problemen, die das Verhältnis von Juden- und Heidenchristentum betrafen, zu tun hatte. Paulus zitiert das Beispiel Abrahams, um für sein Gespräch mit den Juden bzw. den Judenchristen einen Autori-

Paulus von seinem jüdisch-religionsgeschichtlichen Standpunkt her folgendermaßen aus: „... gerade dieses erneute Auseinanderreißen von Polaritäten, daß Gesetz und Glaube an die Verheißung ganz gegen den Sinnzusammenhang der biblischen Erzählung als absolute Gegensätze hingestellt werden, ist jüdischem Denken stets ganz unverständlich geblieben“.

165 Das viel umstrittene Wörtchen „allein“ ist an dieser Stelle aus dem Grunde berechtigt, weil es Paulus hier um die Unverdienbarkeit der Gabe Gottes geht.

166 In Jak 2, 23 wird dieselbe Schriftstelle (Gen 15, 6) mit einem – wie es scheint – der paulinischen These genau entgegengesetzten Ergebnis verwandt, nämlich als Beweis dafür, daß der Mensch nicht aus Glauben allein, sondern aus Werken gerechtfertigt wird (2, 24).

167 Die ἀποκάλυψις Ἰησοῦ Χριστοῦ ist die Vergegenwärtigung des Christusereignisses im „Heute“ der Verkündigung (vgl. S. 76 Anm. 65). Nach H. Schlier, Galater, 47f, handelt es sich hier um „das die eschatologische Enthüllung vorwegnehmende Geschehen der direkten und totalen Enthüllung Jesu Christi“.

168 Das ist auch die richtige Erkenntnis von C. Dietzfelbinger, Paulus und das AT. Die Hermeneutik des Paulus, untersucht an seiner Deutung der Gestalt Abrahams (Theol. Existenz heute, N. F. Nr. 95), 1961, 36f.

tätsbeweis zu haben. Aber er hat mit den Judenchristen zugleich auch die Heidenchristen im Auge, wenn er sagt: εἷς ὁ θεός, „der rechtfertigen wird die Beschneidung aus Glauben und die Unbeschnittenen durch den Glauben" (Rö 3, 30). Abraham ist ein Beweis auch für die von Gott gewollte Einheit von Juden- und Heidenchristen. Die Gemeinsamkeit des einen Heilsprinzips verbindet die an Christus Glaubenden mit Abraham, so daß dieser nun wirklich als der universale πατὴρ πάντων ἡμῶν (Rö 4, 12. 16), nämlich πάντων τῶν πιστευόντων (4, 11), gilt[169].

Der Glaube Abrahams ist für Paulus qualitativ gesehen kein anderer als der Glaube der Christen. Auch Abraham glaubte schon an Gott, „der die Toten lebendig macht und das Nichtseiende ins Dasein ruft" (4, 17). Sein Glaube war wie der christliche ein „Rechtfertigungsglaube". Doch Paulus unterscheidet auch. Er setzt die Situation des Abraham nicht mit der christlichen Gegenwart gleich. Abraham glaubte einer Verheißung. Die Christen glauben der Erfüllung. Der Abstand der Christen zu Abraham wird von Paulus nicht einfach geleugnet, wohl aber überbrückt durch die Feststellung, daß Glaube und Gerechtigkeit dem Abraham wie den Christen zukommen.

Worauf es Paulus ankommt, ist der Entsprechungscharakter der Glaubensgerechtigkeit Abrahams zu der der Christen. Er bietet hiermit keine „heilsgeschichtliche" Konstruktion, die es gestatten würde, anhand einer Gegenüberstellung der Abrahamsgeschichte mit dem Christusgeschehen die Erfüllung der Verheißungen des AT im NT aus dem Verlauf der Geschichte selbst festzustellen[170].

Die typologische Betrachtungsweise des Apostels[171] deutet die Gestalt

[169] Vgl. W. Marxsen, Einleitung in das NT. Eine Einführung in ihre Probleme, 1963, 94: „Es ist ganz deutlich, daß Paulus Juden und Heiden als Glaubende nebeneinanderstellen will". Vgl. auch G. Harder, Der konkrete Anlaß des Römerbriefes, in: Theologia Viatorum, VI, 1959, 13–24.

[170] Manche Kommentare sprechen an dieser Stelle von der „Erfüllung der atl. Verheißungsgeschichte", so z. B. H. W. Schmidt, Römer, 80: Für Paulus habe „der atl. Erwählungsgedanke sein Ziel im universalen christlichen Glaubensvolk aus Juden und Heiden" erreicht. Doch Paulus denkt weder in Rö 4 noch sonstwo an eine „Verheißungsgeschichte" und daran, daß die „Erwählung", die dem atl. Bundesvolk zuteil wurde, im ntl. „Glaubensvolk" ihr Ziel finde. Auch der Begriff der „Erwählungsgeschichte", wie ihn U. Wilckens, Die Rechtfertigung Abrahams nach Römer 4, vertritt und gegenüber G. Klein: EvTh 23 (1963) 424–474, in seinem Aufsatz „Zu Römer 3, 21 – 4, 25", in EvTh 24 (1964) 586–610, verteidigt, ist mißverständlich. Wilckens denkt an eine dem Glauben vorgegebene Kontinuität des Christusgeschehens mit den heilsgeschichtlichen Erwählungstaten Gottes im AT. Bei Paulus begründet sich jedoch der Glaube nicht, wie Wilckens meint, auf „Geschichte", sondern auf die Christusverkündigung der Gegenwart, deren Inhalt die einmalige heilsgeschichtliche Erwählungstat Gottes in Jesus Christus ist.

[171] U. Wilckens, Die Rechtfertigung Abrahams nach Römer 4, 127 Anm. 27, möchte das spezifisch typologische Interesse, das Paulus bekundet, ganz hinter „dem

Abrahams vielmehr nur unter einem ganz bestimmten Gesichtspunkt, nämlich dem des Gegensatzes vom Gesetz und Glauben. Paulus nimmt den Juden die Möglichkeit, sich auf ihren Erzvater als Zeugen für die Rechtfertigung aus dem Gesetz zu berufen. Wenn es gilt, so argumentiert Paulus, sich auf Abraham, „unseren Vater dem Fleische nach" (4, 1), zu berufen, dann können es gerade die an Christus Glaubenden. Denn Abraham wurde nicht auf Grund von Gesetzeswerken, sondern auf Grund seines Glaubens an die Verheißung gerechtfertigt. Dadurch wird er in einmaliger Weise und schon im voraus in das Heilsverhältnis zu Gott versetzt, zu dem die Christen erst jetzt auf Grund des Glaubens an Jesus Christus gelangen. In diesem Sinne ist die Glaubensgerechtigkeit Abrahams eine „Vorausdarstellung des Endgeschehens" [172].

Als Konsequenz hieraus ergibt sich für Paulus erstens, daß das Gesetz auch von Abraham her gesehen nicht heilsbegründend sein kann; es ist vielmehr eine „daneben hineingekommene" (5, 20) [173] Größe; heilsbegründend ist allein der Glaube. Zweitens ist Abraham, wenn er nicht für den Gesetzesstandpunkt beansprucht werden kann, e contrario der Kronzeuge für die von Gott im Christusgeschehen begründete Universalität des eschatologischen Heils.

Paulus stellt also in Rö 4 nicht die geschichtliche Kontinuität des Gottesverhältnisses Abrahams mit dem christlichen heraus. Der Zusammenhang Abrahams mit den Christen ist rein theologischer Art, ein Zusammenhang auf Grund des gemeinsamen Glaubens an den Gott, der gerechtspricht, indem er „die Toten auferweckt" und „das Nichtseiende ins Sein ruft" (Rö 4, 17) [174].

Wie sehr es Paulus um eine Anwendung von Gen 15, 6 auf die gegenwärtige Situation der Christen geht [175], zeigt der das vierte Kapitel

allein wesentlichen des erwählungsgeschichtlichen Kontinuums zurücktreten lassen", was jedoch durch die paulinischen Texte und vor allem durch das paulinische Verständnis der Überlieferung selbst, in Rö 4, 23f und 1 Kor 10, 11, nicht belegt wird.

172 L. Goppelt: ThLZ 89 (1964) 328.

173 Vgl. Gal 3, 19.

174 Eine gewisse strukturelle Analogie des gläubigen Verhaltens Abrahams und der Christen wie überhaupt ein geschichtlicher Zusammenhang zwischen AT, Judentum und Christentum wird aus historischer Sicht leicht wahrgenommen. Jedoch lag Paulus an der Feststellung einer Übereinstimmung und einer Entwicklung des neuen Glaubens aus dem alten nichts. Vielmehr geht es ihm primär darum, das Neue des eschatologischen Geschehens, das Christusereignis, zu verkünden als eine Offenbarung, die ohne Vorbild und Beispiel ist. – Auch K. Berger, Abraham in den paulinischen Hauptbriefen, in: MthZ 17 (1966) 47–89, verlangt in seinen im einzelnen sehr aufschlußreichen Ausführungen zuviel historisches Interesse von Paulus, wenn er in Gal 3 und Rö 4 eine „historische Legitimation (des vom Apostel verkündeten Heiles) durch die heilsgeschichtliche Fundierung" (63) zu finden sucht.

175 Vgl. E. Dinkler: The Idea of History, 187ff: „Thus the past serves as a confirmation of the knowledge which faith gives with regard to the present".

abschließende Satz des Römerbriefs: „Aber es wurde nicht allein seinetwegen (Abrahams) geschrieben, daß ‚ihm angerechnet wurde', sondern auch unseretwegen, denen angerechnet werden soll, denen, die glauben an den, der Jesus, unseren Herrn, von den Toten erweckt hat, der hingegeben wurde wegen unserer Übertretungen und auferweckt wegen unserer Gerechtsprechung" (4, 23–25).
Aus Rö 4, 3–5 geht schließlich hervor, daß Paulus den Glauben nicht als eine zu erfüllende Leistung des Menschen betrachtet, der Gott die Zuerkennung der Gerechtigkeit schuldig wäre. Vom Menschen aus gesehen ist der Glaube eine unentbehrliche Bedingung des Heilsempfangs. Zugleich muß aber festgestellt werden, daß diese „Bedingung" selbst schon von der Gnade Gottes mit gesetzt ist, so daß der Glaube eher als das der Gnade Gottes entsprechende Moment der Haltung des empfangenden Menschen anzusehen ist. Es erscheint daher für Paulus unmöglich, an einen Glauben zu denken, dem die „Gerechtigkeit" als das eschatologische Heilsgut von Gott her nicht zuerkannt würde.

§ 21. Der Ausschluß des Gesetzes als Heilsprinzip

Paulus verkündigt das Evangelium als Ausdruck des Heilswillen Gottes und damit den Ausschluß jeder den Heilswillen Gottes einengenden Bedingung. Angesichts der Bedrohung seines Missionswerkes durch die Predigt seiner Gegner vor allem in den galatischen Gemeinden zieht Paulus eine weittragende Konsequenz: Rechtfertigung „durch den Glauben an Christus Jesus" (Gal 2, 16) bedeutet den Ausschluß der Gesetzeswerke für die Begründung des Heiles und damit die Freiheit der Glaubenden vom Gesetz. Daß Gesetz und Glaube als Heilsprinzipien radikal einander ausschließen, durchzieht die gesamte Verkündigung des Apostels. Diese These verficht er zum ersten Mal im Galaterbrief (thematisch 2, 16–21). Sie läßt seine Rechtfertigungsthese als „Kampfeslehre"[176] erscheinen[177]. Was Paulus im Galaterbrief in der Auseinandersetzung

[176] W. Wrede, Paulus, 72. Wredes These, daß die Rechtfertigungslehre des Paulus nur für die „Auseinandersetzung mit dem Judentum und dem Judenchristentum ... gedacht" sei, ist jedoch abzulehnen. Wrede geht davon aus, daß die Erlösungslehre bei Paulus als ein geschlossenes Ganzes das eigentliche Zentrum der paulinischen Theologie darstelle (S. 52), neben der die Rechtfertigungslehre unabhängig einhergehe. So auch A. Schweitzer, Mystik, 220.

[177] Auch in Gal 3 argumentiert Paulus ähnlich wie in Rö 4 mit einzelnen Motiven aus der Abrahamsgeschichte, die er midraschartig im Sinne seiner These verwertet. – Vgl. W. Koepp, Die Abraham-Midraschimkette des Galaterbriefes als das vorpaulinische heidenchristliche Urtheologumenon, in: Wiss. Zeitschr.

mit seinen galatischen Gegnern an theologischer Klärung „seines" Evangeliums erreicht, wird im Römerbrief weiter entfaltet zu einer thematisch abgerundeten Botschaft von der Rechtfertigung des Sünders aus dem Glauben [178].

Es ist gut, sich den akuten Anlaß der paulinischen Formulierungen über das Verhältnis des Gesetzes bzw. der Gesetzeswerke zum Glauben im Galaterbrief vor Augen zu halten, um die Stellung des Apostels zum Gesetz zu verstehen.

1. Die Bejahung des Gesetzes in den galatischen Gemeinden

Paulus sieht in den Umtrieben seiner Gegner in den Christengemeinden Galatiens eine grundsätzliche Gefährdung des Evangeliums (vgl. Gal 1, 6), der Botschaft von der Alleinwirksamkeit der Gnade (vgl. Gal 2, 21; 5, 4)[179]. Denn die nichtberufenen Künder eines „anderen Evangeliums" (1, 6) fordern die Beobachtung von Gesetzen (vgl. Gal 4, 9f. 21; 5, 2; 6, 12) und stellen damit eine Heilsbedingung auf, die letzten Endes gegen den Gnadenwillen Gottes gerichtet ist (vgl. Gal 5, 4). Denn „Werke" und Gnade schließen einander aus (vgl. Rö 11, 6; 6, 14).

Über die Auffassungen der Gegner des Paulus läßt sich im einzelnen nur schwer etwas Sicheres ermitteln.

In der Regel werden sie als Judenchristen bezeichnet, meistens noch genauer als „Judaisten", die im Auftrage einer gesetzesstrengen Richtung der Jerusalemer Judenchristen die Glaubenspredigt des Paulus verdächtigen und die Notwendigkeit der Gesetzesbeobachtung betonen [180].

d. Univ. Rostock, Reihe Gesellschafts- und Sprachwissenschaften, 2 (1952/53) 181–187. Koepp stellt als Arbeitshypothese aus Gal 3 u. 4 fünf einzelne Midraschim zusammen, die möglicherweise auf eine vorgegebene Vorlage zurückgehen, die im Urchristentum, und zwar spezifisch heidenchristlicher Prägung, in Gebrauch gewesen sein könnten.

[178] Zweifellos ist die Theologie des Galaterbriefes sehr stark von der Praxis der anfänglichen Missionssituation bestimmt. Sie ist nicht die Theologie eines Lehrbriefes, der gleichsam am „grünen Tisch" entstanden wäre. Die Sicht auf die missionarische Situation hat sich auch im Römerbrief erhalten. Allerdings zeigt die ausführliche „Aufarbeitung" der paulinischen Kampfthesen im Römerbrief, daß diese Thesen für Paulus mehr sind als ad hoc formulierte Theologumena etwa zu dem Zweck, die paulinische Heidenmission zu rechtfertigen. Sie werden vielmehr zu einem zusammenhängenden theologischen Entwurf.

[179] Vgl. auch Gal 1, 16. Die Hinwendung zu irgendeinem „anderen Evangelium" ist immer Abfall von der Gnade und ihrem Anspruch.

[180] Diese Judenchristen wurden lange Zeit mit einer gewissen Selbstverständlichkeit als Judaisten bezeichnet, und zwar unter Bezugnahme auf Apg 15, 1. 24, z. B. A. Bisping, Galater, 168; R. Cornely, Ep. ad Galatas, 388; O. Kuss, Die Briefe an die Römer, Korinther und Galater (RNT 6), 1940, 250; H. W. Beyer – P. Althaus, Galater, 1f; H. J. Schoeps, Paulus, 192; kürzlich noch

Die beiden ntl. Quellen, die für eine Erhellung des geschichtlichen Hintergrundes des Galaterbriefes in Frage kommen, nämlich der Galaterbrief selbst und die Apostelgeschichte [181], sprechen zwar von den Spannungen zwischen den Heidenchristen und Judenchristen einerseits (vgl. Gal 2, 4. 7–9; Apg 11, 2f), und zwischen rigoristischen und gemäßigten Judenchristen andrerseits (vgl. Gal 2, 12f; Apg 15, 1. 24)[182]; über „judaistische" Umtriebe in den Christengemeinden Galatiens sagt die Apostelgeschichte jedoch nichts.

Aus dem Galaterbrief läßt sich zunächst nur erkennen, daß die Gegner die apostolische Autorität des Paulus und damit auch die Legitimität des von ihm verkündeten Evangeliums anfechten (Gal 1, 11f; 2, 2. 7), sodann die Gläubiggewordenen zur Annahme der Beschneidung (5, 2f. 12; 6, 12f) und zur gesetzlichen Beobachtung eines Kalenders (4, 10) überreden. Über weitere Forderungen der Gesetzesbeobachtung ist nichts zu erfahren. Ja, es scheint sogar, daß sich mit dem angedeuteten Nomismus der Paulusgegner ein eigentümlicher Antinomismus verbindet. Denn in Gal 5, 3 fühlt Paulus sich zu der Bemerkung veranlaßt – offenkundig auf Grund der von ihm beobachteten Inkonsequenz seiner Gegner –, daß diejenigen, die sich beschneiden lassen, das g a n z e Gesetz erfüllen müssen, und in 6, 13 stellt er fest, daß die Beschnittenen, die die Beschneidung predigen, selbst das Gesetz nicht halten. Außerdem fällt auf, daß der paränetische Teil des Galaterbriefes (5, 13 – 6, 10), der vom rechten Gebrauch der christlichen Freiheit vom Gesetz handelt, gegen einen drohenden Libertinismus (auf Grund einer verkündeten Gesetzesemanzipation?) gerichtet zu sein scheint.

C. Larcher, L'actualité chrétienne de l'Ancien Testament, 258. Diese Erklärung scheint jedoch den historischen Sachverhalt zu vereinfachen (vgl. H. Schlier, Galater, 19). Aber auch die These von W. Schmithals, Die Häretiker in Galatien, in: ZNW 47 (1956) 25–67, die Paulusgegner in Galatien seien gnostische Judenchristen, bedarf der Kritik, obwohl sie vieles für sich hat (siehe weiter unten). Eine besondere Stellung nimmt M.-J. Lagrange, Galates, XXIX–LVIII, ein. Er unterscheidet „les judaisants de Galatie" von den „judéo-chrétiens de Jérusalem" (LV). Mit J. B. Lightfoot, St. Paul's Ep. to the Galatians, 1892, hält er die „partisans du nouveau système" (XXI) in Galatien für „judaisants pharisiens" (LV) im Gegensatz zu den „judaisants gnostiques" im Kolosserbrief.

[181] Zur Frage der historischen Authentizität der Apostelgeschichte vgl. A. Wikenhauser, Die Apostelgeschichte (RNT 5), [4]1961, 12–21, und M. Dibelius, Die Apostelgeschichte als Geschichtsquelle, in: Aufsätze zur Apostelgeschichte, 1961, 91–95.

[182] E. Haenchen, Die Apostelgeschichte (Krit.-exeget. Kommentar über das NT, 3), 1959, 396–414, unterscheidet mit Recht die der Gesamtkonzeption des Verfassers der Apostelgeschichte entsprechende Beschreibung des „Apostelkonzils" und seiner Vorgeschichte von der Frage nach der historischen Faktizität der zwischen Jerusalem und Antiochien vorhandenen Spannungen, die nicht ohne Einbeziehung von Gal 2 beantwortet werden kann. Vgl. auch H. Schlier, Galater, 105–117, bes. 112.

Die Frage, wie ein solcher Verzicht auf Gesetzeserfüllung mit einem grundsätzlichen Festhalten an der Beschneidung und am jüdischen Kalender zu vereinbaren sei, hat W. Schmithals[183] Veranlassung zu seiner These gegeben, daß die Gegner des Apostels nicht Judaisten, sondern judenchristliche Gnostiker seien. Schmithals begründet die Ablehnung der Judaisten-These, allerdings etwas verallgemeinernd, damit, daß „eine weltweite judaistische Heidenmisison ein Widerspruch in sich"[184] sei. Außerdem sei es nicht gut denkbar, daß Judaisten Paulus „mit dem grundlegenden Argument" bekämpfen (Gal 1–2), „der Apostel müsse seine apostolische Vollmacht und damit automatisch sein Evangelium direkt von Gott bzw. Christus empfangen haben"[185]. Jedoch, so stellt er weiter fest, dieses Argument sei „gemein gnostisch"[186]. Vor allem aber führt Schmithals die „gnostischen Spekulationen" ins Feld, die er „hinter der galatischen Beobachtung bestimmter Zeiten" (Gal 4, 10), verleitet durch einen Vergleich mit Kol 2, 16. 18, stehen sieht[187]. Danach sei es nicht das Gesetz, sondern die armen und schwachen στοιχεῖα, die Weltmächte, „denen sich die Galater wieder zuwenden. Auch das hat seine Parallele an jener Kolosserstelle"[188].

Die Beobachtungen Schmithals' geben zu denken, so daß z. B. auch H. Schlier überlegt, ob die Gegner des Apostels in Galatien „als Vertreter sozusagen eines gnostischen Vorstadiums"[189] anzusehen seien. Jedoch fehlen charakteristische Tendenzen, „die man bei der Annahme, daß die Gegner ‚jüdische Gnostiker' sind, erwähnt sehen möchte"[190]. So ist also zu fragen, ob die von Schmithals aufgewiesenen „gnostischen" Merkmale sich nicht im Sinne einer allgemeiner gefaßten judenchristlichen Gesetzestreue verstehen lassen. Jedenfalls ist die Forderung der Beschneidung noch kein besonderes Kennzeichen für eine bestimmte Richtung unter den Judenchristen. Hingegen scheint die Beobachtung eines bestimmten Kalenders in die Richtung eines apokalyptisch bestimmten Judentums zu weisen.

In äthHen 75, 3 wird von der Bedeutung der „Zeichen und Zeiten, Jahre und Tage" gesprochen[191]. Ähnlich werden in 79, 2 die Gesetze der Sterne „für

183 ZNW 47 (1956) 25–67, siehe bes. 42–46.

184 Ebd. 28.

185 Ebd. 38.

186 Ebd. 38.

187 Ebd. 49.

188 Ebd. 50. – Die Annahme, daß es sich bei den στοιχεῖα um Engelmächte handelt, hat K. Wegenast, Das Verständnis der Tradition, 38, veranlaßt, in Weiterführung der Schmithalsschen Argumente für die Judenchristen Galatiens als Mitte ihrer Lehre eine Lehre vom Gesetz anzunehmen, „die ihrerseits in einer Lehre von Äonen- und Engelmächten gründete". Die von Wegenast angenommene „Lehre vom Gesetz" läßt sich jedoch im Galaterbrief nicht hinreichend nachweisen.

189 H. Schlier, Galater, 21. Jedoch fährt er fort: „Aber am besten versagen wir uns auch hier eine Titulierung, zumal im konkreten geschichtlichen Fall viele Variationen judenchristlicher Propaganda möglich waren".

190 H. Schlier, Galater, 21: „Gnosis z. B. spielt anders als in 1 Kor keine Rolle".

191 Vgl. äthHen 82, 7: „Uriel zeigte und enthüllte mir die Leuchten, Monate, Feste, Jahre, Tage ..." Ähnlich auch V. 9f. – Engeln ist die gute Ordnung in

jeden Tag, für jede Herrschaftszeit, für jedes Jahr und seinen Ausgang und die für jeden Monat und jede Woche vorgeschriebenen Ordnungen" genannt. Und in Kap. 80 wird der Zusammenhang der Zeiten mit dem Verhalten der „Sünder" aufgewiesen[192]. In Jub 1, 14 wird das treulose Verhalten Israels gegenüber dem Gesetz als Auflösung des gesetzlichen Kalenders beschrieben: „Sie vergessen mein ganzes Gesetz, alle meine Gebote und mein ganzes Recht, sie lösen Neumond, Sabbat, Feste, Jubiläen und die Ordnung auf" (vgl. 6, 34. 37). Auch die Qumranschriften bieten bezeichnende Parallelen zu der soeben angeführten Kalenderobservanz: „Aber mit denen, die an Gottes Geboten festhielten, die von ihnen übriggeblieben, richtete Gott Seinen Bund auf für Israel auf ewig, um ihnen zu offenbaren ‚Verborgenes', worin ganz Israel irregegangen: Seine heiligen Sabbate und die Festzeiten Seiner Herrlichkeit, die Zeugnisse Seiner Gerechtigkeit und die Wege Seiner Wahrheit ..." (CD 3, 12–15). Vgl. auch CD 6, 18f, wo neben dem Sabbat[193] und den Festzeiten die Einhaltung des Fasttages noch besonders genannt wird. Die Rückkehr zum Gesetz des Moses äußert sich gerade als Verpflichtung auf die in der „Gemeinde von Damaskus" geübte Kalenderpraxis: „Darum verpflichte sich ein jeder, zum Gesetz des Moses umzukehren, denn in ihm ist alles genau festgelegt. Und die Darstellung der Zeitperioden für Israels Blindheit für alles dies, siehe, das ist genau festgelegt im Buche der Einteilungen der Zeiten nach ihren Jubiläen und ihren Wochen" (CD 16, 1–4). Ja, die Befolgung der „Worte Gottes" zeigt sich in Qumran gerade darin, daß die Zeitabschnitte eingehalten werden (1 QS 1, 13–15: „... ihre Zeiten nicht vorzuverlegen und sich nicht zu verspäten mit all ihren Terminen")[194].

Auf die soeben angedeutete Kalenderobservanz spätjüdischer Kreise scheint auch das, was Paulus in Gal 4, 10 bemerkt, hinauszugehen. Die von ihm genannten Tage, Monate, Zeiten und Jahre sind wohl nicht unbedingt mit den vom mosaischen Gesetz angeordneten Zeiten gleichzusetzen[195]. Denn Paulus vermag die von den Galatern befolgte Kalenderpraxis einerseits als Rückfall in ihre heidnische Vergangenheit zu deuten, nämlich als Verehrung von Gestirnen und Elementen (vgl. Gal 4, 3. 9), andrerseits aber auch als Unterordnung unter das jüdische Gesetz (vgl. 4, 21).

der Welt anvertraut, der Gang der Gestirne wie auch die Sorge für die Gebote, Lehren und das Leben der Menschen (slavHen 19, 1–4).

192 ÄthHen 80, 2: „In den Tagen der Sünde werden die Jahre verkürzt werden ..." V. 4: „Der Mond ändert seine Ordnung ..." V. 7: „Die ganze Gestirnordnung wird von den Sündern verschlossen, und die Gedanken der Erdbewohner gehen ihretwegen irre ...".

193 Zur Sabbatheiligung vgl. besonders CD 10, 14ff.

194 Vgl. außerdem 1 QS 10, 1–8; 1 QH 12, 3ff (vom regelmäßigen Gotteslob nach festgelegten Zeiten); 1 QM 10, 15; 14, 12–14; aber auch 1 QM 13, 14 (über den vorherbestimmten Tag des Kampfes); 15, 3 (Tag der Rache).

195 So etwa Bisping, Zahn, Cornely, Lagrange, Oepke, Beyer-Althaus u. a. – Anders Schlier, Galater, 206, der an eine Beziehung zu den in den oben angegebenen spätjüdischen apokalyptischen Kreisen geübten Kalenderpraktiken denkt.

Nach den angegebenen Texten des apokalyptischen Judentums, besonders nach den Qumranschriften, kommt die Beobachtung des Kalenders einer Heiligungspraxis gleich, die nicht an den Einzelbestimmungen des mosaischen Gesetzes orientiert ist, sondern an solchen Forderungen, die das Gesetz als Zeichen der intensivierten Anforderung der Endzeit erscheinen lassen [196]. Mitten in diesem bösen, vergänglichen Äon wird den Erwählten das „Verborgene“ geoffenbart, nämlich die Bewahrung des Gesetzes als der Punkt, an dem sich das zukünftige, endgültige Heil der „Gerechten“ entscheidet (vgl. CD 3, 12–15). Das Gesetz, das die Erwählten Gottes „ganz“, d. h. prinzipiell, zu halten bereit sind, qualifiziert sie auf Grund ihres Bemühens als „Gerechte“. Ihre Gerechtigkeit ist in diesem Sinne eine Gerechtigkeit im Gesetz (vgl. Gal 3, 11; 5, 4).

Wenn man die Bestrebungen der Judenchristen in Galatien von der Voraussetzung her versteht, daß ihre Anschauungen über das Gesetz und seine heilsgeschichtliche Funktion denen der apokalyptisch-jüdischen Kreise zumindest nahestanden, erklärt sich, daß Paulus ihre Bestrebungen als eine grundsätzliche Hinwendung zum Gesetz bzw. als Rückfall in die Unfreiheit verurteilt und daß er zugleich einen gewissen „Antinomismus“ derselben Leute an einigen Stellen (Gal 6, 13; 5, 3) vermerkt.

Wenn Paulus in Gal 3, 19 die Autorität des Gesetzes offenkundig herabsetzt [197] und in 3, 17 den Abstand des Gesetzes von der Verheißung Gottes feststellt, so möchte er nicht die Verbindlichkeit des Gesetzes als solches antasten, sondern seine angebliche Geltung nach dem Christusereignis.

H. J. Schoeps [198] stellt fest, daß Paulus „Bund und Gesetz auseinanderreißt und Christus als des Gesetzes Ende an dessen Stelle treten läßt“. Dieser Satz bedeutet eine Kritik an Paulus. Sie setzt das Urteil voraus, daß Paulus das Gesetz als Bundesurkunde mißverstanden habe und daß es ihm um die Weiterführung des Bundes gehe. Hierzu ist jedoch zu sagen, daß Paulus das Gottesverhältnis des Glaubenden nicht als Erneuerung des alten Bundesverhältnisses, sondern als eschatologische Gabe Gottes versteht, und daß er das Gesetz nicht schlechthin, sondern als heilsentscheidenden Faktor abschafft, da jetzt, nachdem Christus und mit ihm der Glaube gekommen sind (vgl. Gal 3, 23. 25), eben das Christusereignis und nicht mehr das

[196] Vgl. z. B., was in CD 6, 14 – 7, 15 unter der „genauen Darlegung des Gesetzes“ zum Wandel „in vollkommener Heiligkeit“ ausdrücklich genannt ist. Vgl. auch CD 16, 1–4.

[197] Vgl. R. Schnackenburg, Ntl. Theologie, 93f: „Es dürfte feststehen, daß Paulus das (mosaische) Gesetz eben als heilsgeschichtliche Größe negativ bewertet und als ‚Gesetz, das nicht lebendig zu machen vermag‘ (Gal 3, 21), ablehnt ...“.

[198] Paulus, 230.

Gesetz der Punkt ist, an dem sich das Gottesverhältnis des Glaubenden entscheidet.

Die Treue zum Gesetz ist für die Gegner des Apostels Paulus offenkundig deshalb ein Anliegen, weil sie meinen, daß die alte Bedeutung des Gesetzes als konstitutives Element des in Christus erneuerten Bundes restauriert und durchgehalten werden müsse, und zwar um der Verheißungen willen, die mit dem Bunde gegeben sind. Hierfür scheint gerade die Forderung der Beschneidung in den galatischen Gemeinden zu sprechen [199], denn die Beschneidung ist nach Gen 17, 1–27 das von Gott verordnete Zeichen des Bundes, dem die göttlichen Verheißungen gelten (vgl. Gen 17, 4–7) [200]. Wenn Paulus demgegenüber nachweist, daß die Verheißung Gottes in Wirklichkeit vom Glauben an Christus abhängt und nicht vom Gesetz (vgl. Gal 3, 21f), will er damit den Nomismus einer restaurativen judenchristlichen Theologie treffen, für die die Erfüllung der Verheißungen nicht wie für Paulus mit und im Erlösungswerk Christi gegeben ist, sondern noch aussteht bis zum Tage des Gerichtes. Der Judenchrist, der am Gesetz festhalten will, stellt damit nachträglich noch einmal die von Gott gegebenen Verheißungsgabe, die Gerechtigkeit, unter die Bedingung des Gesetzes und der Gesetzeswerke [201]. Die Gerechtigkeit kann also vom Menschen in einem gewissen Sinne verdient werden [202].

Wenn nun auch nicht sicher ist, wie weit Paulus mit seiner Darstellung der Rechtfertigung nur aus Glauben der tatsächlichen Situation in Galatien gerecht wird, so ist es doch nicht hoch genug anzuschlagen, daß die eigentümliche, schwer durchschaubare Situation in Galatien Paulus zu einer Stellungnahme nötigte, die ihn zum ersten Mal das Evangelium als Rechtfertigungsbotschaft formulieren ließ.

Die ihm zugängliche Kenntnis von den Anschauungen der Häretiker genügte ihm, um die den Galatern drohende Gefahr in seiner Sprache zu interpretieren: δικαιοσύνη διὰ νόμου (Gal 2, 21) oder δικαιοῦσθαι ἐν νόμῳ (5, 4) bzw. ἐξ ἔργων νόμου (2, 16). Man darf jedenfalls aus diesen Formulierungen nicht schließen, daß die Galater bewußt den Weg der reinen Gesetzesgerechtigkeit gehen wollten. Es ist Schmithals [203] darin recht zu geben, daß diese Formulierungen auf das Verständnis des Apostels selbst zurückgehen [204].

[199] Vgl. Gal 5, 2f. 6; 6, 12f. 15.

[200] W. Eichrodt, Theologie I, 82, bemerkt, daß erst die priesterliche Gesetzesordnung im Exil den ursprünglich „mehr privaten Weiheakt zum offiziellen Bundeszeichen" erklärt. „... so bedeutet die Beschneidung ... Aufnahme in die Gemeinschaft des Gottesvolkes mit der Verpflichtung, die heiligen Satzungen desselben zu wahren".

[201] Der Unterschied zur atl. Auffassung von Gerechtigkeit wird daran deutlich, daß nun nicht mehr die Bundestreue Jahwes, sondern das Gesetz bzw. die vom Menschen zu leistenden Pflichterfüllungen die Gerechtigkeit beschaffen.

[202] Vgl. E. Tobac, Justification, 20–23: „La Loi requise pour la justification" (20). „Partout, c'est de la justification et du salut même qu'il s'agit, et nullement d'une condition plus parfait, d'une justice plus grande" (23).

[203] ZNW 47 (1956) 60f Anm. 108.

[204] Zu erwähnen bleibt schließlich noch, daß auch Phil 3 eine Situation voraus-

2. *Ein doppelter Gesetzesbegriff bei Paulus*

Die Haltung des Apostels Paulus zum Gesetz erscheint widersprüchlich, da er einerseits das Gesetz für abgetan erklärt (vgl. Gal 2, 19; 4, 5; Rö 6, 14; 7, 6; 10, 4), andrerseits aber die Forderung des Gesetzes für gültig und verpflichtend hält (vgl. Gal 5, 3. 14; 6, 2; Rö 3, 31; 13, 8). Diese beiden widersprüchlichen Positionen des Paulus stehen jedoch nicht unverbunden nebeneinander[205], sondern sind aufeinander bezogen. Ja, die paulinische Verkündigung der Freiheit vom Gesetz kann nur dann richtig verstanden werden, wenn die Forderung des Gesetzes, das Gute zu tun (vgl. Rö 2, 18), wirklich als Gottes Forderung anerkannt wird[206]. Die Lösung des Widerspruchs vom gültigen und ungültigen Gesetz ist allein vom paulinischen Glaubensbegriff her möglich. Ihre Erarbeitung ermöglicht zugleich einen vertieften Zugang zum Verständnis der „Rechtfertigung aus dem Glauben".

Paulus knüpft an den Gesetzesbegriff des Spätjudentums an. Νόμος ist dem Sprachgebrauch der LXX entsprechend die Tora (=תורה)[207],

setzt, die Paulus ähnliche Formulierungen finden läßt: Der δικαιοσύνη ἐν νόμῳ (V. 6) bzw. ἐκ νόμου setzt er in V. 9 die δικαιοσύνη ἐκ θεοῦ entgegen. Und in V. 2 warnt Paulus: „Gebt acht auf die Hunde, gebt acht auf die bösen Arbeiter, gebt acht auf die Zerschneidung! Denn wir sind die Beschneidung". Da diese Formulierungen allerdings nur in Kap. 3 des Philipperbriefes vorkommen, ist zu überlegen, ob es sich hierbei um ein eigenes, später eingefügtes Brieffragment handelt. Vgl. W. Schmithals, Die Irrlehrer des Philipperbriefes, in: ZThK 54 (1957) 297–341; G. Bornkamm, Der Philipperbrief als paulinische Briefsammlung, in: Neotestamentica et Patristica (Freundesgabe für O. Cullmann), 1962, 192–202.

205 So bei A. Schweitzer, Mystik, 186. Für Schweitzer besteht der Widerspruch von Geltung und Nichtgeltung des Gesetzes in der Unvereinbarkeit von Gesetz und Eschatologie: „Paulus trägt nur der logischen Tatsache Rechnung, daß das Gesetz da aufhört, wo das messianische Reich beginnt".

206 Vgl. A. Schlatter, Glaube, 325–332; R. Bultmann, Theologie, 263, und H. Schlier, Galater, 179f.

207 Das Wort תורה wird häufig (z. B. E. König, Wörterbuch, 539; C. H. Dodd, The Bible, 30; G. Östborn, Tora in the Old Testament, 1945) von der Wurzel ירה abgeleitet, das im Hiphil (= הורה) „zeigen" (Ex 15, 25; Ps 45, 5; Spr 6, 13), „Weisung geben" (Gen 46, 28), „unterweisen" (Ex 4, 12; Lev 10, 11; Dt 24, 8; 3 Kön 8, 36; Is 2, 3; 28, 9) bedeutet und im AT die von Priestern (Jer 18, 18; Mi 3, 11; Soph 3, 4; Ez 7, 26; 22, 26) und Propheten (Is 8, 16. 20; 30, 9f) ausgeübte Unterweisung im Willen Gottes bezeichnet (vgl. auch Ex 18, 15f). (Diese Etymologie wird jedoch von J. Begrich, Die priesterliche Thora, in: Werden u. Wesen des AT, hrsg. v. Volz, Stummer, Hempel, 1936, 68f, bestritten. Er hält vielmehr das Verb für eine sekundäre Bildung von תורה.) Das Wesen der Tora wird entscheidend durch ihre Herkunft von Gott bestimmt, gleichgültig, ob sie mündlich erteilt und tradiert wird oder schon in einer bestimmten Form (etwa einzelner Komplexe des Pentateuch) vorliegt. Erst in der nachexilischen Zeit wird Tora terminus technicus für das ein für allemal schriftlich festgelegte Gesetz des Moses im Pentateuch. Vgl. W. Gutbrod: ThWNT IV 1038f, und G. von Rad, Theologie II, 402–424.

das mosaische Gesetz als eine Sammlung von göttlichen Forderungen, die den Menschen zum Gehorsam, zum Tun des inhaltlich Geforderten, nämlich der „Werke“, verpflichten [208]. Trotz der Vielzahl von Einzelgeboten und verschiedenartigen Komplexen, die das Gesetz umfaßt, wird es als ein geschlossenes Ganzes betrachtet, da es in seiner Ganzheit der Ausdruck des göttlichen Willens ist. Seine Verbindlichkeit beruht auf göttlicher Autorität [209]. Denn auf Grund des Gesetzes hat Gott einen Bund mit Israel geschlossen [210]. Die Erfüllung der Gesetzesvorschriften garantiert Israel das Leben im Bund mit Gott [211]. Die positive Beurteilung und grundsätzliche Bejahung des Gesetzes ist den verschiedenen Ausprägungen des Judentums gemeinsam. Doch gibt es im Gesetzesverständnis des Spätjudentums Unterschiede, die auch für die Bestimmung der religionsgeschichtlichen und theologischen Herkunft des Apostels Paulus beachtet werden müssen.

D. Rössler[212] hat überzeugend nachgewiesen, daß neben der „offiziellen“ pharisäisch-orthodoxen, rabbinischen Theologie eine als eigenständig zu bezeichnende Theologie der jüdischen Apokalyptik bestanden hat. Auf Grund

208 Manche jüdische Schriftsteller unserer Zeit haben gegen die Übersetzung Tora = Gesetz, wie sie auf Grund der LXX (= νόμος) naheliegt, Einspruch erhoben und übersetzen mit „Unterweisung“ oder „Weisung“, so z. B. M. Buber, Die fünf Bücher der Weisung. Vgl. auch G. F. Moore, Judaism in the First Centuries of the Christian Era. The Age of the Tannaim. I, 1927, 263; Th. Herford, The Pharisees, 1924, 57f. Auch C. H. Dodd, The Bible, 25, urteilt, daß „νόμος however, is by no means an exact equivalent for תורה ... For developed Judaism there is no term which more adequately expresses the essence of religion than תורה “. – Die Übersetzung νόμος stützt sich jedoch mit Recht auf den dominierenden Aspekt der Tora, die Regelung des Lebens des Volkes und des einzelnen. Die Berechtigung dieser Übersetzung verteidigt J. Bonsirven, Le Judaisme Palestinien I, 248. Vgl. aber auch C. H. Dodd, The Bible, 34: „It is clear that for the Jews of Egypt (LXX) in the Hellenistic period the developed meaning of תורה as a code of religious observance, a ‚law‘ for a religious community was the normal and regulative meaning, and they made this meaning cover the whole use of the word in the Old Testament“.

209 Vgl. 4 Esr 3, 19; 5, 27; 7, 20. 81; Jub 2, 33; 1 QS 8, 15 und besonders die große Zahl der rabbinischen Texte (siehe ThWNT IV 1048f). Zur jüdischen Auffassung von der Verbalinspiration vgl. J. Bonsirven, Le Judaisme Palestinien I, 259f.

210 Das Gesetz ist das „Buch des Bundes des höchsten Gottes“ (Sir 24, 23). Vgl. auch 1 QS 5, 8; CD 4, 8f; 6, 2–4; 16, 1–2. Das Gesetz ist Israel als Sonderbesitz von Jahwe mitgeteilt, vgl. 4 Esr 5, 27: „... und hast das von allen wohlgebilligte Gesetz nur deinem Lieblingsvolk verliehen“.

211 Vgl. 4 Esr 7, 89f. 94. 129; 9, 31; 14, 22. 30; syrBar 46, 5f; 51, 7 u. ö. – Die verschärfte Bedeutung der grundsätzlichen Treue zum Gesetz im Spätjudentum zeigt sich in der Damaskusschrift: „Alle, die von den Bundesgliedern den Bereich des Gesetzes durchbrechen, werden bei der Erscheinung der Herrlichkeit Gottes für Israel ausgerottet aus dem Lager und mit ihnen alle Frevler Judas in den Tagen Seiner Läuterungen“ (CD 20, 25–27). Vgl. TestLev 14, 4–8; 19, 1f u. ö.

212 Gesetz und Geschichte.

einer unterschiedlichen Konzeption von Geschichte ist das Gesetzesverständnis des apokalyptischen Judentums ein anderes als das der pharisäischen Kreise. Während für die Rabbinen das Gottesverhältnis allein durch den Gebotsgehorsam bestimmt wird und deshalb von ihnen schon früh die Theorie der Anrechnung der Gebotserfüllungen ausgebildet wird [213], sieht die Apokalyptik die Geschichte als Bundesgeschichte Gottes mit Israel und das Gesetz als die von Gott gestiftete bleibende Grundlage dieser Bundesgeschichte. Indem das Gesetz „die Funktion erfüllt, im Ablauf der Geschichte das sammelnde und einende Fundament dieses Volkes zu sein, wird es zum konkreten Dokument der Erwählung" [214]. Während das rabbinische Judentum an den einzelnen Geboten und ihrer Erfüllung orientiert ist, sieht die Apokalyptik das Gesetz als Einheit. An der grundsätzlichen Treue zum Gesetz, nicht, wie im rabbinischen Judentum, an den einzelnen Geboterfüllungen, entscheidet sich in der Apokalyptik das Heil dessen, der zum Bund gehört, des Erwählten, des Gerechten [215].

Wie für das Judentum so stellt das Gesetz auch für Paulus eine formale Einheit dar. Er spricht nicht von den „Gesetzen", sondern vom Gesetz in der Einzahl. Wie besonders das apokalyptische Judentum an der heilsgeschichtlichen Bedeutung des Gesetzes interessiert war, so steht auch bei Paulus die Frage nach seiner Bedeutung für das Heil des Menschen im Mittelpunkt der Diskussion um das Gesetz. In der Behandlung dieser Frage unterscheidet er sich aber grundsätzlich von der jüdischen Position.

Obwohl das Gesetz – auch für Paulus – Gesetz Gottes (Rö 7, 22. 25b; 8, 7) [216] und daher heilig, gerecht und gut (Rö 7, 12), ja sogar „geistlich" (Rö 7, 14) ist, die verbindliche Forderung Gottes an die Menschen enthält (Rö 8, 4; 2, 26), zu den Vorzügen zählt (Rö 9, 4f) und der Jude in ihm die „Gestalt der Erkenntnis und der Wahrheit" besitzt (Rö 2, 20) [217], erweist es sich doch als eine die Sünde hervorrufende (Rö 5, 20; 7, 11; 1 Kor 15, 56) und in ihrem Wesen entlarvende (Rö 3, 20; 7, 7) Macht. Obwohl es als ein Gesetz zum Leben gegeben war, gereicht es dem Menschen zum Tode (Rö 7, 10; vgl. 7, 5; 2 Kor 3, 6). So kann Paulus es einfach als „Gesetz der Sünde" (Rö 7, 23) und als „Gesetz der Sünde und des Todes" (Rö 8, 2) bezeichnen [218]. Es tritt mit den Mächten der Sünde und des

[213] D. Rössler, a. a. O. 32.

[214] D. Rössler, a. a. O. 103.

[215] Vgl. S. 44.

[216] In Gal 3, 19 läßt Paulus das Gesetz nicht unmittelbar, sondern nur mittelbar von Gott herkommen, da es ihm in diesem Zusammenhang um die Überlegenheit der „Verheißung" über das Gesetz des Moses geht.

[217] E. Lohmeyer, Grundlagen, 12–42, stellt besonders die unlösliche schicksalhafte Gebundenheit des Judentums als geschichtliche Gemeinschaft an das Gesetz als Ausgangspunkt für die Gesetzeslehre des „Pharisäers" Paulus heraus.

[218] Vgl. H. Schlier, Galater, 182; R. Bultmann, Theologie, 264. Die meisten Exegeten fassen jedoch νόμος τῆς ἁμαρτίας (Rö 7, 23) bzw. νόμος τῆς ἁμαρτίας καὶ τοῦ θανάτου (Rö 8, 2) als „Gesetz" im übertragenen Sinne, als „Ordnung"

Todes in eine Reihe, die ganz von der Wirklichkeit des alten Äons bestimmt ist[219].

Daß der Mensch das Gute, das das Gesetz von ihm fordert, nicht tun kann, liegt nicht nur am sittlichen Unvermögen des Menschen, sondern an der Übermacht der Sünde. Seine Werke, die „Werke des Gesetzes“, sind nicht einfachhin sittlich schlecht[220] – das sagt Paulus an keiner Stelle –, sondern sie können den Menschen nicht aus seiner Lage unter der Macht der Sünde und des Todes befreien, sie machen nur die Ohnmacht des Menschen angesichts des auf das Leben gerichteten Willens Gottes offenbar. Daß das Gesetz nicht zum Leben führt, obwohl es als ἐντολή εἰς ζωήν gegeben ist (Rö 7, 10), liegt daran, daß das Gesetz unfähig ist, das Leben zu spenden (vgl. Rö 8, 3). „Wäre nämlich das Gesetz mit der Fähigkeit gegeben worden, lebendig zu machen, dann käme wahrhaftig die Gerechtigkeit aus dem Gesetz“ (Gal 3, 21)[221]. Das Gesetz ermangelt dieser Fähigkeit, da es auf der Seite der Unheilsmächte des alten Äons steht. So bewirkt das Gesetz nichts anderes, als die Menschen unter der universalen Macht von Sünde und Tod zu behalten.

Aus den bisherigen Erörterungen wird ersichtlich, daß man bei Paulus einen doppelten Gesetzesbegriff unterscheiden muß: Das Gesetz als gute Forderung Gottes, die auf das Gute und auf das „Leben“ gerichtet ist, und das Gesetz als Unheilsfaktor des alten Äons[222]. Diese

oder „Herrschaftsbereich“, in Rö 8, 2 als Gegensatz zur „neuen Ordnung“ („Lebensgeistordnung“, Kuss, Römer, 490). Vgl. besonders E. Gaugler, Römer I, 251, zur Begründung: „Das Gesetz Mosis, das ja G o t t e s Forderung ist, nennt Paulus nie ‚das Gesetz der Sünde und des Todes‘ “. Jedoch charakterisiert Paulus 2 Kor 3, 7 den Dienst des „Gesetzesbuchstabens“ im Gegensatz zum Dienst des Geistes als eine διακονία τοῦ θανάτου und in V. 9 als eine διακονία κατακρίσεως. Vgl. auch V. 6: τὸ γὰρ γράμμα ἀποκτείνει.

219 Vgl. S. 134f.

220 Vgl. A. Schlatter, Glaube, 330: Paulus „hat ... dadurch, daß er die Werke als ‚Werke des Gesetzes‘ bezeichnet nicht einen Makel an denselben, sondern ihren Wert zum Ausdruck gebracht“.

221 Mit Bezug auf Gal 3, 10 meint A. Oepke, Galater, 99, jedoch: „Hypothetisch wenigstens wird angedeutet, daß das Gesetz, wenn es erfüllt würde, retten könnte“. Dieser „hypothetische“ Fall wäre aber nur außerhalb des von Paulus vorausgesetzten Äonenschemas möglich. Der „alte Äon“, wie Paulus ihn voraussetzt, verhindert jedoch, daß Gesetzeserfüllung zum Heil führt.

222 Die meisten Darstellungen der Gesetzeslehre des Paulus lassen die grundsätzliche Unterscheidung des Gesetzes als gültige Forderung Gottes und als Unheilsfaktor und die sich daraus ergebenden Konsequenzen unberücksichtigt. Sie beachten zwar den verschiedenartigen Sprachgebrauch von νόμος bei Paulus: Gesetz als Mosesgesetz, Gesetz als Hl. Schrift, Gesetz als Buchstabe, Gesetz im allgemeinen Sinn als „Norm“, „Regel“, im analogen Sinn als „Gesetz des Geistes“ usw. Doch gehen diese Darstellungen von der Annahme eines einheitlichen Gesetzesbegriffs aus, so daß seine Dualität dagegen fast verschwindet. So etwa F. Prat, Théologie I, 246–254; E. Tobac, Justification, 58–65; R. G. Bandas, The Master-Idea of S. Paul's Epistles, 81–124; M. Mei-

doppelte Bewertung des Gesetzes ist für Paulus mit der Ankunft des „Glaubens" (Gal 3, 23. 25), also mit der Annahme des Evangeliums, gegeben. Denn der Glaube an Jesus Christus sieht die Intention des Gesetzes, nämlich zum „Leben" und zur „Gerechtigkeit" zu führen, in Christus ohne das Zutun des Gesetzes erfüllt [223]. Der Glaubende weiß sich selbst nicht schlechthin von der Forderung des Gesetzes entbunden, sondern er sieht das Unvermögen des Gesetzes und sein eigenes Unvermögen zur Erfüllung der Gesetzesforderung ein und überläßt sich im Glauben der Verheißung, die gerade dem Glaubenden gegeben ist (vgl. Gal 3, 22; Rö 4, 13f).

Die Freiheit, die Paulus Gal 2, 4; 5, 1. 13 behauptet und verkündet, die er Gal 4, 21–31 mit dem „Midrasch vom Magdsohn und vom freien Erbsohn" [224] begründet, ist eine Freiheit vom Gesetz auf Grund des Glaubens an Jesus Christus. Der Glaubende steht nicht mehr „unter dem Gesetz" (Gal 3, 23; 4, 5. 18). Aber er ist der Forderung des Gesetzes auch nicht einfach entzogen, sondern er tut das vom Gesetz geforderte Gute (vgl. Gal 5, 13f) nun im „Glauben, der durch die Liebe wirkt" (Gal 5, 6), und „vom Geiste getrieben" (Gal 5, 18; vgl. 3, 2. 5). Er erfüllt nun das Gesetz als „Gesetz Christi" (Gal 6, 2).

3. Die Begründung der Freiheit vom Gesetz

Die Freiheit der Glaubenden vom Gesetz hat nach Paulus ihren eigentlichen Grund im Christusereignis selbst. An einigen Stellen des Galater- und Römerbriefes, die nun exegesiert werden sollen, wird die christologische Begründung der Freiheit besonders deutlich: Gal 3, 24; 4, 4f; 3, 13; Rö 10, 4; 8, 2–4.

nertz, Theologie II, 45–51; P. Bläser, Das Gesetz bei Paulus (Ntl. Abh. XIX, 1–2), 1941; C. Maurer, Die Gesetzeslehre des Paulus nach ihrem Ursprung und ihrer Entfaltung dargelegt, 1941; W. Gutbrod: ThWNT IV 1061–70; A. Oepke, Galater, 98f; W. Beyer – P. Althaus, Galater, 32f. Vgl. auch P. Bläser, Gesetz und Evangelium, in: Catholica 14 (1960) 1–23: „Alle Aussagen des Gesetzes liegen hier auf der gleichen Ebene und gelten für das gleiche Gesetz" (14); ders., in: Bibeltheol. Wörterbuch, 499–506. Anders E. Kühl, Römer, 262; R. Bultmann, Christus des Gesetzes Ende, in: Glauben und Verstehen II, 40, 52f; ders., Theologie, 263, 269, 342, und H. Schlier, Galater, 179. Vgl. auch E. Lohmeyer, Grundlagen, 12f, dem sich die Dualität des Gesetzesbegriffs als „Widerstreit zwischen religiösem Prinzip und seiner geschichtlichen Ausprägung" darstellt, und R. Bring: KerDog 5 (1959) 8.

223 Vgl. R. Bring: KerDog 5 (1959) 14f: „Durch Christi Tat geschieht die Erfüllung und die Vollendung des Gesetzes". Ob damit jedoch das Gesetz als „Vorbereitung auf Christus" (18) interpretiert wird, muß angesichts der paulinischen Gesamtinterpretation des Gesetzes als höchst zweifelhaft erscheinen.

224 Vgl. W. Koepp: Wissensch. Zeitschrift d. Univ. Rostock 2 (1952/53) 183. – Die allegorische Gegenüberstellung der beiden Söhne Abrahams bzw. ihrer beiden Mütter hat ihr spätjüdisches Gegenbild in der Ber rabba zu Gen 23, 9 und bei Philo (De congressu eruditionis causa).

In *Gal 3, 24* wird die Funktion des Gesetzes im alten Äon von der Gegenwart des „Glaubens" aus beurteilt und durch das Bild des παιδαγωγός gekennzeichnet. „Bevor der Glaube kam", so sagt Paulus in V. 23, „wurden wir unter dem Gesetz in Gewahrsam gehalten, eingeschlossen bis zu dem Glauben, der geoffenbart werden sollte". Nach diesem Bild hat das Gesetz die Rolle eines Wächters, und der Zustand unter dem Gesetz kommt einer Gefangenschaft gleich. Hiermit ist das Stehen unter dem Gesetz als Stand der Unfreiheit gekennzeichnet. Derselbe [225] Gedanke liegt auch in V. 24 vor, nur daß das Bild wechselt. Hier nennt Paulus das Gesetz einen παιδαγωγός und, entsprechend in V. 25, die vorchristliche Existenz ein εἶναι ὑπὸ παιδαγωγόν. Die Tätigkeit dieses „Pädagogen" darf nun nicht als eine erzieherische, weiterführende und aufbauende gedacht werden, wozu etwa das folgende εἰς Χριστόν verleiten könnte, was manche mit „auf Christus hin" übersetzen [226]. Unter παιδαγωγός ist hier der „Aufpasser" [227], der „Zuchtsklave" [228], nicht aber der „Erzieher auf Christus hin" verstanden [229]. Dem Gesetz kam die Funktion des Aufsehers zu „bis zu Christus" oder, wie es parallel hierzu in V. 23 heißt, „bis zum Glauben", der ja mit der Christusoffenbarung zusammen [230] die Wende der Äonen bedeutet. Εἰς Χριστόν bzw. εἰς τὴν μέλλουσαν πίστιν bezeichnet also keineswegs das Ziel des Gesetzes, ebensowenig wie in Rö 10, 4 (τέλος γὰρ νόμου Χριστός) Christus als „Ziel" des Gesetzes vorgestellt ist [231].

Christus bzw. der mit ihm kommende „Glaube" bedeutet aber auch nicht einfach den zeitlichen Endpunkt des Gesetzes, sondern im Sinne des Äonenschemas den Wendepunkt vom alten zum neuen Äon, von der Zeit des Unheils zur Zeit des Heiles, von den Unheilsmächten zu

[225] Das wird schon durch das einleitende ὥστε angezeigt.

[226] So A. Bisping, Galater, 244; R. Cornely, Ep. ad Galatas, 513; R. A. Lipsius, Galater, 39; Th. Zahn, Galater, 185; E. de Witt Burton, Galatians, 200 (jedoch mit der Einschränkung, daß man nicht zu Christus als einem Lehrer komme).

[227] A. Oepke, Galater, 86. Vgl. auch H. Schlier, Galater, 168–170; M.-J. Lagrange, Galates, 90f.

[228] W. Koepp: Wissensch. Zeitschr. d. Univ. Rostock 2 (1952/53) 183. Vgl. H. W. Beyer – P. Althaus, Galater, 30 („Zuchtmeister"). In griechischen oder römischen Familien war ein meistens ungebildeter Sklave vielfach mit Zucht- und Aufpasserdiensten über die Jungen betraut.

[229] P. Démann, Moses und das Gesetz bei Paulus, in: Moses in Schrift und Überlieferung, 1963, 205–264, muß, um die heilsgeschichtliche und damit erzieherische Bedeutung des Gesetzes bei Paulus behaupten zu können, die Aussage vom Ende des Gesetzes durch das Christusgeschehen in Rö 10, 4 in einem nicht vertretbaren Maße abschwächen (vgl. besonders S. 256 und 258).

[230] Vgl. A. Oepke, Galater, 85: „Χριστός und πίστις sind geradezu Wechselbegriffe".

[231] Vgl. S. 97.

der heilschaffenden Macht Christi, die sich im Glauben offenbart. Gerade der Ausdruck εἰς τὴν μέλλουσαν πίστιν ἀποκαλυφθῆναι bezeichnet die heilsentscheidende Offenbarung der Macht Gottes in Christus bzw. im Glauben. Die Heilskraft dieser Offenbarung erweist sich nach V. 24b darin, daß wir nun „aus Glauben“ [232] gerechtgesprochen werden [233], und, was für Paulus damit sachlich gleichbedeutend ist, nach V. 26 darin, daß „alle“, die bisher unter dem παιδαγωγός gestanden haben, „durch den Glauben“ „in Christus Jesus“ [234] zu „Söhnen Gottes“ werden [235]. Die υἱοθεσία (vgl. Gal 4, 5) bezeichnet den Stand der durch Christus von der Knechtschaft des Gesetzes Befreiten.

Ein Blick auf *Rö 10, 3f* mag dazu dienen, den Zustand unter dem Gesetz, der durch Christus beendet wird [236], sachlich noch genauer zu fassen. In 10, 3 heißt es, daß die Juden, von denen hier die Rede ist, in Verkennung der Gerechtigkeit Gottes ihre eigene Gerechtigkeit aufzustellen bestrebt sind. In 10, 5 wird diese Gerechtigkeit als „Gerechtigkeit aus dem Gesetz“ bezeichnet. Von ihr gilt laut Lev 18, 5 – so Paulus in Rö 10, 5 –, daß derjenige, der das vom Gesetz Geforderte tut, „leben wird in ihr“ (in der Gerechtigkeit aus dem Gesetz). Hier ist nicht vom Unvermögen des Menschen, das Gesetz zu erfüllen, gesprochen. Sondern dieser Satz steht unter der schon in Rö 9, 31 aufgestellten Voraussetzung, daß Israel nicht zu der vom Gesetz intendierten Gerechtigkeit gelangt ist. Was es tatsächlich erreichte und jetzt, abseits vom Glauben an Christus, noch erreicht, ist Gesetzeserfüllung, die zur Eigengerechtigkeit führt.

Der Zustand unter dem Gesetz, der durch Christus beendet wird, ist also ein Zustand zwangsläufiger Verfallenheit an die Eigengerechtigkeit, die nicht das Leben bringt, sondern den Tod. Von diesem

[232] Vgl. S. 183.

[233] Vgl. auch als Parallele Rö 10, 4, wo es in demselben Sinne heißt, daß die Beendigung der Gesetzesherrschaft durch Christus „zur Gerechtigkeit für alle Glaubenden“ gereiche.

[234] „In Christus Jesus“ ist nicht auf das vorhergehende „durch den Glauben“ zu beziehen, wie es z. B. W. Mundle, Glaubensbegriff, 74, und M.-J. Lagrange, Galater, 92, tun. Die Verbindung πίστις ἐν Χριστῷ Ἰησοῦ wäre für Paulus ungewöhnlich, da er sonst nur von πίστις Ἰησοῦ Χριστοῦ bzw. εἰς Χριστὸν Ἰησοῦν spricht. (In Kol 1, 4 und Eph 1, 15 ist πίστις ἐν Χριστῷ Ἰησοῦ der Glaube, den man in Christus hat. Vgl. auch 1 Tim 3, 13.) Hier beziehen sich beide Ausdrücke, διὰ πίστεως und ἐν Χριστῷ Ἰησοῦ, vielmehr selbständig adverbial auf das „Sein der Söhne Gottes“ (so auch A. Bisping, Galater, 245; Th. Zahn, Galater, 186; A. Oepke, Galater, 88; H. Schlier, Galater, 171).

[235] Das Bild verschiebt sich dem Apostel hier ein wenig unter dem Einfluß der Sache, die er meint. Denn die Söhne waren ja auch schon Söhne, als sie noch unter dem „Pädagogen“ standen.

[236] Zur Exegese von Rö 10, 3f vgl. S. 95–99.

Stehen unter dem Gesetz und den damit gegebenen Konsequenzen hat Christus befreit, „losgekauft“ (Gal 4, 5).

Die Befreiung vom Gesetz durch Christus wird *Gal 4, 5* und *3, 13* unter dem Bilde des Loskaufs beschrieben. Christus war dazu von Gott gesandt, daß er die unter dem Gesetz Stehenden loskaufe (vgl. Gal 4, 5). Während hierin der Gedanke des Loskaufs nur beiläufig gebraucht und anschließend durch den der Übertragung der Sohnschaft abgelöst wird, spricht Paulus in 3, 13 etwas ausführlicher und in einem Hauptsatz von der Sache, die mit dem Bilde des Loskaufs angedeutet wird: „Christus hat uns vom Fluch des Gesetzes losgekauft, indem er für uns zum Fluch geworden ist, wie geschrieben steht: ‚Verflucht jeder, der am Holze hängt‘“.

Das Verb ἐξαγοράζειν = „loskaufen“ ist in der LXX nicht belegt. Im Profangriechischen ist es neben ἀγοράζειν als Terminus bekannt, der vielfach den Sklavenfreikauf bezeichnet [237]. Paulus bezieht dieses Bild außer in Gal 4, 5 u. 3, 13 auch in 1 Kor 6, 20 u. 7, 23 auf die Tat Christi. Jedoch ist die Anwendung des Bildes hier ganz und gar von der Sache, die er meint, bestimmt, nämlich von dem Übergang aus dem alten Zustand unter dem Gesetz in den neuen der Freiheit [238] und von der Aufwendung des Kaufpreises [239].

Das Stehen unter dem Gesetz sieht Paulus als fluchbeladen an. Der Fluch des Gesetzes ist unvermeidlich mit dem „Sein aus Gesetzeswerken“ gegeben (Gal 3, 10). Paulus spricht hier unter dem Eindruck einer Zwangsläufigkeit der Folge von Gesetz, Gesetzeswerken und Fluch. Das eine geht aus dem anderen hervor. Das Gesetz treibt zu Werken, die sich tatsächlich von Christus her gesehen nicht als Erfüllung des Gesetzes im eigentlichen Sinne erweisen, und infolgedessen (vgl. 3, 10 das Zitat aus Dt 27, 26) stehen „die aus Gesetzeswerken“ unter dem Fluch [240]. Von Christus bzw. vom „Glauben“ her

[237] Vgl. A. Deißmann, Licht vom Osten, 275f; F. Büchsel: ThWNT I 126, 23ff, und E. Pax: Antonianum 37 (1962) 239–278 (siehe auch oben S. 53 Anm. 166).

[238] Vgl. besonders Gal 5, 1.

[239] H. Schlier, Galater, 136, bemerkt, daß gerade diese Elemente in den Berichten vom sakralen Sklavenloskauf keine Bedeutung haben.

[240] H. J. Schoeps, Paulus, 184f, weist als Parallele zu Gal 3, 10 auf die im rabbinischen Judentum geführte Diskussion über die Frage der Erfüllbarkeit des Gesetzes hin. Da nach einigen rabbinischen Autoren (z. B. Sota 37a; Sanh 81a) kein Mensch das „ganze“ Gesetz, d. h. das Gesetz in seinen 613 Geboten und Verboten, erfüllen könne, sei auch für rabbinisch-jüdische Vorstellung die Erfüllung des Gesetzes fluchbeladen. Der Unterschied zu Paulus liegt darin, daß das rabbinische Judentum trotz dieser Erkenntnis beim Gesetz bleibt und die Erfüllung des „ganzen“ Gesetzes zu entradikalisieren sucht. Doch ist es wahrscheinlicher, daß Paulus hier nicht von der rabbinischen Fragestellung ausgeht, sondern von der Vorstellung des apokalyptischen Judentums, daß der Mensch trotz Erfüllung von Einzelgeboten unter dem Fluch steht, solange er zum „Lose Belials“ gehört (vgl. 1 QS 2, 4–12) und sich nicht zum „Bund“,

betrachtet, bedeuten die Werke des Gesetzes nichts anderes als die menschliche Behauptung der Eigengerechtigkeit[241], und eben mit ihr ist der Fluch gegeben, von dem Christus „uns“[242] befreit.

Der „Fluch des Gesetzes“ hat aber noch einen anderen, für Paulus im Galaterbrief besonders aktuellen Sinn. Das Gesetz hat sich in besonderer Weise in den galatischen Gemeinden als fluchbeladenes Gesetz erwiesen, da es nach dem Kommen Christi und des „Glaubens“ die universale Tat Christi dadurch bedroht, daß es mit seinen alten Forderungen wie ein spaltender Keil zwischen Juden- und Heidenchristen wirkt und ihre in Christus gegebene Einheit[243] gefährdet. Wenn die Häretiker in Galatien den Gesetzesforderungen irgendeine heilshafte Bedeutung neben dem Christusglauben beimessen, dann muß es zu einer Spaltung der in Christus geeinten Gemeinschaft der Glaubenden kommen[244], wie ja auch – allerdings in einer anders gearteten Situation – der Fall von Antiochien die die Tischgemeinschaft von Juden- und Heidenchristen bedrohende Wirkung der Gesetzesfrage beweist (vgl. Gal 2, 11–14).

Der Akt der „Loskaufung“ wird Gal 3, 13 mit der paradoxen Formulierung bezeichnet: „indem er (Christus) für uns Fluch geworden ist“. Als formale und in einem gewissen Sinne auch sachliche Parallele läßt sich 2 Kor 5, 21 hinzuziehen[245]. Das γενόμενος von Gal 3, 13 hat seine formale Parallele in dem γενώμεθα 2 Kor 5, 21b, und dem Gedanken, daß Christus für uns Fluch geworden ist, entspricht in 2 Kor 5, 21a die von Gott verfügte Identifizierung Christi mit der Sünde der Menschen. Wie in 2 Kor 5, 21 vorausgesetzt ist, daß Christus, der zur Sünde gemacht wird, die Sünde selbst nicht getan hat, so ist auch in Gal 3, 13 eingeschlossen, daß Christus, der für uns Fluch wird,

d. h. zum erneuerten Bund mit Gott, bekennt. Der wesentliche Unterschied zu Paulus besteht allerdings darin, daß dort der Mensch gerade dadurch dem Fluch entgeht, daß er seine Haltung am Gesetz entscheidet, sich zum Gesetz treu verhält. Vgl. TestLev 10, 4; 14, 4.

241 Vgl. S. 174.

242 Der Gedanke der Universalität der Tat Christi wird hier keineswegs eingeschränkt durch die Tatsache, daß der Loskauf ein solcher vom Fluch des Gesetzes ist und auf die „unter dem Gesetz“ (4, 5) bezogen ist, denn erstens spricht Paulus hier zu Gemeinden, die zumindest überwiegend aus Heidenchristen bestehen, die also in den ἡμεῖς miteingeschlossen sind, zweitens setzt er ein gewisses Stehen der Heiden unter dem Gesetz (vgl. Rö 2, 12–16) und sicher auch unter dem Fluch (V. 12) voraus. Anders M.-J. Lagrange, Galates, 71, und E. de Witt Burton, Galatians, 169.

243 Vgl. besonders Gal 3, 28: οὐκ ἔνι Ἰουδαῖος οὐδὲ Ἕλλην . . . πάντες γὰρ ὑμεῖς εἷς ἐστε ἐν Χριστῷ Ἰησοῦ.

244 W. Koepp: Wissensch. Zeitschr. d. Univ. Rostock 2 (1952/53) 185, betont besonders die Bedeutung der „Abraham-Midraschim“ in Gal 3 u. 4 für die Begründung des christlichen Heilsuniversalismus, der durch die häretischen Umtriebe in den galatischen Christengemeinden erneut in Frage gestellt wird.

245 Vgl. S. 102–105.

selbst den Fluch nicht verdient hat, obwohl er nach Gal 4, 4 ὑπὸ νόμον „geworden" ist. In Christus wird die Zwangsläufigkeit der Folge „Gesetz, Gesetzeswerk, Fluch" aufgehoben, und zwar dadurch, daß er der Forderung des Gesetzes Genüge tut. Jedoch ist hier nicht eine ethische Erfüllung der Gesetzesforderung im Sinne von Rö 2, 10 gedacht, auch nicht – zumindest nicht ausdrücklich – an die durch Christi Tod geleistete Sühne für die Sünden[246], sondern daran, daß Christus der Forderung des Gesetzes insofern genug tut, als er „an unserer Stelle" den Fluch auf sich nimmt, der nach dem Zitat Dt 27, 26 in Gal 3, 10 diejenigen treffen sollte, die nicht dem im Gesetzesbuch Geforderten durch ihr Tun entsprechen. Das Zitat Dt 21, 23 in Gal 3, 13 zeigt, daß Christus, am Holze hängend, tatsächlich „für uns" [247] zum Fluch geworden ist[248]. Er hat die Folgen unseres Stehens unter dem Gesetz so sehr getragen, daß er mit ihnen, nämlich mit Sünde und Tod als Entfaltungen des Fluches, identisch wurde, in diesem Fluch „gleichsam versank" [249]. So befreite Christus die Menschheit „vom Gesetz der Sünde und des Todes", indem er an ihrer Stelle und ihr zugute die „Rechtsforderung des Gesetzes" erfüllte. Davon spricht Paulus aber eigentlich nicht mehr ausdrücklich in Gal 3, 13, sondern in Rö 8, 2–4.

Den Erfolg der Befreiung vom Fluch des Gesetzes zeigt V. 14 an. Er besteht darin, daß der „Segen" [250] Abrahams nun „in Jesus Christus" über die „Heidenvölker" ergeht. Damit nimmt Paulus den Gedanken von den echten Abrahamssöhnen, den er in 3, 6–9 anhand von Schrift-

246 A. Oepke, Galater, 75, möchte an dieser Stelle – ähnlich wie in Rö 3, 25f – die „Sühnopferidee" angewendet finden. Von einem Opfer ist hier aber nicht gesprochen, auch nicht von dem, dem ein solches Opfer dargebracht werden sollte.

247 Die Formel ὑπὲρ ἡμῶν bezeichnet beides, die Stellvertretung Christi und seine uns zugute kommende Tat. H. Schlier, Galater, 139, sieht hierin, wie auch an anderen Stellen (2, 20; Rö 5, 6ff; 8, 32 u. a.), „primär" den Sinn von „uns zu gute", „uns zuliebe" ausgedrückt (vgl. auch M.-J. Lagrange, Galates, 72, und E. de Witt Burton, Galatians, 172), während A. Oepke, Galater, 74, den Stellvertretungsgedanken hier herausstellt. – H. J. Schoeps, Paulus, 187, möchte für ἐπικατάρατος entsprechend der hebr. Wortbedeutung von „taluj" eine doppelte Bedeutung, „Gehängter" und „Erhöhter", annehmen. Jedoch weist ὑπὲρ ἡμῶν gerade auf den Tod Christi „für uns", nicht aber auf seine „Erhöhung" hin.

248 Die Aufhebung des Gesetzes erklärt an dieser Stelle A. Schweitzer, Mystik, 73, ganz anders, und zwar ohne den Stellvertretungsgedanken: „Jesus hat am Holze gehangen, kann aber nicht verflucht sein. Also ist ein Fall eingetreten, wo das Gesetz nicht gilt. Da es aber entweder überhaupt gilt, oder überhaupt nicht gilt, ist es durch diesen einen Fall außer Kraft gesetzt". Die Künstlichkeit dieser Logik lag wohl nicht im Sinne Pauli. Außerdem meint Paulus gerade, daß Jesus als ein „Verfluchter am Holze" hing.

249 H. Schlier, Galater, 139.

250 „Fluch" und „Segen" stehen hier miteinander in Wechselbeziehung.

zitaten ausgeführt hat, wieder auf. Entscheidendes Gewicht in der Gesamtaussage hat die Wendung „in Jesus Christus". Sie bezeichnet den heilsgeschichtlichen Ort [251], an dem die Verheißung an Abraham zugunsten der „Heidenvölker" [252] sich erfüllt. Der zweite Finalsatz, der den vorhergehenden weiterführt und erklärt, präzisiert das Verheißungsgut als πνεῦμα, das die an Christus Glaubenden eben „durch den Glauben", der nun mit Christus gekommen ist (vgl. 3,23–25), empfangen haben [253].

In *Rö 8,2–4* [254] wird nicht nur die Loslösung der Christen vom „Gesetz der Sünde und des Todes" und das „Wie" der Loslösung deutlich ausgesprochen, sondern auch dem alten, nun „in Christus Jesus" erledigten Gesetz des alten Äons das „in Christus" gültige „Gesetz" des neuen Äons, der νόμος τοῦ πνεύματος τῆς ζωῆς, entgegengestellt. Die Befreiung vom „Gesetz der Sünde und des Todes" wird sogar auf das „Gesetz des Geistes des Lebens in Christus Jesus" zurückgeführt. Dabei wird deutlich, daß von einem νόμος τοῦ πνεύματος nur im Gegensatz zum eigentlichen Sünde und Tod bringenden νόμος gesprochen wird [255]. Die so gebildete Wendung νόμος τοῦ πνεύματος τῆς ζωῆς bringt die nun für die Christen geltende Ordnung des Geistgesetzes zum Ausdruck, in der die alte Ordnung des mosaischen Gesetzes tatsächlich aufgehoben ist. Die Erlösungstat wird aber nicht auf eine unpersönliche Ordnung zurückgeführt, sondern auf den, der diese neue Ordnung des Geistes in Geltung gesetzt hat, das ist Gott selbst, indem er seinen Sohn sendet (V. 3). Paulus beschreibt die Befreiungstat also, wie auch sonst häufig das gesamte Heilsgeschehen, z. B. 2 Kor 5, 17–21, als Tat Gottes und Jesu Christi. Zugleich wird der Grund für ein solches Zusammen und Ineinander von Gottes- und Christusaussage deutlich: Jesus Christus ist der geschichtliche „Ort", an dem Gott das Heil wirkt.

Das Heilsgeschehen selbst wird hier nicht in seiner positiven, sondern in seiner negativen Wirkung dargestellt. Es besteht in der Verurteilung der „Sünde im Fleische". Auffallend ist, daß jetzt von einer „Ver-

[251] Vgl. A. Oepke: ThWNT II 537f. Nach Oepke sind für das Verständnis dieser Formel grundlegend die kosmisch-eschatologische Vorstellung von Christus als „Universalpersönlichkeit" und die mit ἐν bezeichnete Ortsangabe.

[252] Vgl. V. 8. – Hiermit wird die Universalität des Segens Abrahams ausgedrückt, nicht aber ein Gegensatz zu Israel, wie K. L. Schmidt: ThWNT II 367f, annehmen möchte. Denn Paulus kann im zweiten Finalsatz in V. 14, der den vorhergehenden erklärt, ohne weiteres mit der 1. Pers. Plur. wechseln.

[253] Vgl. auch Gal 3, 2. 5: πνεῦμα . . . ἐξ ἀκοῆς πίστεως.

[254] Es gibt keinen durchschlagenden Grund, die im überlieferten Text gegebene Versfolge zu vertauschen, wie O. Michel, Römer, 188, es mit V. 1–2 tut. Die V. 2 u. 3 werden durch γάρ eingeleitet. V. 2 begründet also V. 1, V. 3 begründet V. 2, V. 4 gibt in einem Finalsatz das Ziel von V. 3 an und dient damit zugleich auch als Erklärung von V. 2.

[255] Vgl. A. Schlatter, Gottes Gerechtigkeit, 253.

urteilung" die Rede ist, während das Thema von V. 2 die „Befreiung" vom Gesetz war. Dieses Thema wird in V. 3 nicht einfach aufgegeben, sondern abgewandelt. V. 3 zeigt, daß die Freiheit auf dem Wege über die Verurteilung der Sünde erreicht wurde. Die eigentlich treibende Kraft des Bösen im Menschen ist die Sünde. Sie nimmt das „Gesetz" und das „Fleisch" für ihre Ziele in Anspruch und verursacht zusammen mit diesen den „Tod". Darum richtet sich die Verurteilung auf den Herd des Unheils, auf die „Sünde im Fleische". Mit dieser Formulierung ist angedeutet, daß die „Sünde" mit der „Sarx" geradezu eins wird [256] und so mit dieser zusammen Gegenstand der Verurteilung ist. „Gesetz" und „Tod" sind nicht eigentlicher Gegenstand der Verurteilung. Sie werden durch die Verurteilung der „Sünde im Fleische" insofern mitbetroffen, als die Unheil wirkenden Funktionen des „Gesetzes" nun verhindert und „Gesetz", „Fleisch" und „Tod" mit der „Sünde" zusammen als „Mächte" [257] des alten Äons entmachtet werden.

Diese „Mächte", die ἁμαρτία, der θάνατος, die σάρξ als Sitz der Sünde und mit diesen auch der von den Menschen im Dienste der Sünde „mißdeutete und mißbrauchte" [258] νόμος, finden sich insgesamt in den paulinischen Aussagen über Jesus Christus: Jesus wurde ὑπὸ νόμον (Gal 4, 4), er wurde „in Gleichgestalt des Fleisches der Sünde" gesandt, er wurde „gehorsam bis zum Tode" (Phil 2, 8) [259]. In ihm, in seinem Gehorsam gegen Gott werden diese „Unheilsmächte" nun insgesamt von Gott als „Mächte" aufgehoben [260]. Die Verse 2 bis 4 vereinigen all die genannten Begriffe und zeigen an, wie die mit ihnen gemeinten Faktoren in Jesus Christus als dem von Gott verfügten Ende des alten Äons zu ihrem „Ziel", nämlich zu ihrer Entmachtung kommen. Nach dieser Feststellung ergibt auch der grammatisch und sachlich schwierige V. 3 einen verständlichen Sinn [261].

[256] Vgl. Rö 7, 14: „Ich aber bin fleischlich (σάρκινος), unter die Sünde verkauft". Das „fleischliche" Sein des Menschen ist zwar nicht willenlos, wohl aber machtlos, so daß es nun unter der „Sünde" zum Ausdruck der Sündenmacht wird.

[257] Ihre Kennzeichnung als „Mächte" trifft insofern zu, als der Mensch ihnen verfallen und ihnen gegenüber „ohnmächtig" ist (vgl. R. Bultmann, Theologie, 245). Zur Deutung der Unheilsmächte siehe Exkurs I, S. 219–222.

[258] H. Schlier, Galater, 186.

[259] Vgl. G. Bornkamm, Taufe und neues Leben bei Paulus, in: Das Ende des Gesetzes, 34–50: „Die umfassende Gewalt dieses alten Äons zieht Christus auf sich zusammen" (39).

[260] Das bedeutet nicht, daß es für den Christen keine Sünde und keinen Tod mehr gibt. Es geht Paulus darum, zu zeigen, daß der Christ auf Grund der Befreiung durch Christus ein anderes Verhältnis zu den entmachteten „Mächten" hat als der Mensch ohne Christus.

[261] Für die Einzelerklärung der Verse sei auf die ausführliche Erörterung der verschiedenen Schwierigkeiten bei O. Kuss, Römer, 490–497, verwiesen.

V. 3a ist ein Anakoluth in der grammatischen Form eines absoluten Nominativs oder Akkusativs, der mit einem anschließenden Relativsatz verbunden ist. Seine Aussage steht einerseits zum vorhergehenden Vers in Beziehung, andrerseits – und darauf liegt das Hauptgewicht – auch mit V. 3b. Das „Unvermögen“ [262] des Gesetzes zeigt sich also darin, daß es gar nicht anders konnte, als in die Sünde und den Tod zu führen. Es zeigt sich nach V. 3 vor allem darin, daß es gegen die Sünde nichts vermochte [263]. Das Gesetz führte zur „Erkenntnis der Sünde“ (Rö 3, 20), aber es vermochte die Sünde nicht zu verurteilen, da es sich als zu schwach erwies „wegen des Fleisches“ [264].

Mit „Fleisch“ [265] bezeichnet Paulus die irdische Daseinsgestalt des Menschen, insofern sie dem alten Äon angehört und als solche im Gegensatz zu seiner

[262] Ἀδύνατον ist aktivisch zu verstehen: Das, was das Gesetz nicht vermag.

[263] Das „Unvermögen“ des Gesetzes besteht also nicht nur darin, daß es nicht zum „Leben“ führte. Dieser Aspekt wird vielfach allein herausgestellt, so auch von O. Kuss, Römer, 491; O. Michel, Römer, 189. Anders H. W. Schmidt, Römer, 136.

[264] Διά hat hier wie in 2 Kor 9, 13 die Bedeutung von διά mit dem Akkusativ. Vgl. W. Bauer, Wörterbuch, 359.

[265] Vgl. E. de Witt Burton, Galatians, 492–495; R. Bultmann, Theologie, 232–246; E. Schweizer: ThWNT VII 124–136; O. Kuss, Römer, 506–540 (Exkurs: „Das Fleisch“). Kuss unterscheidet von dem Begriff „Fleisch“ als Bezeichnung der „leiblichen Existenz des Menschen“ die „als spezifisch ‚paulinisch‘ bezeichnete Verwendung des Begriffes ‚Fleisch‘ zur Charakterisierung der gottfeindlichen Verfaßtheit des Menschen“ (514). Hier stellt sich die Frage nach der rechten Interpretation der anthropologischen Begriffe bei Paulus (vgl. G. Bornkamm: RGG ³V 179–184: Zur anthropologischen Begrifflichkeit des Paulus). Für die Bedeutung von „Fleisch“ ist zunächst festzustellen, daß „Fleisch“ nicht nur einen Teil des Menschen, sondern den ganzen Menschen in einer bestimmten Hinsicht bezeichnet. Σάρξ steht bei Paulus vielfach im Gegensatz zu πνεῦμα und bezeichnet so den Menschen in Hinsicht seiner dem Wirken des πνεῦμα widersprechenden Natur. Vgl. Rö 8, 6: τὸ γὰρ φρόνημα τῆς σαρκὸς θάνατος, τὸ δὲ φρόνημα τοῦ πνεύματος ζωὴ καὶ εἰρήνη. διότι τὸ φρόνημα τῆς σαρκὸς ἔχθρα εἰς θεόν. Die hier so grundsätzlich erscheinende gottfeindliche Verfaßtheit des Menschen darf allerdings nicht als eine von der πνεῦμα-Aussage losgelöste Definition des Menschen verstanden werden, sondern als eine vom Standpunkt des πνεῦμα aus gemachte Teildefinition, nämlich der vorchristlichen Verfaßtheit des Menschen. Nur die πνεῦμα-Aussage kann den Menschen erschöpfend beschreiben, insofern er nun als „neue Schöpfung“ „in Christus“ ist. Allerdings einen Menschen „an sich“ kennt Paulus nicht. Infolgedessen wird er auch nicht eine etwa nur geschöpflich-sarkische, aber heile menschliche Existenz definieren, von der etwa die sündig-sarkische Existenz des Menschen zu unterscheiden wäre. Wenn Paulus vom Sein „im Geiste“ spricht, ist damit die grundsätzliche Verurteilung der vorchristlichen Verfaßtheit des Menschen mitgemeint, dessen endgültige Abstreifung aber noch nicht erfolgt ist. Das Denken des „Fleisches“ bezeichnet also das Denken des Menschen, der unter der Übermacht der Sünde vom „Fleisch“ als Sitz der Sünde bestimmt wird (vgl. K. G. Kuhn: ZThK 49 [1952] 209–214). Da die Sünde „im Fleische“ verurteilt ist, lebt der Mensch kraft des Geistes in einer neuen Weise, nicht „im Fleische“, sondern „im Geiste“ (V. 9).

eschatologischen Bestimmung steht. Wenn die σάρξ auch in der engsten Gesellschaft der ἁμαρτία erscheint, so ist sie doch nicht prinzipiell sündig, ebensowenig wie das im Dienste der Sünde mißbrauchte Gesetz selbst Sünde ist (vgl. Rö 7, 7). Wohl aber ist das „Fleisch" für das Wirken der Sünde anfällig und ihrer Macht auch tatsächlich ausgeliefert.

Die Näherbestimmung διὰ τῆς σαρκός läßt erkennen, daß die Wirksamkeit des Gesetzes gebunden ist an den Menschen als Täter des Gesetzes. Die Aussagen von Rö 7 machen aber deutlich, daß Paulus den Menschen unter dem Gesetz als Sünder betrachtet und zwar nicht erst wegen der Übertretungen des Gesetzes, sondern wegen der in ihm wohnenden Sünde[266], die sich ständig in den Übertretungen konkretisiert. Die eigentliche Sünde des Menschen unter dem Gesetz aber ist seine „Gerechtigkeit aus dem Gesetz" oder, wie es Rö 10, 3 heißt, die „Eigengerechtigkeit" als Widerspruch zur „Gerechtigkeit Gottes". Hierin wird die Ohnmacht des Gesetzes offenbar. Es schafft nicht nur nicht das „Leben", sondern es führt auch in eine verkehrte Richtung, nämlich zur Eigengerechtigkeit. Die Verkehrung des Gesetzes aber erfolgt unter dem Einfluß der Sündenmacht, die den Menschen gefangennimmt.

Hierdurch wird deutlich, daß Paulus den Menschen unter dem Gesetz nicht deswegen für einen Sünder hält, weil er das Gesetz dauernd übertritt, sondern weil die Richtung des Gesetzesweges verkehrt ist. Damit ist jedoch die Subjektivität des Menschen in der Sünde nicht schlechthin aufgehoben. Gerade die Wendung διὰ τῆς σαρκός in Rö 8, 3 erinnert daran, daß die „fleischliche" Natur des Menschen, d. h. aber der Mensch selbst am Versagen des Gesetzes beteiligt ist.

Wozu das Gesetz zu schwach war, das tat Gott: Er verurteilte die Sünde. Dazu sandte er seinen Sohn[267] „in Gleichgestalt des Sünden-

[266] Von der Übertretung des Gesetzes ist in Rö 7 nicht die Rede, wohl aber von der Herrschaft der Sünde im „Fleisch". In Rö 7, 9. 14 wird die Sünde sogar zum Subjekt des Tuns anstelle des menschlichen Ich. Vgl. R. Bultmann, Römer 7 und die Anthropologie des Paulus, in: Imago Dei. Beiträge zur theologischen Anthropologie (G. Krüger zum 70. Geburtstag), hrsg. v. H. Bornkamm, 1932, 53–62: „Die ganze Konzeption des Paulus wird nun klar, wenn ... gefragt wird, als was die ἁμαρτία verstanden werden muß, wenn sie, als vorher schon im Menschen vorhandene, durch den νόμος geweckt werden kann. Der νόμος begegnet dem Menschen als Gottes Anspruch: ‚Du sollst (nicht)!' d. h. er will ihn seiner eigenen Verfügung entnehmen. Sünde ist also das Selbst-verfügen-wollen des Menschen, das Selbst-Anspruch-erheben, das Sein-wollen wie Gott" (61f).

[267] Vgl. Gal 4, 4. – O. Michel, Römer, 190, sieht mit Recht in dem Motiv der „Sendung" des Gottessohnes eine geprägte „alte Tradition". Vgl. auch F. Hahn, Christologische Hoheitstitel, 315f; D. Lührmann, Das Offenbarungsverständnis bei Paulus, 77: „Mit Hilfe dieses Titels kann Paulus den Gnadencharakter des Heilsgeschehens in Christus ausdrücken: der ‚Sohn Gottes' ist der eschatologische Gesandte Gottes, der vom Himmel kommend das Heilswerk vollbringt.

fleisches". Gottes Sohn teilt die Bedingungen der menschlichen Existenz[268], die hier mit den Begriffen „Fleisch" und „Sünde" angegeben werden. Sein Eingehen in diese Bedingungen schließt jedoch nicht eine persönliche moralische Sündhaftigkeit ein; diese Vorstellung wird durch ἐν ὁμοιώματι σαρκὸς ἁμαρτίας ausgeschlossen[269]. Die christologische Aussage wird von Paulus hier nicht weiter reflektiert, sondern sie steht im Dienste der soteriologischen Aussage, daß nämlich Gott „die Sünde im Fleische" verurteilt. Mit anderen Worten: Die Inkarnation des Sohnes Gottes erscheint als Bedingung für die Verurteilung der „im Fleische" seßhaften Sünde.

Die Verurteilung der Sünde[270] vollzieht sich auf ihrem eigenen, dem von ihr in Anspruch genommenen „Boden"[271], also im „Fleisch". Paulus denkt hierbei an den Kreuzestod Jesu[272]. Der Tod trifft den inkarnierten Gottessohn „wegen der Sünde"[273], die ihre allgemeine Herrschaft über die Menschheit aufgerichtet hat. Vorausgesetzt ist hier wiederum wie in Gal 3, 13 der Gedanke der Stellvertretung, daß nämlich Jesus unseretwegen, an unserer Stelle und zu unseren Gun-

Dem entspricht es, daß die Sendung des Sohnes die Zeit des Gesetzes abschließt ..."

268 Vgl. Rö 1, 3; 9, 5b; Phil 2, 7.

269 Vgl. J. Schneider: ThWNT V 195f: „Das ὁμοίωμα weist also auf zweierlei hin: auf die Gleichheit in der Erscheinung und auf den Unterschied im Wesen". – Die persönliche Freiheit des Sohnes Gottes von der Sünde ist dadurch erklärbar, daß das in ihm anwesende πνεῦμα den durch das Gesetz geweckten ἐπιθυμίαι (vgl. 7, 7) ihre eigentliche Stoßkraft auf die Sünde hin nimmt. Vgl. dazu auch H. Lietzmann, Römer, 79.

270 E. Kühl, Römer, 258, ersetzt die „Verurteilung" der Sünde durch „Bekämpfung und Überwindung der Herrscherin Sünde". Die Sendung des Sohnes habe dadurch zur „Überwindung" der Sünde geführt, daß Jesus ohne Sünde gelebt habe. Diese Art der „Erlösung" bzw. der „Überwindung" der Sünde ist für Paulus jedoch nicht zu belegen.

271 Vgl. A. Nygren, Römer, 229.

272 F. Büchsel: ThWNT VII 953, meint jedoch: „Nach einer einzelnen geschichtlichen Tatsache, in der diese Verurteilung ausgesprochen und vollzogen ist, darf man nicht fragen. Paulus denkt sichtlich an das Ganze dessen, was Gott durch seinen Sohn getan hat und tut, von seiner Menschwerdung bis zur Mitteilung des Geistes an die Gläubigen V. 4". Dazu ist zu sagen, daß das „Ganze" des Heilswirkens Gottes in Christus für Paulus immer im Kreuzestod als einem einzigen geschichtlichen „Ort" lokalisiert gedacht wird. Der Kreuzestod Jesu kann von Jesus aus betrachtet als „Rechttat" (Rö 5, 18) oder „Gehorsam" (5, 19; Phil 2, 8), von Gott aus als Verurteilung der Sünde und als Geistmitteilung und Lebendigmachung der von den Unheilsmächten Befreiten (Rö 8, 11), vom Ergebnis im Menschen her aber als Versöhnung (2 Kor 5, 18–20) und Gerechtsprechung (Rö 5, 1. 9) gedeutet werden.

273 Die Wendung περὶ ἁμαρτίας hebt die allgemeine Wirksamkeit der Sündenmacht eigens hervor, die durch die Sendung des Gottessohnes nun getroffen werden soll. Da Letzteres „aber auch ohne dies aus dem Zusammenhang klar hervorgeht", würde Lietzmann, Römer, 79, die Worte „gern entbehren".

sten, den Tod auf sich nimmt. Jesus erleidet in seinem Tod das Urteil Gottes über die Sünde, das im Gesetz ausgesprochen wird (vgl. Gal 3, 10), und repräsentiert so die gesamte unter der Sünde stehende Menschheit [274]. Es ist dasselbe κατάκριμα, das laut Rö 5, 18 durch des einen Menschen Fall auf alle Menschen übergegangen ist und nun an der Person Jesu Christi als Repräsentanten der Menschheit vollzogen wird [275].

Die Befreiung vom „Gesetz der Sünde und des Todes" (V. 2) bedeutet die Freiheit vom κατάκριμα (V. 1), nicht aber vom δικαίωμα τοῦ νόμου (V. 4). Die „Rechtsforderung des Gesetzes" [276] besteht als von Gott selbst gesetzte Forderung zu Recht. An ihrer Erfüllung hängt das „Leben" [277]. Sie findet ihre „Erfüllung" in einem prinzipiellen Sinne „in Christus". Das hat nach dem Zusammenhang von V. 3 und 4 eine doppelte Bedeutung. Die Tat Christi, sein Erleiden der von Gott verhängten Verurteilung der Sünde (V. 3), ist Erfüllung der „Rechtsforderung des Gesetzes". Sie ist, wie Paulus Rö 5, 18 sagt, die einmalige und entscheidende „Rechttat", der gegenüber die Tat Adams παράπτωμα war und zum κατάκριμα aller Menschen führte. Da „wir" als solche, die an Christus glauben, nunmehr „in Christus" sind, wird die gleichbleibend gültige „Rechtsforderung des Gesetzes" nun auch „in uns" erfüllt (V. 4).

Die Erfüllung des δικαίωμα ist also eine „in Christus" vollzogene und zugleich auch eine „in uns" zu vollziehende. Das von Paulus in V. 4 gebrauchte ἐν ἡμῖν deutet auf das in uns wirkende Prinzip der Erfüllung, nämlich das πνεῦμα. Das πνεῦμα, das uns als solche, die „in Christus" sind, mitgeteilt ist, stellt die Norm [278] dar, nach der

274 Vgl. 2 Kor 5, 14: „Einer ist für alle gestorben, also sind sie alle gestorben".

275 In Rö 5, 18 wird von der Verurteilung der Sünde in Christus nicht ausdrücklich gesprochen, wohl aber von dem δικαίωμα Christi, womit nach V. 19 seine ὑπακοή gegenüber dem Willen Gottes und darin eingeschlossen auch der Vollzug des Zweckes, zu dem er von Gott gesandt wurde, gemeint ist.

276 Etwas abwegig erscheint die Erklärung von A. Schlatter an dieser Stelle (Gottes Gerechtigkeit, 258), δικαίωμα bedeute hier wie auch in Rö 5, 16. 18 das „rechtfertigende Urteil Gottes". P. Benoit: RB 47 (1938) 498, sieht einen Widerspruch darin, daß das Gesetz, von dem die Christen befreit sind, darin zum Ziele kommen sollte, „que la Loi soit enfin accomplie par les Chrétiens". Deshalb möchte er δικαίωμα als sachlich gleichbedeutend mit κατάκριμα durch „Verdikt des Gesetzes" wiedergeben, so daß sich der Gedanke ergibt: „damit das Urteil des Gesetzes an uns, nämlich in Christus an uns, erfüllt werde". Jedoch hat Paulus gerade die positive Erfüllung der „Rechtforderung des Gesetzes" nicht nur durch Christus, sondern auch durch die Christen „in Christus" im Auge.

277 Vgl. H. Schlier, Galater, 186. – Nur bei einer allzu einfachen Fassung des Gesetzesbegriffs, nämlich als atl. Mosesgesetz, wirkt es befremdlich, daß es auch einen berechtigten Anspruch des Gesetzes an die Christen gibt.

278 Vgl. V. 2: νόμος τοῦ πνεύματος τῆς ζωῆς. Vgl. auch S. Lyonnet, Liberté

„wir" nun tatsächlich zu leben und zu „wandeln" verpflichtet sind. Das πνεῦμα aber ist weit davon entfernt, eine uns nur vorgestellte und von außen her verpflichtende Norm zu sein; es ist vielmehr die den Christen mitgeteilte und in ihnen wirksame Lebensmacht Gottes selbst[279]. Einem so verstandenen νόμος τοῦ πνεύματος τῆς ζωῆς ἐν Χριστῷ Ἰησοῦ ist die Befreiung vom „Gesetz der Sünde und des Todes" durchaus zuzutrauen.

Mit dieser Befreiung ist also nicht eine Befreiung von jeglicher Normgemäßheit ausgesprochen, sondern in der Befreiungstat Gottes wird dem Menschen „in Christus" das Leben nach der von Gott gesetzten Norm erst recht ermöglicht[280], da diese „Norm" nun nicht mehr nur von außen herkommende Forderung ist, sondern von innen her wirkendes Prinzip[281]. Gleichbedeutend mit „in Christus sein" kann Paulus auch sagen: Der Christ ist ἔννομος Χριστοῦ (1 Kor 9, 21)[282], wodurch das Stehen ὑπὸ νόμον[283] ausgeschlossen wird[284].

Wozu das Gesetz des Moses, das „Gesetz der Sünde und des Todes", nicht in der Lage war, nämlich zum Leben zu führen, das wird nun Wirklichkeit durch den Geist, durch das „Gesetz des Geistes des Lebens", das in denen wirksam ist, die in Christus Jesus sind. Diese vom Geist herkommende, in den Christusgläubigen wirkende und als „Gesetzeserfüllung" der Christusgläubigen sich entfaltende Wirksamkeit heißt nun bei Paulus nicht eigentlich „Glaube", sondern „Wandel nach dem Geiste" (V. 4: περιπατεῖν κατὰ πνεῦμα)[285] oder „Dienen in der Neuheit des Geistes" (7, 6: δουλεύειν ἐν καινότητι πνεύματος)[286] oder „der „Gerechtigkeit dienstbar sein" (Rö 6, 19: παριστάναι τὰ μέλη δοῦλα τῇ δικαιοσύνῃ)[287]. Der Glaube ist nicht die Erfüllung des Gesetzes[288], sondern der in Christus eröffnete Zugang

Chrétienne et Loi de l'Esprit selon saint Paul (Christus, Cahiers Spirituels, 4) 1954, 12f.

279 Vgl. O. Kuss, Römer, 540–595 (Exkurs: Der Geist), bes. 543f; 561f; E. Schweizer: ThWNT VI 413–436, bes. 425–428 u. 431f.

280 Das Passiv πληρωθῇ deutet an, daß unsere Erfüllung des „im Gesetz bezeugten gnädigen Anspruchs Gottes" Folge und „Geschenk der Befreiung von Fluch und Sünde ist" (K. Stalder, Das Werk des Geistes, 405).

281 Vgl. C. H. Dodd, The Bible, 37: „It is rather an immanent principle of life ...".

282 Vgl. C. H. Dodd, Ennomos Christou, in: Studia Paulina in honorem J. de Zwaan, 1953, 96–110.

283 Vgl. Gal 4, 5; 5, 18; Rö 6, 14.

284 Vgl. E. Lohmeyer, Grundlagen, 139–146.

285 Vgl. Gal 5, 16. 18. 25. Gelegentlich gebraucht Paulus auch den Ausdruck διὰ πίστεως περιπατεῖν (2 Kor 5, 7), allerdings nur, um den Gegensatz von „Glauben" und „Schauen" zu charakterisieren.

286 Vgl. Rö 6, 4.

287 Vgl. Rö 6, 16. 18. 22.

288 Vgl. A. Schlatter, Glaube, 375: „Es ist lediglich der Lebensverband mit Christus und in ihm mit Gott, der das Glauben zur Erfüllung des Gesetzes macht".

zur wahren, von Gott geschenkten Gerechtigkeit und damit auch der Grund der Freiheit vom Gesetz. Auf Grund des Glaubens an Jesus Christus sind die Gläubigen „in Christus“ und als solche im „Besitz“ des Geistes, d. h. aber durch den Geist zum Leben befähigt und zur Erfüllung des „Gesetzes des Geistes“ angefordert[289].
Die Freiheit vom Verderben bringenden Gesetz kommt letzten Endes allein von der im Tode Christi geschehenen Heilstat Gottes, die Rö 1, 17 und 3, 21f als Offenbarung der Gerechtigkeit Gottes gekennzeichnet wird. Die „Gerechtigkeit“ als das eschatologische Heilsgut vom Gesetz zu erwarten und an Jesus Christus zu glauben, schließen einander so radikal aus, daß Paulus sagen kann: „Wenn nämlich durch das Gesetz Gerechtigkeit kommt, dann ist Christus vergeblich gestorben“ (Gal 2, 21).

Exkurs I: Zur Deutung der Unheilsmächte

Die Aussagen des Apostels Paulus über die Freiheit vom „Gesetz“ und damit auch von den Unheilsmächten „Sünde“ und „Tod“ sowie in einem bestimmten Sinne auch von der „Sarx“ sind von einem zugleich kosmologisch und anthropologisch orientierten Denken her gemacht. Besonders die Anführerin dieser „Mächte“[290] und ihre treibende Kraft, die „Sünde“, und in ihrem Gefolge der „Tod“ werden als den Kosmos (vgl. Rö 5, 12f; 8, 19. 21f)[291] wie auch den Men-

[289] Es läßt sich an Hand der Konkordanz leicht nachweisen, wie die Aussagen, die den Glauben zum Gegenstand haben, in Rö 1–8 fast ausschließlich auf den Rechtfertigungszusammenhang Rö 1–5 beschränkt sind, während die Geist-Aussagen in Rö 6–8 dominieren und das christliche Leben auf Grund des Glaubens bezeichnen. Hieraus ergibt sich jedoch nicht notwendig die Annahme einer Zweigleisigkeit der paulinischen Aussagen. (Vgl. A. Schlatter, Glaube, 376.) Wie sich der „Wandel nach dem Geiste“ zur „Rechtfertigung aus dem Glauben“ verhält und ob diese Frage etwa im Rahmen des Problems „Rechtfertigung und Heiligung“ zu beantworten sei, wie K. Stalder, Das Werk des Geistes, 403f, annimmt, soll später erörtert werden.

[290] Als „Mächte“ kann man im eigentlichen Sinne nur ἁμαρτία und θάνατος bezeichnen. Der νόμος wird gelegentlich auch persönlich gedacht, jedoch offenbart sich seine „Macht“ in Wirklichkeit als Ohnmacht (vgl. Rö 8, 3). Σάρξ ist ein anthropologischer Begriff und erscheint gelegentlich als Subjekt des Begehrens wider das πνεῦμα. Besonders in Gal 5, 13. 17 macht die σάρξ den Eindruck einer selbständigen, den Menschen beherrschenden Macht. Doch gilt auch an diesen Stellen, daß σάρξ bei Paulus immer den Menschen selbst in einer bestimmten Hinsicht beschreibt, nämlich hinsichtlich seiner Verfallenheit an die „Sünde“ (vgl. S. 214f). Insofern ist das „Fleisch“ nur in einem uneigentlichen Sinne als „Macht“ zu bezeichnen.

[291] Der Begriff κόσμος (vgl. H. Sasse: ThWNT III 882–896) ist im NT nicht allein von seiner sprachgeschichtlichen Herkunft aus dem Griechischen, sondern vor allem vom atl. Weltverständnis aus zu verstehen. „Kosmos“ ist bei Paulus Ausdruck der Welt als Schöpfung und der Gesamtheit der Menschen

schen beherrschende „Mächte" angesehen (vgl. Rö 3, 9; 6, 11–23; 7; 1 Kor 15, 3. 17; Gal 1, 4).

Paulus sieht den einzelnen Menschen als Glied der gesamten Menschheit (vgl. bes. Rö 5, 12–21) gleichsam schicksalhaft unter der Sünde stehen, aber zugleich auch als Sünder aus eigener Schuld, der für seine sündige Tat verantwortlich ist vor Gott (vgl. Rö 2, 12; 3, 23; 8, 14; 6, 15; 1 Kor 15, 34). Diese eigentümliche Verflechtung von schicksalhafter Versklavung unter die Mächte „Sünde" und „Tod" sowie unter das „Gesetz" mit der persönlichen Verantwortung des Sünders vor Gott kennzeichnet das Bild des erlösungsbedürftigen Menschen bei Paulus. Der Mensch ist „unter die Sünde verkauft" (Rö 7, 14), die Sünde „haust" in ihm (vgl. Rö 7, 17. 20), sie hat ihren festen Sitz „im Fleische" (Rö 8, 3). Der Mensch selbst hat ihr Einlaß gewährt und sich auf die „Begierden des Fleisches" eingelassen (vgl. Rö 6, 12; 7, 5. 8. 23; Gal 5, 16. 24), und insofern ist er persönlich schuldig[292].

Für das Verständnis der personifizierten Unheilsmächte, vor allem der „Sünde", besteht die Schwierigkeit, daß diese „Mächte" gegenüber dem Menschen geradezu als mythologische Gestalten erscheinen. Es stellt sich daher die Frage, wie die Aussagen des Paulus zu verstehen sind, in denen die „Sünde" als so mächtig über den Menschen erscheint, daß sein Subjektsein von ihr nahezu aufgesogen wird.

R. Bultmann[293] betont, daß der Mensch von Paulus „gar nicht primär als bewußtes Subjekt gesehen" sei. Das menschliche Sein transzendiere vielmehr seine Subjektivität, so daß der Sünder im Sündigen nicht eigentlich als individuelles Subjekt, sondern mit der „Sünde" zusammen als „Gesamtsubjekt" erscheine. Bultmann geht es darum, die Anthropologie des Paulus abzusetzen von einer „subjektivistischen" Auffassung vom Menschen, wie sie dem abendländischen Denken auf Grund seiner philosophischen Tradition naheliegt. Dieser Sicht des Problems muß man zustimmen. Denn für

zugleich, und zwar beides nicht in seiner ontischen Beschaffenheit, sondern in seiner geschichtlichen Bedeutung, also in seinem Verhältnis zu Gott. Nach Rö 3, 6; 1 Kor 6, 2; 11, 32 ist der Kosmos Gegenstand des Endgerichtes. – Einer besonderen Betrachtung bedürfen die στοιχεῖα τοῦ κόσμου (Gal 4, 3; Kol 2, 8. 20). Diese Wendung „bezeichnet das, worauf die Existenz dieser Welt beruht, was auch das Sein des Menschen ausmacht" (G. Delling: ThWNT VII 685; vgl. auch R. G. Bandas, The Master-Idea of S. Paul's Epistles, 65–81; P. Bläser, Das Gesetz bei Paulus, 55–62; E. de Witt Burton, Galatians, 510–518). Insofern das jüdische Gesetz zum Ausdruck der στοιχεῖα in Gal 4, 3 (vgl. V. 9) wird, erlangt diese Wendung bei Paulus eine neue Bedeutung. Vgl. H. Schlier, Mächte und Gewalten im NT (Quaestiones disputatae, 3), 1958, 21f.

292 Vgl. E. Schweizer: ThWNT VII 133f.

293 Römer 7 und die Anthropologie des Paulus, 56.

Paulus ist das biblisch-jüdische Welt- und Menschenverständnis bestimmend geblieben.

Für das griechisch-hellenistische Denken muß die „Sünde“ als eine Störung der Harmonie des menschlichen Wesens erscheinen. Sie wird als Konflikt innerhalb der menschlichen Subjektivität, als Widerspruch verschiedener Schichten, einer niederen, sinnlichen und einer höheren, vernünftigen, erlebt[294]. „Sünde“, „Tod“ und „Gesetz“ müssen dabei als weltüberlegene Größen aufgefaßt werden, die das eigentliche Wesen des Menschen überdecken und sein Zu-sich-selbstkommen verhindern, von denen der Mensch sich seinerseits jedoch abzusetzen sucht[295].

Anders die paulinische Anthropologie: Paulus sieht den Menschen seinem Wesen nach unter der bestimmenden Macht der „Sünde“, des „Todes“ und des „Gesetzes“. Er wird nicht wie in der griechischen Anthropologie als freies Wesen betrachtet, das sich selbst bestimmt, sondern sein Dasein ist von vornherein durch sein Verhältnis zu Gott als seinem Schöpfer bestimmt. Dieses Verhältnis wird durch sein Stehen unter der „Sünde“ und dem „Gesetz“ sowie durch sein Bedrohtsein vom „Tode“ als Gottfeindlichkeit und Erlösungsbedürftigkeit gekennzeichnet. Der Mensch kann sich selbst von diesen „Mächten“ nicht distanzieren. Ausdruck seiner Verhaftung an sie ist sein Dasein im „Fleisch“. Durch die Existenz ἐν σαρκί ist der Mensch dem Zugriff der „Sünde“ so radikal ausgeliefert, daß diese als die negative Möglichkeit seines Lebensvollzugs geradezu mit ihm eins wird. Die „Mächte“ erscheinen also nicht als mythologische Größen über dem Menschen, sondern, um mit Bultmann zu sprechen, als die seine Subjektivität transzendierenden „Möglichkeiten geschichtlichen Seins“[296].

Jedoch ist die Subjektivität des Menschen auch für Paulus nicht so irrelevant, wie Bultmann annimmt. Zwar sind die „Mächte“ der jeweiligen Existenz des einzelnen Menschen schon vorgegeben und machen seine erlösungsbedürftige Situation offenbar. Doch ist dadurch, daß der Mensch und nicht die Sünde in die „Begierden des Fleisches“ einwilligt, auch eine gewisse Form von Subjektivität am Zustandekommen der Übertretungen beteiligt. Der Satz Bultmanns: „Der Mensch ist Sünder, auch wenn er das Gebot erfüllt“[297], läßt

[294] In dieser Weise hat Philo den jüdischen Sündenbegriff interpretiert. Vgl. Philo, Mut Nom 36. 48. 107; Quaest in Ex I 23; Praem Poen 63; Vit Mos II 147; Virt 177; Fug 189–191. – H. Lietzmann, Römer, 75f, möchte die paulinische Anthropologie in Analogie zu der des Philo verstehen, wodurch er jedoch der mehr der Apokalyptik verbundenen Anschauung des Paulus nicht gerecht wird.

[295] Vgl. Philo, Mut Nom 49. 186; Ebr 166–168; Leg All II 83.

[296] A. a. O. 56.

[297] A. a. O. 59.

das Bedenken aufkommen, ob hier die moralische Seite des Sündenbegriffs nicht zu kurz kommt. Sünde ist bei Paulus auch Übertretung des Gesetzes und eine Tat, die vor dem Gericht Gottes verantwortet werden muß (vgl. Rö 2, 12. 16).
Die „Mächte" bestimmen also den Menschen in seinem konkreten Tun, aber der Mensch hört unter der Übermacht der Sünde doch nicht auf, sich nach Erlösung zu sehnen (vgl. Rö 7, 24).
Die ersehnte Erlösung aber besteht nicht darin, daß der Mensch aufhört, „im Fleische" zu sein, sondern darin, daß er nun von der Macht des πνεῦμα bestimmt wird und so fähig wird, ganz er selbst zu sein [298] und sich in dieser gnadenhaften Möglichkeit Gott zu verdanken. Die Freiheit [299], die ihm als Heilsgabe Gottes geschenkt wurde, besteht nicht nur in der Freiheit von den Unheilsmächten, sondern zugleich und davon unablösbar in dem neuen Dasein „unter der Gnade" (Rö 6, 14).

Exkurs II: „Gesetz und Evangelium" bei Paulus

Bei Paulus finden sich die beiden Begriffe „Gesetz" und „Evangelium" nicht als ein zueinander geordnetes Paar. Die Antithese lautet vielmehr „Gesetz und Gnade" (Rö 6, 14f; Gal 2, 21; 5, 4) bzw. „Werke und Gnade" (Rö 11, 6), „Gesetz und Geist" (Rö 7, 6; Gal 5, 18; 2 Kor 3, 6 [Buchstabe und Geist]), „Gesetz und Glaube" (Rö 3, 21f. 28. 31; 4, 14. 16; Gal 2, 16; 3, 5. 12. 23; Phil 3, 9) oder auch „Gesetz und Christus" (Gal 3, 13. 24; 5, 4) [300]. Die Frage, die die protestantische Theologie seit ihren Anfängen bei dem Thema „Gesetz und Evangelium" bewegt [301], ist die, ob das Gesetz als Ausdruck der vorchristlichen Ordnung nach der Ankunft Christi noch verbindliche

[298] Vgl. E. Lohmeyer, Grundlagen, 43: „Nur dann ist der Einzelne ein Ich, wenn er in Gott es ist".

[299] Vgl. R. Bultmann, Theologie, 331–353; L. Cerfaux, Le Chrétien dans la théologie paulinienne (Lectio Divina, 33), 1962, 414–421.

[300] Vgl. P. Benoit, La loi et la croix, 481f; P. Démann, Moses und das Gesetz bei Paulus, 239–253.

[301] Vgl. aus der neueren Literatur vor allem Th. Ellwein, Gesetz und Evangelium (Bek. Kirche, 3), 1933; K. Barth, Evangelium und Gesetz (Theol. Existenz heute, 32), 1935 (Neudruck: Theol. Existenz heute, N. F. 50, 1956); H. Diem, „Evangelium und Gesetz" oder „Gesetz und Evangelium"?, in: EvTh 3 (1936) 361–370; H. Thielicke, Zur Frage „Gesetz und Evangelium". Eine Auseinandersetzung mit K. Barth, in: Theologie der Anfechtung, 1949, 70–93; W. Joest, Gesetz und Freiheit; G. Ebeling, Erwägungen zur Lehre vom Gesetz, in: ZThK 55 (1958) 270–306, und als Replik zu Ebelings „Erwägungen"; W. Andersen, Der Gesetzesbegriff in der gegenwärtigen theologischen Diskussion (Theol. Existenz heute, 108), 1963; ders., Ihr seid zur Freiheit berufen. Gesetz und Evangelium nach biblischem Verständnis (Bibl. Studien, 41), 1964; E. Schlink, Gesetz und Evangelium als kontroverstheologisches Problem, in: KerDog 7 (1961) 1–35.

Norm des christlichen Lebens sein könne, mit anderen Worten: ob die Verkündigung des Evangeliums die Forderungen des alten Gesetzes, d. h. des mosaischen Gesetzes, zum Inhalt haben könne oder gar müsse, da auch der Erlöste des ethischen Imperativs bedürfe. Die protestantische Theologie, die einerseits die Vereinbarkeit von Gesetzesordnung und Gnadenordnung verneint und andrerseits den „tertius usus legis", die paränetische Geltung des Gesetzes für den Christen, bejaht[302], ist davon überzeugt, daß ihre Lehre von „Gesetz und Evangelium" der Theologie des Apostels Paulus entspricht. Die Entsprechung von paulinischer und protestantischer Theologie in dieser Frage kann hier nicht nachgeprüft werden. Angesichts der Tatsache, daß dieses Problem in letzter Zeit erhöhte kontroverstheologische Relevanz erlangt hat[303], soll hier lediglich festgestellt werden, daß Paulus zwar nicht von einem „tertius usus legis"[304], wohl aber vom „Gesetz des Geistes des Lebens" (Rö 8, 2) und vom „Gesetz Christi" (Gal 6, 2) sowie von der Liebe als Inhalt und Erfüllung des Gesetzes (Rö 13, 8) spricht, und zwar, nachdem er die Freiheit des Christen vom mosaischen Gesetz und, darin eingeschlossen, von jedem Buchstabengesetz[305] versichert hat. Jedoch lassen sich die vereinzelten Aussagen über das „Gesetz Christi" (Gal 6, 2), „Gesetz des Geistes des Lebens" (Rö 8, 2), das „im-Gesetz-Christi-Sein" (1 Kor 9, 21) nicht ohne weiteres zu einer einheitlichen Lehre von einem christlichen Gesetz als Norm des Christenlebens komponieren[306]. In

302 Während Calvin und in seiner Nachfolge K. Barth (Evangelium und Gesetz) das Gesetz als Form des Evangeliums sehen und damit dem Gesetz in der Verkündigung des Evangeliums eine hervorragende Stellung einräumen, ist Luther mehr an der paulinischen Prämisse „Christus Ende des Gesetzes" orientiert. Jedoch weist W. Joest auch für Luther eine gewisse Geltung des „tertius usus legis" nach. Vgl. W. Joest, Gesetz und Freiheit, 14.

303 Vgl. G. Söhngen, Gesetz und Evangelium. Ihre analoge Einheit. Theologisch, philosophisch, staatsbürgerlich, 1957; ders., Gesetz und Evangelium, in: Catholica 14 (1960) 81–104; P. Bläser, Gesetz und Evangelium, in: Catholica 14 (1960) 1–23.

304 Vgl. E. Kühl, Römer, 268: „Paulus kennt den tertius usus legis nicht, und er hat ihn augenscheinlich nicht kennen wollen, weil er besorgte, aus dem Gesetz als Norm des sittlichen Handelns könnte unversehens wieder der Anspruch des Gesetzes erwachsen, als Mittel zur Erlangung des Heiles und als Kraft des neuen Lebens gewertet zu werden".

305 H. Schlier, Galater, 179, sieht mit Recht in der paulinischen Frage nach der Geltung des Gesetzes nicht nur das „Problem speziell jüdischer Gesetzlichkeit, sondern allgemein menschlicher, also ... das Problem der Gesetzlichkeit überhaupt" gestellt, wofür „das jüdische Gesetz das Paradigma ist".

306 Hinzu käme vielleicht noch die Wendung „Gesetz des Glaubens" (Rö 3, 27), das sich nach G. Friedrich, Das Gesetz des Glaubens Röm. 3, 27, in: ThZ 10 (1954) 401–417, hier 408, jedoch nicht auf die christliche Verwendung des Gesetzes bezieht, sondern parallel zu Rö 3, 21 von der „Thora, die den Glauben bezeugt", zu verstehen sei. Vgl. auch Cremer-Kögel, Bibl.-theol. Wörterbuch, 753. Anders O. Michel, Römer, 111; O. Kuss, Römer, 175f.

paränetischen Zusammenhängen spricht Paulus nicht vom Gesetz, sondern vom „Willen Gottes" (z. B. Rö 12, 2; 1 Thess 4, 3). Gal 6, 2 („Gesetz Christi") ist hierzu anscheinend eine Ausnahme, die dadurch verständlich wird, daß Paulus hier im Gegensatz zum Gesetz des Moses formuliert[307]. Der als „Gesetz Christi" verkündete Wille Gottes schränkt jedoch die christliche Freiheit keineswegs ein. Denn erstens richtet sich die Freiheit des Christen nicht gegen das Gesetz schlechthin, sondern gegen die im Mosesgesetz und analog in jedem anderen Gesetz vorgenommene Konservierung des Willens Gottes im Gesetzesbuchstaben angesichts des in Christus geoffenbarten eschatologischen Heilswillens Gottes; zweitens erscheint im „Gesetz Christi" bzw. „des Geistes" nicht der neu wiederauflebende Buchstabe des alten Gesetzes, sondern der unvermindert gültige Wille Gottes, der nun in der „Neuheit des Geistes" (Rö 7, 6) erfüllt wird.

Paulus verkündet also neben dem Evangelium kein neues Buchstabengesetz, wenn er vom „Gesetz des Geistes des Lebens" (Rö 8, 2) spricht; er verkündet auch nicht etwa, wie K. Barth[308] es will, das Evangelium in der Sprache des Gesetzes, sondern er verkündet die Freiheit vom Gesetz auf Grund der Tat Christi als Bedingung des christlichen Lebens, in dem das alte Gesetz immer wieder von neuem dadurch zu überwinden ist, daß man die „Liebe" als die „Erfüllung des Gesetzes" tut. Um die Liebe zu üben, um „nach dem Geiste" zu wandeln (Rö 8, 4), dazu bedarf auch der Christ der Mahnung, d. h. der erneuten Anforderung durch den Willen Gottes, dessen Kundgabe allerdings einer bestimmten Formulierung nicht entraten kann, einer Formulierung jedoch, deren buchstäblicher Sinn durch die „Liebe" und den „Wandel nach dem Geiste" immer wieder überschritten werden muß. Sonst würde die Erfüllung des Gesetzes nichts anderes bedeuten als Beharrung auf dem Gesetzesprinzip und damit die Wiederholung der „Eigengerechtigkeit", die doch durch den Glauben grundsätzlich ausgeschlossen ist.

§ 22. Zusammenfassung

Das Wort von der „Rechtfertigung aus dem Glauben" muß als Ausdruck eines einheitlichen Geschehens betrachtet werden. Es kann nach seinen verschiedenen Seiten entfaltet und erklärt werden. Die

[307] Vgl. M.-J. Lagrange, Galates, 156: „τὸν νόμον τοῦ Χριστοῦ est une ample satisfaction donnée aux Galates qui veulent une loi"; H. Schlier, Galater, 273: „Die Tora des Messias Jesus ist in der Tat eine ‚Interpretation' des mosaischen Gesetzes ... eine ‚Interpretation' durch des Messias Jesus Kreuz". – Von einer „Einführung einer neuen Tora" durch Christus (W. D. Davies, Torah in the Messianic Age and/or the Age to come, 1952, 91f) kann allerdings nicht die Rede sein.

[308] Vgl. K. Barth, Evangelium und Gesetz, passim.

für den Menschen unmittelbar erfahrbare Seite des Rechtfertigungsgeschehens ist der Glaube an Jesus Christus. Für Paulus ist der Glaube nicht nur eine Bedingung, die von außen an den vorgegebenen Tatbestand der von Gott bewirkten und dargebotenen Rechtfertigung hinzukäme, sondern er ist das Prinzip der Rechtfertigung. Im Glauben erfährt der Mensch die Rechtfertigungstat Gottes.

Das Rechtfertigungsgeschehen ist an den Glauben an Jesus Christus gebunden. Im Kerygma von Jesus Christus wird der Mensch von Gott selbst angesprochen. Im Glauben, der für Paulus immer ein Glaube an Jesus Christus ist und durch den eine dauernde persönliche Beziehung zu Christus begründet wird, ergreift er mit der Annahme des Kerygmas auch das Rechtfertigungsgeschehen, das Gott in Jesus Christus vollzieht. Die Rechtfertigungstat Gottes gelangt also durch die Botschaft von Jesus Christus und durch den Glauben an ihn im Menschen zur Wirkung.

Das Wort von der „Rechtfertigung aus dem Glauben“ trifft den Menschen als heillosen Sünder (vgl. Rö 3, 23f; 4, 5). Seine Sünde besteht in einem grundsätzlichen Sinne darin, daß er seine Eigengerechtigkeit verfolgt (vgl. Rö 9, 30f; 10, 2f; Phil 3, 9). In dieser besorgenden Selbstbemühung versperrt er sich den Zugang zur Gnade Gottes, die nun in Christus geschichtliche Gestalt angenommen hat. Der Glaube an Christus entwurzelt den Menschen aus seiner Eigengerechtigkeit; er ist insofern Prinzip, Anfang des Heils. Er erweist sich so als Korrelat der Gnade und als wesentliches Moment am Vorgang der Rechtfertigung.

Paulus zeigt in Rö 4, 3–5 am Beispiel Abrahams aus Gen 15, 6, daß der Glaube als von Gott verfügtes Prinzip der Rechtfertigung universale Geltung hat und daß dadurch die Möglichkeit irgendeines anderen Heilsprinzips radikal ausgeschlossen ist. Der Glaubende ist der μὴ ἐργαζόμενος (Rö 4, 5), d. h. derjenige, der seine „Werke“ nicht zum tragenden Grund seiner Rechtfertigung werden läßt. Er ist der „Nur-Glaubende“, der in seinem Verzicht auf jegliches καύχημα (Rö 4, 2) die „Gerechtigkeit“ als eschatologisches Heilsgut ergreift. Das „sola-fide“, das in der Reformationszeit programmatische Bedeutung erhielt, hat also im Rahmen der paulinischen Rechtfertigungsbotschaft seine volle und eigentliche Bedeutung[309]. Jedoch darf dieser Glaube nicht auf einen „Fiduzialglauben“ eingeschränkt werden. Der Glaube bedeutet bei Paulus immer Gehorsam gegen den Heilswillen Gottes und enthält insofern ein aktives Element, als der Mensch dem Anspruch Gottes entspricht.

[309] Vgl. O. Bardenhewer, Römer, 63; J. Sickenberger, Römer, 201; O. Kuss, Römer, 177; S. Lyonnet, Quaestiones in Epistolam ad Romanos I, 142–150 (Excursus de iustificatione solum per fidem).

Die These des Apostels von der „Rechtfertigung allein durch den Glauben" gründet objektiv im Christusereignis und subjektiv in seiner persönlichen Glaubenserfahrung. Sie erhält ihre besondere Prägung durch die problematische Situation von Juden- und Heidenchristen in der Urkirche. Durch diese Situation sieht sich Paulus zu einer Stellungnahme und zur Verteidigung seiner Botschaft von der unbedingten Gnadenhaftigkeit des Heils genötigt.

Paulus kommt zur Formulierung seiner These anläßlich des Konflikts mit den galatischen Gemeinden. Im Galaterbrief erscheint seine These als Gegenthese zu dem von seinen Gegnern vertretenen Gesetzesweg[310]. Dabei ist auch die von Paulus selbst präzisierte Position der judenchristlichen Gegner schon eine Formulierung, die weniger eine historische Aussage über die Behauptung der Gegner darstellt als vielmehr ein Zeugnis vom Glaubensverständnis des Apostels selbst.

Die Frage: „Hat Paulus das Gesetz als das Heilsprinzip des ‚alten Bundes' überhaupt richtig verstanden?"[311] trifft insofern nicht, als Paulus nicht von der Frage der vorchristlichen Heilsbedeutung des mosaischen Gesetzes ausgeht, sondern von der im Glauben erkannten und angenommenen Heilstat Gottes in Christus.

Durch den Glauben an Christus wird die Geltung des Gesetzes in einem bestimmten Sinne ausgeschlossen. Paulus spricht dem Gesetz jede positive Heilsbedeutung ab, da es das Heil tatsächlich nicht beschafft, sondern den Menschen durch die unter dem Gesetz geleistete Eigengerechtigkeit nur den „Fluch" bringt. Vom Fluch des Gesetzes aber hat Christus befreit.

An der Freiheit vom Fluch des Gesetzes, d. h. aber auch von den Mächten der Sünde und des Todes, hat jeder Mensch Anteil, wenn er „in Christus" ist. Der Glaube an Christus läßt den Menschen auf seine ihm im Gesetz gegebenen eigenen Möglichkeiten verzichten und hinschauen auf das, was Christus tut. Statt dem Gesetz ist er nun Christus verhaftet. Statt auf die Sache des Fleisches zu sinnen, wird er nun vom Geiste getrieben. Statt der Herrschaft der Sünde erfährt

[310] Vgl. W. Gutbrod: ThWNT IV 1067: „Das paulinische Nein zum Gesetz entstammt seinem Ja zu dem in Jesus Christus Geschehenen, nicht einer rationalen Kritik oder missionarischen Taktik". – Wieweit die gesamte Gesetzeslehre des Apostels von der im Tode Jesu Christi erfahrenen Heilstat Gottes bzw. von dem Glauben an sie abhängt und verständlich zu machen ist, ist schwer zu entscheiden. Die Annahme Gutbrods (a. a. O. 1070), daß Paulus schon vor seiner Bekehrung in der Gesetzesfrage den entscheidenden Trennungspunkt zwischen Judentum und Christentum gesehen habe, ist sehr unwahrscheinlich. Wahrscheinlich hat sich die Stellung Pauli zum Gesetz mit der Entwicklung seiner These „Rechtfertigung allein aus Glauben", wie er sie erstmalig im Galaterbrief aufstellt, geklärt und gefestigt.

[311] H. J. Schoeps, Paulus, 224.

er nun die Herrschaft der Gnade. Statt Tod wird ihm Leben zuteil. So hat „in Christus“ ein „Loskauf“, die Erlösung, stattgefunden. Die neue Wirklichkeit erlebt der Christ jedoch nicht naturhaft, sondern als Gabe und Anforderung zugleich. So wird er nun „in Christus“ und doch noch „im Fleische“ lebend, aber nicht mehr dem Fleische verpflichtet, vom „Gesetz des Geistes des Lebens in Christus Jesus“ zur wahren Erfüllung der Rechtforderung des Gesetzes, zum Gehorsam gegenüber dem Willen Gottes gerufen. Nicht der Glaube ist die Erfüllung des Gesetzes, sondern „die Liebe“ (Rö 13, 10; Gal 5, 14)[312] und der „Wandel nach dem Geiste“ (Rö 8, 4). Der Glaube, und zwar der „in der Liebe wirkende Glaube“ (Gal 5, 6), bleibt dabei der ständige Ermöglichungsgrund der Freiheit, „für die Christus uns frei gemacht hat“ (Gal 5, 1).

Die Freiheit des Christen besteht für Paulus nicht „an sich“, „objektiv“, außerhalb des Menschen, sondern in ihm, insofern dieser im Glauben die von Gott in Christus dargebotene Möglichkeit der Freiheit ergreift und als Leben „nicht nach dem Fleische, sondern nach dem Geiste“ (Rö 8, 4) realisiert. Für Paulus besteht das Heil, das mit der Freiheit von den Mächten des Unheils gegeben ist, nicht in einem festen und unbedingt gesicherten Besitz, sondern in der ständig zu vollziehenden Entscheidung für das Leben, die ihm im Glauben und als Glaube an Christus ermöglicht, dargeboten ist. Das eschatologische Heil reicht jetzt schon in die noch „im Fleische“ anhaltende Existenz des gläubigen Menschen hinein (vgl. 2 Kor 10, 3; Gal 2, 20).

Die ständig anhaltende Entscheidungssituation kennzeichnet den Glauben als „eschatologische Haltung“ des Menschen, nicht als seine eschatologische Vollendung[313]. Das Heil der „Rechtfertigung“ ist wirklich präsent im Glauben des Christen. Aber seine noch anhaltende Existenz „im Fleische“ (Gal 2, 20; vgl. 2 Kor 10, 3) stellt eine vorläufige Grenze der Heilserfahrung dar. Diese Grenze macht deutlich, daß der Glaubende nicht einfach dem geschichtlichen Dasein entnommen ist. Die Spannung zwischen seiner noch anhaltenden Vergangenheit als Sünder und der schon Gegenwart gewordenen Zukunft als Gerechter wird ständig in seinem Glauben aufgehoben.

[312] Vgl. Gal 6, 2: οὕτως ἀναπληρώσατε τὸν νόμον τοῦ Χριστοῦ; Rö 13, 8: ὁ γὰρ ἀγαπῶν τὸν ἕτερον νόμον πεπλήρωκεν. Vgl. hierzu auch W. Marxsen, Der ἕτερος νόμος Röm 13, 8, in: ThZ 11 (1955) 230–237.

[313] Vgl. R. Bultmann: ThWNT VI 222: „Als eschatologische Haltung ist die πίστις nicht dahin mißzuverstehen, daß sie selbst schon eschatologische Erfüllung wäre ... die πίστις entläuft nicht der Vorläufigkeit des geschichtlichen Seins, sondern verwirklicht das eschatologische Sein in der Zeitlichkeit“.

3. Kapitel:
Taufe und Rechtfertigung

§ 23. Das Problem „Glaube und Taufe"

Im bisherigen Verlauf dieser Arbeit war gelegentlich, vor allem bei der Behandlung des Glaubensbegriffs, schon von der Taufe die Rede, und zwar als einem Mittel, durch das die für das Rechtfertigungsgeschehen grundlegende Verbundenheit mit Christus hergestellt wird. Da diese Verbundenheit mit Christus an den zentralen Stellen über die „Rechtfertigung" zwar vorausgesetzt, aber nicht ausdrücklich als in der Taufe begründet dargestellt wird und andrerseits an eben denselben Stellen der Glaube an Jesus Christus als das von Gott eingesetzte, gegenüber den Gesetzeswerken einzig legitime Mittel der Rechtfertigung des Sünders deutlich herausgestellt wird, stellt sich die Frage, wie Glaube und Taufe sich zueinander verhalten und von welcher Bedeutung die Taufe für die „Rechtfertigung" tatsächlich ist. Ist die Taufe nur eine Voraussetzung des Rechtfertigungsgeschehens oder vielleicht auch – mit dem Glauben zusammen – ein Mittel der Aneignung der Rechtfertigungsgnade? Diese Frage stellt sich besonders im Hinblick auf die Stellen, in denen Tauf- und Rechtfertigungsaussagen miteinander in Berührung kommen, also Gal 3, 26f; 1 Kor 6, 11; Rö 6, 1–11 und vielleicht auch Gal 2, 19.

Die Feststellung, daß bei Paulus das Heil sowohl durch den Glauben wie auch durch die Taufe vermittelt gedacht wird, hatte früher manchen Forschern[1] Veranlassung gegeben, zwei voneinander getrennte Gedankenreihen in der paulinischen Erlösungslehre anzunehmen, deren eine auf dem Glauben, deren andere auf der Taufe als Heilsprinzip stehe.

A. Schweitzer[2] sieht in dieser Feststellung eine Bestätigung seiner These, daß die „Mystik des Gestorben- und Auferstandenseins mit Christo"[3] das eigentliche Zentrum der paulinischen Heilslehre darstelle, von dem aus die Lehre von der „Gerechtigkeit aus dem Glauben" nur als ein von der Not seiner Kampfsituation geforderter Schriftbeweis erscheint[4], als ein „Fragment einer Erlösungslehre"[5],

[1] Siehe S. 113f.

[2] A. Schweitzer, Mystik, 254–256.

[3] A. a. O. 102–140.

[4] A. a. O. 204.

[5] A. a. O. 216.

dem keine Selbständigkeit zukomme. Das „Sterben und Auferstehen mit Christus" nehme in der Taufe seinen Anfang [6]. Schweitzer sieht also in der Taufe das entscheidende Mittel zur Aneignung des Heiles, ohne den „Glauben" überhaupt zu erwähnen. Er übersieht geflissentlich die zentrale Bedeutung des Glaubensbegriffs bei Paulus [7].

Jüngere Äußerungen zu unserem Problem, wie sie etwa von W. Mundle[8], H. Schlier[9], R. Schnackenburg[10], G. Delling[11], O. Kuss[12] und E. Lohse [13] vorliegen, gehen nicht mehr von der Annahme einer grundsätzlichen Trennung von Taufe und Glaube als zwei verschiedenen, zu je einer anderen Erlösungslehre gehörigen Heilsprinzipien aus, sondern sehen mit Recht eine gewisse Bezogenheit beider aufeinander auf Grund der relativ einheitlichen Heilslehre des Apostels. Freilich genügt die an sich richtige Auskunft nicht, die auch schon bei einigen älteren Exegeten zu finden ist [14], nämlich daß bei Paulus der Glaube die Taufe einschließe; man möchte wissen, wie beide zusammenwirken. Auch bei E. Tobac [15], der der „Taufe" neben dem „Glauben" als Mittel der Rechtfertigung bzw. der Aneignung der Rechtfertigungsgnade einen breiten Raum gewährt, wird die Frage, wie das Miteinander von Glaube und Taufe zu deuten sei, zwar gestellt, aber nicht befriedigend beantwortet [16]. Es bleibt offen,

[6] A. a. O. 254.

[7] Bezeichnend für die Verzerrung der paulinischen Konzeption durch A. Schweitzer ist die Tatsache, daß im Begriffsindex das Wort „Glaube" nicht einmal vorkommt.

[8] W. Mundle, Glaubensbegriff, 82–90; 132–140.

[9] H. Schlier, Die Taufe, in: Die Zeit der Kirche, 47–56; ders., Galater, bes. 89f; 172–174 (zu Gal 3, 27).

[10] R. Schnackenburg, Das Heilsgeschehen bei der Taufe nach dem Apostel Paulus (Münchener Theol. Studien, I, 1), 1950, bes. 115–132; ders.: LThK ²VIII 1036.

[11] G. Delling, Die Zueignung des Heils in der Taufe. Eine Untersuchung zum ntl. „Taufen auf den Namen", 1961, 68–83; ders.: RGG ³VI 630–633. Delling meint allerdings, „daß Paulus mit der Tauflehre nicht seine Rechtfertigungslehre zu verknüpfen vermag" (a. a. O. 633).

[12] O. Kuss, Römer, 307–319 (Exkurs: Die Taufe), bes. 313.

[13] E. Lohse, Taufe und Rechtfertigung bei Paulus, in: KerDog 11 (1965) 308–324.

[14] Z. B. M. Meinertz, Mystik und Mission bei Paulus, in: Zeitschrift f. Missionswiss. 13 (1923) 1–12, hier 2; F. Amiot, Die Theologie des hl. Paulus, 118; W. H. P. Hatch, Faith, 43. Auch seine auf R. A. Lipsius, Galater, 45, und H. Haußleiter, Was versteht Paulus unter christlichem Glauben?, 163–168, zurückgehende Formulierung, daß Glaube und Taufe einen einzigen Akt bilden, „of which faith is the subjective and baptism the objective side", genügt nicht, da man auch umgekehrt eine „objektive" Seite am Glauben und eine „subjektive" Seite an der Taufe finden kann.

[15] A. a. O. 226–239.

[16] A. a. O. 227, zu Gal 3, 27: „La foi et le baptême nous apparaissent intimement unis". Etwas genauer: „dans l'économie de la foi, le baptême est l'acte par

ob die Botschaft von der Rechtfertigung aus dem Glauben grundsätzlich die Taufe und die damit verbundene Anschauung vom Reinigungsbad miteinschließt bzw. voraussetzt oder ob Paulus die Lehre von der Rechtfertigung darstellen kann, ohne die Taufe zu erwähnen und Bezug auf sie zu nehmen[17]. W. Mundle[18], der die Zusammengehörigkeit von Glaube und Taufe besonders betont hat, bezieht sich auf die urchristliche Missionspraxis, wenn er sagt: „Es empfängt niemand die Taufe, der nicht zuvor zum Glauben gekommen ist, und niemand gehört zu den Gläubigen, wenn er nicht durch die Taufe ein Glied der christlichen Gemeinde wird“ [19]; und: „Die Rechtfertigung aus dem Glauben schließt die Taufe ein; da der Begriff des Glaubens mit dem des ‚Christentums' sich deckt, gibt es für Paulus keinen Glauben ohne Taufempfang“ [20]. Mundle nennt „die Taufe ein Moment des Glaubens“ [21]. Die Bestätigung für diese These, die Mundle in den Stellen finden will, an denen von der πίστις Ἰησοῦ Χριστοῦ die Rede ist, ist jedoch nicht überzeugend. Zwar leuchtet die Feststellung „kein Glaube ohne Taufe“ und umgekehrt [22] angesichts der Missionspraxis durchaus ein. Aber es kann ja nicht übersehen werden, daß an zentralen Stellen, an denen von der Rechtfertigung aus dem Glauben gesprochen wird, Rö 1, 17; 3, 21–26; Gal 2, 16 u. a., eben nicht von der Taufe gesprochen wird. Wenn an den genannten Stellen der Glaube akzentuiert als das Mittel des eschatologischen Heilsempfangs in der Gegenwart herausgestellt wird, so steht der Glaube zwar betont den Gesetzeswerken gegenüber, aber er ist eben das den Gesetzeswerken gegenüber einzige in Frage kommende Heilsmittel. Die Taufe mag dabei wirklich als ein „Moment am Glauben“ mitgedacht, besser vorausgesetzt sein, aber sie erscheint eben nicht auf gleicher Ebene mit dem Glauben, gleichsam in einer „Art Rivalität“ [23] zu ihm. Außerdem beschränken sich die Aussagen über den rechtfertigenden Glauben nicht einfach auf die Zeit der Bekehrung und des Gläubigwerdens. Die Taufe ist ein einmaliger

lequel on s'approprie le Christ“ (230). Auch der Hinweis auf die Kindertaufe (239) verfängt kaum.

[17] Vgl. P. Feine, Theologie, 295f.

[18] Mundle wendet sich mit Recht vor allem gegen die „moderne Spiritualisierung des Glaubensbegriffs“ (138).

[19] A. a. O. 85 Anm. 1.

[20] A. a. O. 86. Ähnlich auch H. Schlier, Galater, 94, zu Gal 2, 16: „Das πιστεῦσαι bezeichnet hier das Glauben im Blick auf das einmalige und fixierbare Ereignis des Gläubigwerdens, das mit der Taufe zusammenfällt“.

[21] A. a. O. 124; 131: „Der Glaube zieht den Empfang der Taufe als notwendige Folge nach sich“.

[22] Vgl. auch O. Kuss, Römer, 313.

[23] O. Kuss, Römer, 313. Vgl. auch R. Schnackenburg: LThK ²VII 1036: „Dem Glauben wie der Taufe können die gleichen Wirkungen zugeschrieben werden“.

Akt, der Glaube aber ist eine immerfort persönlich zu realisierende Haltung des Getauften.
Um die wenigen Aussagen des Apostels, die von einem bestimmten Verhältnis von Taufe und Glaube zu sprechen scheinen, richtig zu interpretieren, ist es erforderlich, zunächst einmal die Grundanschauung, die Paulus mit der Taufe verbindet, kennenzulernen.

§ 24. Die paulinische Grundanschauung von der Taufe

Paulus hat die Taufe als Initiationsakt des christlichen Lebens von dem ihm vorgegebenen Christentum der hellenistischen Gemeinden übernommen[24]. Der im ganzen Urchristentum bezeugten Taufpraxis liegt die Vorstellung vom Bad der Reinigung zugrunde[25], die auch bei Paulus, etwa 1 Kor 6, 11, eine Rolle spielt. Die Reinigung von Sündenschuld[26] wird äußerlich durch das Taufbad angedeutet, ihre Kraft aber beruht auf dem Glauben, daß Gott selbst in der Taufe am sündigen Menschen wirksam wird[27]. Das göttliche Heilshandeln in der Taufe erscheint aber nicht nur negativ als Abwaschung, sondern auch positiv als Übereignung des Täuflings an Christus. Hierfür ist die Taufformel εἰς τὸ ὄνομα Χριστοῦ oder einfach εἰς Χριστόν ein sprechender Ausdruck[28]. Die Übereignungsformel εἰς τὸ ὄνομα ist als terminus technicus des hellenistischen Giroverkehrs erwiesen[29] und bedeutet als christliche Taufformel: auf Konto von Jesus Christus, d. h. Jesus Christus gehörig. Seine Zugehörigkeit zu Christus und seine Bereitschaft zum neuen Lebenswandel unter dem neuen Herrn bringt der Täufling durch die Akklamation κύριος Ἰησοῦς zum Ausdruck, wie sie uns an einer Stelle des Römerbriefes (10, 9f), die wahr-

[24] Vgl. O. Kuss, Römer, 307; ders., Zur vorpaulinischen Tauflehre im NT, in: Auslegung und Verkündigung. Bd. I, Aufsätze zur Exegese des NT, 1963, 99–120; G. Braumann, Vorpaulinische christliche Taufverkündigung (BWANT 2), 1962, bes. 15–18 und 50–56.

[25] Vgl. R. Schnackenburg, Heilsgeschehen, 1–8; A. Oepke: ThWNT I 537f.

[26] Vgl. Hebr 1, 3: καθαρισμὸς τῶν ἁμαρτιῶν; Eph 5, 26; Tit 3, 5; 1 Petr 3, 21; Apg 2, 38; 22, 16; 2 Petr 1, 9; Barn 11, 11; Herm mand IV 3, 1.

[27] Vgl. O. Kuss, Die Rolle des Apostels Paulus in der theologischen Entwicklung der Urkirche, in: MthZ 14 (1963) 1–59 und 109–187: „Die Taufe ist ursprünglich offenbar ein eschatologisches Entsündigungsmittel, sie schenkt als Vorbereitung auf das eschatologische Gericht wunderbare Sündenvergebung ..." (157).

[28] R. Schnackenburg, Heilsgeschehen, 15–23. Anders G. Delling, Die Zueignung des Heils, 68–83.

[29] Vgl. W. Heitmüller, Im Namen Jesu, 1903, 100–109; A. Deißmann, Licht vom Osten, 97; F. Preisigke, Wörterbuch der griechischen Papyrusurkunden. Bd. II, 1927, 185f.

scheinlich als urchristliches Taufbekenntnis zu interpretieren ist[30], vorliegt. Eine weitere positive Wirkung der Taufe ist die Mitteilung des „Heiligen Geistes“[31], wodurch der Getaufte befähigt wird, in der „Neuheit des Geistes zu dienen“[32]. Durch die Taufe wird der einzelne schließlich auch in die „Kirche“ als die Gemeinschaft der Geheiligten und Gerechtfertigten aufgenommen[33].

Diese gemeinchristliche Anschauung von der Taufe hat Paulus gekannt, mit eingebaut, aber auch in einigen Punkten erweitert[34]. Eine entscheidende Ausprägung seiner Taufanschauung vollzieht sich hinsichtlich der Zugehörigkeit des Täuflings zu Christus. Die Taufe ist nicht nur eine rechtliche Übereignung an den neuen Herrn, Jesus Christus, sondern Ausdruck und Anfang einer Lebens- und „Schicksalsgemeinschaft“[35] mit ihm. Die Tatsache, daß Jesus Christus als der „Gekreuzigte“[36] die geschichtliche Eröffnung des eschatologischen Heiles ist, kann nach Paulus nicht ohne reale Folgen für das Leben der Christen bleiben. In der Taufe sieht Paulus den alten Menschen „mitgekreuzigt“[37] und „mitgestorben“[38] mit Christus, damit er nunmehr sein Leben als „neues Leben“ ganz und gar Christus verdanke und so mit Christus „Trübsale“ erleide[39], um auch mit Christus verherrlicht zu werden[40].

Paulus hat seine Anschauung von der Taufe als Begründung der Lebens- und Schicksalsgemeinschaft des Getauften mit Christus am ausführlichsten in Rö 6, 1–11 dargestellt. Dieses Kapitel muß uns besonders deswegen beschäftigen, weil es die Taufe zwar nicht in einem unmittelbaren, aber doch in einem deutlich feststellbaren entfernteren Zusammenhang mit der Rechtfertigungslehre behandelt (Rö 6, 7: δεδικαίωται ἀπὸ τῆς ἁμαρτίας verweist jedoch wohl kaum

30 So R. Bultmann, Theologie, 313; O. Kuss, Römer, 313; O. Michel, Römer, 258f; R. Schnackenburg, Heilsgeschehen, 120; ders.: LThK ²VIII 1036.

31 Vgl. 1 Kor 12, 13; 2 Kor 1, 22; Eph 1, 13; 4, 30; Tit 3, 5; Apg 2, 38; 9, 17f. Auch 1 Kor 6, 11 setzt diese Anschauung voraus.

32 Rö 7, 6.

33 1 Kor 6, 11 erinnert mit dem dreifachen Aorist an die Zugehörigkeit zur Heilsgemeinde. Ähnlich enthalten auch die vielfachen Pluralformen (ἡγιασμένοι, δικαιωθέντες), aber auch die Formel ἐν Χριστῷ (vgl. F. Neugebauer, In Christus, 98–112) einen Hinweis auf die ekklesiologische Struktur des Heiles.

34 Vgl. O. Kuss, Zur paulinischen und nachpaulinischen Tauflehre im Neuen Testament, in: Auslegung und Verkündigung. Bd. I, 121–150.

35 Vgl. W. Grundmann: ThWNT VII 789. A. Wikenhauser, Christusmystik, 57, spricht von „innigster Seins- und Lebensgemeinschaft“, die durch die Taufe begründet wird. Vgl. auch E. Sommerlath, Der Ursprung des neuen Lebens, 72–84: „Die Christusgemeinschaft als Taufgemeinschaft“.

36 Vgl. Gal 3, 1; 1 Kor 1, 23; 2, 2.

37 Vgl. Gal 2, 19; Rö 6, 6.

38 Vgl. Rö 6, 10.

39 Vgl. Rö 5, 3; 8, 17f. 23. 35 u. ö.

40 Vgl. Rö 8, 17.

auf die in Kap. 3–5 dargelegte Rechtfertigungsvorstellung)[41]. Die Frage, die sich uns mit Rö 6 stellt, ist die Frage nach dem Verhältnis der hier zugrunde liegenden Taufvorstellung zur paulinischen Rechtfertigungsbotschaft überhaupt. Sie gewinnt dadurch an Dringlichkeit, daß in 6, 12–23 – im Anschluß an die in V. 1–11 behandelte Tauflehre – der durch die Taufe eröffnete neue Lebenswandel als „Gerechtigkeitsdienst" (6, 13. 16. 18. 19) interpretiert wird, worüber im nächsten Kapitel ausführlicher zu sprechen ist. In aller Kürze sollen hier nur die Linien der in Rö 6, 1–11 enthaltenen Tauflehre nachgezeichnet werden[42].

Rö 6, 1–11 stellt literarisch einen verhältnismäßig geschlossenen Lehrabschnitt innerhalb des Römerbriefes dar. Doch ist er mit Rö 5, 12–21 durch die sich dort durchziehende Antithese „alt – neu" und der in V. 21 deutlich ausgesprochenen Vorstellung vom „Herrschaftswechsel" verbunden; in den folgenden Abschnitt Rö 6, 12–23 führt er durch die paränetische Abzweckung der Tauflehre organisch ein. Die durch Jesu Christi Gehorsamstat inaugurierte Herrschaft der Gnade fordert den totalen Gehorsam derer, die Christus angehören. Ein Zugleich von Sünde und Gnade wird durch Rö 6, 1f kategorisch ausgeschlossen. Im Anschluß hieran wird in Rö 6, 3–11 die Christushörigkeit der Begnadeten näherhin als in der Taufe begründete Lebens- und Schicksalsgemeinschaft beschrieben. Die auf Christus Jesus Getauften sind der Sünde gestorben. Die Taufe εἰς Χριστὸν Ἰησοῦν wird in V. 3b–6 näher als Taufe auf seinen Tod interpretiert[43]. Ohne die Bildhaftigkeit der Worte „mitbegraben-worden-sein" (V. 4), „zusammenge-

[41] Nach E. Kühl, Römer, 207, liegt Rö 6, 7 eine „volkstümliche Sentenz" zugrunde, die K. G. Kuhn, Rm 6, 7, in: ZNW 30 (1931) 305–310, genauer als ein von Paulus zitiertes „festgeprägtes rabbinisches Theologumenon" bestimmt. C. Kearns, The Interpretation of Romans 6, 7, in: Studiorum Paulinorum Congressus Internationalis Catholicus 1961 (Analecta Biblica, 17–18) Vol. I, 1963, 301–307, sieht in Rö 6, 7 „very probably a quotation, reminiscence, or echo of a baptismal creed-formula. It refers primarily to Christ as subject ... Secondarily, and by consequence, Rom 6, 7 refers also to the baptised" (306f).

[42] Zur ausführlichen Darstellung der Einzelexegese von Rö 6, 1–11 sei besonders verwiesen auf R. Schnackenburg, Heilsgeschehen, 26–56; ders., Todes- und Lebensgemeinschaft mit Christus. Neue Studien zu Röm 6, 1–11, in: MThZ 6 (1955) 32–53; O. Kuss, Römer, 294–307, und O. Michel, Römer, 148–156. Zur religionsgeschichtlichen Fragestellung vgl. G. Wagner, Das religionsgeschichtliche Problem von Röm 6, 1–11 (AThANT 39), 1962.

[43] Vgl. O. Kuss, Römer, 297, mit Hinweis auf Gal 3, 27: „Hier wird das erste Glied durch das zweite interpretiert". G. Delling, Die Zueignung des Heils, 74f, kommentiert V. 3: „Wir wurden getauft auf das Christusgeschehen hin, auf Christi Jesu Tod, auf sein Sterben (und seine Auferstehung) hin". Vgl. auch G. Bornkamm, Taufe und neues Leben bei Paulus, 40. – E. Lohse: KerDog 11 (1965) 314, rechnet mit einer stärkeren Einwirkung von Mysterienvorstellungen auf die Ausbildung des christlichen Taufverständnisses in den hellenistischen Gemeinden, wie es sich in Rö 6, 3 widerspiegele.

wachsen" (V. 5) und „mitgekreuzigt-worden-sein" (V. 6) etwa als Wiedergabe einer im Taufritus enthaltenen Symbolsprache in den einzelnen Zügen zu sehr zu pressen[44], kann doch nicht übersehen werden, daß Paulus bei der „Taufkatechese", die er hier den Römern hält, eben an die überlieferte Taufpraxis denkt[45]. In der Taufe vollzieht sich ein grundsätzliches „mit Christus", das das ganze Leben des Getauften nunmehr bestimmt[46].

Dieses „Mit Christus" darf aber nicht nur auf den Akt des „Mitsterbens mit Christus" in der Taufe beschränkt werden. Der Taufakt bedeutet einerseits ein „Mitgestorbensein mit Christus" und andrerseits ein „der Sünde Abgestorbensein", und zwar beides zusammen als Eröffnung des neuen Lebenswandels (V. 4b), der die eschatologische Hoffnung auf das zukünftige Leben, d. h. auf Vollendung des jetzt schon gewährten Lebens, bei sich hat (V. 8). Das „Mit-Christus-Leben", das sich allerdings nach Rö 8, 17 in der Jetztzeit durchweg[47] in der Gestalt des „Leidens mit Christus" vollzieht, ist subjektiv[48] in der Taufe, objektiv jedoch im ἐφάπαξ des Todes Christi (V. 10) begründet. Sein Tod, den er „für uns" (vgl. Rö 5, 6. 8. 10; 2 Kor 5, 14f) gestorben ist, begründet unsere Zugehörigkeit zu ihm, wie 2 Kor 5, 15 ausdrücklich sagt: „Für alle ist er gestorben, damit die Lebenden nicht mehr sich selbst (Dativ) leben, sondern dem, der für sie gestorben und auferstanden ist". Daß der „Tod Christi für uns" bzw. „für alle" die Vorstellung der „korporativen Person"[49] voraussetzt und den Gedanken der Repräsentation der gesamten Menschheit im Stammvater ausdrückt, sei nur kurz erwähnt (vgl. 2 Kor 5, 14: „Einer ist für alle gestorben, also sind alle gestorben").

[44] Alle Versuche, die in Rö 6, 1–11 vorliegenden „Bilder" unmittelbar auf einen bestimmten Taufritus zu beziehen (z. B. O. Casel, V. Warnach: „Kultsymbol"), scheinen mir die von Paulus verfolgte Absicht der Aussage bei der Verwendung der Bilder zu verfehlen. Paulus bietet hier keine liturgische Katechese, sondern Taufparänese.

[45] Vgl. O. Kuss, Römer, 296.

[46] Vgl. J. Dupont, ΣΥΝ ΧΡΙΣΤΩΙ. L'union avec le Christ. I, 1952. O. Kuss, Römer, 319–381 (Exkurs: „Mit Christus"); W. Grundmann: ThWNT VII 780–792.

[47] Vgl. 2 Kor 1, 5; 4, 7–12; Phil 3, 10.

[48] Mit der Kennzeichnung der Taufe als „subjektiven" Vollzug des objektiven Todes Christi ist natürlich kein subjektives Geschehen im Sinne eines seelischen Erlebnisse, einer „nur" subjektiven Erfahrung gemeint. Diese Vorstellung wird mit Recht von W. Mundle, Glaubensbegriff, 140–149 („Exkurs: Das Sterben mit Christus in der Auslegung der Gegenwart") zurückgewiesen. Bei Mundle scheint allerdings die Gefahr vorzuliegen, die Objektivierung des Taufgeschehens soweit vorzutreiben, daß dieses mit dem historischen Tode Jesu selbst zusammenfällt und für die immer subjektiv bleibende Heilsaneignung kein Raum bleibt. Vgl. auch G. Delling, Die Zueignung des Heils, 73–78.

[49] Vgl. R. Schnackenburg: MthZ 6 (1955) 32–53, bes. 44–47; J. de Fraine, Adam und seine Nachkommen, 1962, 135f.

Das „Mitsterben mit Christus“ und das „Getauftwerden auf Christus“ bzw. „auf seinen Tod“ meint nichts anderes als den Anschluß der Getauften an das neue Haupt der Menschheit, Jesus Christus. Die Taufe ist der Akt der Identifikation mit Christus und der Inkorporation in die zu ihm gehörige neue Menschheit (vgl. 1 Kor 12, 13). Hierdurch wird der schon im vorpaulinischen Taufverständnis vorhandene Gedanke der Übereignung an Christus intensiviert und zugleich im Sinne der paulinischen Formel σὺν Χριστῷ interpretiert [50].

Mehr als auf die von manchen Theologen überinterpretierte Bildhaftigkeit [51] der hier angewandten Ausdrücke für das Tauf*geschehen* ist auf die katechetisch-paränetische Abzweckung des ganzen Abschnittes zu achten [52]. Das in Rö 5, 21 aufgetauchte Stichwort des „Herrschaftswechsels“ ist in Rö 6, 1–11 und darüber hinaus bis zum Ende des Kapitels Leitthema. Der in Rö 5, 21 ausgesprochene Herrschaftswechsel von Sünde und Gnade, der sich nach Rö 5 im Tode Christi in seiner umfassenden weltweiten Bedeutsamkeit abgespielt hat, ereignet sich nach Rö 6, 1–11 nun, durch die Taufe bewirkt, am Einzelmenschen. Hier zeigt sich, daß Paulus mit dem Bild vom Herrschaftswechsel nicht in kosmologischen Vorstellungen verbleibt, sondern an die Änderung denkt, die sich im Leben des Menschen – durch Christi Tod bewirkt – ereignet. Andrerseits wird durch den ethischen Anspruch, den das Heilsgeschehen bei der Taufe einschließt, deutlich, daß Paulus nicht an mythisches, naturhaftes Geschehen denkt, wenn er die Taufe als ein „Mitbegraben-sein-mit-Christus“ versteht. Die „Neuheit des Lebens“ mit Christus ist zwar grundlegend – sakramental – realisiert in der Taufe, sie hat sich aber zugleich ständig von neuem zu realisieren, und zwar in der fortwährenden Beanspruchung des Getauften durch die Macht des „neuen Lebens“.

Darum kann Paulus V. 1–11 abschließen mit der Aufforderung an die Getauften, sich für solche zu halten, die der Sünde gegenüber tot sind, doch lebendig für Gott „in Christus Jesus“. Das σὺν Χριστῷ des „Gestorbenseins mit Christus“ geht über in ein das ganze Leben des

[50] Vgl. O. Kuss, Römer, 308; W. Grundmann: ThWNT VII 790, 8–11. Vgl. auch den jüngst erschienenen Aufsatz von E. Schweizer, Die „Mystik“ des Sterbens und Auferstehens mit Christus bei Paulus, in: EvTh 26 (1966) 239–257.

[51] Vgl. R. Schnackenburg, Heilsgeschehen, 49–56: „Die Reichweite der bildhaften Vorstellung von der Taufe“.

[52] Vgl. R. Schnackenburg, Heilsgeschehen, 27 u. 39 oben. Schnackenburg weiß um die ethisch-paränetische Tendenz des Abschnitts, läßt sie aber für die Untersuchung der ihr zugrunde liegenden Taufanschauung unberücksichtigt, womit die Gefahr einer vereinseitigenden Betrachtung der Taufaussagen, etwa hinsichtlich ihrer sakramentalen Inhaltlichkeit, gegeben ist.

Getauften umfassendes und bestimmendes ἐν Χριστῷ[53] und bleibt in diesem auch weiterhin in seiner Bedeutsamkeit erhalten.

Aus der knappen Erörterung von Rö 6, 1–11 ist hinreichend deutlich geworden, daß die Aussagen über die Taufe – nur in V. 3 und 4 wird das Wort βαπτίζω bzw. βάπτισμα selbst genannt – durch den Rahmen dieses Abschnittes, vor allem durch seine paränetisch-ethische Abzweckung begrenzt sind. Diese Erkenntnis bewahrt davor, das Interesse des Apostels Paulus am „Heilsgeschehen" bei der Taufe in diesen Versen überzubewerten. Das größere Interesse des Apostels liegt auf dem mit der Taufe eröffneten neuen Lebenswandel, der jedoch unter dem Anspruch eines in der Taufe begründeten Imperativs steht.

Wenn man erkennt, daß die Taufaussagen im Gesamtzusammenhang des Römerbriefes wie überhaupt in der gesamten paulinischen Theologie relativ zurückhaltend sind und zudem nur im unmittelbaren Zusammenhang mit dem neuen Lebenswandel bedeutsam werden, wird eine Konkurrenz der Aussagen über das Heilsgeschehen, das Paulus „Rechtfertigung aus dem Glauben" nennt, mit den Taufaussagen nicht als übergewichtig empfunden[54].

§ 25. Die Taufaussagen im Zusammenhang mit dem Rechtfertigungsbegriff

An einigen Stellen der paulinischen Hauptbriefe wird das Taufmotiv im engeren Zusammenhang mit dem Begriff der Rechtfertigung bzw. des Glaubens verwandt. Diese sollen nun daraufhin untersucht werden, wie sich das Verhältnis von Taufe und Glauben im Rechtfertigungszusammenhang darstellt. Sodann soll versucht werden, eine zusammenfassende Antwort auf die Frage nach dem Verhältnis von Glaube und Taufe bei Paulus zu geben.

In *Gal 3, 26f* könnte man das Zusammentreffen von πίστις und Taufmotiv zunächst als ein konkurrierendes Ereignis werten, und

[53] Vgl. R. Schnackenburg, Heilsgeschehen, 38; 152f; A. Schulz, Nachfolgen und Nachahmen (StANT VI), 1962, 185; W. Thüsing, Per Christum, 67–93, mit besonderer Hervorhebung der „Theozentrik des In-Christus-Seins", die jedoch wohl kaum als das eigentliche Anliegen des paulinischen Textes angesehen werden kann.

[54] E. Lohse: KerDog 11 (1965) 321, stellt fest, „daß Paulus wiederholt ganz parallele Aussagen macht, die einmal der Rechtfertigung, ein anderes Mal der Taufe gelten – freilich ohne daß eine systematische Verbindung zwischen diesen beiden Aussagereihen hergestellt worden wäre". Die aufgezeigten „Parallelen", die sich auf die der Taufe wie der Rechtfertigung zugeschriebene Lebenswirkung und ihre Entfaltung beziehen, scheinen mir jedoch eher zwei Linien zu sein, die, wie besonders Rö 6 deutlich zeigt, ineinander übergehen. Noch besser würde man jedoch von einer Verwendung des Taufmotivs im Rechtfertigungszusammenhang sprechen.

zwar derart, daß die Freiheit der „Söhne Gottes" vom „Zuchtmeister" der Gesetzesherrschaft (V. 25) sowohl durch den Glauben vermittelt als auch in der Taufe begründet erscheint[55]. Doch zeigt sich hier bei näherem Zusehen, daß eine eigentümliche Spannung zwischen der πίστις-Aussage in V. 26 und der Tauferinnerung in V. 27 besteht. Die πίστις in V. 26 bezieht sich nämlich auf den Anfang von V. 25 zurück: ἐλθούσης δὲ τῆς πίστεως. Die πίστις (hier mit dem bestimmten Artikel) erscheint wie eine Macht, der die Gesetzesherrschaft weichen muß. Daran ist auch in V. 26 zu denken. Die πίστις bezeichnet hier zwar unweigerlich auch den Vorgang der subjektiven Heilsaneignung, nimmt also Bezug auf die „Rechtfertigung aus Glauben" (V. 24b), aber vom Gesamtzusammenhang her wird zunächst an die objektiv vorgestellte Macht der Glaubenspredigt[56] als Verlängerung des einmaligen Christusereignisses in die Gegenwart zu denken sein. Auf Grund der sieghaften Verkündigung der Glaubensbotschaft sind die bisherigen Gesetzessklaven zu „Söhnen Gottes", d. h. dem Zusammenhang nach: zu Freien, geworden[57].

Dies geschah in einem einmaligen Akt, der vom Standpunkt der Galater inzwischen der Vergangenheit angehört, dessen Gültigkeit für Gegenwart und Zukunft aber durch ihr „Sein in Christus Jesus" verbürgt ist[58].

Mit V. 27 führt Paulus das Taufmotiv ein, und zwar mit einem deutlichen Bezug (γάρ) auf den vorhergehenden Vers. Näherhin scheint Paulus hier an der Wendung ἐν Χριστῷ Ἰησοῦ gelegen zu sein, da er am Anfang von V. 27 εἰς Χριστόν betont voranstellt. Das „Sein in Christus Jesus" erlangten die Galater durch die Taufe „auf Christus"[59] oder auch im Sinne des Paulus „in Christus hinein"[60]. Hiermit ist der Grund ihres Christseins genannt, der mit dem Ereignis der Glaubensverkündigung und ihrer Einsetzung in die Gottessohnschaft zusammenfällt.

[55] Vgl. A. Viard, Saint Paul. Épitre aux Galates (Sources Bibliques), 1964, 83: „Mais le baptême ne joue-t-il pas le rôle attribué précédemment à la foi?"

[56] Vgl. H. Schlier, Galater, 172.

[57] Vgl. Gal 4, 5 υἱοθεσία, womit die Einsetzung in das neue Gottesverhältnis bezeichnet wird.

[58] Beide Wendungen, διὰ τῆς πίστεως und ἐν Χριστῷ Ἰησοῦ als einen einzigen komplexen Ausdruck zu verstehen, ist vom Philologischen nicht gut möglich (Eph 1, 15 und Kol 1, 4 verläuft die Konstruktion etwas anders), zudem aber auch für Paulus ungewöhnlich (vgl. A. Oepke, Galater, 88; H. Schlier, Galater, 171). – Anscheinend hat p[46] die beiden Wendungen als zusammengehörig aufgefaßt und der besseren Verständlichkeit wegen durch eine Genitivkonstruktion miteinander verbunden.

[59] Die gleiche Wendung in Rö 6, 3. Vgl. auch 1 Kor 10, 2 εἰς τὸν Μωυσῆν ἐβαπτίσαντο. Zur Bedeutung dieser Wendung im vorpaulinischen Christentum siehe oben S. 231.

[60] Vgl. oben S. 232; 235.

Aus welchem Grunde aber erinnert Paulus die Galater ausdrücklich an die Taufe, wenn er als den Anfang ihres Heiles im vorhergehenden Vers doch schon die Annahme der Glaubensbotschaft erwähnt hat?[61] Es ist hier zunächst auf den Zusammenhang zu achten. Paulus steuert nämlich auf die proklamatorische Aussage von V. 28 zu: „Es gilt nicht Jude noch Grieche, nicht Sklave noch Freier, nicht Mann noch Frau ..." Hier taucht auch das πάντες aus V. 26 wieder auf: „Alle nämlich seid ihr einer in Christus Jesus". Zur Betonung der Einheit aller in Christus scheint ihm das Taufmotiv in V. 27 von Bedeutung gewesen zu sein. Denn die Taufe ist als Einverleibung (εἰς Χριστόν) in den einen Christus zu verstehen. Doch scheint hierzu die Explikation des Taufmotivs in V. 27b zu stimmen: Χριστὸν ἐνεδύσασθε. Was will aber die Vorstellung von der Taufe als einem „Anziehen" Christi besagen?[62]

Erklärungen, wonach das Bild „den Beginn der (gemeinsamen) Anteilhabe am Sein Christi"[63] oder die „vollkommenste Einigung" mit Christus[64] bezeichne, überziehen den Ausdruck im Sinne eines sakramental-ontischen Verständnisses der Taufe. Auch der Hinweis auf den atl. Sprachgebrauch der LXX vom „Anziehen des Heiles"[65] trifft kaum die eigentliche Absicht des Apostels. Andere meinen, Paulus denke hier an das den Täufling umhüllende, „bekleidende" Taufwasser[66]. Doch Paulus spricht nicht vom umhüllenden Wasser, sondern davon, daß „ihr Christus angezogen habt". Christus umhüllt sie wie ein Kleid.

Eine weiterführende Erklärung ergibt sich, wenn die Herkunft dieser Vorstellung aus der Gnosis beachtet wird[67]. Vorausgesetzt wird hier die gnostische Identifizierung des himmlischen Urmensch-Erlösers mit seinem himmlischen Gewand[68]. Die mit Christus als ihrem Himmelsgewand Bekleideten erfahren „in Christus" ihre Erlösung.

[61] W. Mundle, Glaubensbegriff, 84, möchte die Taufaussage auf den „Glauben" beziehen, wodurch „die Taufe als dasjenige Moment des Glaubens" hervorgehoben werde, „das die Gotteskindschaft der Gläubigen begründet".

[62] Von einem „Anziehen" des Herrn Jesus Christus ist imperativisch auch in Rö 13, 14 die Rede. Zum sonstigen Gebrauch des Verbs bei Paulus vgl. A. Oepke: ThWNT II 320f.

[63] H. Schlier, Galater, 173.

[64] M.-J. Lagrange, Galates, 92. Ähnlich A. Viard, Galates, 83.

[65] G. Delling, Die Zueignung des Heils, 75–77: „Das Wort ‚angezogen' in Gal 3, 27 sagt die totale An- bzw. Zueignung aus".

[66] So R. Schnackenburg, Heilsgeschehen, 21. Unter dem Taufwasser verstehe Paulus zeichenhaft den pneumatischen Christus. Schnackenburg korrigiert selbst seine Auslegung in: MthZ 6 (1955) 40f. Danach „wird man der Stelle auch gerecht, wenn man in ‚taufen εἰς Χριστόν' keinen mystischen Klang legt und eine symbolhafte Anschauung beiseite läßt".

[67] Darauf weisen auch H. Schlier, Galater, 175f, und A. Oepke, Galater, 89f, hin.

[68] Vgl. besonders E. Käsemann, Leib und Leib Christi. Eine Untersuchung zur paulinischen Begrifflichkeit (Beiträge zur historischen Theologie, 9), 1933, 87–92.

Das ist die Wirkung der Taufe. Doch kommt es Paulus nicht auf die Entfaltung des orientalisch-gnostischen Mythos und dessen Anwendung auf die Taufe an, sondern, wie aus dem Zusammenhang mit dem nächsten Vers hervorgeht, nur auf den einen Zug, daß die so von Christus Umschlossenen und in ihm Zusammengefaßten eine neue Einheit bilden. Da „alle" (V. 26 u. 28), die ihrer natürlichen Herkunft nach unterschieden waren, nun in der Taufe Christus angezogen haben – wie ein Kleid, das die früher geltenden Unterschiede verdeckt, bilden sie eine Einheit in Christus Jesus[69].

Aus der Exegese von Gal 3, 26f wird also deutlich, daß die Taufe zwar als Mittel der Heilsaneignung neben dem Glauben und mit ihm zusammen genannt wird, daß die Taufaussage hierbei aber keineswegs die im weiteren Zusammenhang dominierende Aussage von der Bedeutung des Glaubens relativieren will. Die Erklärung, daß die Taufe das „Festgemachtwerden in dem neuen Seinsgrund, in Christus Jesus" bewirke, wozu der Glaube nur hinführe[70], schmälert das Gewicht und die Bedeutsamkeit der Glaubensaussage für die Begründung der christlichen Existenz. Selbstverständlich ist die Taufe bei Paulus im „Glauben an Christus" nicht ausgeschlossen, sondern – in einem gewissen Sinne auch – als seine Vollendung eingeschlossen[71], wie auch umgekehrt gilt, daß die Wirkung der Taufe sich immer von neuem im Glauben vollzieht[72]. Die Taufaussage steht in einem nicht näher zu definierenden Verhältnis neben der Glaubensaussage und fügt sich ihr ein, indem sie diese nach der Seite der durch Christus bewirkten Einheit der Glaubenden kräftig verstärkt.

Nach verbreiteter Auffassung[73] liegt auch in *Gal 2, 19* eine Taufaussage des Apostels Paulus vor, die in eine gewisse Spannung mit der Rechtfertigungsaussage des Kontextes und besonders auch mit dem Glaubensbegriff in V. 20 tritt.

In V. 19 besteht offensichtlich eine doppelte Beziehung zu Rö 6, 1–11. In V. 19a lassen die Worte ἐγὼ ... ἀπέθανον, ἵνα θεῷ ζήσω eine Ent-

[69] E. Käsemann, Leib und Leib Christi, 127, zieht aus dieser Stelle die radikale Konsequenz, „daß die Taufe nach Paulus den Menschen entindividualisiert; denn Rasse, Stand, Geschlecht bestimmen ja gerade im Sinne dieser Welt das Individuum".

[70] So H. Schlier, Galater, 172.

[71] Vgl. W. Mundle, Glaubensbegriff, 84f; H. W. Beyer – P. Althaus, Galater, 31: „Wer zum Glauben gekommen ist, läßt sich taufen".

[72] So H. Schlier, Galater, 90.

[73] Unter den Exegeten neuerer Zeit A. Wikenhauser, Christusmystik, 24f; W. Mundle, Glaubensbegriff, 89f; A. Oepke, Galater, 62; M.-J. Lagrange, Galates, 52; H. W. Beyer – P. Althaus, Galater, 21; H. Schlier, Galater, 99–101; R. Schnackenburg, Heilsgeschehen, 57–62. Anders E. de Witt Burton, Galatians, 132–136. Auch G. Delling, Die Zueignung des Heils, nimmt bei der Behandlung der Taufstellen keinen Bezug auf Gal 2, 19.

sprechung sowohl zu Rö 6, 8 ἀπεθάνομεν ... συζήσομεν als auch zu Rö 6, 10 (Χριστὸς) ἀπέθανεν ... ζῇ τῷ θεῷ erkennen[74], und in V. 19b wird das gleiche Wort, συνσταυροῦν, wie in Rö 6, 6 gebraucht. Wichtiger sind jedoch die sachlichen Parallelen. Wie es in Rö 6, 1–11 um das Totsein gegenüber der Sünde (vgl. bes. die V. 2. 6. 10. 11) geht, so geht es in Gal 2, 19 um das Totsein gegenüber dem Gesetz. Aber es geht noch um mehr. Wie in Rö 6, 1–11 das „Für-Gott-Leben" (vgl. bes. die V. 10 u. 11) das eigentliche Ziel des Sterbens war, so ist es auch in Gal 2, 19. Es liegt darum nahe, in Gal 2, 19 an die Taufe als das Ereignis zu denken, in dem das ἐγώ[75] der Gesetzesmacht abstarb[76], um zu einem neuen Leben zu erstehen.

Paulus ist in Gal 2, 19 allerdings weniger an dem Ereignis der Vergangenheit interessiert als vielmehr an dem Erfolg, den dieses für seine christliche Gegenwart abwirft. Das Perfekt συνεσταύρωμαι[77] bezeichnet den Zustand, der in der Vergangenheit begründet wurde und in der Gegenwart seine Bedeutung auswirkt. Das Heilsereignis der Vergangenheit hat in der Gegenwart ethische Konsequenzen, die in der Aktualisierung der Christusgemeinschaft vom Getauften selbst gezogen werden. Paulus kann in V. 20 die Christusgemeinschaft der Gegenwart auch als das „Leben Christi in mir" bezeichnen, ein Zeichen engster Verbundenheit des ἐγώ mit dem Χριστός[78]. Zugleich aber will Paulus diese in der Gegenwart gelebte Christusverbundenheit, die manche gerade im Anschluß an diese Stelle mit dem Namen „Christusmystik" wiedergeben[79], vor der reinen „Innerlichkeit" eines religiösen Subjektivismus, der das objektive Geschehen des Christusereignisses außer acht läßt, bewahrt wissen. Denn er behält im Auge, daß das Leben, das er jetzt in der Zeitlichkeit des „Fleisches" lebt,

[74] Vgl. R. Schnackenburg, Heilsgeschehen, 57.

[75] Vgl. E. de Witt Burton, Galatians, 132: „... indicates that the apostle is now speaking of his own experience". Das persönliche Bekenntnis des Paulus hat „freilich für den Standpunkt der Glaubensgerechtigkeit zugleich typische Bedeutung" (A. Oepke, Galater, 62).

[76] Vgl. R. Schnackenburg, Heilsgeschehen, 58f: „Dieser Aorist kann sich aber nicht auf die historische Ebene des Sterbens Christi beziehen, als verlege Paulus existentiell sein Sterben in die Kreuzigung Jesu ... Auf ihn persönlich angewendet, geschah in der Stunde seiner Glaubensgeburt (Damaskus) und seiner Taufe (beides gehört heilstheologisch zusammen) dasselbe, was Christus in der Stunde seines Kreuzigungstodes und seiner Auferstehung widerfuhr". Ders.: MthZ 6 (1955) 46, betont die Bedeutsamkeit des Stellvertretungsgedankens für das Verständnis des ἐγώ in Gal 2, 19.

[77] In Rö 6, 6 steht dagegen der Aorist: συνεσταυρώθη.

[78] Vgl. H. Schlier, Galater, 101f: „Christus ist in unser Sein eingegangen, indem wir in das Sein Christi versetzt wurden".

[79] Vgl. A. Wikenhauser, Christusmystik; A. Schweitzer, Mystik; H. E. Weber, „Eschatologie" und „Mystik"; K. Deißner, Paulus und die Mystik seiner Zeit; M. Dibelius, Paulus und die Mystik.

ein Leben im Glauben an den „Sohn Gottes" ist, „der mich geliebt und sich für mich dahingegeben hat", also ein Leben im Glauben, der sich Christus allezeit verdankt.

Wie stellt sich nun an dieser Stelle das Verhältnis von Tauf- und Glaubensaussage dar? H. Schlier[80] beschreibt es folgendermaßen: „Das mittels der Taufe in Christus neu begründete Leben wird als solches im Glauben aufgenommen und weitergeführt". Schlier unterscheidet das Zum-Glauben-Gekommensein, das als fixierbares Ereignis mit der Taufe zusammenfällt, und das dadurch ermöglichte „aus Glauben Gerechtfertigtwerden"[81]. Wenn Paulus also in Gal 2, 16 von der „Rechtfertigung aus Glauben" spreche, sei damit das Ziel des Gläubigwerdens (πιστεῦσαι) gemeint. Die Rechtfertigung falle also nicht einfach mit dem anfänglichen Glauben des Christen zusammen, sondern erfülle sich „mittels des aktuellen, d. h. jeweils gegenwärtigen, Glaubens"[82]. In diesem Glauben, der rechtfertigt, sei aber als notwendige Voraussetzung die Taufe als fixes Datum des einmaligen Gläubiggewordenseins miteingeschlossen. Denn der immer wieder Vergangenheit werdende aktuelle Glaube für sich, oder, wie Schlier sagt, „das einmal Geglaubthaben kann keine Voraussetzung für die Rechtfertigung aus Glauben sein"[83].

Man sieht, welche große Bedeutung Schlier der Taufe für die Rechtfertigung beimißt. Wenn er sagt, daß der Mensch „in der Taufe sakramental gerechtgemacht"[84] wird, und dies damit erklärt, daß der Mensch in der Taufe „in Tod und Auferstehung Christi aufgenommen und ihm mit der Tilgung seines bisherigen Menschen ein neuer Ursprung geschaffen"[85] werde, so wird damit zweifellos etwas Richtiges über das paulinische Taufverständnis gesagt, zugleich aber auch die Rechtfertigungsaussage des Apostels Paulus überzogen[86]. Wird mit der Betonung der Taufe als Grund und Mittel der Rechtfertigung der bei Paulus vorliegende forensische und eschatologische Aspekt der Rechtfertigungsaussage, der auch von Schlier anerkannt wird, nicht wieder unwirksam? Paulus kommt es doch in der Rechtfertigungsbotschaft auf die Betonung der eschatologischen Wende, die sich in Christus ereignet hat, an und darauf, daß der Mensch nun nicht auf Grund seiner Werke, sondern durch den Glauben der

[80] Galater, 102.

[81] Galater, 94.

[82] Ebd.

[83] Ebd.

[84] Galater, 90, mit dem besonderen Hinweis auf Röm 6 im Zusammenhang mit 1 Kor 6, 11.

[85] Ebd.

[86] Diese Kritik gilt auch W. Mundle, Glaubensbegriff, 137, der die Taufe „in das Zentrum des paulinischen Rechtfertigungsglaubens" rückt. Mundle geht es ebenfalls um ein berechtigtes Anliegen, daß der Glaube nicht „in der reinen Innerlichkeit" verbleibe.

Gerechtsprechung Gottes zuteil werde. Daß die Gerechtsprechung aus Glauben nun wirklich eine Gerecht m a c h u n g bedeutet und daß diese Gerechtmachung, wie Schlier es sieht, besonders in der Taufe begründet wird, liegt zwar in der Konsequenz der paulinischen Gedanken, aber eben noch nicht bei Paulus selbst vor.
Das Verhältnis von Glaube und Taufe ist auch nach Gal 2, 19f zurückhaltender zu beurteilen. Im Vordergrund des Zusammenhangs (2, 16–20) steht die Aussage über die Rechtfertigung aus dem Glauben. Da im Glaubensgeschehen nach Paulus immer auch die Taufe als einmaliger Akt des Christwerdens miteingeschlossen ist[87], ist es möglich, in der Aussage von Gal 2, 19 über das „dem Gesetze Gestorbensein“ und „für Gott Leben“ einen Hinweis auf die Taufe als sakramentale Begründung des neuen Lebens (vgl. Rö 6, 3f) zu sehen. Dieser Gedanke wird hier allerdings nicht ausdrücklich formuliert und reflektiert. Das „dem Gesetz Gestorbensein“ stellt dem Zusammenhang nach vielmehr eine Verdeutlichung des Gedankens vom rechtfertigenden Glauben (vgl. V. 16) dar und nicht eine Explikation des Taufgeschehens. Der Glaubende hat aufgehört, ein Gesetzessklave zu sein. Er gehört jetzt Christus an (Χριστῷ συνεσταύρωμαι), und darin – oder im „Leben für Gott“ – erweist sich die Wirklichkeit der Rechtfertigung. V. 20 beschreibt dann nur noch die Spannung der neuen Existenz des Glaubenden, die in dem Zugleich vom Leben „im Glauben“ und „im Fleische“ besteht. Der Blick des Apostels ist also insgesamt in diesen Versen auf die Lebensgestalt der „Rechtfertigung aus dem Glauben“ gerichtet, wobei der „Glaube an den Sohn Gottes“ als der neue Lebensgrund gegenüber dem Gesetz in die Mitte der Betrachtung gerückt wird.

Als dritte Stelle ist *1 Kor 6, 11* zu behandeln. Die Auslegung dieser Stelle erhält dadurch besondere Bedeutsamkeit, daß sie vielfach als locus classicus für die katholische Rechtfertigungslehre angesehen wurde[88], da in ihr Taufe (= Abwaschung), Heiligung und Rechtfertigung nebeneinander genannt werden und das eine das andere zu interpretieren scheint. Unsere Frage ist, wie sich hier die Taufaussage zur Rechtfertigungsaussage verhält und was diese Stelle für die Lösung unseres Problems „Taufe und Glaube“ beiträgt.
V. 11 bildet den Abschluß eines Abschnitts (6, 1–11), der die Frage behandelt, wie sich Christen im Falle von Rechtshändeln verhalten

[87] Vgl. R. Schnackenburg, Heilsgeschehen, 119: „Irgendeine Einschränkung, daß die Taufe nicht immer oder nicht für alle erforderlich sei, kennt Paulus nicht“; O. Kuss, Zur paulinischen und nachpaulinischen Tauflehre, 138; ders.: MthZ 14 (1963) 156.

[88] Vgl. R. Cornely, Prior epistola ad Corinthios (CSS II, 2), ²1909, 146; E.-B. Allo, S. Paul. Première épître aux Corinthiens (Études Bibliques), 1935, 138; R. Schnackenburg, Heilsgeschehen, 3.

sollen. Ob die Ausführungen des Paulus hierzu, wie man gemeint hat[89], eine Ethik des christlichen „Weltverständnisses" begründen, ist zumindest zweifelhaft. Denn Paulus gibt nicht grundsätzlich geltende Anweisungen zum praktischen Verhalten der Christen anhand beliebiger Exempel, sondern er nimmt Stellung zu Fällen, die tatsächlich in der Gemeinde von Korinth vorgekommen sind. Seine Antwort ist echt theologisch, da er nicht einfach einen „Rechtsverzicht" der Christen verlangt, sondern an die Erwartung des Reiches Gottes (V. 9f) und an das schon erfahrene Heil (V. 11) erinnert, wodurch doch Streitigkeiten sowie jegliche Art von Ungerechtigkeit, die für den Christen grundsätzlich der Vergangenheit angehört, ausgeschlossen sein sollten. Für die Erklärung der dreifachen Aussage über das gegenwärtige Heil in V. 11 ist es wichtig, die ethisch-paränetische Zielsetzung des Zusammenhangs im Auge zu behalten.

Die Taufaussage wird im Unterschied zu den beiden folgenden Gliedern der Heilsaussage, die in der Passivform stehen, im Medium ausgedrückt: ἀπελούσασθε. Daß mit dem Verb ἀπολούεσθαι die Taufe als Reinigungsbad gemeint ist, wird trotz des ungewohnten Wortes[90] allgemein unbestritten zugegeben[91]. Auffallend ist nur, daß die Taufe hier in der grammatischen Form des Mediums beschrieben wird, während das Verb βαπτίζειν und andere die Taufe deutende Verben in der Regel[92] im Passiv stehen[93]. Mit dem Medium soll jedoch nicht das menschliche Handeln im Gegensatz zu dem sonst im Passiv ausgedrückten Handeln Gottes bezeichnet werden[94], sondern hier liegt, wie auch aus Apg 22, 16 deutlich hervorgeht, der kausative Sinn vor[95]: „Ihr habt euch (einmal [Aorist]) abwaschen lassen".

Während mit ἀπελούσασθε mehr die negative Seite des Taufgeschehens, die Reinigung von den Sünden, bezeichnet wird, hebt ἡγιάσθητε stärker die positive Wirkung der Taufe hervor.

Dem Wort „Heiligung" kommt nach seinem aus dem AT[96] entwickelten neutestamentlichen Gebrauch[97] eine dreifache Bedeutung zu, deren Entfaltungen jedoch in sich wieder einheitlich sind.

[89] So zuletzt E. Dinkler, Zum Problem der Ethik bei Paulus. Rechtsnahme und Rechtsverzicht (1 Kor 6, 1–11), in: ZThK 49 (1952) 167–200.

[90] Sonst im NT nur noch Apg 22, 16, wo es aber eindeutig auf die Taufe bezogen ist.

[91] Vgl. R. Schnackenburg, Heilsgeschehen, 1f.

[92] Nur 1 Kor 10, 2 ist eine Ausnahme. Vgl. jedoch die Textvarianten dazu.

[93] Für die paulinischen Texte vgl. besonders Rö 6, 3. 4. 6; 1 Kor 1, 13. 15; 12, 13; 15, 29; Gal 3, 27.

[94] Gegen A. Robertson – A. Plummer, Corinthians I, 119.

[95] Vgl. R. Schnackenburg, Heilsgeschehen, 1f.

[96] Vgl. O. Procksch: ThWNT I 88–97; W. Eichrodt, Theologie I, 176–185.

[97] Vgl. O. Procksch: ThWNT I 101–116; R. Asting, Die Heiligkeit im Urchristentum; K. Stalder, Das Werk des Geistes, 101–238.

Die Heiligung ist ein Werk Gottes an den Menschen. Sie bedeutet die Aussonderung seines Volkes, das er sich erwählt hat[98]. Das „heilige" Volk ist Gottes besonderes Eigentum.
Die Heiligung des Gottesvolkes erfolgt im Heiligkeitserweis Jahwes[99]. Gott erweist sich als heilig, indem er seinem Volk Bestand und Leben gewährt[100]. Im AT wurde Jahwes Gegenwart inmitten seines Volkes durch die Bundeslade vertreten[101]. Nach den Aussagen des NT wohnt Gott selbst durch seinen „Heiligen Geist", dem das Werk der Heiligung zugeschrieben wird[102], unter seinem „Volk", das die Kirche ist[103].
Die Heiligung des Volkes Gottes hat eine ethische Seite: Gott erweist sich als heilig, indem er die Sünde als Gegensatz zur göttlichen Heiligkeit tilgt[104], die Abwendung des Volkes vom sündigen Lebenswandel der Vergangenheit (1 Kor 6, 11) und die positive Ausrichtung des Lebens nach seinem Willen fordert[105].

In 1 Kor 6, 11 muß die ganze Tiefe der biblischen Heiligungsaussage miterfaßt werden, nicht nur die ethische Seite des Begriffs, die vielfach in Anlehnung an seine spätere Umprägung hervorgehoben wird. Die Heiligung der Christen ist das Werk Gottes in der Taufe. Der Aorist läßt die Beziehung der Heiligungsaussage zum Datum des vergangenen Taufgeschehens deutlich werden[106]. Aber Paulus denkt zugleich auch an die ethischen Konsequenzen, die sich für die Getauften aus ihrer Heiligung ergeben: Sie sollen sich nun als Heilige erweisen[107].

Während ἡγιάσθητε, wie wir sahen, eine angemessene theologische Entfaltung des Heilsgeschehens der Taufe darstellt, scheint es mit dem Wort ἐδικαιώθητε zunächst nicht so zu sein, da ihm nach den Hauptstellen der paulinischen Rechtfertigungsbotschaft eine forensische Begriffsstruktur eignet und somit ein Moment betont wird, das mit der Bedeutung der Taufe als Abwaschung und Mittel der Heiligung schwer vereinbar erscheint. Die Schwierigkeit löst sich jedoch, wenn wir mit E. Lohse[108] in 1 Kor 6, 11 „einen Satz urchristlicher

[98] Vgl. Ex 19, 5f; Dt 7, 6–11.
[99] Vgl. Lev 22, 32f; Is 5, 16.
[100] Vgl. Ex 33, 15ff.
[101] Vgl. 1 Sam 6, 20, wo der Name „Jahwe" und die „Lade Jahwes" promiscue gebraucht werden.
[102] Rö 15, 16; 2 Thess 2, 13; 1 Petr 1, 2. Vgl. hierzu im einzelnen K. Stalder, Das Werk des Geistes, 239–487.
[103] Besonders deutlich Rö 8, 11; 1 Kor 6, 19; 1 Thess 4, 8; 1 Petr 1, 1f; 2, 9. Hierher gehören die vielen Stellen, an denen die Gläubigen ἅγιοι, ἡγιασμένοι genannt werden.
[104] Vgl. Is 6, 1–6; Os 11, 9; Apg 2, 38.
[105] Vgl. 1 Thess 4, 3–7; Rö 6, 19. 22; 12, 1f; 1 Petr 1, 16 (= Lev 19, 2).
[106] Vgl. A. Robertson – A. Plummer, Corinthians II, 119.
[107] Die „ethische Wendung" des Heiligkeitsbegriffs bei Paulus wird besonders von R. Asting, Die Heiligkeit im Urchristentum, 213–216, vielleicht ein wenig zu stark, herausgestellt.
[108] KerDog 11 (1965) 321f.

Taufunterweisung" sehen, die die Rechtfertigung noch nicht im qualifizierten paulinischen Sinne als Rechtfertigung aus dem Glauben verstand, sondern, wie vor allem Rö 3, 25f zeigt [109], als Vergebung der Sünden [110] auf Grund des Sühnetodes Christi. Mit dieser Annahme läßt sich auch die rhetorische Klimax, die durch das dreifache ἀλλά angezeigt wird, am besten erklären. Wir haben es in 1 Kor 6, 11 mit einer geprägten Formulierung zu tun, die in knappen, eindrucksvoll aneinandergereihten Worten die Bedeutung der Taufe als Abwaschung, Heiligung und Sündenvergebung zum Ausdruck bringt.

Die beiden abschließenden Umstandsbestimmungen ἐν τῷ ὀνόματι ... καὶ ἐν τῷ πνεύματι ... sind nicht auf einzelne Glieder der vorhergehenden Triade zu verteilen, sondern beziehen sich auf das Taufgeschehen als ein Ganzes [111].

Bezüglich unserer Frage nach dem Verhältnis von Rechtfertigung und Taufe bei Paulus läßt sich somit aus 1 Kor 6, 11 nur soviel ermitteln, daß der Apostel die ihm vorgegebene Verbindung von Tauf- und Rechtfertigungsaussage übernimmt, den Gedanken der Rechtfertigung aber nicht in seinem Sinne näher entfaltet. Darum erscheinen sowohl Schliers [112] These von der „sakramentalen Gerechtmachung" als auch die Annahme Mundles [113], daß Taufe und Rechtfertigungsglaube bei Paulus ausdrücklich miteinander verbunden werden, in 1 Kor 6, 11 nicht die erwartete Stütze zu finden. Diese Stelle zeigt, welche Bedeutung der Taufaussage für die Kennzeichnung des Christenstandes überhaupt zukommt. Paulus spricht die Christen von Korinth als Getaufte, Geheiligte, Gerechtfertigte an, um ihr Selbstbewußtsein aufzurütteln, das er zutiefst in dem einmaligen Akt der Taufe begründet sehen möchte.

Bezüglich der Verwendung des Taufmotivs in 1 Kor 6, 11 läßt sich eine Parallele zu Rö 6 ziehen. Beidemale erinnert Paulus an das vergangene Taufgeschehen der paränetischen Ansprache wegen (vgl. Rö 6, 3 ἢ ἀγνοεῖτε; 1 Kor 6, 9 ἢ οὐκ οἴδατε). Den Korinthern sucht er klarzumachen, daß sie als Getaufte mit den Sünden, die sie früher begangen haben, jetzt nichts mehr zu tun haben (vgl. den Anfang von 1 Kor 6, 11). Auch in Rö 6, 1 führt Paulus an der Stelle, wo er von der Unvereinbarkeit von Gnade und Sünde spre-

109 Vgl. oben S. 61.

110 Vgl. oben S. 231.

111 Vgl. G. Delling, Die Zueignung des Heils, 56; 72f; A. Robertson – A. Plummer, Corinthians I, 120, erwägen, ob in diesen abschließenden Formeln ein Anklang an ein (trinitarisches) Taufformular vorliegt. Jedenfalls erinnert die erste Wendung ἐν τῷ ὀνόματι, an die auch in 1 Kor 1, 13. 15 anklingende Taufformel.

112 Galater, 90.

113 A. a. O. 85.

chen will, das Taufmotiv ein und erinnert die Römer hiermit an die Erweckung zum neuen Leben, dem sie nun sittlich zu entsprechen haben.

§ 26. Zusammenfassung

Aus der obigen Untersuchung einzelner einschlägiger Stellen der paulinischen Hauptbriefe ergab sich eine theologisch tief begründete Anschauung des Apostels Paulus von der Taufe als dem Urdatum des Christwerdens. Ein theologisch reflektierter Zusammenhang der Rechtfertigungsbotschaft mit der Taufaussage konnte nicht nachgewiesen werden. Unsere Frage nach dem Verhältnis von Glaube und Taufe, von Wort und Sakrament hat Paulus nicht in demselben Maße als Problem empfunden wie spätere Generationen, so daß es von vornherein schwierig erscheinen muß, auf diese Frage von Paulus eine eindeutige Antwort zu erhalten. Doch ergaben sich für das Ineinander von Taufe und Rechtfertigung aus Glauben einige beachtenswerte Einsichten.

Die Taufe eröffnet die Christusgemeinschaft und versetzt den Menschen in sie hinein. Diese Heilswirkung der Taufe steht nicht außerhalb des Glaubens, sondern setzt einerseits das Gläubigwerden des Menschen voraus und vollendet es[114]. Die Taufe hat also insofern Bekenntnischarakter[115]. Andrerseits[116] findet die Heilswirkung der Taufe, nämlich die Christusgemeinschaft, im stets neu sich aktualisierenden Glauben ihre bleibende Form. Die in der Taufe begründete Christusgemeinschaft ist keine andere als die Glaubensgemeinschaft mit Christus[117].

[114] W. Mundle, Glaubensbegriff, 138 Anm. 3, nimmt im Anschluß an J. Haußleiter, Was versteht Paulus unter christlichem Glauben?, 163–170, eine Verwandtschaft der beiden Wendungen πιστεύειν εἰς Χριστόν und βαπτίζειν εἰς Χριστόν an. „,In Christum getauft werden' und ,in Christum glauben' sind zwei zusammengehörige Ausdrücke, die einen und denselben Vorgang von verschiedenen Seiten aus beschreiben" (Haußleiter, a. a. O. 168).

[115] Zur Identität von Glaube und Glaubensbekenntnis vgl. besonders Rö 10, 9f, wo mit Recht die Vorlage eines urchristlichen Taufbekenntnisses angenommen werden kann. Vgl. R. Bultmann, Theologie, 313, und R. Schnackenburg, Heilsgeschehen, 120.

[116] Vgl. E. Sommerlath, Der Ursprung des neuen Lebens nach Paulus, 84–86: „Es war für den Apostel nach seiner ganzen Auffassung des Evangeliums zu selbstverständlich, daß die Christusgemeinschaft, so gewiß er sie als sakramentlich begründet ansah, doch letztlich auf persönliche innige Lebensgemeinschaft im Glauben hinauslaufe, als daß er das hätte besonders betonen müssen" (85). Vgl. auch R. Bultmann: ThWNT VI 221: „Glaube ist die Weise zu leben für den, der ,mit Christus gekreuzigt' ist".

[117] Vgl. R. Schnackenburg, Heilsgeschehen, 120: „Man könnte das gegenseitige Verhältnis als ein komplementäres bezeichnen".

Da der Glaube bei Paulus vorwiegend auf das Rechtfertigungsgeschehen bezogen ist, und zwar als das dem Rechtfertigungsgeschehen entsprechende Aufnahmeorgan des Menschen, ist die Frage berechtigt, ob auch die Taufe im selben Sinne wie der Glaube auf die Rechtfertigung bezogen wird. Diese Frage ist zu verneinen, insofern Paulus an keiner Stelle das Rechtfertigungsgeschehen direkt im Taufgeschehen begründet. Sie ist aber insofern zu bejahen, als Paulus keinen Glauben ohne Taufe kennt und die sakramental begründete Christusgemeinschaft keine andere ist als die für die Rechtfertigung aus Glauben vorausgesetzte. Die vom Rechtfertigungsgeschehen vorausgesetzte sakramentale Begründung der Christusgemeinschaft in der Taufe darf jedoch im Sinne des Apostels nicht einfach als „sakramentale Gerechtmachung" bezeichnet werden [118].

Die von uns festgestellte Spärlichkeit der Taufaussagen des Apostels Paulus und das Überwiegen der Glaubensaussagen stimmen mit der oft als rätselhaft empfundenen [119] Bemerkung in 1 Kor 1, 17 überein: „Denn Christus hat mich nicht gesandt zu taufen, sondern zu predigen". Paulus leugnet hiermit jedoch keineswegs die sakramentale Wirksamkeit der Taufe. Wohl aber zeigt sich hier eine aus der Missionssituation der Kirche her verständliche Dringlichkeit der Predigt und die große Bedeutsamkeit der im Glauben vollzogenen Annahme des Evangeliums.

Ohne eine vollkommene Synthese der Tauf- und Glaubensaussagen des Apostels Paulus konstruieren zu wollen, was m. E. nicht möglich ist, läßt sich jedoch an dieser Stelle für das Heilsverständnis des Apostels grundsätzlich feststellen, daß das Heil nicht einseitig als durch Wort und Glaube vermittelt gedacht wird, sondern auch durch die Taufe. Wenn auch das Verhältnis beider Wege der Heilsaneignung bei Paulus nicht genau beschrieben wird [120], so wird doch genügend deutlich, daß er sich nicht mit den rein subjektiven Kategorien zur Beschreibung der Heilserlangung zufrieden gibt. Sowohl der Glaube wie auch die Taufe erschöpfen sich nicht im subjektiven Erlebnis des Heiles, sondern in beiden Weisen des Heilsempfangs

118 Der Gedanke einer „sakramentalen Rechtfertigung" scheint in Tit 3, 4–7 vorzuliegen. Vgl. jedoch M. Dibelius, Die Pastoralbriefe (Handbuch zum NT, 13), ²1931, 95f: „... man könnte fragen, ob hier wirklich der Akt der Rechtfertigung gemeint sei und nicht vielmehr ein in Kraft der Gnade gerechtes Leben ..."

119 Vgl. z. B. R. Cornely, Ep. ad Corinthios I, 33f.

120 Die Antwort E. Lohses in KerDog 11 (1965) 324, Paulus sehe „Wort und Sakrament in einer sachlichen Bezogenheit zueinander stehen", scheint mir dem exegetischen Befund nicht ganz zu entsprechen. Daß „die Predigt von der Rechtfertigung ..., die ständiger Wiederholung bedarf ... den getauften Christen immer wieder an den von Gott gelegten Grund seines Christ-Seins" erinnert, ist wohl kaum eine Erwägung des Apostels.

transzendiert das Heilsgeschehen die Kategorie der bewußten individuellen Heilserfahrung. Das mag im paulinischen Verständnis der Taufe noch deutlicher werden als im Glaubensbegriff, da die Taufe als einmaliger Akt den Glaubenden in den „Leib Christi" eingliedert[121] und ihm das objektive Heilsgeschehen in Christus zueignet[122].

Daß die Taufanschauung des Apostels jedoch auch in der Rechtfertigungsbotschaft des Apostels wirksam wird, ohne unmittelbar ansichtig zu werden, läßt sich an zwei Beispielen zeigen, nämlich in der Verwendung des Stellvertretungsgedankens und in der Zuordnung der Geistgabe.

Die durch die Taufe hergestellte Christusgemeinschaft ist in dem „stellvertretenden" Tod Christi „für uns" begründet[123]. Der Tod Christi für die Menschen bewirkt nach Rö 8, 3[124] die Verurteilung der Sünde und damit die Befreiung vom Anspruch der Unheilsmächte, die im alten Äon den Menschen bestimmten. Da nach Paulus die Gemeinschaft mit dem Sterben Christi „für uns" in der Taufe zustandekommt, wird die Befreiung von der Sünde, die im Römerbrief als Erfolg der Rechtfertigung des Sünders (vgl. Rö 6, 7: δεδικαίωται ἀπὸ τῆς ἁμαρτίας) beschrieben wird, durch die Taufe im Menschen wirksam[125].

In etwas anderer Weise verbindet auch die „Gabe des Geistes" die „Rechtfertigung aus dem Glauben" mit der Taufe. Das Pneuma wird in der Taufe mitgeteilt (vgl. 1 Kor 6, 11; 12, 3), aber auch dem Glauben zugeschrieben (vgl. Gal 3, 2. 5. 14). Nach Rö 5, 5 wird den

[121] Vgl. R. Schnackenburg: LThK ²VIII 1036.

[122] Die Kennzeichnung der Taufe bei R. Bultmann, Theologie, 313, als „objektives Geschehen am Täufling" ist mißverständlich, da die „Teilhabe am Heilsgeschehen, an Tod und Auferstehung Jesu" in der Taufe doch nicht nur ein Geschehen am Täufling ist, sondern auch eine subjektive Aneignung dieses Geschehens miteinschließt.

[123] Vgl. S. 211. Vgl. auch A. Oepke: ThWNT I 538, 37–45; W. Grundmann: ThWNT VII 784–785. R. Schnackenburg: MthZ 6 (1955) 44f, interpretiert den paulinischen Stellvertretungsgedanken von der hebräisch-semitischen Vorstellung der „korporativen Persönlichkeit" und nicht vom hellenistischen Gedanken der juristischen Vertretung her: „Damit ist eine korporative Vikariation und Repräsentation gegeben, die es ermöglicht, die Aussagen von dem Einen auf die Vielen und von den Vielen auf den Einen zu übertragen ...".

[124] Vgl. S. 212ff.

[125] Vgl. G. Delling: NovTest 4 (1960) 119: „Rechtfertigung und Taufsakrament stehen also nicht nebeneinander; sondern das Geschenk der Rechtfertigung – die Freiheit von der Sünde, die Freiheit zum Gehorsam – wird in der Taufe zugeeignet". Jedoch ist diese Charakterisierung der Zuordnung von Taufe und Rechtfertigung wohl zu einseitig, da bei Paulus die Taufe nicht als Abschluß des Rechtfertigungsgeschehens beschrieben wird, sondern dieses, eher die Taufe einbegreifend, das ganze menschliche Leben umspannt.

„aus Glauben Gerechtfertigten“ (vgl. V. 1) die eschatologische Gabe des „Geistes“ zuteil. Sie ist nach dem Zusammenhang von Kapitel 5 identisch mit dem „Leben“ (5, 17; vgl. 8, 2. 6. 10. 13; Gal 5, 2. 5; 6, 8), das ebenfalls mit der „Rechtfertigung“ (vgl. Rö 1, 17; 5, 10 mit V. 9; 10, 5; Gal 3, 11) wie auch mit der Taufe (Rö 6, 1–4. 10. 11) verbunden erscheint [126]. Besonders häufig (20 mal) ist in Rö 8 der „Geist“ als bestimmende Lebensmacht genannt. Auffallend ist, daß hierbei die Aussagen über den Glauben völlig zurücktreten, während umgekehrt der Geistbegriff in Rö 3 und 4, wo der Glaubensbegriff eine zentrale Rolle spielt, gar nicht erscheint. Jedoch bleibt der verbindende Begriff in all den genannten Kapiteln des Römerbriefes der Begriff der Rechtfertigung. Man darf daraus schließen, daß beide Begriffe, „Glaube“ und „Geist“, in einem bestimmten Verhältnis zueinander stehen. Der „Geist“ bestimmt das Leben des aus Glauben Gerechtfertigten und entfaltet als lebendige Kraft Gottes das in der Rechtfertigung geschenkte neue Sein des Glaubenden, während der „Glaube“ den bleibenden Grund der neuen in Christus geschenkten Wirklichkeit darstellt [127].

[126] Vgl. E. Sommerlath, Der Ursprung des neuen Lebens, 98–101.

[127] Hier mag folgende Bemerkung von A. Oepke: ThWNT I 539, in etwa als berechtigt empfunden werden: „Von der abstrakten Unterscheidung einer juridischen und einer mystischen Gedankenreihe ist Paulus weit entfernt. Die forensische Rechtfertigung mündet in vollem Strome in die pneumatische Christusgemeinschaft“. Vgl. auch M. Dibelius – W. G. Kümmel, Paulus (Sammlung Göschen 1160), 1951, 110–112.

4. Kapitel:

Rechtfertigung und neuer Lebenswandel

Die bisherigen Ausführungen haben gezeigt, daß die Rechtfertigung darin besteht, daß Gott den Sünder aus Gnade gerechtspricht und dieser die von Gott dargebotene eschatologische Heilsgabe im Glauben ergreift. Aus der Bestimmung der Rechtfertigung als Gnadenwirken Gottes einerseits und als Glaubensvollzug des Menschen andrerseits ergibt sich als Konsequenz die Freiheit vom Gesetz. Nicht aus Werken des Gesetzes, sondern allein aus Glauben wird der Mensch gerechtfertigt. Diese These erweckt den Eindruck, als ob Paulus Werke überhaupt ablehne[1]. Dem widerspricht jedoch die bekannte Tatsache, daß die sittlichen Ermahnungen einen wesentlichen Bestandteil der paulinischen Briefe darstellen[2]. Paulus fordert von den Gemeinden ein bestimmtes sittliches Verhalten, das der Berufung, die ihnen durch das Evangelium zuteil geworden ist, entspricht (vgl. Phil 1, 27). Er fordert die Anspannung aller Kräfte für ein bestimmtes Ziel, das den Christen mit der Berufung zum Glauben gesetzt ist (vgl. 1 Kor 9, 24ff).

Das zunächst Überraschende ist hierbei, daß die Mahnungen nicht nur an Sünder und Rückfällige ergehen, sondern gerade an die „Heiligen" und Gerechtfertigten, also an diejenigen, die frei sind vom Gesetz. Auch im Römerbrief steht die Paränese neben der Rechtfertigungsbotschaft (vgl. bes. Rö 6). Paulus ermahnt die, welche im Glauben gehorsam geworden und gerechtfertigt sind (vgl. Rö 5, 1), zu einem „neuen Lebenswandel" (Rö 6, 4) und zum „Gehorsam" gegen Gott (vgl. Rö 6, 12–21).

Es stellt sich also die Frage, von welcher Bedeutung das sittliche Verhalten des Gerechtfertigten ist und in welchem Verhältnis die „Ethik" des Paulus zu seiner Heilsbotschaft steht.

[1] So hält A. Schweitzer, Mystik, 220, die Rechtfertigungslehre deswegen für ein „unnatürliches Gedankenerzeugnis", weil Paulus „bei der Vorstellung eines Glaubens anlangt, der die Werke des Gesetzes und damit Werke überhaupt ablehnt". Vgl. dagegen H. D. Wendland, Mitte, 37.

[2] Vgl. K. Benz, Die Ethik des Apostels Paulus (Bibl. Studien, XVIII, 3–4), 1912; A. Juncker, Die Ethik des Apostels Paulus. Teil I, 1904, Teil II, 1919; M. S. Enslin, The Ethics of Paul, 1930; L. Nieder, Die Motive der religiös-sittlichen Paränese in den paulinischen Gemeindebriefen (Münchener theol. Studien, I, 12), 1956; W. Schrage, Die konkreten Einzelgebote in der paulinischen Paränese, 1961.

Mit der Behandlung dieser Frage wird der Rechtfertigungsbegriff noch einmal von einer wichtigen paulinischen Fragestellung aus, nämlich der Bedeutsamkeit der „Ethik", beleuchtet.

§ 27. Soteriologischer Indikativ und ethischer Imperativ

Zunächst ist festzustellen, daß das sittliche Verhalten der Christen nicht ohne weiteres im Lichte der von Paulus abgelehnten „Werke" beurteilt werden darf. Die „Werke des Gesetzes" sind nicht Ausdruck des sittlichen Verhaltens schlechthin, sondern eines falschen Heilsweges [3], dessen Verkehrtheit sich im Lichte des Christusereignisses herausstellt. Freilich kann jedes sittliche Verhalten des Menschen zum „Gesetzeswerk" werden, insofern dieser den Gehorsam des Glaubens gegenüber dem Heilshandeln Gottes, das in Christus offenbar geworden ist, verweigert und auf dem Wege seiner eigenen Möglichkeiten „Gerechtigkeit" zu erlangen sucht [4]. Indem der Mensch im Glauben aber das Heilshandeln Gottes ergreift oder besser sich von ihm ergreifen läßt (vgl. Phil 3, 12), wird er zu einem Gehorsam fähig, der Heilsbedeutung hat, so daß Paulus sogar mahnen kann: „Wirket euer Heil mit Furcht und Zittern" (Phil 2, 12) [5].

Die Heilsbedeutung des Gehorsams bedarf einer genaueren Erklärung. Hierbei geht es nicht so sehr um das Verhältnis von göttlichem Wirken und menschlichem Tun als solchem [6], sondern um die Begründung des christlichen Gehorsams in der Heilstat Gottes.

Der Gehorsam des Gerechtfertigten kann nur in einem uneigentlichen Sinne als Ethik bezeichnet werden. Ethik bedeutet der griechisch-philosophischen Herkunft dieses Wortes und seines Gebrauches nach die Erklärung des sittlich Guten und der Verpflichtung, das erkannte

[3] E. Lohmeyer: ZNW 28 (1929) 177–207, stellt fest, daß die „Werke des Gesetzes" von Paulus nicht hinsichtlich ihrer tatsächlichen Erfüllung betrachtet werden, sondern hinsichtlich ihrer prinzipiellen Bedeutung. Die Wendung ἔργα νόμου „bedeutet den ‚Dienst des Gesetzes' als der religiösen Ordnung, die dem Menschen gesetzt ist" (202).

[4] Vgl. R. Bultmann, Theologie, 283f, der sich mit Recht gegen W. Mundle, Glaubensbegriff, 99–102, wendet. Mundle unterscheidet zwischen den Werken allgemein und „Werken des Gesetzes", sieht aber nicht, daß die ἔργα des Menschen ohne Unterschied von Paulus als Heilsbedingung abgelehnt werden.

[5] E. Lohmeyer, Philipper, 102, sieht in diesem Satz geradezu „Wesen und Art pharisäischer Frömmigkeit" charakteristisch ausgedrückt. „In dieser Einseitigkeit" habe der Satz „dennoch einen unverlierbaren Zug aller Frömmigkeit getroffen".

[6] Vgl. hierzu R. Schulz, Die Frage nach der Selbsttätigkeit des Menschen im sittlichen Leben bei Paulus, 1939; A. Kirchgässner, Erlösung und Sünde, 147f.

Gute zu tun, oder, auf das Verhalten des Menschen angewandt, das Verhalten, durch das der Mensch einer bestimmten vorgegebenen Norm entspricht. Diese Bestimmung kann nicht ohne weiteres auf die paulinische „Ethik“ angewandt werden. Paulus sieht den Menschen nicht als in sich stehende sittliche Persönlichkeit, die ihre Aufgabe darin erfüllt, sich selbst zu entfalten und dadurch ihren Lebenssinn zu verwirklichen. Der Mensch ist nach der paulinischen Vorstellung Geschöpf Gottes, sowohl als Sünder wie auch als Gerechtfertigter. Er ist also immer wesentlich von seinem Gottesverhältnis bestimmt. Was der Christ ist, das ist er aus Gnade. In diesem Sinne ist der Gehorsam, zu dem der Christ aufgerufen wird, nicht schlechthin seine eigene natürliche Möglichkeit, sondern die ihm von Gott in der Rechtfertigung geschenkte Möglichkeit seines Lebens „in Christus“ (Rö 8, 1; 1 Kor 1, 30) und „für Gott“ (Rö 6, 11; Gal 2, 19).

Die sittlichen Ermahnungen des Apostels Paulus haben also nicht einen Sinn neben seiner Heilsbotschaft, sondern innerhalb dieser[7]. Sie rufen den Menschen nicht zur selbständigen Entfaltung seiner persönlichen Kräfte, sondern sie erinnern ihn daran, was er ist. Das ethische Prinzip „werde, was du bist“ findet bei Paulus in dem Sinne Anwendung, daß die Ermahnung auf dem aufbaut, was der Indikativ aussagt. Der Gehorsam des Gerechtfertigten ist also durch die Heilstat Gottes ermöglicht.

Die Doppelseitigkeit des Gehorsams als Ausdruck der Heilsgabe Gottes und der sittlichen Haltung des Menschen, mit der er der Gabe entspricht, stellt sich bei Paulus in dem Verhältnis der Heilsaussagen und der auf sie bezogenen Imperative[8] dar. Das Spannungselement, das im Begriff des Gehorsams liegt, tritt in den paulinischen Formulierungen darin zutage, daß derselbe Aussagegehalt zugleich als Indikativ und Imperativ erscheint. Der Indikativ besagt, daß Gott das Heil des Menschen schon bewirkt hat, und der Imperativ, daß der Mensch, der die Heilstat Gottes empfangen hat, diese seinerseits nun auch zu verwirklichen hat. Dies wird an folgenden Beispielen besonders deutlich. „Wenn wir im Geiste leben, so laßt uns auch im Geiste wandeln“ (Gal 5, 25). – „Befreit von der Sünde, seid ihr Sklaven der Gerechtigkeit geworden ... So stellt jetzt eure Glieder zum Sklavendienst der Gerechtigkeit zur Verfügung zur Heiligung“ (Rö 6, 17 u. 19bβ). – „Schafft weg den alten Sauerteig, damit ihr neuer Teig seid; ihr seid ja ungesäuert“ (1 Kor 5, 7).

[7] Vgl. H. Schlier, Vom Wesen apostolischer Ermahnung, in: Die Zeit der Kirche, 74–89.

[8] Vom Imperativ wird hier selbstverständlich nicht nur im grammatischen Sinne gesprochen.

So bilden die verschiedenen Heilsaussagen, die Paulus theologisch entwickelt, zugleich auch den Inhalt von Ermahnungen[9].

In Rö 6, 11–13a sind Indikativ und Imperativ negativ gewendet, da Paulus hier vor der Sündenherrschaft warnt, die zwar in der Heilsgegenwart grundsätzlich überwunden ist, die aber wegen des noch anhaltenden alten Äons immer noch ihre Ansprüche geltend zu machen versucht: „Haltet euch für solche, die tot sind gegenüber der Sünde, die aber leben für Gott in Christus Jesus. Darum soll nicht die Sünde in eurem sterblichen Leib herrschen, so daß ihr seinen Begierden gehorcht, und ihr sollt nicht eure Glieder als Waffen der Ungerechtigkeit der Sünde hingeben ...“ (Rö 6, 11–13a).

Man hat gelegentlich gemeint, die Imperative, vor allem die Mahnungen zur Sündlosigkeit, als eine Inkonsequenz gegenüber der Rechtfertigungsbotschaft erklären zu müssen, als einen Rückfall in die „Gesetzesreligion“, da nach der Lehre des Paulus das Gute aus dem Gerechtfertigten „mit der Sicherheit des Natürlichen“[10] hervorwachse. Mit den Imperativen trete bei Paulus eine „Ethik des Willens“ in Widerspruch zu seiner „Ethik des Wunders“[11]. Diese Erklärungen gehen von der Annahme aus, daß die Sündlosigkeitsaussagen bei Paulus im Sinne eines ethischen Idealismus zu verstehen seien. Das von Gott geschenkte Heil bestehe in einem neuen sittlichen Vermögen, wodurch der Mensch von selbst tut, was er soll[12]. Demgegenüber erscheint die paulinische Verbindung von Indikativ und Imperativ als ein „Nebeneinander zwischen Ideal und Wirklichkeit, zwischen religiös-enthusiastischer Anschauung und empirisch-realistischer Betrachtung“[13]. Jedoch bedeutet Rechtfertigung bei Paulus nicht die Mitteilung einer sittlichen Qualität oder die Bestimmung des Menschen für ein sittliches Ideal und seine Befähigung,

[9] Vgl. auch Gal 3, 27 mit Rö 13, 14; Rö 6, 2 mit 11. – Allerdings ist folgende Formulierung des ethischen Imperativs unpaulinisch: „Esto iustus, quia iustus factus es“. So E. Mócsy, Problema imperativi ethici in iustificatione paulina, in: VD 25 (1947) 204–217; 264–269, hier 205. Paulus sagt in Rö 6, 12ff anders (hierzu später). Mócsys Formulierung ist eine Folge seiner Interpretation des Rechtfertigungsbegriffs im Sinne des griechischen Seinsbegriffs. Seine Sicht des Problems ist (zu einseitig) an einer Auseinandersetzung mit dem Rechtfertigungsbegriff des orthodoxen Protestantismus interessiert.

[10] H. Weinel, Biblische Theologie des NT, ³1921, 256f.

[11] P. Wernle, Der Christ und die Sünde bei Paulus, 1897, 89.

[12] H. J. Holtzmann, Ntl. Theologie II, 164, kennzeichnet die Sündlosigkeitsaussagen des Paulus als „himmelstürmenden Idealismus“. H. Lietzmann, Römer, 66, nennt sie Formeln „eines sittlich-idealen Optimismus“.

[13] J. Weiß, 1. Korinther, 71; vgl. ders., Urchristentum, 400f; 434; A. Juncker, Ethik I, 121, der Rechtfertigung und sittliche Erneuerung zusammenfallen läßt; A. Wikenhauser, Christusmystik, 101. Zu den hier und in den vorigen Anmerkungen genannten Autoren und ihren Positionen vgl. im einzelnen A. Kirchgässner, Erlösung und Sünde, 3–20.

dieses Ideal zu verwirklichen. Rechtfertigung ist vielmehr die Zuwendung des eschatologischen Heils durch den Glauben. Diese bestimmt das ganze Leben des Glaubenden, so daß er nun eine „neue Schöpfung" (2 Kor 5, 17) ist, eine neue, eschatologische Existenz. In ihr drückt sich die Spannung zwischen der schon erfolgten Heilszuwendung und der noch ausstehenden Vollendung des Gerechtfertigten aus [14].

Auch der Versuch, den Widerspruch von Indikativ und Imperativ historisch-psychologisch verständlich zu machen, genügt nicht zur Erklärung. So hätten die Imperative eigentlich für die anfängliche Missionssituation der Kirche Bedeutung gehabt [15]. Eigentlich sollten die Christen ohne Gebot und Ermahnung fähig sein, in der Kraft des Geistes das Gute zu tun. Dagegen ist zu sagen, daß aus den paulinischen Briefen nicht hervorgeht, daß die Ermahnungen in einem fortgeschrittenen Zustand des Christseins einmal überflüssig seien. Paulus hält vielmehr Paraklese und Paränese solange für nötig, als die Bedrohung durch die Sünde anhält.

Nun ist die „Ethik" des Paulus nicht nur eine Anti-Sünden-Ethik. Vielmehr ruft er auch dazu auf, dem Wirken des Geistes zuzustimmen, in einem neuen Leben zu wandeln, Gehorsamsdienste zu leisten und das Heil zu wirken (vgl. Phil 2, 12). Besonders durch die letzte Formulierung entsteht der Eindruck, daß Paulus einem Synergismus das Wort rede, d. h. daß er dem Menschen zutraue, mitzuwirken an seinem Heil [16]. Daß der Gedanke des menschlichen Mitwirkens mit Gott dem Apostel nicht unbekannt ist, zeigen 1 Kor 3, 9 (ϑεοῦ γάρ ἐσμεν συνεργοί); 2 Kor 1, 24; 6, 1. Diese Aussagen sind jedoch auf den apostolischen Dienst bezogen, den Paulus als ein „Mitwirken" mit dem Werk Gottes versteht. Für das Rechtfertigungswerk aber läßt Paulus keinen Zweifel daran, daß es ganz und gar der Gnade Gottes zu verdanken ist. Auch Phil 2, 12 „will nicht etwa Sündenangst und Unsicherheit wecken" [17]. Die Wendung „mit Furcht und Zittern" bezeichnet das Erschrecken des Menschen, der in die Nähe Gottes geraten ist [18]; sie dient hier der Ermahnung zur Demut [19].

[14] Vgl. H. D. Wendland: NKZ 41 (1930) 757–783 u. 793–811; ders., Mitte, 37–41.

[15] Vgl. M. Dibelius – W. G. Kümmel, Paulus, 84: „Die jungen Missionsgemeinden bedürfen noch der Belehrung, die ihnen im einzelnen sagt, was denn nun zu tun, und vor allem, was zu lassen sei".

[16] So R. A. Lipsius, Rechtfertigungslehre, 124, 151; H. Hofer, Rechtfertigungsverkündigung, 83–88; A. Kirchgässner, Erlösung und Sünde, 147f.

[17] H. Braun, Gerichtsgedanke, 62.

[18] Vgl. Ex 15, 16; Dt 2, 25; Is 19, 16 u. ö.

[19] Vgl. G. Bornkamm, Der Lohngedanke im NT, in: Studien zu Antike und Urchristentum (Ges. Aufsätze, II), 1959, 69–92: „Gerade die Tat der Rechtfertigung kann in dem Menschen nichts anderes als die Demut erwecken" (92).

Die Aufforderung zum Wirken des Heils schließt sich an die Erinnerung an den bislang schon geübten „Gehorsam" (V. 12a) der Philipper an. Vor allem ist zu beachten, daß V. 13 ausdrücklich davon spricht, daß das Heilswirken der Christen von der Beschaffung des Heils durch Gott umfangen ist und bleibt[20].

Das Verhältnis von Indikativ und Imperativ darf vom Ansatz der paulinischen Heilsbotschaft her, nämlich von der unbedingten Gnadenhaftigkeit des Heils, nicht so beschrieben werden, daß dem Menschen in der Ermahnung eine Leistung abverlangt würde, die nun für das Werk Gottes selbst konstituierend wäre. Dies ist grundsätzlich durch die Ablehnung der Gesetzeswerke bei Paulus ausgeschlossen.

Solange dieser alte Äon mit seinem versucherischen Andrang noch anhält, bedarf der Christ der Mahnung zur Wachsamkeit gegenüber der Bedrohung durch die Sünde, obwohl er der Macht des alten Äons durch die Erlösung grundsätzlich schon entzogen ist. Die ethischen Imperative sind also situationsbezogen; sie haben die Situation des Gerechtfertigten im Auge, der die ihm zuteilgewordene Rechtfertigungsgabe nur bewahrt, wenn er die neue Seinsweise auf „Bewährung"[21] annimmt. Die Bewährung selbst ist gekennzeichnet von dem schon erlangten Heil und der noch ausstehenden Vollendung[22].

Der Gedanke an die zukünftige Heilsvollendung des Gerechtfertigten legt nahe, daß das sittliche Verhalten in der Zwischenzeit zwischen Rechtfertigung und Vollendung zwar nicht für die Begründung des Heils in der Gegenwart, wohl aber für seine letztgültige Gestalt, die es im Endgericht erfährt, Bedeutung hat[23]. Da Paulus den Gerichtsgedanken gerade auch in den paränetischen Teilen seiner

[20] Vgl. G. Bornkamm, a. a. O. 92: „Die Tat der Rechtfertigung ... weckt in ihm (im Christen) die Furcht – nicht die Furcht der Verzweiflung (Calvin), sondern die mit der Demut geeinte Unruhe und Besorgnis, daß er doch ja nicht aus dem Werke Gottes herausfallen, sondern Schritt halten möchte mit dem, der Wollen und Vollbringen wirkt und das Ziel, Rettung und Heil, in seiner Hand hält". Vgl. auch L. Nieder, Paränese, 102: „Wo Gott am Werke ist, da muß der Mensch ernstlich mittun".

[21] Vgl. O. Kuss, Römer, 396–432 (Exkurs: Heilsbesitz und Bewährung); A. Kirchgässner, Erlösung und Sünde, 53ff; W. Schrage, Einzelgebote, 31f.

[22] Vgl. R. Schnackenburg, Sittliche Botschaft, 216f; H. D. Wendland: NKZ 41 (1930) 806: „Die Christen stehen unter dem Gebot um der Gabe und des Zieles willen, und das Gebot trägt in sich die Kraft der Gabe, auf der es beruht".

[23] Nach C. Haufe, Rechtfertigungslehre, 111, hat das sittliche Ringen des einstweilen nur „forensisch" Gerechtfertigten noch eine Bedeutung als Vorbedingung für die Rechtfertigung im Endgericht. Bei dieser Erklärung bleibt allerdings die Frage nach dem Verhältnis von „forensischer" Rechtfertigung – Haufe spricht seltsamerweise auch von einer „forensischen Gnade" (96) und einer „forensischen Mystik" (103) – zur Endrechtfertigung aufgegeben.

Briefe verwendet[24], kann kein Zweifel daran bestehen, daß er auch für den Christen ein Gericht erwartet[25]. Als paränetisches Motiv ist es aber auch nur eines unter anderen. Dementsprechend hat auch das Lohn- und Vergeltungsmotiv (vgl. 1 Kor 3, 8. 12–17; 10, 6–12; 11, 29–32) seinen Platz in der Paränese[26].

Im Rahmen der Rechtfertigungslehre hat die Vorstellung von einem noch ausstehenden Endgericht jedoch keine konstituierende Bedeutung. Der Gerichtsgedanke erscheint hier vielmehr als Voraussetzung der Rechtfertigungsbotschaft (vgl. Rö 1, 18 – 3, 20). Zudem sieht Paulus das Gericht über die Sünde schon im Christusereignis vollzogen (vgl. Rö 8, 3), so daß an denen, die „in Christus Jesus" sind, „nichts Verdammungswürdiges" mehr ist (vgl. Rö 8, 1). Der Gedanke an das zukünftige Gericht beeinträchtigt also zunächst nicht unmittelbar den an das schon gegenwärtige Heil.

Daß dem Gedanken an das Endgericht als solchem weniger theologische Relevanz zukommt, erklärt sich wohl daher, daß Paulus mit der baldigen Parusie die Vollendung des einstweilen noch vorläufigen Heilsbesitzes erwartet[27]. Die Gegenwärtigkeit des eschatologischen Heils[28] überblendet den Rückfall des Christen in die Sünde, von dem auch Paulus weiß. Bezeichnend ist, daß er auch den Gemeindemitgliedern, die sich etwas zu Schulden kommen ließen, nicht den Heilsstand abspricht, sondern sie kräftig an dessen Wirklichkeit erinnert (vgl. 1 Kor 6, 11). Die Heilsgewißheit des Christen ist von seinem eschatologischen Gesamtbewußtsein her zu verstehen, nicht etwa vom Blick auf die geleisteten „Werke". Paulus erlebt die Zwischenzeit weder als Zeit unbekümmerter Sorglosigkeit noch als Zeit ängstlicher Werkfrömmigkeit, sondern als Zeit erhöhter sittlicher Anforderung und damit auch des Durchhaltens, des Gehorchens, des Zustimmens zum Wirken des Geistes. Hierzu mahnt der paulinische

[24] Vgl. 1 Thess 4, 6; Rö 13, 2. 5; 14, 10–12; 1 Kor 6, 9; 9, 27; 10, 22; 2 Kor 11, 15; Gal 5, 10; 6, 9; Phil 3, 19.

[25] Vgl. H. Braun, Gerichtsgedanke, 44.

[26] Vgl. L. Nieder, Paränese, 109–112; G. Didier, Désintéressement du Chrétien. La rétribution dans la morale de saint Paul (Théologie, Études publiées, 32), 1955.

[27] H. Braun, Gerichtsgedanke, 63, bemerkt, „daß die Sicherheit des Christen im Blick auf das Endgericht bei Paulus weniger ein feststehender Lehrsatz als eine lebendige Hoffnung ist, die sich im Pathos seines Lebensgefühls mehr als in lehrmäßig korrekten Formulierungen ausspricht".

[28] H. D. Wendland: NKZ 41 (1930) 804–806, spricht auch von der Heilsgegenwart als dem bleibenden Grund des Imperativs, sieht ihren eschatologischen Charakter aber gerade nicht in der paradoxen Wirklichkeit der Gegenwart des Eschaton, sondern in der Ausrichtung der „Heilsgegenwart" auf das „Ziel des Gerichtes und der Vollendung" (806). Damit kommt dem Endgericht nach Wendland eine Bedeutung zu, die er kaum aus den Rechtfertigungsaussagen des Paulus selbst erheben kann.

Imperativ im Zusammenhang mit dem Indikativ der Heilsaussage. Wenn dem Gerichtsgedanken als solchem innerhalb der Rechtfertigungsbotschaft auch keine besondere Bedeutung zukommt, so heißt das doch nicht, daß dieser für Paulus theologisch völlig bedeutungslos wäre und nur als Relikt aus der vorchristlichen Zeit beibehalten würde. Vielmehr vermag der Gerichtsgedanke, auch ohne daß er organisch in den Rechtfertigungszusammenhang eingefügt ist, weiterhin an die Geltung des göttlichen Willens und an seine Erfüllung zu erinnern[29].

Die zukünftige Vollendung des schon gegenwärtigen Heils wird also nicht für sich, abgelöst vom Ganzen des Heilswerkes, betrachtet, aber auch nicht nur unter dem einengenden Gesichtspunkt des Endgerichtes, sondern wesentlich als im einmaligen und einheitlichen Heilswerk Gottes begründet gesehen. Für Paulus ist die noch ausstehende Heilsvollendung nicht der Erfolg eines in sich stehenden sittlichen Wirkens des Gerechtfertigten, das nur noch von der Gnade Gottes begleitet würde. Vielmehr sieht er den Gehorsam des Christen wie auch die letztgültige Gestalt des Heils zugleich im Werk Gottes begründet. Der neue Lebenswandel des Gerechtfertigten und seine Vollendung erscheinen für Paulus als Vollzugsmomente des sich entfaltenden Heilswerkes.

In der gleichzeitigen Geltung des soteriologischen Indikativs und des ethischen Imperativs drückt sich die Spannung zwischen dem „schon" und dem „noch nicht" aus, aber so, daß der schon erlangte Anteil am Heil, die ἀπαρχὴ τοῦ πνεύματος (vgl. Rö 8, 23; 2 Kor 1, 22; 5, 5) oder – in der Sprache der „Rechtfertigung" – das Prädikat δικαιωθείς (vgl. Rö 5, 1–9), also der Heilsindikativ sehr bestimmt ausgesagt wird und keine Relativierung seiner Geltung durch den hinzugefügten Imperativ zuläßt. Der Indikativ gilt nicht unter der Bedingung, daß der Imperativ erfüllt wird, sondern seine Geltung kommt in der Befolgung des Imperativs zur Darstellung. Der Imperativ ist also streng auf den Indikativ bezogen. In ihrem Nebeneinander drückt sich eine „echte Antinomie"[30] aus, d. h. eine Verbindung von sich widersprechenden und dennoch zusammengehörigen Aussagen, deren innerer Widerspruch nicht aufzulösen ist, ohne daß die zugrunde liegende Sache verloren geht.

Der „Widerspruch", der in der Antimonie liegt, besagt einerseits, daß das, was vom Menschen gefordert wird, durch Gottes Gnade er-

[29] H. Braun, Gerichtsgedanke, 90, lehnt mit Recht jede Harmonisierung beider Gedanken bei Paulus ab. Aber er sieht auch die Möglichkeit einer Verbindung, insofern der Gerichtsgedanke deutlich macht, „daß in die Heilslehre die Erfüllung des göttlichen Willens durch den Menschen eingeschlossen ist" (92).

[30] Vgl. R. Bultmann, Das Problem der Ethik bei Paulus, in: ZNW 23 (1924) 123–140, hier 123.

möglicht ist, andrerseits aber auch, daß der Gehorsam des Gerechtfertigten das Heilswirken Gottes nicht überschreitet. Die Heilsbedeutung des sittlichen Gehorsams geht nicht über die des von Gott ermöglichten Glaubensgehorsams hinaus. Auch die wiederholten Mahnungen zum Erstarken und Wachsen im Glauben (vgl. 1 Kor 16, 13; 2 Kor 1, 24; 8, 7; 10, 15) haben vor allem den Sinn, den Menschen an seine ihm von Gott geschenkte Heilsmöglichkeit zu erinnern. Das neue Verhältnis des Menschen zu Gott ist und bleibt der Glaube, der sich im Gehorsam gegenüber dem neuen Dienstherrn (vgl. Rö 6, 12–23) zu bewähren hat.

Das Verhältnis des Imperativs zum Indikativ ist das der Folge. Der Rechtfertigungsindikativ begründet den dazugehörigen Imperativ[31], nicht umgekehrt. Denn die Mahnung zum neuen Lebenswandel gilt nicht der Beschaffung des Heils. Dieses ist vielmehr die Basis für die sittliche Beanspruchung des Gerechtfertigten. Paulus sagt gerade denen, die den Geist als eschatologische Gabe schon empfangen haben, daß sie im Geiste wandeln sollen (vgl. Gal 5, 25). Die Mahnungen liegen also in der Konsequenz der Heilsaussagen. Sie haben mit diesen zusammen ihren eigentlichen Sinn. Der Sinn des Imperativs wird aber nicht in der Aneignung, sondern in der Erhaltung des Heils erfüllt. Denn darum geht es im wesentlichen in der Paränese, den Menschen auf die Gefährdung seines Heilsbesitzes hinzuweisen[32], auf seine wesentliche Unverfügbarkeit und die Möglichkeiten, die heilshafte Existenz immer wieder gegenüber der drohenden Gefahr zu verwirklichen.

Die Verwirklichung der christlichen Existenz ist auch das Ziel der Mahnungen, mit denen Paulus bestimmte konkrete Inhalte verbindet, die sich aus der besonderen Situation der Gemeinden ergeben (vgl. 1 Thess 4, 3–7; 1 Kor 6–8; 11; 14 u. ö.)[33]. Es zeigt sich dabei, daß die verschiedenen Inhalte der Paränese sekundär sind gegenüber dem Grundanliegen des Apostels, nämlich der Bewahrung und Bewährung des Heils in der Gegenwart[34]. Paulus begründet

[31] Vgl. R. Bultmann, Theologie, 335; H. Schlier, Galater, 267; O. Kuss, Römer, 413.

[32] Vgl. H. Schlier, Galater, 264: „Zeigen doch gerade die Mahnungen Gal 5, 13. 16 und auch die Ausführungen über die ständige Gegensätzlichkeit der σάρξ und des πνεῦμα, Gal 5, 17, daß die σάρξ in ihren Begehrungen nicht vernichtet ist, sondern auch den Christen gegenwärtig anfordert, sie zu erfüllen".

[33] W. Schrage, Einzelgebote, 9–12, betont, daß die sittlichen Mahnungen des Paulus nicht nur von einer „Formalethik", sondern auch von einer „Materialethik" sprechen lassen.

[34] Man kann nur schwer aus den eschatologisch orientierten Aussagen des Paulus eine Ethik des christlichen Weltverhaltens ableiten. Sie muß angesichts der eschatologischen Motivation notwendig als „konservativ" erscheinen (vgl. W. Mundle, Religion und Sittlichkeit bei Paulus, in: ZsystTh 4 [1927] 456–482,

seine Ermahnungen zwar im einzelnen unterschiedlich; das Hauptmotiv, das alle anderen Motive bedingt, ist jedoch das Heilswirken Gottes in Christus[35]. Paulus stellt keine Ideale auf, die der Christ zu erfüllen hätte, um zu seiner Seinsverwirklichung zu gelangen. Er fordert nicht einzelne Werke[36] als Erfüllung von Geboten, sondern er erwartet die „Frucht des Geistes" (Gal 5, 22), die „Frucht" des Gerechtigkeitsdienstes (vgl. Rö 6, 22), daß die Christen mit der „Frucht der Gerechtigkeit erfüllt werden" (Phil 1, 11)[37]. Paulus stellt in jeder einzelnen Forderung, mag sie von einer bestimmten Situation oder von allgemeinen seelsorglichen Gesichtspunkten veranlaßt sein[38], den Christen immer wieder unter den umfassenden Anspruch Gottes, dem er sich nicht entziehen kann und darf, ohne seine neue Existenz aufs Spiel zu setzen[39].

Die Antimonie von Indikativ und Imperativ wird mißverstanden, wenn man in ihr eine Beschreibung des christlichen Selbstverständnisses im Sinne einer dialektischen Existenz von „Gerechtem und Sünder zugleich" sieht. Der Indikativ würde das Sein des Gerechtfertigten als ein Gerechtsein nur in den Augen Gottes bezeichnen, während der Imperativ daran erinnert, daß der Gerechtfertigte „in Wirklichkeit" doch bleibe, was er war, nämlich ein Sünder, der immer noch unter dem Zwang des Gesetzes stehe. Die Imperative hätten somit den Sinn, dem Menschen sein sittliches Unvermögen bewußt zu machen, ihn als hoffnungslosen Sünder in die Arme des barmherzigen Gottes zu treiben, damit er dort aus Gnaden gerechtfertigt werde, d. h. Vergebung der Sünden erlange[40].

bes. 476–478). Wer in den Äußerungen des Paulus einen Grundsatz für das Verhalten des Christen zur Welt erkennen möchte, übersieht zu schnell den Abstand zwischen dem Zeit- und Weltverständnis des Apostels und seinem eigenen. Auch E. Dinkler: ZThK 49 (1952) 167, möchte in 1 Kor 6, 1–11 ein Problem erkennen, das eher für das christliche Weltverständnis unserer Zeit als für das des Paulus typisch ist: „Unser Abschnitt steht im Zusammenhang von Ausführungen, die das Verhältnis des Christen zur Welt betreffen, ja das Verhältnis von Gemeinde und Gesellschaft. ‚Glaube und Welt' könnte man auch das von Paulus seit Kapitel 5 behandelte Thema bezeichnen".

35 Vgl. L. Nieder, Paränese, 145; R. Schnackenburg, Sittliche Botschaft, 192–195.

36 Vgl. L. Cerfaux, Le Chrétien, 425: „Paul ne parle pas de ‚nos œuvres' pour éviter l'erreur d'aiguillage du pharisaisme, qui s'attribue le mérite de sa justice".

37 Vgl. L. Cerfaux, Le Chrétien, 422–426: „La récolte de l'Esprit".

38 Vgl. W. Schrage, Einzelgebote, 46–48.

39 Vgl. P. Althaus, Römer, 58: „Die Sittlichkeit des Christen ist nichts anderes als das Bekenntnis zu der geschehenen Erlösung, die tathafte Anerkennung des neuen Seins".

40 Diese Sicht entspricht der protestantischen Auffassung vom usus elenchticus des Gesetzes. Vgl. W. Joest, Gesetz und Freiheit, 13. R. Bultmann, Christus des Gesetzes Ende, 34f, weist gegenüber der altprotestantischen Auffassung mit Recht darauf hin, daß Paulus das Gesetz nicht als eine drückende Last emp-

Diese Erklärung fußt auf dem Gegensatz von nur imputierter Gerechtigkeit und ontischer Veränderung des Menschen. Tatsächlich denkt Paulus „Gerechtigkeit“ und „Rechtfertigung“ weder ontisch im Sinne der griechischen Seinsphilosophie noch imputativ im Sinne einer nur äußeren Geltung, sondern dynamisch. „Gerechtigkeit“ ist eine Kraft, die sich dem Menschen mitteilt und in ihm wirkt, ohne eine naturhafte Eigenschaft des Menschen selbst zu werden. Paulus stellt den Gerechtfertigten als den gerechtfertigten Sünder dar (vgl. Rö 3, 23f; 4, 5). Aber das Wesentliche seiner Aussage über den Gerechtfertigten ist nicht, was er war, sondern was er geworden ist. Paulus sagt nicht: Der Christ ist ein Sünder. Er kann nicht „von einem ‚Sein in der Sünde‘ “ reden[41]. Er beschreibt den Gerechtfertigten eindeutig als solchen, der von der Sünde frei ist[42] und in dem die Macht Gottes wirksam geworden ist und weiterhin zur Entfaltung gelangt. Paulus bekennt selbst: „Durch die Gnade Gottes bin ich, was ich bin, und die Gnade, die mir zuteil wurde, ist nicht unwirksam geworden“ (1 Kor 15, 10). So ermahnt er auch die Korinther, sie möchten die Gnade nicht vergeblich empfangen haben (vgl. 2 Kor 5, 1). An der Wirksamkeit der Gnade im Leben des Christen besteht also für Paulus kein Zweifel.

R. Bultmann[43] erklärt die Dialektik vom gerechtfertigten Sünder dadurch, daß er das „zugleich“ von Gerechtfertigt- und Sündersein nicht ontisch, sondern geschichtlich versteht. Der Imperativ sei ein Zeichen dafür, daß der alte Adam im Gerechtfertigten noch lebt und weiterhin zu bekämpfen ist. Der Gerechtfertigte sei der „konkrete Mensch“, d. h. der Mensch, „der die Last seiner Vergangenheit, Gegenwart und Zukunft trägt“[44]. Es bestehe also ein geschichtlicher Zusammenhang von Sündersein und neuer Existenz des Gerechtfertigten, der auch durch die Rechtfertigung nicht aufgehoben werde. Sein eigentlicher Charakter als Gerechtfertigter könne infolgedessen nicht an seinem sittlichen Verhalten erkannt werden. Dieses hat nach Bultmann inhaltlich keinen besonderen Charakter; sein Inhalt sei eben das allgemein Sittliche. Das Unterscheidende liege lediglich darin, daß das sittliche Verhalten des Gerechtfertigten den Charakter des Gehorsams trägt[45].

funden und nicht wegen mangelnder Gesetzeserfüllung unter einem drückenden Sündenbewußtsein gelitten habe. „Es ist bezeichnend, daß bei Paulus die Buße (μετάνοια) eine ganz geringe Rolle spielt“.

[41] So W. Joest: KerDog 1 (1956) 291. Vgl. auch G. Delling: NovTest 4 (1960) 116ff.

[42] Vgl. Rö 6, 7.

[43] ZNW 23 (1924) 123–140. Vgl. ders., Theologie, 332–341.

[44] A. a. O. 137. Vgl. auch H. Preisker, Das Ethos des Urchristentums, ²1949, 66: „Träger des neuen Seins, des neuen Geistes ist das alte Ich“.

[45] ZNW 23 (1924) 138f.

Gegenüber Bultmann betont H. Windisch[46], daß für Paulus die „Kontinuität zwischen dem alten und neuen Menschen zerrissen ist“ [47]. Das gehe deutlich aus dem 6. Kapitel des Römerbriefes hervor, das die „wichtigste Ausführung“ für die paulinische Ableitung des Imperativs aus dem Indikativ darstelle. Nach der Tauflehre von Rö 6 „ist die Sünde (der alte Mensch, der Sündenleib) in dem Getauften getilgt; nach der darauffolgenden Paränese ist die Losreißung von der Sünde eine Gehorsamstat, die der Christ erst noch zu leisten hat“ [48]. In dieser Fassung habe Bultmann die Antinomie nicht berücksichtigt.

Es erscheint jedoch zunächst zweifelhaft, ob Paulus die Taufe in Rö 6 in einem so grundsätzlichen Sinne zur Basis der Ableitung des Imperativs macht, wie Windisch annimmt[49]. Bultmann sieht wohl mit einem gewissen Recht den ethischen Imperativ in der bei Paulus zentralen Rechtfertigungsvorstellung begründet. In der Fassung „Rechtfertigung und Gehorsam“ erscheint die Antinomie von Indikativ und Imperativ auch in Rö 6. Denn die Taufaussagen von Rö 6 begründen nicht für sich den Gehorsam des Christen, sondern im Zusammenhang mit der „Rechtfertigung“, von der in Rö 1–5 fast ausschließlich die Rede war und auch in den folgenden Kapiteln weiterhin gesprochen wird.

Ob man die Verbindung von Tauf- und Rechtfertigungsaussagen als Ausdruck einer „sakramentalen“ Rechtfertigung deuten darf, wie H. Schlier[50] will, erscheint wegen der Geschlossenheit der Rechtfertigungsaussagen zunächst zweifelhaft. In etwa zwischen Bultmann und Windisch stehend – bezüglich des Verhältnisses von Rechtfertigung und Taufe – sieht Schlier[51] das sittliche „Handeln“ des Christen in der „sakramentalen iustitia“ begründet. Er vermeidet so ein Nebeneinander von Taufe und Rechtfertigung als Begründung des Imperativs und lehnt damit zugleich eine dialektische Daseinsbeschreibung des Gerechtfertigten ab. Als Getaufter sei der Christ

[46] Das Problem des paulinischen Imperativs, in: ZNW 23 (1924) 265–281.

[47] A. a. O. 267.

[48] A. a. O. 268.

[49] Während Windisch auch noch von einer Ableitung des Imperativs aus der „Rechtfertigung“ neben der Taufe spricht, ist nach A. Schweitzer, Mystik, 285–324, die Ethik „nur mit der Mystik des Seins in Christo“, das in der Taufe eröffnet wird, zu vereinbaren. Denn damit besitze Paulus eine „Vorstellung der Erlösung, aus der sich die Ethik in unmittelbarer Weise als natürliche Funktion des Erlöstseins ergibt“ (287).

[50] Vgl. S. 241. R. Schnackenburg, Sittliche Botschaft, 271f, betont ebenfalls die wesentliche Verbindung von Taufe und Rechtfertigung als Begründung einer „wirklichen Sündenvergebung und seinsmäßigen Heiligung“, die allerdings durch den Hinweis auf 1 Kor 6, 11 nicht die Stütze erhält, die Schnackenburg besonders von dieser Stelle erwartet. Vgl. S. 242–246.

[51] Galater, 264–267.

„gerade nicht simul iustus et peccator", sondern „nur ein iustus" [52]. Der Imperativ solle ihn davor bewahren, wieder „ein peccator zu werden".

Die Verbindung von Rechtfertigungs- und Taufaussagen weist darauf hin, daß Paulus den Gerechtfertigten nicht schlechthin in seiner bleibenden Verhaftung an die alte Existenz unter der Sünde sieht, sondern daß dieser auch als Glaubender, Gerechtfertigter die Sünde immer schon überwunden hat. Das ist mit Schlier zu betonen, ohne deswegen auch schon eine Identität von Tauf- und Rechtfertigungsaussagen anzunehmen. Die Taufaussage unterstreicht und verdeutlicht vielmehr, daß die Sünde tatsächlich der Vergangenheit angehört. Zugleich wird aber deutlich, daß der Gerechtfertigte der bleibenden Bedrohung durch die Sünde nicht machtlos ausgeliefert ist, sondern daß er ihr die Wirkkraft seiner neuen Existenz entgegenzusetzen vermag. Denn dem Gerechtfertigten ist die eschatologische Gabe der Gerechtigkeit nicht nur als das „jenseitige Heilsgut" [53] geschenkt, das immer unverfügbar bleibt, sondern in seiner neuen Existenz beginnt sich die Macht der Gabe Gottes auch schon auszuwirken, so daß der Gerechtfertigte jetzt kann, was er soll [54]. Die wahrnehmbare Gestalt der sich verwirklichenden neuen Existenz des Christen bezeichnet Paulus in Rö 6 mit den Begriffen „Gerechtigkeitsdienst" und „Heiligung" [55]. Der letzte Begriff wirft in Verbindung mit dem der Rechtfertigung ein besonderes Licht auf die Heilsaussagen des Paulus und ihre „ethische" Erstreckung.

Bei der Bestimmung des Verhältnisses von Indikativ und Imperativ haben sich mehrere Einzelfragen ergeben, die unsere Aufmerksamkeit auf das 6. Kapitel des Römerbriefes richten:

Wie ist das Verhältnis von Rechtfertigungsindikativ und ethischem Imperativ nach Rö 6 zu beschreiben?

Von welcher Bedeutung ist dabei die Begründung des Imperativs in der Taufaussage (Rö 6, 3–11)?

Was ergibt sich aus der Bestimmung von Indikativ und Imperativ in Rö 6 für das neue Selbstverständnis des Gerechtfertigten bezüglich seines Verhältnisses zur Sünde?

Wie sieht Paulus das Verhältnis von „Rechtfertigung" und „Heiligung" als Ausdruck des Gehorsams des Gerechtfertigten?

[52] H. Schlier, Galater, 267.

[53] R. Bultmann: ZNW 23 (1924) 135.

[54] Vgl. H. Windisch: ZNW 23 (1924) 269. Gegenüber Bultmann betont Windisch die „Wahrnehmbarkeit der καινότης ζωῆς" als einen „charakteristischen Zug in der paulinischen Lehre vom Christen" (273).

[55] Vgl. O. Kuss, Römer, 402f; G. Schrenk: ThWNT II 213: „Es ist ... die δικαιοσύνη, die in den Stand des ἁγιασμός einführt"; K. Stalder, Das Werk des Geistes, 210–238.

Unter den Gesichtspunkten, die durch diese Fragen aufgezeigt werden, legt sich im folgenden eine exegetische Behandlung der entsprechenden Aussagen in Rö 6 nahe [56].

§ 28. Der neue Lebenswandel nach Rö 6

Der Begriff des „neuen Lebens" (Rö 6, 4 καινότης ζωῆς) taucht in Rö 6 nicht überraschend auf. In Kapitel 5 wird mehrfach vom „Leben" gesprochen, um das eschatologische Heilsgut zu charakterisieren. Durch den Begriff des „Lebens" interpretiert Paulus das Heil, das er in Rö 3–4 und auch in Rö 5 (vgl. V. 1. 9. 17–19) als Rechtfertigungsgeschehen beschreibt. Die im Heilshandeln Gottes in Christus geschenkte Gabe ist das „Leben Christi" (5, 10), das Leben, in dem die Gerechtfertigten „herrschen werden" (5, 17) und das „ewige Leben" (5, 21). Die an Christus Glaubenden nehmen daran teil. Der Rechtfertigungsakt Gottes erweist seine Kraft im Leben und als „Leben" der Glaubenden, was durch die einmalige Verbindung εἰς δικαίωσιν ζωῆς in Rö 5, 18 ausgedrückt wird [57].

Aus den genannten Stellen geht hervor, daß sich die eschatologische Heilsgabe, die Paulus hier mit „Leben" bezeichnet, in die Zukunft des Glaubenden erstreckt. Nichtsdestoweniger erscheint sie als eine gegenwärtige Realität, die zugleich „Geschenk und Aufgabe" [58] ist, wie in Rö 6, 4 klar gesagt wird: „So laßt auch uns im neuen Leben wandeln". Es ist ein Leben „mit Christus" (Rö 6, 8), ein Leben „für Gott" (Rö 6, 11; Gal 2, 19). Wie sich der „neue Lebenswandel" der Getauften und Glaubenden im Rechtfertigungshandeln Gottes begründet und wie umgekehrt sich das von Gott gewirkte Rechtfertigungsgeschehen im Vollzug des „neuen Lebens" vergegenwärtigt, führt Paulus besonders in Rö 6, 12–23 aus.

Der Abschnitt Rö 6, 12–23 hängt mit dem vorhergehenden 6, 1–11 [59], und das ganze Kapitel 6 wiederum mit dem vorhergehenden Kapitel 5 aufs engste zusammen. Das wird einmal durch die durchgehende Verwendung des Begriffs „Leben" deutlich, sodann

[56] Die grundlegende Bedeutung von Rö 6 für das „ethische" Problem der Rechtfertigung betonen G. Schrenk: ThWNT II 213; R. Bultmann, Theologie, 334; H. D. Wendland, Mitte, 39; G. Bornkamm, Taufe und neues Leben, 34ff; R. Schnackenburg, Sittliche Botschaft, 217; O. Kuss, Römer, 396–432; P. Althaus, Römer, 57–59; K. Stalder, Das Werk des Geistes, 215–232.

[57] Vgl. E. Kühl, Römer, 188: „Rechtfertigung und Leben sind bei Paulus Korrelatbegriffe; daher kann ζωῆς attributiv an δικαίωσιν angeschlossen werden". Vgl. auch G. Schrenk: ThWNT II 228.

[58] W. Gutbrod, Die paulinische Anthropologie, 1934, 205–220. Vgl. A. Kirchgässner, Erlösung und Sünde, 148: „Insbesondere der Lebensbegriff bietet den Schlüssel zur Ethik. Leben bzw. Sein ist für Paulus nichts unbewegt Ruhendes, sondern ist wesentlich Handeln".

[59] Vgl. S. 233–236.

aber auch durch die im Anschluß an Kapitel 5 sich ergebende Frage: Wenn wir nun unter der sieghaften Herrschaft der Gnade stehen, die um so mächtiger erscheint, je größer die Sünde ist (vgl. 5, 15. 17. 20), ist es da nicht konsequent zu sagen: „Laßt uns in der Sünde bleiben, damit die Gnade sich mehre" (6, 1)[60]?

Dieser Gedanke ist wohl nicht nur eine logische Konstruktion, die als solche eine rhetorische Überleitungsfunktion hätte[61]. Ob der Satz Paulus vorwerfen will, Antinomist und Libertinist zu sein[62], läßt sich nicht ohne weiteres entscheiden. Schon in Rö 3, 8 wandte sich Paulus gegen dieselbe Vorstellung, und in Rö 6 beeinflußt sie den Gedankengang des Apostels stärker, was schon daraus ersichtlich wird, daß er in V. 15 die gleiche Frage noch einmal stellt und der Gegensatz Sünde – Gnade im ganzen Kapitel eine durchgehende Rolle spielt. Jedenfalls scheint Paulus damit zu rechnen, daß man aus seiner Gnadenlehre falsche Konsequenzen ziehen könnte[63].

Der Fragesteller von Rö 6, 1 mißversteht das paulinische Wort vom Herrschaftswechsel als eine ständig sich wiederholende Dialektik von Sünde und Gnade: Mehr Sünde bedeutet mehr Gnade[64]. Hiernach erscheint der Mensch gar nicht als wirklich Erlöster, sondern nur als erlösungsbedürftiger Sünder, der die Gnade zwar annimmt, sie aber nicht zur bestimmenden Macht seines Lebens werden läßt. Er bleibt in der Sünde unter dem Vorwand, hierdurch das Übermaß der Gnade voll werden zu lassen. Dieser Einwand entsteht im Munde eines Christen, der zwar dem heilsgeschichtlichen Wechsel von Sünde und Gnade (vgl. Rö 5, 12–21) zustimmt, der die Konsequenz aus dieser Einsicht aber zur falschen Seite hin zieht und die Botschaft vom Heil zur unverbindlichen Theorie erklärt.

Demgegenüber weist Paulus darauf hin, daß die Konsequenz, die aus dem Herrschaftswechsel von Sünde und Gnade zu ziehen ist, schon festgelegt ist durch das Heilsgeschehen in der Taufe. Der Getaufte *ist* schon unter der Gnade, so daß er nun nicht mehr die Wahl hat, bei der Sünde zu „bleiben" oder zur Gnade überzugehen. Durch den Gedanken der Taufe, den Paulus in Rö 6, 3f einführt, verdeutlicht er seine Gnadenlehre. Die Taufe macht nämlich deut-

[60] Vgl. H. Schlier, Die Taufe, 47: „Der Fragende ist bewegt von der Überzeugung, daß es zwischen Sünde und Gnade im Weltgeschehen nur eine immerwährende Dialektik gibt und daß das Ende der Sünde durch die Gnade nur theoretisch angebrochen ist". Vgl. auch G. Bornkamm, Taufe und neues Leben, 37.

[61] Vgl. O. Kuss, Römer, 295.

[62] So E. Kühl, Römer, 201; Th. Zahn, Römer, 295; G. K. Barrett, Romans, 120f; C. H. Dodd, Romans, 84.

[63] Vgl. M.-J. Lagrange, Romains, 143: „L'objection n'est pas purement académique". Vgl. auch O. Michel, Römer, 153. C. H. Dodd, Romans, 84, erinnert hier an spätere historische Beispiele eines fanatischen Antinomismus wie die „Münster Anabaptists".

[64] Vgl. G. Bornkamm, Taufe und neues Leben, 36.

lich, daß die Erlösung des einzelnen Menschen von der Sünde (vgl. Rö 6, 7) auf Grund des Mitsterbens mit Christus eine unumstößliche Wirklichkeit ist[65], die jedoch nicht magisch, sondern als sakramentale Ermöglichung und Begründung eines neuen sittlichen Verhaltens, eben des „neuen Lebenswandels“ (V. 4) zu verstehen ist[66]. Was die Taufe bewirkt, ist in den Konsequenzen nicht zu unterscheiden von dem, was Paulus als Rechtfertigung beschreibt[67]. Jedoch weist das Heilsgeschehen, das Paulus Rechtfertigung nennt, eine andere Struktur auf als das bei der Taufe. Hier sei nur noch auf den Unterschied hingewiesen, der sich daraus ergibt, daß „Rechtfertigung“ mehr das universale Heilsgeschehen, das mit dem Christusereignis angebrochen ist, bezeichnet, während das Heilsgeschehen bei der Taufe unmittelbar dem einzelnen Getauften gilt. Dabei ist zu beachten, daß auch im Rechtfertigungsgeschehen der Aspekt des individuellen Heils nicht fehlt, sondern daß dieser gerade durch den Glaubensbegriff ausgedrückt wird. Da Taufe und Glaube zusammengehören, liegt der Einheitspunkt von Rechtfertigung und Taufe im paulinischen Glaubensbegriff[68].

Wenn die Taufvorstellung in die Rechtfertigungsbotschaft einbezogen wird, geschieht das somit zu einem bestimmten Zweck, der durch den Zusammenhang von Rö 5 mit Rö 6 und das mit ihm verbundene Problem der „Ethik“ angezeigt wird. Die Erinnerung an die Taufe in Rö 6, 3f soll den falschen Eindruck verhindern, daß die Rechtfertigung eine unverbindliche Theorie sei. Es scheint jedoch nicht erlaubt, Taufe und „Rechtfertigung“ auf Grund dieser Stelle zur Vorstellung einer „sakramentalen Rechtfertigung“ verschmolzen zu denken[69].

Das Thema von Rö 6 läßt sich somit unter dem Gegensatz von Sünde und Gnade begreifen. Es geht Paulus hierbei um die Unvereinbarkeit des „neuen Lebens“ mit der Sünde. Das „neue Leben“ bleibt nicht ein in der Taufe geschenkter ruhender „Besitz“, sondern es entfaltet seine innere Dynamik im dauernden Widerspruch zur Sünde.

In den V. 12–23 geht der Begriff des „neuen Lebenswandels“ über in den des „Gehorsams“. Obwohl inhaltlich mit beiden dasselbe ge-

65 Vgl. O. Michel, Römer, 148f; G. Bornkamm, Taufe und neues Leben, 37; R. Schnackenburg, Sittliche Botschaft, 216.

66 H. Windisch: ZNW 23 (1924) 268, weist darauf hin, daß dem Taufverständnis des Paulus das Schema des urchristlichen Taufritus zugrunde liege, das beides kenne, das Sakrament mit seiner realen Wirkung und die Paränese. Vgl. auch E. Dinkler: ZThK 49 (1952) 198.

67 Vgl. O. Michel, Römer, 153: „Paulus setzt voraus, daß der Gerechtfertigte (Röm 1–4) der Getaufte (Röm 6) ist“.

68 Vgl. S. 246f.

69 Vgl. H. Schlier, Galater, 90.

meint ist, nämlich die sittliche Konsequenz aus der Gnadenherrschaft, akzentuiert der Begriff des Gehorsams doch stärker, daß der Gerechtfertigte dem Rechtfertigungsgeschehen im ganzheitlichen Lebensvollzug zu entsprechen hat. Im Gehorsam folgt der Christ der Tendenz des „neuen Lebens" und widerspricht dem noch anhaltenden Anspruch der Sünde.

Daß die V. 12–23 dabei keinen inneren Gedankenfortschritt erkennen lassen [70], braucht nicht weiter zu verwundern. Paulus geht es jetzt nicht mehr um die Darstellung einzelner Elemente seiner Gnadenbotschaft, sondern er ist hiermit bei einer Konsequenz angelangt, die sich ihm aus der Rechtfertigung ergibt, und die er nun nur noch als solche aufzuweisen bemüht ist, ohne jedoch eine eindeutige Formel dafür zu finden [71].

In V. 12 zieht Paulus eine Schlußfolgerung (οὖν) [72] aus dem vorhergehenden Vers. Aus der Tatsache, daß die Christen „tot sind für die Sünde, aber leben für Gott in Christus Jesus" [73], ergibt sich „also", daß die Sünde nicht in ihrem „sterblichen Leibe herrschen soll". Die Formulierung dieses Gedankens als Forderung und nicht als einfache Aussage, wie man erwarten sollte, hat ihre Parallele in V. 4, wo Paulus ebenfalls die Heilsaussage unmittelbar in eine sittliche Aufforderung übergehen läßt. Der Imperativ durchkreuzt in Kapitel 6 ständig den Indikativ der Heilsaussage. In V. 12 hat der Imperativ genauer die Form der Warnung. Paulus warnt vor der Herrschaft der Sünde.

Diese Feststellung ist bedeutsam, da Paulus nach Rö 5, 21 die Herrschaft der Sünde für vergangen und damit für überwunden und nach Rö 6, 2. 6f. 11 infolge der Taufe den Anspruch der Sünde an die Getauften für abgetan erklärt. In V. 12 ist also einerseits vorausgesetzt, daß kein Anspruch der Sünde an die Christen besteht, denn sie sind der Sünde gestorben, andrerseits aber auch, daß die gegenwärtige Situation der Christen Anlaß gibt, vor der Herrschaft der Sünde zu warnen [74]. Und zwar kennzeichnet Paulus die Gefahrenstelle im Leben der Christen näher mit ἐν τῷ θνητῷ ὑμῶν σώματι.

[70] Vgl. besonders A. Jülicher, Römer, 264; H. Lietzmann, Römer, 71; hierzu weiter A. Nygren, Römer, 191; O. Kuss, Römer, 395.

[71] Das gilt besonders für den zweiten Teil des Abschnitts, 6, 15–23. Vgl. H. W. Schmidt, Römer, 114: „Paulus verteidigt seine eigene Erkenntnis jetzt weniger mit theoretischen Argumenten als mit einem leidenschaftlichen Aufruf zur sittlichen Entscheidung".

[72] Vgl. W. Bauer, Wörterbuch, 1175.

[73] „Das ist ... kein erreichter Zustand, sondern die Freigabe des Lebens, jetzt erst echte Bewegung" (G. Bornkamm, Taufe und neues Leben, in: Das Ende des Gesetzes, 34–50).

[74] Vgl. K. Stalder, Das Werk des Geistes, 216: „Die Sündenmacht ist wohl noch da. Sie kann, was die ‚technische' Möglichkeit betrifft, auch noch Eingang finden in eurem Leib".

Mit σῶμα bezeichnet Paulus die leibliche Existenz des Menschen, ohne diese hiermit von vornherein als eine sündige zu charakterisieren [75], die aber doch, wie diese Stelle deutlich zeigt, infolge der ihr eigenen Begierden [76] leicht zum Ansatzpunkt für die gottfeindliche Macht der Sünde werden kann [77]. Daß Paulus hier den Leib „sterblich" nennt, bringt nur um so stärker die Notwendigkeit zum Ausdruck, daß die ganze, durch die Sünde dem Tode verfallene menschliche Existenz in den Imperativ der Verwirklichung des neuen Lebens einzubeziehen ist [78].

Deutlicher noch als V. 12 drückt V. 13 den Imperativ als Forderung an die Glaubenden, Getauften aus. V. 13a nimmt noch einmal die Warnung von V. 12 auf, während V. 13b den Imperativ von V. 13a ins Positive wendet, wobei die Aufforderung zum positiven Verhalten in zwei parallel laufenden Halbsätzen formuliert wird. Die „negative" Aufforderung in V. 13a führt das Bild des Kriegsdienstes ein. Die Glieder, nämlich des „sterblichen Leibes" (V. 12) [79], werden als Waffen bezeichnet, die man als „Waffen der Ungerechtigkeit" [80] der Sünde zur Verfügung stellen kann, aber auch als „Waffen der Gerechtigkeit" für Gott (V. 13bβ). Da hier das Wort δικαιοσύνη gebraucht wird, sind manche Erklärer geneigt, dieses Wort und die ganze Wendung ὅπλα δικαιοσύνης im Sinne des paulinischen Rechtfertigungsbegriffs zu interpretieren [81]. Allerdings darf nicht übersehen werden, daß hier ὅπλα δικαιοσύνης als Gegensatz zu ὅπλα ἀδικίας steht und der Nachdruck der Aussage von V. 13 auf dem Gegensatz zweier Dienstverhältnisse ruht [82]. Bezeichnend ist die Charakterisierung der ἁμαρτία als Kriegsmacht wie auch als Herrschermacht (5, 21; 6, 12. 14). Durch die Gegenüberstellung τῇ ἁμαρτίᾳ (V. 13a) – τῷ θεῷ (V. 13b) wird deutlich, daß Paulus sich die Sünde nicht nur als persönliche Größe, sondern als den widergöttlichen Faktor schlechthin vorstellt [83]. Da der Glaubende, Getaufte nun grundsätz-

[75] Paulus vertritt keinen leibfeindlichen gnostischen Dualismus. Er sieht Leib und Geist vielmehr als eine Ganzheit, insofern sie sich im konkreten geschichtlichen Handeln des Menschen verkörpert. Als σῶμα ist der Mensch auch zur Auferstehung und Verherrlichung berufen (vgl. Rö 8, 23; 1 Kor 15, 44; Phil 3, 21).

[76] Vgl. Rö 8, 13: πράξεις τοῦ σώματος; Gal 5, 16f: ἐπιθυμίαν σαρκός.

[77] Vgl. S. 221. Vgl. auch E. Käsemann, Leib und Leib Christi, 122–125, und E. Schweizer: ThWNT VII 1059.

[78] Vgl. E. Gaugler, Römer I, 176.

[79] Man beachte die parallele Stellung von τὰ μέλη ὑμῶν und ἑαυτούς in V. 13.

[80] Ὅπλα ἀδικίας ist Genitiv der Eigenschaft. Vgl. Blaß-Debr. § 165. – Zur Bedeutung von ἀδικία vgl. M.-J. Lagrange, Romains, 154: „le mot a été choisi, par opposition à δικαιοσύνη dans le sens vague du 1, 18".

[81] So z. B. K. Stalder, Das Werk des Geistes, 189 u. 217.

[82] Zum Gegensatz ἀδικία – δικαιοσύνη siehe S. 25–28.

[83] An dieser Stelle wird besonders deutlich, daß der Begriff des Paulus von der Sünde an der Zwei-Mächte-Vorstellung geschult ist, die K. G. Kuhn: ZThK 49 (1952) 212, für die Sekte von Qumran nachgewiesen hat. Kuhn lehnt mit

lich in den Bereich der „Gerechtigkeit Gottes" versetzt ist, „in Christus" ist, vom Tode zum Leben gelangte (ὡσεὶ ἐκ νεκρῶν ζῶντας)[84] und so auf seiten Gottes steht, liegt im παραστήσατε[85] eine Konsequenz, die er nun selbst ziehen muß.

Mit dem Verb παριστάναι wird der Vollzug einer Selbsthingabe angedeutet, die der Christ nach Rö 12, 1 Gott gegenüber als „lebendiges Opfer" zu leisten hat[86]. Wer sich Gott zur Verfügung stellt, verzichtet darauf, selbst eigenmächtig über sich zu verfügen. In diesem Sinne bedeutet die neue „Theonomie" des Christen den Abbau der „Autonomie".

V. 14 begründet (γάρ) noch einmal den Imperativ der V. 12 und 13. Der erste Halbvers nimmt den Gedanken von V. 12 wieder auf. Jedoch steht hier an Stelle des Imperativs das Futur (κυριεύσει) zur Bezeichnung der „gewissen Zusage"[87], die dem Glaubenden, Getauften gegeben ist. Sie hat selbst wiederum[88] ihren Grund – und damit zeigt sich die eigentliche Tiefe der Begründung, die V. 14 bietet – in der Herrschaft der Gnade, die hier zwar nicht der Sünde, aber dem Gesetz gegenübergestellt wird. Dem Gesetz kommt ja für die Realisierung und Konkretisierung der Sünde im Menschen wesentliche Bedeutung zu, wie Paulus in Rö 5, 20f schon andeutete und in 7, 7ff weiter ausführen wird.
Damit kommt Paulus am Ende des Abschnitts Rö 6, 11–14 bzw. 6, 1–14 auf den Gedanken von 5, 21 zurück: Durch Jesus Christus hat ein Herrschaftswechsel stattgefunden von der Sünde zur Gnade. Dieser Herrschaftswechsel äußert sich im Leben des Glaubenden als Veränderung seines Dienstverhältnisses von der Sünde zu Gott. Von dem neuen Dienstverhältnis des Christen und seinem Gehorsam ist auch im zweiten Teil des Abschnitts, den V. 15–23, die Rede.

Recht die Ableitung der paulinischen Auffassung von der Sünde und vom Fleisch aus dem Hellenismus oder aus der Gnosis ab. Durch die Vorstellung von der Sünde als einer Macht ist jedoch der Gedanke der persönlichen Sünde des Menschen nicht ausgeschlossen. Beides geht bei Paulus ineinander über: Die einzelne Sündentat des Menschen stellt die Konkretion der den Menschen beherrschenden Sündenmacht dar, wie auch umgekehrt gilt, daß der sündigende Mensch unter die Macht der Sklavenhalterin ἁμαρτία gerät (vgl. Rö 6, 16f).

84 „Ὡσεὶ ist begründend" (E. Kühl, Römer, 210). – Diese ganze Wendung erinnert an die Realität (vgl. M.-J. Lagrange, Romains, 154) des in der Taufe Geschehenen. Vgl. O. Michel, Römer, 157.

85 „L'opposition du prés. παριστάνετε et de l'aor. παραστήσατε est voulue" (M.-J. Lagrange, Romains, 153). Der Aorist bezeichnet hier die Aufforderung zur Wiederholung einer Entscheidung, deren Grund in der Vergangenheit liegt. Vgl. auch V. 19.

86 Vgl. Ph. Seidensticker, Lebendiges Opfer, 257f.

87 E. Kühl, Römer, 210.

88 „Le premier γάρ n'est pas très expressif, mais le second donne bien la raison de cette espérance" (M.-J. Lagrange, Romains, 154).

Der Einwand von Rö 6, 1 erhält durch seine Wiederholung in 6, 15 eine neue, verschärfte Wendung.

Die Frage von Rö 6, 1, „Sollen wir bei der Sünde bleiben ...?" beantwortet Paulus mit dem Hinweis auf die Heilswirklichkeit, die mit der Taufe eingetreten ist. Die Getaufen sind tatsächlich „von der Sünde losgesprochen" (V. 7) und nun „unter der Gnade". Die erneute Fragestellung von V. 15 richtet sich nun auf den neuen Zustand „unter der Gnade". Der in V. 1 mehr theoretisch gehaltene Einwand erhält nun eine Wendung ins Praktische. Eröffnet die Gnadenherrschaft nicht auch eine neue Möglichkeit zum Sündigen, da der Christ doch nicht mehr unter dem Gesetz steht? Paulus schneidet diesen selbstgestellten Einwand ebenso scharf ab wie in V. 1f. Die Freiheit vom Gesetz bedeutet nicht die Freiheit von jedem Imperativ, und die Gnadenherrschaft führt nicht zum Sündigen – ein Widerspruch in sich. Aber Paulus formuliert dennoch so, um danach die Folgerichtigkeit des neuen Gehorsams auf Grund der Bindung an den neuen Dienstherrn um so schärfer hervortreten zu lassen. Nur in dieser Bindung und in dem Vollzug des Gehorsams, der sich daraus ergibt, entgeht der Christ der Versuchung zum Sündigen.

V. 16 erinnert an die allgemein bekannte[89] Regel, daß ein Sklavenverhältnis Gehorsam des Sklaven bedeutet. V. 16b wendet den Gedanken der unbedingten Bindung des Sklaven an seinen Herrn auf das Lebensverhältnis des Christen an, indem die Sünde und Gott als die beiden sich gegenseitig ausschließenden „Herren" vorgestellt werden. Allerdings wird Gott selbst als der der Sünde entgegenstehende Dienstherr nicht ausdrücklich genannt; der Gedanke an Gott ist aber im Rückblick auf die Gegenüberstellung in V. 13 sicher hier eingeschlossen.

Der ungewöhnliche Gegensatz in V. 16b, ἤτοι ἁμαρτίας ... ἢ ὑπακοῆς, erschwert das Verständnis des Verses[90]. Statt ὑπακοῆς sollte man eher θεοῦ oder δικαιοσύνης[91] erwarten, wie die Antithese in den beiden folgenden Versen es ausdrückt. Als Analogie zu der hier vorliegenden Formulierung bietet sich die paulinische Wendung ὑπακοὴ πίστεως[92] an, die ebenfalls nicht ganz eindeutig ist. Man wird ὑπακοή hier am besten, anders als im ersten Halbvers (δούλους εἰς ὑπακοήν), im Sinne dieser Analogie als Gehorsam verstehen, der den Glauben und, als Konsequenz des von Gott ermöglichten Glaubens, den ethischen Ge-

[89] O. Kuss, Römer, 386: „banal – unbestreitbar".

[90] Vgl. C. H. Dodd, Romans, 97. H. Lietzmann, Römer, 70, spricht von einem „stilistisch wenig glücklichen (wegen des vorhergehenden ὑπακοήν) Gegensatz" von ὑπακοῆς zu ἁμαρτία. Th. Zahn, Römer, 318, erklärt ἁμαρτίας und ὑπακοῆς als qualitative Genitive: „sündige Knechte" – „gehorsame Knechte". Jedoch ist ἁμαρτία hier als „Herrin" gekennzeichnet, außerdem spielt der von Zahn hervorgehobene Gegensatz keine Rolle im Zusammenhang. Noch anders H. Schlier, Die Taufe, 52f (gemeint sei mit dem zweiten ὑπακοή der Gehorsam Christi, entsprechend dem Gedanken in 5, 19).

[91] Vgl. J. Sickenberger, Römer, 222: „Genau formuliert müßte die Antithese lauten: ‚der Gerechtigkeit zum Leben' ".

[92] Rö 1, 5; 16, 26.

horsam zugleich umfaßt[93]. Jedenfalls, „Sklaven des Gehorsams zur Gerechtigkeit" ist und bleibt eine mißverständliche Formulierung.

W i e das neue Dienstverhältnis zu Gott bzw. zur Gerechtigkeit hergestellt wurde, daß es vor allem nicht auf Grund einer Wahl[94] der „Gehorchenden", wie das ἤτοι ... ἤ in V. 16b nahelegen könnte, zustande gekommen ist, führen die beiden folgenden Verse aus. Die Christen haben es ganz und gar Gott zu verdanken, daß sie aus dem alten Dienstverhältnis der Sünde herüberwechseln konnten in das neue. Freilich ist hiermit die Bekehrung des einzelnen Menschen nicht in ihrem Charakter als freie, vom Bekehrten selbst zu verantwortende Tat bestritten; im Gegenteil legt Paulus Wert darauf, festzustellen, daß sie „von Herzen" gehorsam geworden sind und daß sie s e l b s t „ihre Glieder bereitstellen" für den neuen Dienst. Hierin liegt aber kein Gegensatz zur Gnadentat Gottes ausgesprochen.

Schwierigkeit bereitet der Ausdruck τύπος διδαχῆς und εἰς ὃν παρεδόθητε. Dem Begriff τύπος liegt die Vorstellung „geprägtes und daher prägendes Bild"[95] zugrunde. In Anwendung auf die διδαχή (gen. appositionis) kennzeichnet τύπος diese als „prägende Norm"[96]. Da in Rö 6 das Taufmotiv eine wesentliche Rolle spielt, liegt es nahe, an einen Ausdruck für das Taufbekenntnis als „Vorstufe eines späteren Glaubenssymbols"[97] zu denken, dem man sich in der Taufe verpflichtet.

Eine weitere Bekräftigung der Aussage, daß das neue Gehorsamsverhältnis in der Heilstat Gottes selbst begründet ist, stellt V. 18 dar. Die beiden Passivformen ἐλευθερωθέντες und ἐδουλώθητε beschreiben die Heilstat Gottes näher als „Befreiung" des Menschen und „Versklavung" zugleich. Diese beiden Aussagen präzisieren gleichsam den Inhalt des „Lehrtypos" von V. 17[98] und stellen als solche besonders starke Motive des neuen Gehorsams dar.

[93] O. Michel, Römer, 159, deutet ὑπακοή auf den „Gehorsam der Getauften" und εἰς δικαιοσύνην auf den „eschatologischen Spruch Gottes" und folgert aus dieser Stelle, daß „ebenso wie die Rechtfertigungslehre auch die Tauflehre die Gerechtigkeit Gottes in sich schließt". Diese Verknüpfung läßt sich jedoch an der paulinischen Lehre von der δικαιοσύνη θεοῦ nicht verifizieren. Außerdem ist es nicht erforderlich, an dieser Stelle gerade an den „Gehorsam der G e t a u f t e n" zu erinnern. – O. Kuss, Römer, 387, sieht in der paulinischen Wendung eine Ermahnung zu dem aus dem Glauben kommenden Gehorsam, auf „daß es (!) zu Gerechtigkeit führt, zu dem gerechten Wandel ...". Diese Auslegung steht jedoch im Gegensatz zu der Fassung von δικαιοσύνη in V. 19f.

[94] Dazu besonders A. Nygren, Römer, 188f.

[95] L. Goppelt: ThWNT VIII 250.

[96] L. Goppelt: ThWNT VIII 251: „... prägende Norm ..., die das gesamte leibhafte Verhalten dessen gestaltet, der ihr ausgeliefert wurde und ihr deshalb gehorsam geworden ist".

[97] H. Schlier, Die Taufe, 53. So auch G. Bornkamm, Taufe und neues Leben, 48, und O. Kuss, Römer, 390.

[98] Vgl. E. Kühl, Römer, 218f.

Paulus spricht in den V. 16–18 von dem neuen Dienstverhältnis zur „Gerechtigkeit", dem der Gerechtfertigte im G e h o r s a m entspricht. In diesem Glauben tritt die ethische Bedeutung der Rechtfertigungsbotschaft zutage. Δικαιοσύνη bezeichnet in den V. 16 und 18 wie auch in den folgenden V. 19 und 20 nichts anderes als in den vorhergehenden Kapiteln des Römerbriefes. Daß der Mensch der „Gerechtigkeit" und zwar der „Gerechtigkeit Gottes" gegenüber gehorsam wird oder werden muß, sagt Paulus auch in Rö 10, 3. Die Verbindung von „Gerechtigkeit" und „Gehorsam" gibt also keine Veranlassung, in Rö 6 etwa den Begriff der „Heilsgerechtigkeit" durch den der „Lebensgerechtigkeit" zu ersetzen[99]. Die „Gerechtigkeit", die dem Menschen als eschatologische Gabe (vgl. Rö 5, 17) nun in der Rechtfertigung zuteil wird, ist die Gnade Gottes selbst. Sie hat ihre Herrschaft aufgerichtet; der Mensch ordnet sich ihr im Glauben unter und läßt sich nun von ihr in Dienst nehmen. Der Gehorsam, von dem in Rö 6 die Rede ist, entwickelt sich folgerichtig aus dem Glaubensgehorsam, dem die Rechtfertigung zuteil wird. Der Begriff des Gehorsams entspricht dem Gedanken, daß Gottes „Gnade durch die Gerechtigkeit herrscht" (Rö 5, 21). Im Gehorsam des Gerechtfertigten entfaltet sich die Macht der Gabe Gottes.

Es besteht also ein innerer Zusammenhang zwischen dem Glaubensgehorsam und dem sittlichen Gehorsam des Gerechtfertigten[100]. Er hat seinen Grund in der Einheit der „Gerechtigkeit", die dem Glaubenden geschenkt ist und zugleich ihre Macht im Lebensvollzug des Glaubenden darstellt und entfaltet. Die Imperative in Rö 6 aber erinnern den Christen daran, daß der Gehorsam nicht in sein Belieben gestellt ist, sondern einer Notwendigkeit entspricht, wenn anders er nicht wieder der alten Sündenmacht verfallen will. Der Imperativ entspricht der Situation des Christen in dem noch anhaltenden alten Äon[101].

V. 19–23 erklären und begründen (γάρ V. 19) erneut den Lebenswandel der Christen, wobei das Motiv der Versklavung unter die Gerechtigkeit durch das Heiligungsmotiv (V. 19 u. 22) verstärkt wird.

[99] Vgl. P. Feine, Theologie, 212 („aktive Gerechtigkeit"); G. Schrenk: ThWNT II 213f; O. Kuss, Römer, 128 u. 387, u. a. Anders A. Schlatter, Gottes Gerechtigkeit, 216f; K. Stalder, Das Werk des Geistes, 299f; O. Michel, Römer, 159: „Die Gerechtigkeit, die der Christ im Glauben empfängt, ist gleichzeitig die Gerechtigkeit, in deren Dienst er gestellt ist, aber auch das Ziel, zu dem er gerufen ist".

[100] Vgl. F. J. Leenhardt, Romains, 98 Anm. 2; A. Schlatter, Gottes Gerechtigkeit, 216f: „Die Entschlossenheit zum Gehorsam ist der Tatbestand, der den Glaubenden kennzeichnet".

[101] K. Stalder, Das Werk des Geistes, 224, scheint die Gesichtspunkte für die Begründung des Imperativs in Rö 6 zu übersehen, wenn er einseitig vom „Dürfen" und „Können" des Dienstes im neuen Leben spricht.

Zunächst verdeutlicht Paulus das Verhältnis zur Gerechtigkeit als der neuen Macht, die der Sündenmacht, in V. 19 durch ἀκαθαρσία und ἀνομία vertreten, gegenübersteht, wiederum mit dem Bilde der Sklaverei[102]. Auch hier wird der Imperativ klar durch παραστήσατε ausgesprochen und zwar wiederum, um das „neue Leben" abzuheben gegenüber der Sünde, die jetzt grundsätzlich der Vergangenheit angehört, wie V. 20 noch einmal sagt. Als „Ziel" des Sichbereitstellens im Dienste der Gerechtigkeit wird hier der ἁγιασμός genannt. Wenn dieses Wort das Ziel des neuen Lebenswandels ausdrücken soll, müßte man es mit „Heiligkeit" als Ausdruck der letzten und vollkommensten Hingabe des Lebens an Gott bzw. an die Gerechtigkeit wiedergeben[103]. Da ἁγιασμός aber ein Verbalsubstantiv[104] ist und das hierzu gehörige verbum actionis, ἁγιάζειν, das in dem Substantiv immer mitzuhören ist, die heiligende Tätigkeit Gottes bezeichnet[105], ist zunächst die aktive Bedeutung „Heiligung" als Wiedergabe zu erwägen. Die ethische Abzweckung des Begriffs ist hier durch den Zusammenhang, besonders durch den Gegensatz zu εἰς ἀνομίαν gegeben.

Jedoch geht der Begriffsinhalt nicht ganz in sittlicher „Selbstheiligung" des „Gerechtigkeitssklaven" auf. Immer ist in dem Begriff der Heiligung von seiner atl. Wurzel her auch der Gedanke der „Selbstheiligung" Gottes miteinzubeziehen[106]. Die von Paulus hervorgehobene praktische Intention der Heiligung Gottes ist jedoch die Heiligung der Gläubigen (vgl. 1 Thess 4, 3–8). Sie ist nicht das Ergebnis menschlicher Anstrengungen, sondern zunächst Sache Gottes,

[102] Vgl. H. Schlier, Die Taufe, 53: Die „neue Sklaverei" ist „doch nur im unzulänglichen Bild eine Sklaverei, in Wirklichkeit die Freiheit".

[103] So R. A. Lipsius, Römer, 121; R. Cornely, Ep. ad Romanos, 340; M.-J. Lagrange, Romains, 157; H. Schlier, Die Taufe, 54. Allerdings erscheint bei Schlier die Heiligkeit nicht als Tugend und als Ausdruck der erstrebten persönlichen Vollkommenheit (so Lagrange), sondern als immanentes Ziel der „konkreten Heiligung" (56).

[104] Vgl. E. Kühl, Römer, 221. Vgl. auch R. Asting, Heiligkeit, 215f; E. Gaugler, Die Heiligung in der Ethik des Apostels Paulus, in: Int. kirchl. Zeitschr. 15 (1925) 100–120, bes. 112f; ders., Die Heiligung im Zeugnis der Schrift, 1948, bes. 39–41; S. Djukanovic, Heiligkeit und Heiligung bei Paulus, 1939, eine Arbeit, die jedoch sehr stark von einer vielfach unsachlichen Polemik gegen die „römisch-katholische" Auffassung von „Rechtfertigung" und „Heiligung" bestimmt ist.

[105] Vgl. S. 243f. – Besonders E. Gaugler, Die Heiligung im Zeugnis der Schrift, 9, 29–31, betont den ekklesiologischen Aspekt des paulinischen Heiligungsbegriffs. Vgl. auch F. J. Leenhardt, Romains, 99.

[106] Darauf macht besonders K. Stalder, Das Werk des Geistes, 114f; 227f, aufmerksam, der allerdings zu schnell die atl. Aussage über die Selbstheiligung Gottes mit den paulinischen über das Rechtfertigungsgeschehen gleichsetzt (siehe bes. 198f).

die sich im Tode Christi zugunsten der Menschen ereignet hat und dem einzelnen in der Taufe zugewendet wird (vgl. 1 Kor 6, 11)[107]. Es ist also auch in Rö 6, 19 und 22 anzunehmen, daß Paulus mit dem Begriff ἁγιασμός sich auf das Geschehen bezieht, das er in V. 1–11 unter dem Leitthema der Taufe beschrieben hat. Die in der Taufe sakramental gewirkte Heiligung der Christen drängt nach der Darstellung im „neuen Lebenswandel". Dieser wird selbst in einem gewissen Sinne zur Heiligung der Getauften. So dient also am Ende von V. 19 εἰς ἁγιασμόν nicht zur Bezeichnung des Vollkommenheitsideals als Ziel des „neuen Lebenswandels", sondern es gibt die Entfaltung des in der Taufe mitgeteilten „neuen Lebens" im „Gehorsam" des Christen an. Nicht als ob das Heiligungswerk Gottes der Ergänzung durch das Werk des Menschen bedürfte[108], sondern Gott ist und bleibt durch sein Heilswerk in Christus der Urheber auch der ethischen Darstellung des „neuen Lebens", durch das die Christen geheiligt sind und weiterhin werden[109]. Da diese ethische „Darstellung" der Heiligung nicht zu trennen ist von ihrem sakramentalen Ursprung, bleibt die „Ethik" nicht nur dauernd im Heilswerk Gottes begründet, sondern geht sie umgekehrt auch in einem gewissen Sinne in das Heilswerk Gottes selbst mit ein[110]. Zugleich wird deutlich, daß die so verstandene paulinische Heilsaussage eine Parallele zur Rechtfertigungsaussage darstellt. Darum läßt sich für den Schluß von V. 19 feststellen: Die „Heiligung" unterstreicht und verstärkt die sittliche Konsequenz der Rechtfertigungsbotschaft[111].

Aus V. 21–23, die im wesentlichen im Bereich der Gedanken der vorhergehenden Verse bleiben, sei hier noch besonders die Heiligungsaussage in V. 22 herausgegriffen. Der Sklavendienst für Gott (hier statt „Gerechtigkeit" in V. 19) gereicht zur Frucht für die Christen εἰς ἁγιασμόν. Der hiermit gekennzeichneten Fruchtbarkeit des neuen

[107] „Das Ziel der Taufe ist eben die Heiligung" (O. Michel, Römer, 162). Michel sieht in dem Verhältnis von Taufe und Heiligung die Antinomie von Indikativ und Imperativ ausgedrückt. Jedoch ist zu beachten, daß im Begriff des ἁγιασμός selbst sowohl ein Indikativ wie auch ein Imperativ enthalten ist.

[108] Zu diesem Verständnis von „Selbstheiligung" der Christen könnte eine falsche Interpretation von 2 Kor 7, 1 (ἐπιτελοῦντες ἁγιωσύνην) verleiten. Siehe dagegen E. Gaugler, Die Heiligung im Zeugnis der Schrift, 40 und 46.

[109] Vgl. F. J. Leenhardt, Romains, 100: „Le croyant doit donc s'avancer dans la sanctification, pour réaliser la sainteté qui est déjà donnée en Christ Jésus"; vgl. auch H. W. Schmidt, Römer, 118.

[110] Vgl. G. Bornkamm, Taufe und neues Leben, 45: „Mit dem neuen Sein ist also das neue Handeln schon mitgesetzt".

[111] Manche bemerken, daß durch den Begriff der „Heiligung" der Gedanke eines fortschreitenden Geschehens im „neuen Leben" besonders betont werde, so Th. Zahn, Römer, 325 („ein allmählich fortschreitendes Erlebnis"); Sanday–Headlam, Romans, 169; S. Djukanovic, Heiligkeit und Heiligung, 151; P. Althaus, Römer, 60; vgl. auch Leenhardt (siehe Anmerkung 109).

Lebenswandels steht die nichtige „Fruchtbarkeit" des vergangenen Daseins unter der Sünde gegenüber. Das Wort καρπός darf nicht dazu verführen, an das Ende und die Vollendung des christlichen Lebens zu denken; das τέλος wird ja anschließend mit dem Begriff des „ewigen Lebens" angegeben. Die „Frucht" läßt vielmehr an die sich auswirkende Fruchtbarkeit des „neuen Lebens" denken [112], und diese zeigt sich in der Heiligung. Eigentlich könnte die Angabe εἰς ἁγιασμόν im Satz fehlen; sie ist von der Komposition des Gegensatzes her auch grammatisch nicht gefordert. Jedoch mag sie wiederum ihren Sinn als Verstärkung des Gedankens der Fruchtbarkeit des „neuen Lebens" haben, und das auch, wie schon in V. 19, in Parallele zum paulinischen Rechtfertigungsgedanken: Die „Heiligung" betont die zur Entfaltung und Darstellung drängende innere Dynamik des „neuen Lebens"; das „neue Leben" aber ist die Gabe Gottes in Rechtfertigung und Taufe. Mit dem Begriff der Heiligung bringt Paulus also in anderer Weise noch einmal den Imperativ, der in der Rechtfertigungsbotschaft begründet ist, zum Ausdruck.

Die am Ende von § 27 gestellten Fragen lassen sich somit folgendermaßen beantworten.

Dem Indikativ der Rechtfertigungsaussage in Rö 3–5 entspricht der Imperativ in Rö 6 in der Form der Aufforderung zum „neuen Lebenswandel" und, was dasselbe bedeutet, zum „Gehorsam" gegen Gott bzw. gegen die „Gerechtigkeit". Durch die Fragestellung von Rö 6, 1 wird deutlich, daß das der neuen Wirklichkeit des Gerechtfertigten gemäße sittliche Verhalten sich nicht von selbst aus der Rechtfertigung ergibt, sondern daß der Gerechtfertigte der Ermahnung bedarf, die neue Existenz, in die er so versetzt ist, zur Geltung kommen zu lassen. Jedoch hat der Imperativ der sittlichen Ermahnung nur Bedeutung im Zusammenhang mit dem Indikativ der Rechtfertigungsaussage als seiner Begründung.

Die Erinnerung an die Taufe (vgl. Rö 6, 3ff), die in die Rechtfertigungsaussage einbezogen ist, verstärkt die indikativische Heilsaussage in dem Sinne, daß das Heilsgeschehen bei der Taufe, das Paulus als Todes- und Lebensgemeinschaft mit Christus interpretiert, die Wirklichkeit der schon erfolgten Versetzung in die neue Existenz betont. Der Imperativ des neuen Lebenswandels ist in gleicher Weise im Indikativ der Taufaussage wie auch im Indikativ der Rechtfertigungsaussage begründet, ohne daß beide schlechthin zusammenfallen.

[112] Vgl. C. K. Barrett, Romans, 134: „Fruit here recalls Gal. V, 22f. The inward obedience of faith has visible exterior consequences". – E. Gaugler, Die Heiligung im Zeugnis der Schrift, 41, betont, daß die Heiligung nicht als Frucht unserer Tat, sondern des „Seine-Glieder-zur-Verfügung-Stellens" vorgestellt sei.

Durch die wiederholte und eindringliche Einschärfung des Imperativs in Rö 6, vor allem durch die eindringliche Warnung vor dem „Gehorsam“ gegen die Sünde (vgl. V. 2. 6. 12f), wird deutlich, daß die neue Existenz des Gerechtfertigten in dem noch anhaltenden alten Äon immerzu bedroht ist. Der Christ ist für Paulus nicht der Gerechtfertigte schlechthin, d. h. der Erlöste, Gerettete, Vollendete, sondern der Gerechtfertigte, der die Bedrohung seiner neuen Existenz durch die Sünde ernst nimmt und ihr nur dadurch entgeht, daß er sich dem Anspruch der von Gott geschenkten Wirklichkeit des neuen Lebens ständig im Gehorsam unterstellt.
Das viermalige παριστάνετε bzw. παραστήσατε (außerdem einmal παρεστήσατε) in Rö 6, 13–19 ist ein deutliches Zeichen für den Gehorsamscharakter der paulinischen „Ethik“. Die Tatsache, daß das gnadenhaft geschenkte neue Leben zugleich auch Inhalt des sittlich Geforderten ist, charakterisiert die eigentümliche Weise der eschatologischen Existenz des Gerechtfertigten.
Der Verdeutlichung der fortwährend zu erfüllenden Aufgabe des Christen, die darin besteht, die neue Existenz mit ganzer Hingabe an sie zu vollziehen, dient der Begriff der Heiligung im Zusammenhang mit dem der Rechtfertigung. Bei der Verhältnisbestimmung beider Begriffe sind Gesichtspunkte zu beachten, die im folgenden eigens erörtert werden sollen.

§ 29. Rechtfertigung und Heiligung

Die Frage nach dem Verhältnis von Rechtfertigung und Heiligung stellt sich in Rö 6 nicht als selbständiges und grundsätzliches Problem, sondern nur als ein Aspekt der umfassenden Frage nach der Bedeutung des sittlichen Verhaltens des Gerechtfertigten. Der Begriff der Heiligung dient in Rö 6, 19 und 22 zunächst nur der Verdeutlichung und Verstärkung des Imperativs, der das ganze Kapitel durchzieht und die ethische Verpflichtung des Christen einschärft. Gegenüber der Heiligungsaussage behält der Begriff der δικαιοσύνη in Rö 6 jedoch die dominierende Stellung, die er schon in den vorhergehenden Kapiteln des Römerbriefes eingenommen hatte. Die Einführung des Heiligungsbegriffs in den Rechtfertigungszusammenhang empfindet Paulus nicht als eigentliches Problem. Auch dem Nebeneinander von Rechtfertigungs- und Heiligungsaussage in 1 Kor 1, 30 und 6, 11 kommt keine grundsätzliche theologische Bedeutung zu. Beide Begriffe lassen sich also nicht so unmittelbar aufeinander beziehen, wie es eine neuzeitliche theologische Fragestellung will. Gleichwohl kann man, angeregt durch ein theologisches Problem unserer Zeit, die Begriffsinhalte von „Rechtfertigung“ und „Heiligung“, wie Paulus sie entwickelt, miteinander vergleichen und so zu einem besseren Verständnis der paulinischen Rechtfertigungsbotschaft gelangen.

Man muß sich freilich hüten, die neuzeitliche Problematik, die mit den beiden Begriffen „Rechtfertigung" und „Heiligung" verbunden wird, unversehens mit der Frage nach dem Verhältnis von „Rechtfertigung" und „Heiligung" bei Paulus gleichzusetzen. Die neuzeitliche Fragestellung ist dadurch veranlaßt, daß die bei Paulus als Einheit gedachte Gnade der Rechtfertigung „in zwei einander folgende Gaben" [113] zerlegt wird. Die Frage [114] nach dem Verhältnis beider „Gaben", die als „Rechtfertigung" und „Heiligung" voneinander unterschieden oder sogar getrennt werden, darf nicht ohne weiteres auf Paulus übertragen werden [115]. Es läßt sich allerdings wohl fragen, in welchem Verhältnis die moderne theologische Problematik von „Rechtfertigung und Heiligung", die ihren „Sitz im Leben" in der reformatorischen Lehre von der „Rechtfertigung des Sünders" hat [116], zur paulinischen Rechtfertigungsbotschaft und darin besonders zu dem Verhältnis von „Rechtfertigung" und „Heiligung" steht. Die Erarbeitung dieses Verhältnisses einer spezifisch neuzeitlichen theologischen Problematik zu einem bestimmten Sektor der paulinischen Theologie wäre die Aufgabe einer theologiegeschichtlichen Untersuchung, die den Rahmen dieser Arbeit sprengen würde [117]. Ohne auf die hier angeschnittene Problematik eine Antwort geben zu

[113] A. Schlatter, Gottes Gerechtigkeit, 221f.

[114] Diese Frage ist dogmengeschichtlich noch genauer zu fixieren, was jedoch nicht zur Aufgabe dieser Arbeit gehört. Hierzu vgl. E. Kinder: RGG ³V 834–840; W. Joest: LThK ²VII 1049f.

[115] Katholische Bibeltheologen haben sich stets gegen die Zerlegung des Rechtfertigungsgeschehens in „Rechtfertigung" und „Heiligung" ausgesprochen, nicht nur mit Rücksicht auf die Entscheidung des Tridentinums (Denz 799), sondern unter Berufung auf Paulus. Vgl. z. B. H. Th. Simar, Theologie, 202; M. Meinertz, Theologie II, 116; R. Schnackenburg, Sittliche Botschaft, 190. Diese Erkenntnis teilen aber auch evangelische Theologen wie z. B. W. Joest, Gesetz und Freiheit; ders.: KerDog 1 (1956) 275. Vgl. auch R. Bultmann, Theologie, 277.

[116] Vgl. A. Gyllenkrok, Rechtfertigung und Heiligung in der frühen evangelischen Theologie Luthers, 1952; W. Joest, Gesetz und Freiheit.

[117] Da das Rechtfertigungsverständnis der Reformatoren sich an Paulus, besonders am Römer- und Galaterbrief zu orientieren suchte, scheint die Rückfrage durchaus erlaubt: Wieweit spricht Paulus nicht nur von „Rechtfertigung", sondern auch von „Rechtfertigung und Heiligung". An bisherigen Veröffentlichungen zu dieser Frage sind besonders zu nennen E. F. K. Müller, Rechtfertigung und Heiligung, 1926; K. Barth, Rechtfertigung und Heiligung, in: Zwischen den Zeiten 5 (1927) 281–309; A. Köberle, Rechtfertigung und Heiligung, ³1930, sowie die Neufassung dieses Werkes: A. Köberle, Rechtfertigung, Glaube und neues Leben, 1965. Hier sind auch die beiden Aufsätze von A. Köberle, Rechtfertigung und Heiligung in den lutherischen Bekenntnisschriften, und von H. Küng, Rechtfertigung und Heiligung nach dem NT, beide in: Roesle–Cullmann, Begegnung der Christen (Studien evangelischer

wollen, sei im folgenden gezeigt, wie sich das Verhältnis beider Begriffe, „Rechtfertigung“ und „Heiligung“, bei Paulus darstellt.

Die bisherigen Ausführungen, besonders zu Rö 6 und 1 Kor 6, 11 [118], haben gezeigt, daß man „Rechtfertigung“ und „Heiligung“ nicht einander gegenüberstellen kann wie göttliches Heilshandeln und menschliche Verwirklichung [119]. Auch der Begriff der Heiligung bezeichnet das Werk Gottes [120] und zwar, wie die Triade δικαιοσύνη, ἁγιασμός und ἀπολύτρωσις 1 Kor 1, 30 zeigt, ohne einen von Paulus beabsichtigten Widerspruch zum Begriff der Rechtfertigung [121]. Das schließt allerdings nicht aus, daß der Begriff der Heiligung darüber hinaus die Aktivität des Menschen im Werk der Heiligung mit anspricht, ohne daß es dadurch zu einer selbstmächtigen Heiligung des Menschen neben oder gegenüber dem Werk Gottes kommt [122]. Daher erscheint der Begriff der Heiligung von vornherein stärker ethisch akzentuiert. Tatsächlich findet er sich bei Paulus vorzüglich in paränetischen Zusammenhängen.

In 1 Thess 4, 3–8 kommt das Wort ἁγιασμός dreimal vor. Es geht Paulus um die „Heiligung“ der Thessalonicher. Sie entspricht dem „Willen Gottes“ (V. 3). „Heiligung“ ist hier nicht die Selbstheiligung des Menschen aus eigenem Vermögen, sondern seine Heiligung durch Gott. Ἁγιασμός motiviert den in diesen Versen ausgesprochenen ethischen Appell. Seine Kraft erhält dieses Motiv dadurch, daß Paulus in V. 7 auf die göttliche Berufung zur Heiligung hinweist, wobei diese Berufung selbst als Anfang des Heiligungswerkes Gottes am Menschen zu verstehen ist, und in V. 8 zudem an den Geist Gottes als das innere Prinzip der Heiligung der Christen erinnert [123].

und katholischer Theologen), 1959, 235–249 und 249–270, zu erwähnen, die die oben angedeutete Frage jedoch nicht genetisch-theologiegeschichtlich behandeln, sondern je die Position der Reformationszeit und die des NT bezüglich dieser Frage zu bestimmen suchen.

[118] Vgl. S. 242–246.

[119] Dies zu betonen, ist das besondere Anliegen von K. Karner, Rechtfertigung, Sündenvergebung und neues Leben, in: ZsystTh 16 (1939) 548–561.

[120] Vgl. O. Kuss, Römer, 402; H. Küng, Rechtfertigung und Heiligung, 251.

[121] Vgl. H. D. Wendland, Korinther, 20; L. Cerfaux, Le Chrétien, 364 Anm. 1; K. Stalder, Das Werk des Geistes, 197. J. Dupont, La réconciliation dans la théologie de saint Paul, 1953, 38: „Nous n'entendons pas nier l'étroite connexion qui existe entre les deux thèmes que Paul rapproche spontanément. La distinction semble cependant suffisament maintenue: La justification apparaît essentiellement comme un idéal religieux pour les Juifs, tandis que la sanctification est principalement nécessaire pour les Gentils“.

[122] Vgl. R. Asting, Heiligkeit, 215.

[123] Vgl. B. Rigaux, S. Paul. Les Épîtres aux Thessaloniciens (Études Bibl.), 1956, 501f, 512f u. 515; M. Dibelius, An die Thessalonicher I–II. An die Philipper (Handbuch zum NT, 11), ³1937, 20ff: „Die Heiligung wird von den Christen verlangt, die schon Heilige sind“.

1 Thess 5, 23 (ὁ θεὸς ... ἁγιάσαι ὑμᾶς ὁλοτελεῖς) macht deutlich, daß auch die Fortführung der von Gott bewirkten anfänglichen Heiligung nicht nur eine Aufgabe des Menschen ist, der sich im Christenstand zu bewähren hat, sondern weiterhin Sache Gottes bleibt[124].

In diesem Sinne sind alle Stellen, an denen Paulus zum Wachstum „in der Liebe" (Phil 1, 9f) und zu weiteren Fortschritten der Christen (vgl. 1 Thess 4, 1) ermahnt, zu verstehen. Das Bemühen des Christen um Erfüllung des Willens Gottes und um Bewährung im erlangten Heilsstande ist umfangen von der Wirklichkeit des gnadenhaft mitgeteilten Heils, das seine innere Dynamik nun im Leben des Christen bestimmend zur Geltung bringt. In der ethischen Verwirklichung der Berufung durch Gott und des „neuen Lebens" kommt Gott zu seinem Ziel, nämlich dem Ziel der Heiligung. Freilich haftet dem Werk des Menschen jetzt nicht mehr der Charakter der „Gesetzeswerke" an, denn es nimmt teil an Gottes Werk und wird durch dieses freigesetzt.

Der paulinische Begriff der Heiligung drückt also nicht nur einen ethischen Imperativ aus, sondern einen Imperativ, der vom Indikativ des Heiligungswerkes Gottes getragen und gefordert wird. Ἁγιασμός ist das Werk Gottes und seines πνεῦμα[125]. Von „Selbstheiligung" des Menschen kann bei Paulus nur im uneigentlichen Sinne gesprochen werden, insofern er den Geist empfangen hat, sich vom Geiste treiben läßt und seinem Wirken zustimmt (vgl. 1 Thess 4, 8; Gal 3, 2. 5. 14; 5, 16. 18. 25; 2 Kor 1, 22; Rö 8, 4. 9. 14. 23). Da Christus „uns ... zur Heiligung geworden ist" (1 Kor 1, 30) und wir „in Christus sind" (ebd.), da unser Sein grundlegend vom Heilswerk Gottes bestimmt wird, ist die „Selbstheiligung" des Christen als Konsequenz aus dem Heilswerk Gottes möglich, die der Christ dadurch zieht, daß er sich ständig vom Willen Gottes bestimmen läßt.

Die Begriffe der Heiligung und der Rechtfertigung unterscheiden sich vor allem hinsichtlich ihrer andersartigen Struktur. Zwar ist in beiden Begriffen an Gott als den alleinigen Urheber des e i n e n Heilswerkes gedacht. Aber die verschiedene Herkunft beider Begriffe prägt auch noch ihre Aussageintention im NT.

[124] Vgl. B. Rigaux, Thessaloniciens, 595.

[125] Vgl. 1 Thess 5, 23; Rö 15, 16; 1 Kor 6, 11. – R. Asting, Heiligkeit, 193f; L. Cerfaux, Le Chrétien, 258–260. K. Stalder, Das Werk des Geistes, 430f, sieht im Begriff des Geistes den Grund der Einheit von „Rechtfertigung" und „Heiligung" bei Paulus. „Der Geist ist die Gegenwart der Rechtfertigung" (420), und „die Heiligung ist der Erweis der Wirklichkeit der Rechtfertigung" (169). Stalder betont hiermit richtig, daß die „Heiligung" nicht etwas Zweites n e b e n oder n a c h der „Rechtfertigung" ist. Stalder beachtet jedoch zu wenig die unterschiedliche Struktur beider Begriffe.

Der Begriff der Heiligung entstammt der atl.-kultischen Tradition [126]. Schon im AT erhält er einen starken ethischen Zug, der ihm auch im spätjüdischen Sprachgebrauch anhaftet [127].

Die kultische Heiligung (vgl. Ex 19, 10. 14f. 23; 28, 41; 29, 36f; Lev 17–26) ist nicht als Versuch einer menschlichen Selbstheiligung zu deuten; vielmehr entspricht das Volk im Vollzug seiner Heiligung dem Willen Jahwes. Die Heiligung des Volkes ist gleichsam ein Reflex der „Selbstheiligung" Jahwes (vgl. Ex 29, 42–46; Lev 22, 32f). Die Heiligkeit des Menschen ist im AT nicht zu denken ohne die Vorstellung von Gottes Herrschertum [128]. Sein Herrschaftsanspruch bezieht sich ganz einzigartig auf Grund des Bundesschlusses auf Israel, sein „heiliges Volk". „Wenn ihr nun auf meine Stimme hört und meinen Bund wahrt, sollt ihr mein Eigentum vor allen Völkern sein; denn mein ist die ganze Erde. Ihr aber sollt mir ein Königreich von Priestern und ein heiliges Volk sein" (Ex 19, 5f). Eine Analyse der hier vorliegenden Heiligkeitsaussage läßt zwei voneinander unterscheidbare, aber miteinander verbundene Vorstellungen erkennen. Erstens: Das Volk Israel wird ausgesondert aus allen Völkern. Dadurch ist es zu einem „heiligen" Volk bestimmt. Zweitens: Die Aussonderung ist begründet in der Willenskundgebung Gottes. Damit ist dieses Volk in einzigartiger Weise hingeordnet auf das, was am Sinai als Wille Gottes dem Volke kundwird.

Besonders durch die prophetische Läuterungspredigt wird die kultische Heiligung mehr zurückgedrängt und stattdessen die sittliche Erneuerung gefordert, da Israel sich weitgehend mit dem Kult als solchem begnügte und die über sich hinausweisende Funktion der kultischen Heiligung verkannte (vgl. bes. Os 4, 6; 5, 1–6; 14, 3; Am 2, 7; Is 1, 10–16; Jer 7, 3ff. 21–28).

K. Stalder [129] geht wohl zu weit, wenn er die atl. Heiligkeitsvorstellung ins NT hinein verlängert und im Heilsgeschehen bei Paulus wiederfindet: „Jesus Christus ist nichts anderes als die Offenbarung der Heiligkeit Gottes nach all ihren Aspekten". Die Heiligkeitsvorstellung des AT erscheint jedoch bei Paulus nicht ohne starke Brechung durch das Heilsgeschehen selbst.

Auch E. Gaugler [130] ist von einer weitgehenden Geltung der atl. Vorstellung bei Paulus überzeugt: „Die Verhältnisse liegen bei Paulus nur vermöge seiner Christologie und Pneumatologie, seiner ausgebauten Anthropologie und seines verfeinerten sittlichen Urteils anders".

[126] Zur Entwicklung des Begriffs „heilig" im AT vgl. Cremer–Kögel, Bibl.-theol. Wörterbuch, 40–52; O. Procksch: ThWNT 88–96; R. Asting, Heiligkeit, 17–35.

[127] Infolge der wachsenden Bedeutung des Gesetzes als maßgebende Instanz, die alle Lebensbezüge regelt, erhält die Heiligungspraxis des Spätjudentums immer mehr gesetzliche Züge. Vgl. G. F. Moore, Judaism II, 103–106; K. G. Kuhn: ThWNT I 97–101; Bousset–Gressmann 202; R. Asting, Heiligkeit, 34–71. Nach den Qumranschriften ist die Heiligkeit des Frommen „Heiligkeit und Reinheit des Verhaltens, nicht bloß die einer kultisch-rituellen Qualität" (H. Braun, Radikalismus I, 44). Vgl. F. Nötscher, Heiligkeit in den Qumranschriften, in: RevQum 2 (1959) 163–181; 315–344, bes. 328–332.

[128] Vgl. W. Eichrodt, Theologie I, 177.

[129] Das Werk des Geistes, 106.

[130] Int. kirchl. Zeitschr. 15 (1925) 105f.

Dagegen ist zu sagen, daß die einzelnen Aspekte der atl. Heiligkeitsvorstellung bei Paulus nur soweit sichtbar werden, als sie das Heilswerk Christi verständlich machen können und sollen. Diese grundsätzliche Begrenzung der atl. Heiligkeitsvorstellung bei Paulus sehen Stalder und Gaugler zu wenig [131].

„Rechtfertigung“ ist ein forensisch-eschatologischer Begriff. Da er bei Paulus eine zentrale theologische Bedeutung erhält, ist die mit ihm verbundene Heilsaussage viel stärker durchreflektiert als die mit dem Begriff der Heiligung ausgedrückte. Andrerseits tritt die ethische Anforderung an den Gerechtfertigten im Begriff der Rechtfertigung selbst nicht so offen zutage wie im Begriff der Heiligung. Paulus formuliert daher in Rö 6 die „ethische“ Konsequenz aus der „Rechtfertigung“ mit „Gehorsam“ oder – noch stärker die völlige Abhängigkeit betonend – mit „Sklavendienst gegenüber der Gerechtigkeit“, wobei er diesen Gedanken indikativisch („ihr seid versklavt“, V. 18) wie imperativisch („stellt jetzt eure Glieder zum Sklavendienst für die Gerechtigkeit bereit“, V. 19) ausdrückt.

Hier zeigen sich „Grenzen“ im Begriff der Rechtfertigung bei Paulus. Die von Gott geschenkte, in Christus begründete Heilswirklichkeit wird in diesem Begriff zwar umfassend ausgedrückt, aber die „ethische“ Konsequenz wird damit nicht sofort und in demselben Maße sichtbar [132]. Aus diesem Grunde nimmt Paulus andere Begriffe zur Hilfe, wie z. B. den „neuen Lebenswandel“, den „Gehorsam“ und die „Heiligung“. Hierdurch wird den Gerechtfertigten die Notwendigkeit eingeschärft, aus dem erlangten Heil der Rechtfertigung die Konsequenzen für das Leben zu ziehen. Diese liegen aber im Begriff der Rechtfertigung insofern bereit, als zur Annahme der

[131] Stalder erklärt daher auch zu schnell das „Rechtfertigungsgeschehen in Christus“ mit der „Selbstheiligung Gottes“ im AT identisch (198f). Der Grund dieser Identifizierung liegt für ihn darin, daß es sich in beiden Darstellungen um die „Selbstoffenbarung Gottes“ handle. Das läßt sich jedoch nur dann behaupten, wenn man eine heilsgeschichtliche Entwicklung vom AT zum NT annimmt und wenn man im voraus, noch bevor man Paulus befragt hat, schon von sich aus – etwa auf Grund eigener theologischer Überlegungen – weiß, was die „Selbstoffenbarung Gottes“ ist. Stalder erklärt diesen Begriff als „Selbsterschließung“ Gottes, zu dessen Wesen es gehöre, „daß er der sich so offenbarende ist“ (18), nämlich „in dem konkreten geschichtlichen Gang von Verheißung, Erfüllung und Vollendung“ (17). Diesen Begriff von Offenbarung trägt Stalder an Paulus heran und sucht ihn durch einige Briefstellen zu verifizieren. Vom Standpunkt des Paulus aus läßt sich jedoch weder von einer Offenbarungsgeschichte von AT u n d NT noch von einer als „Selbstoffenbarung“ verstandenen „Selbstheiligung Gottes“ sprechen. „Offenbarung“ sieht Paulus immer in enger Verbindung mit dem Christusereignis. Er versteht das Heilsgeschehen in Christus aber nicht einfach als die Verlängerung und die heilsgeschichtliche Erfüllung der atl. Ereignisse, sondern er betont gerade das Neue und Unvergleichliche des eschatologischen Christusereignisses.

[132] Das erkennt auch K. Stalder, a. a. O. 195, bei der Bestimmung des Verhältnisses von „Rechtfertigung“ und „Heiligung“ richtig.

Rechtfertigungsgabe im Glauben auch der Gehorsam des Glaubenden im umfassendsten Sinne gehört. Dieser Gehorsam als „ethische" Gestalt der Rechtfertigungswirklichkeit ist selbst jedoch nicht die Begründung der Rechtfertigung; vielmehr begründet die Rechtfertigung den Gehorsam.

Hiernach läßt sich das Verhältnis von „Rechtfertigung" und „Heiligung" folgendermaßen beschreiben:
Die Feststellung, daß der Rechtfertigungsbegriff bei Paulus in „ethischer" Hinsicht begrenzt ist, bedeutet nicht, daß die durch ihn angezeigte Rechtfertigungstat Gottes der Ergänzung durch das menschliche Werk bedürfe. Denn dadurch, daß Paulus Werke des Menschen als Begründung seines Heils radikal ausschließt, verneint er nicht etwa die Notwendigkeit eines bestimmten sittlichen Verhaltens des Gerechtfertigten; vielmehr ist dieses von der Gabe der Rechtfertigung selbst gefordert und ermöglicht. Das neue sittliche Verhalten des Gerechtfertigten hat den Charakter des Gehorsams. „Rechtfertigung" bezeichnet also nicht eine ergänzungsbedürftige Heilswirklichkeit, sondern die Versetzung des Menschen in einen Heilsstand, der bestimmte Konsequenzen fordert.
„Rechtfertigung" und „Heiligung" sind bei Paulus Parallelbegriffe [133]. Jedoch besteht zwischen beiden nicht das Verhältnis der Austauschbarkeit [134], noch das der Unvereinbarkeit [135]. Vielmehr kommt dem Begriff der Rechtfertigung bei Paulus die zentrale, führende Rolle zu. Der Begriff der Heiligung verdeutlicht den Erfolg des Rechtfertigungswerkes Gottes im Leben des Gerechtfertigten, das in einer Spannung zu seiner noch andauernden „fleischlichen" Existenz steht. Er liefert in Rö 6 eine zusätzliche Begründung und Verstärkung des Imperativs.
Der Begriff der Heiligung vermag neben dem der Rechtfertigung die Notwendigkeit der sittlichen „Bewährung" [136] des „neuen Lebens", das Paulus von der „Rechtfertigung" wie auch von der Taufe ableiten kann, zu begründen. Das „neue Leben" wird jedoch nur mit der Absage an die Sünde und im konkreten Gehorsam gegen Gott als den Ursprung des „neuen Lebens" ergriffen. In diesem Ergreifen und Gehorchen geschieht Heiligung. So läßt sich sagen, daß das ganze

[133] Vgl. E. Gaugler: Int. kirchl. Zeitschr. 15 (1925) 105f; ders., Die Heiligung im Zeugnis der Schrift, 31; ders., Römer I, 139f.

[134] Vgl. Cremer–Kögel, Bibeltheol. Wörterbuch, 58; R. Bultmann, Theologie, 272; W. Joest: KerDog 1 (1956) 275; J. Dupont, La réconciliation, 38.

[135] Hierin besteht einer der Fehler von H. Windisch: ZNW 23 (1924) 271 u. 280f, und seiner Vorgänger, das Nebeneinander verschiedener Komplexe in der paulinischen Theologie einfach hinzunehmen, ohne zu sehen, wie diese einzelnen Komplexe, etwa der „Sakramentslehre" und der „Heiligung", sich zur Rechtfertigung verhalten.

[136] Vgl. O. Kuss, Römer, 398; 402f.

6. Kapitel des Römerbriefes der Begründung der Heiligung dient und daß die Heiligung für Paulus der „Erweis der Wirklichkeit der Rechtfertigung“ [137], gleichsam ihre Lebensgestalt ist. In diesem Sinne läßt sich schließlich sogar sagen, daß es Paulus über die Rechtfertigung hinaus um die Heiligung geht, nicht als einen zweiten Akt nach der Rechtfertigung, sondern als Erweis der Kraft des von ihm verkündeten Heilswerkes (vgl. 1 Thess 4, 3–7; 5, 23; 1 Kor 6, 11; 7, 34; Gal 5, 13–26; Rö 6, 12–23; 12, 1–2). Die Briefe an die Römer und Galater betonen insbesondere die „Rechtfertigung“ als die bleibende Begründung der „Heiligung“. Dort aber, wo die „Rechtfertigung aus Glauben“ nicht mehr rein verkündigt wird, wo das Evangelium von der Gnade Gottes durch „falsche Brüder“ bedroht erscheint, ist die „Heiligung“ auch keine echte Heiligung mehr, in der Gottes Heilswirken entsprochen wird, sondern nichts anderes als ein selbstgefälliges Rühmen (vgl. Gal 6, 13).

§ 30. Zusammenfassung

Die Ausführungen über die „Ethik“ des Paulus haben gezeigt, daß der Begriff der Rechtfertigung für die Beschreibung des christlichen Daseinsverständnisses eine grundlegende Bedeutung hat. Diese Bedeutung besteht weniger darin, daß „Rechtfertigung“ den christlichen Daseinsvollzug bezeichnet, als vielmehr darin, daß dieser in der Rechtfertigung begründet ist. Hiermit treten der Aussagegehalt der paulinischen Rechtfertigungsbotschaft und seine Tragweite in einer bestimmten Hinsicht deutlicher in Erscheinung.

Wenn Paulus von der Rechtfertigung durch den Glauben spricht, sieht er den Menschen zunächst als den erlösungsbedürftigen Sünder, der von Gott aus Gnade gerechtgesprochen und dem damit eine neue Existenzgrundlage verschafft wird. Der Gerechtfertigte ist von der Sündenherrschaft befreit und in ein neues Dasein „unter der Gnade“ (Rö 6, 14) versetzt. Diese Aussage scheint jedoch im offenen Widerspruch zur konkreten Erscheinung des Gerechtfertigten zu stehen, da er auch als Gerechtfertigter noch sündigen kann und tatsächlich sündigt. Er ist also der Versuchung durch die Sünde nie so radikal entzogen, daß er schlechthin sündlos wäre. Man kann jedoch nicht umgekehrt sagen, daß Paulus den Gerechtfertigten noch als Sünder betrachtet. Sein Sündersein ist tatsächlich überwunden; es gehört der Vergangenheit an. Gleichwohl bleibt sein Dasein als gerechtfertigtes in einer gewissen Hinsicht noch mangelhaft. Dieser Mangel ist jedoch nicht in einer unzureichenden Weise des Rechtfertigungswirkens Gottes begründet, auch nicht in einer fehlerhaften

[137] Vgl. K. Stalder, Das Werk des Geistes, 192 u. 196.

Heilsaneignung durch den Glauben, sondern in der noch anhaltenden Einwirkung der schon entmachteten Sünde auf den Gerechtfertigten. Hiermit hat sich der Gerechtfertigte nicht einfach abzufinden wie mit einem unabänderlichen Schicksal, sondern er hat die Bedrohung seines Heilsstandes ernst zu nehmen und ihr entgegenzuwirken. Positiv gewendet heißt das: Er hat die Heilswirklichkeit, in die er hineinversetzt wurde, durch seinen Gehorsam gegen den Anspruch der Gnade zur Geltung und zur wirksamen Entfaltung kommen zu lassen.

Christliches Dasein vollzieht sich also nicht darin, daß man rein passiv hinnimmt, was Gott wirkt[138]; sondern es vollzieht sich in der aktiven Bejahung der Gnade, in der vollen Anerkennung des Werkes Gottes, in einem Lebenswandel, durch den der Gerechtfertigte dem Evangelium entspricht (vgl. Phil 1, 27). Dieser Daseinsvollzug ist für den Gerechtfertigten nicht beliebig; er kann sich dem neuen Lebensstand gegenüber nie neutral verhalten, sondern er hat sich andauernd unter die bestimmende Macht der Gnade zu begeben. So erweist sich die Rechtfertigung als Leben (vgl. Rö 5, 18). Der Indikativ der Rechtfertigungsaussage hat seinen Wert also nur in Verbindung mit dem Imperativ der ganzheitlichen Beanspruchung des Gerechtfertigten. Die „Gerechtigkeitssklaverei" (Rö 6, 18f, vgl. 6, 22) liegt in der Konsequenz der „Gabe der Gerechtigkeit" (Rö 5, 17). Das Dienen des Gerechtfertigten entspricht der Herrschaft der Gnade (vgl. Rö 5, 21; 6, 14f). Ohne dieses Dienstverhältnis würde seine neue Existenz wirkungslos bleiben und zunichte werden.

Die Freiheit, die der Gerechtfertigte erlangt hat (vgl. Rö 6, 22), besteht nicht in einer eigenmächtigen Verfügung über sich selbst, sondern darin, daß der Mensch sich nun von Gott ergreifen und bestimmen läßt. Darin gelangt er zu seiner Selbstverwirklichung. Der Gerechtfertigte ist also nicht nur von Gott begnadet, beschenkt, sondern auch von ihm beansprucht. Ja, der Mensch würde die Heilsgabe verlieren, wenn er sich dem Anspruch Gottes entziehen würde[139]. So besteht die Rechtfertigung darin, daß der Mensch von der Sünde zum Gehorsam befreit ist, wobei das eine nicht ohne das andere gilt.

[138] Das wäre das Mißverständnis eines religiösen Quietismus, dem diejenigen zum Opfer fallen, die den Menschen für unfähig halten, auf Gottes Gnade entsprechend zu reagieren. K. Karner: ZsystTh 16 (1939) 548–561, scheint die im Begriff des „neuen Lebens" bei Paulus gemeinte Gabe in ihrem Charakter als Anforderung an den Menschen zu verkennen, wenn er sagt: „Das neue Leben ist keine Form einer vom Menschen geprägten Lebensführung, ist keine sittliche Forderung an den menschlichen Willen, sie ist eine vom Geist gewirkte tägliche Erneuerung ..." (560).

[139] Vgl. H. Preisker, Ethos, 64.

Durch die richtige Erfassung des Verhältnisses von Rechtfertigung und neuem Lebenswandel wird der Inhalt der paulinischen Rechtfertigungsbotschaft nach zwei Seiten hin vor Mißverständnissen gesichert und damit auch genauer definiert. Die eine Seite ist durch die forensisch-eschatologische Struktur der „Rechtfertigung" angezeigt, die andere durch den universalen Charakter des Rechtfertigungswirkens Gottes.

Rechtfertigung ist das eschatologische Heilshandeln Gottes, wodurch er den Menschen in ein neues Dasein versetzt. Da der Christ diese Wirklichkeit gegenüber den Widerständen seines konkreten Menschseins durchsetzen muß und ihr Anerkennung verschafft, indem er sich selbst ihr im Gehorsam unterstellt, entgeht die eschatologische Wirklichkeit, die Paulus Rechtfertigung nennt, dem Verdacht, eine rein idealistische Konstruktion zu sein. Der Gerechtfertigte macht im Vollzug seines im Glauben begründeten Gehorsams die Kraft, die in der geoffenbarten Gerechtigkeit Gottes liegt (vgl. Rö 1, 16f), nicht wahr, aber wahrnehmbar. Die Rechtfertigung begründet das Leben des Menschen, der ein Sünder ist, neu. Es ist sein Leben, das er nun als von Gott geschenkte Möglichkeit ergreift und verwirklicht. Indem er es immer wieder von neuem verwirklicht, wächst es ihm immer mehr zu. Diese mit der Gabe der Rechtfertigung geschenkte Möglichkeit des Wachsens und Sicherneuerns wird gut mit dem Begriff der Heiligung bezeichnet (vgl. Rö 6, 19. 22). Die Beachtung der Heiligungsaussage innerhalb der paulinischen Rechtfertigungsbotschaft vermag deutlich zu machen, wieweit bei Wahrung der unbedingten Gnadenhaftigkeit des Heils doch von einem aktiven Tun des Menschen im Heilswerk Gottes die Rede sein kann.

Da der Vollzug des Gehorsams Sache des einzelnen Gerechtfertigten ist, wird hiermit der von Paulus betonte universale Aspekt des Rechtfertigungsgeschehens zwar nicht eingeschränkt, aber doch näher bestimmt. Bezeichnend für diese Bedeutung des Gehorsams ist die Feststellung, daß die Adjektive πάντες (bzw. πᾶς) in Rö 1–5 und οἱ πολλοί besonders in Rö 5 häufig vorkommen, in Rö 6 aber gar nicht.

Das Rechtfertigungshandeln Gottes ist auf alle Menschen bezogen, denn „alle haben gesündigt" (Rö 3, 23). Es gelangt jedoch nur in denen zur Wirkung, die dem Heilswillen Gottes gehorsam werden, d. h. nach Rö 6, 3f, die sich taufen lassen und infolgedessen in einem „neuen Leben wandeln". In der Entsprechung von Gnade und Gehorsam kommt also das Heilswirken zu dem von ihm erstrebten Ziel, der Rettung des Menschen. Der universale Heilswille Gottes wie auch die allgemeine Erlösungsbedürftigkeit der Menschen bleiben bestehen. Doch ist von einem tatsächlichen Erfolg des Erlösungswirkens

Gottes nur insofern die Rede, als die Menschen sich von der Botschaft der Erlösung ansprechen lassen und der angebotenen Gnade untertan werden.

Hiermit kommt dem Gehorsam heilsentscheidende Bedeutung nicht *neben* der Gnade Gottes zu, sondern *innerhalb* dieser. Der Gehorsam des Christen kommt nicht additiv zur Gnade hinzu, sondern er ist die geschichtliche Gestalt, in der sich der Erfolg des Heilswirkens Gottes darstellt.

Da der Gehorsam des Gerechtfertigten zugleich auch immer eine Überwindung des „Gehorsams" gegen die Sünde ist (vgl. Rö 6, 12f), wird die Rechtfertigung dem einzelnen nie in unbedingter Gewißheit zuteil. Vielmehr bleibt die eigentliche rettende Kraft der Gerechtigkeit Gottes verborgen. Der Gehorsam des Gerechtfertigten hat selbst nicht den sieghaften Charakter der Gnade, sondern in ihm *beginnt* sich erst die Kraft des Heilswirkens Gottes durchzusetzen. Die vollendete Gestalt des „in Christus" schon erlangten Sieges über die Sünde wird auch von den Gerechtfertigten noch erwartet (vgl. Rö 8, 23f). Insofern ist auch der Gehorsam der Gerechtfertigten kein letztgültiges Kennzeichen für das schon erlangte Heil und für die erwartete Vollendung.

Für das Selbstverständnis des Christen sind die hier gemachten Ausführungen über Rechtfertigung und Gehorsam insofern von Bedeutung, als hiermit einerseits vermessene Heilssicherheit und andrerseits eine ängstlich besorgte Selbstheiligung des Christen zurückgewiesen werden. Die paulinische Botschaft von der Rechtfertigung macht deutlich, daß Gottes Heilswirken nicht des Menschen bedarf, daß es aber ohne den Gehorsam des Menschen nicht zu der ihm zukommenden Bedeutung gelangt [140].

[140] Im Lichte dieser Interpretation gewinnt die akzentuierte Position des Jakobusbriefes zur Rechtfertigungsfrage („... daß ein Mensch aus Werken gerechtfertigt wird und nicht aus Glauben allein", 2, 24) im Kontext des NT ihre Verständlichkeit. Vgl. hierzu besonders G. Eichholz, Glaube und Werk bei Paulus und Jakobus (Theol. Existenz N. F. 88), 1961, und W. Marxsen, Der „Frühkatholizismus" im NT (Bibl. Studien, 21), 1964, 22–38.

Schluß

§ 31. Der theologische Ort der „Rechtfertigung“ bei Paulus

Die Frage nach dem theologischen Ort der „Rechtfertigung“ bei Paulus dient der abschließenden Klärung des Bedeutungsgehaltes dieses Begriffs. In unserer Untersuchung sollte gezeigt werden, wie Paulus dazu kommt, das Heilshandeln Gottes als „Rechtfertigung“ zu bezeichnen, welche Deutung das Heilsgeschehen durch den Gebrauch der Rechtfertigungsterminologie bei ihm erfährt und welche Konsequenzen seine Interpretation für das christliche Selbstverständnis mit sich bringt. Dieses Thema wurde im engen Anschluß an die einschlägigen paulinischen Texte behandelt, d. h. es wurde versucht, mit historisch-exegetischer Methode die Aussageintention des Rechtfertigungsbegriffs bei Paulus zu erheben. Dabei wurde die Formel δικαιοσύνη θεοῦ als Ausdruck der Grundstruktur des von Paulus als Rechtfertigung gedeuteten Heilsgeschehens erklärt. Die Entfaltung der Einzelaspekte des Rechtfertigungsgeschehens ließ erkennen, daß es Paulus nicht nur um eine zeitbedingte Verteidigung seiner Missionsarbeit geht, sondern um die Wahrheit und unverfälschte Klarheit des Evangeliums Jesu Christi selbst, von dem er sich als sein Bote in Dienst genommen weiß.

Gerade um der δύναμις des Evangeliums Ausdruck und Nachdruck zu verschaffen (vgl. Rö 1, 16), kommt Paulus zu einer reichhaltigen theologischen Darstellung des Heilsgeschehens als Rechtfertigungsgeschehen. Die theologische Arbeit, die Paulus hierbei leistet, trägt vielfach – deutlich zu erkennen im Galaterbrief – den Charakter der Polemik an sich. Seine kämpferische Natur, aber auch die harte Auseinandersetzung, in die er verwickelt wird, lassen ihn nicht immer genau auf die historische Situation und den vielleicht auch vorhandenen guten Willen seiner Gegner schauen, sondern vor allem auf sein Anliegen, nämlich daß das Evangelium Jesu Christi und kein anderes als dieses verkündet werde. Gerade die Rechtfertigungslehre läßt die apologetische Tendenz seiner Theologie deutlich erkennen: Rechtfertigung nicht aus Werken des Gesetzes, sondern allein aus Glauben an Jesus Christus. Gleichwohl versteht Paulus seine These nicht nur als Lehre, deren Prinzipien er um jeden Preis zu verteidigen hat, sondern als gültigen Ausdruck des Evangeliums selbst. In der Rechtfertigungslehre stellt Paulus also seine Heilsbotschaft dar.

Der Rechtfertigungsbegriff erweist sich Paulus als hilfreich, um die Botschaft des Evangeliums als Anrede an die Menschen in einer bestimmten, diesen gemäßen Sprache zu formulieren. Wenn so der Rechtfertigungsbegriff von seinem besonderen Funktionswert her betrachtet wird, der ihm im Dienste des paulinischen Kerygmas zukommt, wird er vor einer isolierten, vereinseitigenden Beurteilung als Lehrbegriff und vielleicht auch als der paulinische Lehrbegriff schlechthin bewahrt.

1. Rechtfertigungsbegriff, Rechtfertigungslehre und Kerygma

Mit der Feststellung, daß der Rechtfertigungsbegriff bei Paulus im Dienste seiner Heilsbotschaft steht, ergibt sich die Frage, wieweit der Rechtfertigungsbegriff selbst in die Botschaft miteingeht und diese konstituiert.

Die Heilsbotschaft oder das Kerygma[1] ist in sich selbst nach Inhalt und Form zu unterscheiden. Die Form des Kerygmas ist Anrede an den Menschen. Sein Inhalt ist die Wahrheit, die sich in der Anrede der wahr-nehmenden Erkenntnis des Menschen mitteilt[2]. Dabei gehört es zum Wesen dieser Wahrheit, daß sie keine unverbindliche Mitteilung zuläßt, sondern immer nur als eine den Menschen in seiner ganzen Existenz betreffende Offenbarung zu verstehen ist[3].

Paulus spricht von einer ἀποκάλυψις im Evangelium (Rö 1, 17) und einer φανέρωσις, die dem Menschen „jetzt" zuteil wird und die er nur durch den Glauben erfährt (3, 21f) oder, wie es Rö 1, 17 heißt,

[1] Vgl. E. Molland, Das paulinische Euangelion. Das Wort und die Sache, 1934, 38–78, bes. 64f; G. Friedrich: ThWNT III 682–717; H. Schürmann: LThK ²VI 122–125; H. Ott: RGG ³III 1250–1254; R. Bultmann, Theologie, 90; 301f; 307–309; H. Schlier, Wort Gottes. Eine ntl. Besinnung (Rothenfelser Reihe, 4), 1958, bes. 35–52.

[2] P. Bormann, Die Heilswirksamkeit der Verkündigung nach dem Apostel Paulus. Ein Beitrag zur Theologie der Verkündigung (Konfessionskundliche und kontroverstheologische Studien, 14), 1965, 142f, betont mit Recht, daß „im Wort der apostolischen Verkündigung ... das mitteilende zum anredenden Wort" wird und daß in ihr „Mitteilung und Anrede eine Einheit" bilden, stellt diese Einheit aber doch wieder in Frage durch sein Verständnis von Mitteilung als „Bericht" von „wirklichen, historisch feststellbaren und darum auch von den Menschen und vor den Menschen zu bezeugenden Ereignissen" (144). Dieses Verständnis von Mitteilung belegt Bormann nicht mit paulinischen, sondern mit lukanischen Texten.

[3] D. Lührmann, Das Offenbarungsverständnis bei Paulus, 163, stellt mit Recht das Verständnis von „Offenbarung bei Paulus als ein in der Geschichtlichkeit des Menschen sich ereignendes Handeln Gottes" heraus, verkennt jedoch dabei den Offenbarungscharakter des Christusereignisses. Offenbarung, so meint Lührmann, könne nur die verkündigende Auslegung des vergangenen Christusereignisses genannt werden.

die „aus Glauben in den Glauben" führt. Gerade die letztgenannte Stelle aus Rö 1, 17 macht deutlich, daß die mitgeteilte, geoffenbarte Wahrheit aus einem bestimmten Glaubensverständnis (ἐκ πίστεως) herkommt und wiederum Glauben weckt und in den Glauben hineinführt. Die im Kerygma mitgeteilte, geoffenbarte Wahrheit ist also, schon bevor sie mitgeteilt, verkündet wird, eine auf einem bestimmten Glaubensverständnis beruhende und in einer diesem Glaubensverständnis gemäßen Sprache formulierte Wahrheit[4]. Der sprachliche Ausdruck der kerygmatischen Wahrheit ist in Rö 1, 17 und 3, 21 die δικαιοσύνη θεοῦ oder, wie wir in einem diese Formel auslegenden Sinne sagen, der Rechtfertigungsbegriff des Paulus[5].

Es besteht also kein Zweifel, daß die theologische Formel δικαιοσύνη θεοῦ letztlich einen kerygmatischen Sinn hat. Mit ihr wird der Mensch nicht nur über das, was sie bei Paulus aussagt, nämlich das eschatologische Heilshandeln Gottes, informiert, sondern er wird zu der Entscheidung herausgefordert, sich dem Anspruch des Kerygmas im Glauben zu stellen und sich damit vom Heilswirken Gottes ergreifen zu lassen. Daher ist es zu verstehen, daß Heilsbotschaft und Glaube, δικαιοσύνη θεοῦ und πίστις aufs engste miteinander verbunden sind.

Da das in theologischer Sprache fixierte Kerygma sich dem menschlichen Verstehensvorgang mitteilt und immer auch – bedingt durch die menschliche Sprache und das menschliche Denken – Mißdeutungen und Mißverständnissen ausgesetzt ist, kommt der weiteren theologischen Explikation des Kerygmas durch Paulus wesentliche Bedeutung für das richtige Verständnis der in ihm mitgeteilten Wahrheit zu. Paulus begnügt sich nicht damit, die als δικαιοσύνη θεοῦ formulierte Wahrheit des Kerygmas nur zu proklamieren, sondern er entfaltet sie in ihrem Bedeutungsgehalt. Das Ergebnis dieser theologischen Entwicklung könnte man die Rechtfertigungslehre des Paulus nennen, wenn das Wort „Lehre" nicht dazu verführte, ein

[4] Vgl. H. Schlier, Kerygma und Sophia. Zur ntl. Grundlegung des Dogmas, in: Die Zeit der Kirche, 206–232: „Dieser Offenbarungslogos ... trägt als authentischer Logos die Tendenz zur Formulierung in sich. Er ist von dem Geschehen her ein einheitlicher und deshalb auch zu einheitlicher Formulierung drängender Logos verschiedener und verschiedenartiger Zeugen und Zeugnisse. Er ist ein entfaltbarer Logos" (215).

[5] E. Molland, Das paulinische Euangelion, 62–65, sieht das Wesen der Rechtfertigungslehre zu einseitig in einer Doktrin, durch die Paulus die abrogatio legis zu begründen suche. Andrerseits bleibt das „Evangelium" nach Molland auf die grundlegende Verkündigung von Christus beschränkt. Demnach sei „die Rechtfertigungslehre nicht der Inhalt der Evangelienbotschaft, sondern deren theologische Konsequenz" (63). Molland beachtet nicht, daß der Inhalt der Evangelienbotschaft, der Botschaft von Christus, immer auch schon Theologie ist und daß umgekehrt die paulinische Theologie nicht ohne die kerygmatische Tendenz zu denken ist.

systematisch angelegtes Gefüge von theologischen Reflexionen anzunehmen, das sich als solches auch gegenüber anderen Lehrbegriffen und -komplexen einer ebenfalls systematisch verstandenen paulinischen Gesamttheologie abgrenzen ließe[6]. „Rechtfertigungslehre" wird die theologische Explikation der Botschaft von der δικαιοσύνη θεοῦ insofern mit Recht genannt, als sich in ihr ein einheitlicher, für sich zu betrachtender Denkvorgang des Theologen Paulus widerspiegelt. Die so verstandene „Rechtfertigungslehre" des Paulus stellt also einen bestimmten Ausschnitt aus seiner theologischen Denkbewegung dar, der danach betrachtet werden kann, ob er besonders charakteristisch für sein gesamtes theologisches Denken ist oder nicht.

Die mit Hilfe der Termini δικαιοσύνη, δικαιοῦν von Paulus entwickelte Rechtfertigungslehre, deren einzelne Elemente im Laufe dieser Arbeit aufgezeigt wurden, bewegt sich in einer bestimmten, von der Intention des Kerygmas selbst festgelegten Richtung. Dies hat zur Folge, daß die Rechtfertigungslehre des Paulus nicht nur eine theologische Lehre ist, sondern auch als Interpretation des Evangeliums selbst Kerygma ist. Paulus geht es also nicht so sehr um einen theologischen Lehrbegriff, den wir als Rechtfertigungsbegriff wiedergeben, sondern es geht ihm auch dort, wo er Theologie treibt, um die Verkündigung des Evangeliums. Daher ist mit gutem Recht eher von der Rechtfertigungs*botschaft* statt von der Rechtfertigungs*lehre* zu sprechen[7]. Um aber seine Rechtfertigungsbotschaft zu verstehen, kann man von ihrer theologischen Formulierung in der Rechtfertigungs*lehre* nicht absehen. Rechtfertigungstheologie und Rechtfertigungsbotschaft sind also nicht ohne weiteres zu trennen. Wer die Botschaft begreifen will, muß zunächst ihre theologische Verschlüsselung zu verstehen suchen. Dies ist eine exegetische Aufgabe, die in dieser Arbeit in Angriff genommen werden sollte.

Der Exeget hat es also nicht *unmittelbar* mit *dem* Kerygma oder *dem* Evangelium zu tun, sondern immer mit einem in einer bestimmten theologischen Sprache formulierten Kerygma und damit auch mit *dem* Kerygma als der verbindlichen, den Menschen angehenden Anrede Gottes, da diese ganz und gar in die menschliche Sprache und damit auch in die theologische Sprache eingegangen ist und deren letztgültige Verbindlichkeit konstituiert.

[6] Vgl. P. Feine, Theologie, 213: „Von einer eigentlichen Rechtfertigungs*lehre* kann man nicht sprechen".

[7] Vgl. H. Cremer, Rechtfertigungslehre, 329: Paulus „hat keine Lehre gepredigt; in diesem Sinne ist es falsch, von paulinischer Rechtfertigungs*lehre* zu reden". – Die Unterscheidung von Rechtfertigungs-Botschaft und Rechtfertigungs-Lehre stellt von der systematischen Theologie her auch G. Gloege, Die Rechtfertigungslehre als hermeneutische Kategorie, in: ThLZ 89 (1964) 161–176, hier 161f, heraus.

2. *Der umstrittene Ort der Rechtfertigungslehre in der paulinischen Theologie*

Um zu beurteilen, in welchem Maße die theologische Reflexion des Kerygmas in der Rechtfertigungslehre repräsentativ für die Theologie des Paulus überhaupt ist, muß der besondere Charakter seiner Theologie als Missionstheologie erkannt werden [8]. Sie wächst als theologische Denkbewegung an den Anforderungen der jeweiligen Situation, die die Verkündigung des Evangeliums mit sich bringt. Jedoch ist sie nicht schlechthin das Ergebnis der Missionssituation, sondern in ihrer Bewegung setzt sich der Ansatz fort, der in der „Offenbarung Jesu Christi" (Gal 1, 12; vgl. V. 16) begründet liegt.

Das „Ganze" der paulinischen Theologie ergibt sich also nicht allein aus einer Zusammenschau aller theologischen Äußerungen und Einzelelemente, die in den paulinischen Briefen enthalten sind, sondern von der Beobachtung der theologischen Bewegung her, die sich, von ihrem ersten Ansatz in der Christusoffenbarung ausgelöst, in den theologischen Formulierungen der Briefe niedergeschlagen und bestimmte Strukturlinien hinterlassen hat [9].

Dem Rechtfertigungsbegriff kommt bei Paulus eine Bedeutung zu, die dieser Begriff mit keinem anderen teilt. Das geht schon daraus hervor, daß die Verkündigung der „Rechtfertigung aus Glauben" das beherrschende Thema des Galater- und des Römerbriefes ist. Zudem zeigt das Vorkommen der Termini δικαιοσύνη / δικαιοῦσθαι und πίστις / πιστεύειν in den Briefen an die Korinther und die Philipper, vor allem 2 Kor 5, 21 und Phil 3, 9, daß der Gedanke an die Rechtfertigung auch dort in Paulus lebendig ist, wo er sich nicht so unmittelbar und in derselben Weise mit dem jüdischen Gesetzesstandpunkt zu befassen hat wie im Galater- und Römerbrief.

Jedoch würde ein rein statistischer Befund nicht genügen, um die Prävalenz und die tatsächliche zentrale Bedeutung des Rechtfertigungsbegriffs bei Paulus zu behaupten, wenn man nachweisen könnte, daß ein anderer begrifflicher Ausdruck seines Evangeliums geeigneter erscheint, die Ganzheit seiner Botschaft zur Sprache zu bringen und die Rechtfertigungslehre nur „zufällig" einen größeren Umfang in der paulinischen Begriffssprache hätte.

[8] Vgl. A. Oepke, Die Missionspredigt des Apostels Paulus. Eine biblisch-theologische und religionsgeschichtliche Untersuchung (Missionswissenschaftliche Forschungen, 2), 1920, 40–76.

[9] Vgl. R. Schnackenburg, Ntl. Theologie, 84–86; O. Kuss, Römer, 131: „Die Einheit der paulinischen Theologie besteht nicht vor allem in dem lückenlosen, logisch einwandfreien und durchsichtigen Zusammenhang ihrer Elemente, sondern zuerst und zuletzt in der Wirklichkeit Jesus Christus, die sie im lebendigen Verbundensein mit der Überlieferung immer wieder und immer neu auf mannigfache Weise in Worte und Begriffe zu fassen sucht".

In diesem Sinne haben vor allem W. Wrede und A. Schweitzer den zentralen Ort des Rechtfertigungsbegriffs in der paulinischen Theologie bestritten.

W. Wrede[10] sucht die Rechtfertigungslehre als die „Kampfeslehre des Paulus" zu erklären, die „nur aus seinem Lebenskampfe, aus seiner Auseinandersetzung mit dem Judentum und dem Judenchristentum verständlich und nur für diese gedacht" sei. Das die paulinische Theologie zusammenfassende und in ihrem Wesen bestimmende Element ist nach Wrede eine ganz „objektiv" gedachte Erlösung. Mit der Rechtfertigungslehre habe Paulus nur einen „theoretischen Kampf" geführt, um „die Mission ... von der Last der jüdischen Nationalbräuche" freizuhalten und „die Überlegenheit des christlichen Erlösungsgedankens über das Judentum" zu sichern[11]. Allerdings sagt Wrede nichts über den Zusammenhang von „Erlösungslehre" und „Kampfeslehre".

Gegenüber der Erklärung Wredes muß man fragen, was denn aus der „Kampfeslehre" wird, wenn die Kampfessituation vorüber ist, wenn also die Gesetzesfrage nicht mehr aktuell ist. Besagt „Rechtfertigung aus Glauben" nicht mehr als nur die Begründung der Freiheit vom Gesetz? Zweifellos ist zuzugeben, daß Paulus seine Rechtfertigungsbotschaft in der Auseinandersetzung mit dem Judentum bzw. dem Judenchristentum formuliert hat. Aber die in ihr formulierte These stellt einen wesentlichen Ausdruck des Evangeliums dar, auf den man nicht verzichten kann, wenn man nicht nur die historische Situation des Apostels Paulus, sondern auch den Inhalt des von ihm verkündeten Evangeliums verstehen will. Die von Wrede vorausgesetzte „Erlösungslehre"[12] muß angesichts der Differenziertheit des paulinischen Kerygmas als eine systematisierende Konstruktion erscheinen, die dem umfassenden Aussagegehalt des Rechtfertigungsbegriffs nicht gerecht wird[13].

Die These von W. Wrede kehrt bei A. Schweitzer[14] in abgewandelter Form wieder.

Auch Schweitzer sieht die Einheit der paulinischen Erlösungslehre durch die Rechtfertigungslehre gestört. Er nimmt „drei verschiedene Lehren von der Erlösung" an, die bei Paulus „nebeneinander" hergehen: „eine eschatologische, eine juridische und eine mystische"[15]. Während die eschatologische und mystische Erlösungslehre nun in einer „naturhaften Lehre von der Sündenver-

[10] Paulus, 72.
[11] A. a. O. 74.
[12] Vgl. A. Schweitzer, Geschichte der paulinischen Forschung, 130–134.
[13] Nach W. Wrede, Paulus, 100, hat die Kampfeslehre des Paulus in der Geschichte des Christentums dennoch „einen großen Ertrag hinterlassen. Sie hat eben die Wirkung gehabt, sich selber überflüssig zu machen, und das war nicht wenig".
[14] Mystik, 201–221.
[15] A. a. O. 25.

gebung"[16] ihre Einheit finden, erscheint die juridische Erlösungslehre, also die „Lehre von der Gerechtigkeit aus dem Glauben", als „ein Nebenkrater, der sich im Hauptkrater der Erlösungslehre der Mystik des Seins in Christo bildet"[17]. Die Rechtfertigungslehre hat nach Schweitzer also keine selbständige Bedeutung; sie ist etwas „Unvollständiges", das „Fragment einer Erlösungslehre"[18], deren vollständiger Ausdruck die „Gerechtigkeit auf Grund des Glaubens durch das Sein in Christo"[19] ist.

F. Buri[20] und H. J. Schoeps[21] stimmen der Erklärung Schweitzers zu. Schoeps sieht in der paulinischen Rechtfertigungslehre – „vom rabbinischen Gesetzesverständnis her geurteilt" – einen „zu Unrecht aus der übergeordneten Heiligungsbedeutung herausgelösten Teilaspekt des Gesetzes"[22].

Die genannten Erklärungen bestreiten die zentrale Bedeutung der Rechtfertigungsbotschaft, da sie in ihr kein positives Kerygma ausgedrückt finden, sondern nur eine negative Konsequenz, eben die Freiheit vom Gesetz, die sich letztlich aus einer bestimmten Erlösungsvorstellung des Apostels ergeben soll, nach Schweitzer aus der „eschatologisch-mystischen Erlösung". Daß der Rechtfertigungsbegriff selbst bei Paulus auch eschatologisch gedacht ist, wird dabei völlig verkannt. Das erklärt sich bei Schweitzer wohl dadurch, daß er die „eschatologische Denkweise" des Paulus rein religionsgeschichtlich nur als Gegensatz zur „hellenistischen Denkweise" verstehen kann[23], wobei er das Eschatologische einseitig in der „Naherwartung", also in einer apokalyptischen Vorstellung, gegeben sieht, und nicht in der Bestimmung des Menschen durch die Gegenwart des Eschaton.

Die Bestreitung der Mittelpunktstellung des Rechtfertigungsbegriffs im Gesamt der paulinischen Theologie war für viele überraschend, die die reformatorische Rechtfertigungslehre gerade dadurch besonders gesichert glaubten, daß sie sich in ihren wesentlichen Aussagen mit dem paulinischen „Lehrbegriff" deckte, und die gewohnt waren, nicht nur Paulus, sondern auch das ganze NT von der unbedingten Gültigkeit dieses Lehrbegriffs her auszulegen[24]. So haben

[16] A. a. O. 218.

[17] A. a. O. 220.

[18] A. a. O. 216. „Aber dieses Fragment einer Erlösungslehre ist das, was an der Lehre Pauli das Wirksamste wurde" (221).

[19] A. a. O. 202.

[20] Die Bedeutung der ntl. Eschatologie für die neuere protestantische Theologie, 1935, 155f.

[21] Paulus, 206; 216.

[22] A. a. O. 206. Vgl. hierzu auch K. H. Schelkle: ThRev 55 (1959) 225–227.

[23] Vgl. Mystik, VIII.

[24] W. Heitmüller, Luthers Stellung in der Religionsgeschichte des Christentums (Marburger akademische Reden, 38), 1917, 18f, erklärt das protestantische Unternehmen, zum Urchristentum zurückzukehren, deswegen für fragwürdig, da es das Urchristentum im Sinne einer einheitlichen geschlossenen Größe nie gegeben habe. Zudem bedeute das Anknüpfen Luthers bei Paulus nicht eine

sich auch Stimmen erhoben, die die Wandlungen im Gefüge der paulinischen und damit auch der reformatorischen Theologie beklagten.

So betonte E. von Dobschütz[25] gegenüber Wrede, daß die Rechtfertigungslehre „wesentlich zu dem Evangelium des Apostels" gehöre. „Sie ist nicht nur eine Kampfeslehre im judaistischen Streit, wenn sie auch in diesem stärker zur Geltung kommt" [26].

W. Grundmanns[27] und H. D. Wendlands[28] Apologien für die Rechtfertigungslehre waren von A. Schweitzers These ausgelöst. Beide Darstellungen unterscheiden sich jedoch dadurch, daß Grundmann mit Schweitzer ein Nebeneinander von Rechtfertigungslehre und Mystik annimmt, deren Einheitspunkt er in der paulinischen Gesetzesinterpretation begründet sieht[29], während Wendland die Rechtfertigungslehre als die „Mitte der paulinischen Botschaft" erklärt. Indem Wendland in der Eschatologie des Paulus den Schlüssel zum Verständnis seiner Rechtfertigungsbotschaft erkennt, verteidigt er nicht nur im Sinne der lutherischen Orthodoxie die Mittelpunktstellung des Rechtfertigungsbegriffs, sondern weist er auch auf einen Aspekt des Rechtfertigungsgeschehens bei Paulus hin, der für eine positive Beschreibung der Rechtfertigung wesentlich ist. Die Rechtfertigungslehre ist „angewandte oder anthropologische Eschatologie" [30].

Ohne auf die Positionen Wredes und Schweitzers einzugehen, hat A. Schlatter[31] die wesentliche Bedeutung der paulinischen Rechtfertigungslehre für die Theologie überhaupt betont. In den Augen Schweitzers[32] mußte er als ein „konservativer" Theologe erscheinen, der sich in den Bahnen einer überkommenen, „rein biblisch-theologischen Forschung" bewegt, obwohl er so „fortschrittlich" war, vom Standpunkt der paulinischen Lehre aus an der Rechtfertigungslehre Luthers gelegentlich[33] auch Kritik zu üben.

reine Wiederholung des historisch Früheren. „Luthers Rechtfertigungslehre ist nicht die paulinische" (19).

[25] Die Rechtfertigung bei Paulus, eine Rechtfertigung des Paulus, in: ThStKr 85 (1912) 38–67.

[26] A. a. O. 67.

[27] Gesetz, Rechtfertigung und Mystik bei Paulus, in: ZNW 32 (1933) 52–64.

[28] Mitte, 5–8. „Paulus kann alles Mögliche sein: Mystiker, Ekstatiker, Prophet, systematischer Eschatologe, nur Eines darf er nicht mehr sein: der Theologe der Rechtfertigung. Diese Auffassung ist geistes- und kirchengeschichtlich gesehen der notwendige Gegenschlag gegen die isolierte Rechtfertigungsauffassung der protestantischen Tradition" (7).

[29] In der Begründung der Freiheit vom Gesetz habe Paulus die Rechtfertigung und die Mystik des Seins in Christus zur Einheit werden lassen, was gerade an Stellen wie Rö 3, 24f; 5, 21; 6, 7; 7, 1–6; Gal 2, 19f und besonders 2 Kor 5, 14–21 deutlich werde.

[30] Vgl. H. D. Wendland, Mitte, 8. Hierzu zitiert Wendland folgenden Satz von R. Bultmann (Die Christologie des NT, in: Glauben und Verstehen. I, 261): „Sie expliziert, wie das menschliche Sein durch das Heilsereignis getroffen ist, und welches neue Verständnis der menschlichen Existenz mit ihm gegeben ist".

[31] Vgl. besonders seinen Römerbriefkommentar: Gottes Gerechtigkeit.

[32] Geschichte der paulinischen Forschung, 123.

[33] Siehe z. B. Gottes Gerechtigkeit, 37f.

G. Schrenk[34] sieht die bevorzugte Stellung der Rechtfertigungslehre vor allem darin begründet, daß Paulus sich in ihr nicht nur mit dem jüdischen Gesetzesstandpunkt befaßt, sondern daß er sich „zuerst vor seinem eigenen ehemaligen Denken rechtfertigen" mußte. In der „radikalen Klärung der Gesetzesfrage" gründe seine ganze Theologie.
Ähnlich argumentieren auch M. Dibelius und W. G. Kümmel[35]. Paulus spreche in der Rechtfertigungslehre aus persönlicher Erfahrung. „Es kann ... kein Zweifel sein, daß hier das Herz des Denkers Paulus am lebhaftesten schlägt, daß gerade hier die Mitte der paulinischen Verkündigung zu suchen ist".
E. Käsemann[36] weist auf den neuen Ansatz hin, den Bultmanns Interpretation der paulinischen Theologie gezeigt hat. Danach müßte die Rechtfertigungslehre des Paulus nicht statisch und als Beschreibung der seinshaften Beschaffenheit des Menschen aufgefaßt werden, sondern als Deutung der menschlichen Existenz in den der Anthropologie des Paulus gemäßeren Begriffen des geschichtlichen Verhältnisses des Menschen zu Gott, als Aussage über die „Aufrichtung der Herrschaft des Kyrios und die Äonenwende im Leben des einzelnen. Die Rechtfertigungslehre erscheint infolgedessen nicht mehr, wie Wrede und Schweitzer behaupteten, als ein Nebenkrater der paulinischen Theologie, sondern als ihr Zentrum" [37].

Da die Bestreitung wie auch die Verteidigung der zentralen Bedeutung des Rechtfertigungsbegriffs innerhalb der protestantischen Theologie verliefen und eine innerprotestantische theologische Problematik widerspiegelten, war eine Stellungnahme von katholischen Exegeten zu dem angeschnittenen Problem nicht ohne weiteres zu erwarten, zumal die katholische Exegese den paulinischen Rechtfertigungsbegriff in der Vergangenheit mit anderen theologischen und methodischen Voraussetzungen erklärte als die protestantische[38]. Jedoch sehen katholische Exegeten der neueren Zeit auch die Frage nach der Stellung des Rechtfertigungsbegriffs innerhalb der paulinischen Theologie und suchen sie durch Würdigung des positiven Gehaltes der Rechtfertigungsaussagen des Paulus und des Gesamtgefälles seiner theologischen Äußerungen zu beantworten[39].

Aus der Übersicht über die verschiedenen Positionen zur Frage nach dem theologischen Ort der Rechtfertigungslehre wird deutlich, daß

[34] ThWNT II 204f.
[35] Dibelius–Kümmel, Paulus, 104.
[36] ZThK 54 (1957) 12f.
[37] A. a. O. 13. Vgl. E. Käsemann: ZThK 58 (1961) 367–378.
[38] So wird in der Behandlung der Rechtfertigungslehre bei B. Bartmann der Versuch eines dogmatischen Ausgleichs zwischen Paulus und Jakobus bestimmend auch für seine Bewertung der paulinischen Rechtfertigungslehre. E. Tobac sieht von einer Behandlung der Frage nach dem theologischen Ort des Rechtfertigungsbegriffs ab, da dieser von vornherein auf Grund des Aufrisses seiner Darstellung, die sich eng an eine traditionelle Systematik anschließt, innerhalb der „Gnadenlehre" (vgl. a. a. O. 161–209) seinen Platz hat. Ähnlich auch bei M. Meinertz, Theologie II, 104f. Etwas unmotiviert erscheint dann noch einmal „Rechtfertigung und Glaube" (115–134) gesondert behandelt.
[39] Vgl. bes. O. Kuss, Römer, 129–131; R. Schnackenburg: LThK ²VIII 220–228 (Die paulinische Theologie); L. Cerfaux, Le Chrétien, 343–428.

es um die Frage geht, ob die Rechtfertigungslehre nur eine Nebenrolle im Ganzen einer mehrgleisig verlaufenden Erlösungslehre spielt oder ob ihr von ihrer Grundintention her der Platz in der Mitte der paulinischen Theologie zukommt. Im Folgenden soll gezeigt werden, daß die Rechtfertigungslehre des Paulus von ihrem theologischen Ansatz und den theologischen Strukturlinien her, die sich in ihr abzeichnen, die Mitte seiner Theologie ist; denn in ihr wird Jesus als der Christus, d. h. als das Heil der Menschen verkündet.

3. *Die Mitte der paulinischen Theologie*

Der theologische Ort des Rechtfertigungsbegriffs ist von der Aussageintention der paulinischen Hauptbriefe, vor allem des Römer- und Galaterbriefes aus zu bestimmen.

a) Der theologische Schwerpunkt in den Hauptbriefen

Wenn die beiden Korintherbriefe und der Philipperbrief auch nicht so eindeutig für die zentrale Bedeutung des Rechtfertigungsbegriffs sprechen, so bestätigen sie diese doch in zweifacher Weise:

1. Ihr theologischer Gehalt stellt keine so geschlossene Aussage wie die Rechtfertigungsbotschaft im Galater- und Römerbrief dar. Das liegt vor allem daran, daß sie mehr auf Einzelprobleme der angesprochenen Gemeinden eingehen. Die theologisch begründeten Antworten, die Paulus besonders im 1. Korintherbrief auf die Fragen der Gemeinde gibt, lassen aber dieselbe theologische Intention erkennen, die er auch in der geschlossenen Darlegung seiner Rechtfertigungsbotschaft vor allem im Römerbrief verfolgt. Auch im 1. Korintherbrief geht es ihm um die Überwindung der menschlichen καύχησις (vgl. 1 Kor 1, 29; 3, 21; 4, 7; 5, 6) durch das Wort von Jesus Christus, das er den Korinthern als den λόγος τοῦ σταυροῦ (vgl. 1 Kor 1, 18) vorstellt, der „denen, die gerettet werden, uns, Kraft Gottes ist“ [40].

[40] Die Parallele zu Rö 1, 16f ist hier greifbar. Vgl. H. Schlier, Kerygma und Sophia, 220f: „Die Gnosis der von Paulus gemeinten korinthischen Christen bezog sich durchaus auf Christus und setzte irgendeinen Glauben an ihn voraus. Sie entsprach darin der ‚Gerechtigkeit‘ etwa der Galater, die neben den ‚Werken des Gesetzes‘ auch auf Christus und einem Glauben beruhte“. Schlier sieht also im 1. Korintherbrief eine theologische Denkbewegung, die der der Rechtfertigungslehre gleichkommt. Vgl. auch U. Wilckens, Weisheit und Torheit. Eine exegetisch-religionsgeschichtliche Untersuchung zu 1 Kor 1 und 2 (Beitr. zur hist. Theol., 26), 1959, 222: „In der Tat entspricht 1 Kor 1f sachlich weitgehend der Erörterung über die Rechtfertigung im Röm. und Gal.“ Vgl. auch E. Jüngel, Paulus und Jesus, 30: „Wenn die καύχησις da ihr Ende hat, wo die Rechtfertigung aus Glauben zu Worte kommt, dann ist zu ver-

2. Besonders bezeichnend ist, daß Paulus auch gelegentlich den Rechtfertigungsbegriff verwendet, ohne von einem jüdischen oder judenchristlichen Gesetzesstandpunkt in den angesprochenen Gemeinden dazu veranlaßt zu werden, wie in 1 Kor 1, 30; 6, 11 und der theologisch bedeutsamen Stelle des 2. Korintherbriefes, 5, 17–21. Phil 3, 2–9 könnte im Hinblick auf eine Gefahr geschrieben sein, die der Gemeinde von Philippi in ähnlicher Weise drohte wie den Galatern. Der Rechtfertigungsbegriff scheint dem Apostel also seit dem Galaterbrief, den er wohl vor den beiden Korintherbriefen und dem Philipperbrief geschrieben hatte [41], so wichtig geworden zu sein, daß er ihn auch in theologischen Zusammenhängen verwendet, deren Inhalt nicht nur von der Auseinandersetzung mit dem Gesetzesstandpunkt bestimmt ist.

Die sehr polemisch klingenden Äußerungen des Apostels zur Rechtfertigungsfrage im Galaterbrief lassen klar erkennen, daß Paulus durch äußere Verhältnisse zur Formulierung seiner Rechtfertigungsthese veranlaßt worden ist. Dennoch ist sie nicht nur eine reine „Kampfeslehre", die nur vorübergehend Bedeutung hat.

Aus demselben Brief wird auch deutlich, wo der entscheidende Ansatz für die Rechtfertigungsthese des Paulus liegt. Es geht ihm um die Wahrheit des Evangeliums, das er verkündet (vgl. Gal 1, 6ff. 11; 2, 2. 5. 7. 14). Wesentlicher Inhalt des Evangeliums ist die unbedingte Gnadenhaftigkeit des Heils. Der Mensch kann sich selbst nicht retten, sondern er wird von Gott aus Gnade berufen (vgl. 1, 6. 15; 5, 13), an Kindes Statt angenommen (vgl. 4, 5–7; 3, 26) und mit dem πνεῦμα ausgestattet (vgl. 3, 2. 5. 14; 4, 6; 5, 5. 16–25). Um die Alleinwirksamkeit der Gnade Gottes zu sichern gegen das Mißverständnis eines zusätzlichen, zweiten Heilsprinzips (vgl. 5, 4), spricht Paulus den Inhalt seiner Heilsbotschaft in dem Satz aus, daß der Mensch nicht aus Werken des Gesetzes, sondern durch den Glauben an Jesus Christus gerechtfertigt wird (vgl. 2, 16f). Dieser Satz stellt nicht nur eine abwehrende Äußerung dar, sondern durch die Betonung des Glaubens als des von Gott gesetzten Heilsprinzips enthält er zugleich auch den Kern des Evangeliums, die „Sache", um die es geht, das allein in Jesus Christus begründete Heil. Das Glaubensprinzip ist die notwendige Konsequenz des Gnadenprinzips.

Paulus liegt also nicht nur an der Wahrheit des Evangeliums als solcher, auch nicht nur an der Überwindung des Gesetzes als Heilsprinzip, sondern an der Wirksamkeit der Heilsbotschaft, also letzten

muten, daß die Rechtfertigungslehre auch in den ebenfalls gegen die καύχησις gerichteten Abschnitt 1 Kor 1, 18–31 Thema ist".

[41] Vgl. A. Wikenhauser, Einleitung, 265–284; 308–312; W. Marxsen, Einleitung, 45–85.

Endes am Heil des Menschen. Das „Heil", die Rettung des Menschen sieht er im Christusereignis begründet. Der Glaube ordnet den heilsbedürftigen Menschen auf Christus hin, damit er von ihm sein Heil erwarte. Der Mensch wird „in Christus gerechtfertigt" (2, 17).

Hiermit läßt sich die Rechtfertigungslehre des Paulus als wesentlicher Ausdruck seiner Soteriologie bestimmen. Dabei erscheint die „Soteriologie" jedoch nicht als ein geschlossener Traktat, sondern als eine theologisch sich entfaltende Reflexion über die Wirksamkeit der Gnade, deren geschichtlicher Ursprung der Tod Jesu Christi ist.

Was Paulus im Galaterbrief unter „Rechtfertigung" versteht, ist also sowohl vom Ansatz seiner These als auch vom Bedeutungsgehalt der Rechtfertigungsbotschaft her wesentlich reichhaltiger, als diejenigen wahrhaben wollen, die den Rechtfertigungsbegriff nur als Ausdruck einer Kampfeslehre erklären.

Daß das Evangelium den Menschen als Kraft zur σωτηρία verkündet wird (vgl. Rö 1, 16), bestimmt auch den Tenor des Römerbriefes[42]. Indem Paulus das Evangelium unter dem Leitthema der Rechtfertigungsbotschaft zur Sprache bringt, zeigt er, daß der Rechtfertigungsbegriff der soteriologischen Ausrichtung seiner Botschaft besonders entspricht.

Wieweit auch hier die Verhältnisse in der Gemeinde, an die der Brief adressiert war, für die Formulierung des Rechtfertigungsgedankens bestimmend war, ist im einzelnen schwer zu entscheiden. Jedenfalls hat Paulus auch im Römerbrief das Problem, wie sich Judentum und Christentum, Synagoge und Kirche, zueinander verhalten, im Auge[43]. Hierin ist wiederum der unmittelbare Bezug der Rechtfertigungsbotschaft auf die Zeitsituation zu erkennen. Ähnlich wie im Galaterbrief, jedoch in der Sprache insgesamt ruhiger und ausgewogener, entfaltet Paulus den Inhalt des Evangeliums als Botschaft von der Gnade, die gerade dadurch wirksam wird, daß der Mensch sich im Glauben ganz auf sie stellt und damit die καύχησις, die die Werke begründen, fahren läßt (vgl. Rö 3, 27–30).

Daß die „Rechtfertigung" das Leitthema des ganzen Römerbriefes ist, wird dadurch nicht in Frage gestellt, daß von Rö 5 an manche Begriffe eingeführt werden, die das Sprachmaterial der Rechtfertigungsbotschaft zurückzudrängen scheinen. Besonders der Übergang zu Rö 6, die Entfaltung einer „Tauftheologie" in 6, 1–11 sowie die Begründung der „Ethik" in der Taufe erwecken den Eindruck, daß das Thema der Rechtfertigung hiermit verlassen werde, um in Rö 6–8

[42] Vgl. A. Viard, Le problème du salut dans l'Épître aux Romains, in: Revue des Sciences Philosophiques et Théologiques 47 (1963) 2–34; 373–397.

[43] Vgl. G. Harder, Der konkrete Anlaß des Römerbriefes, 24; W. Marxsen, Einleitung in das NT, 88–96.

ein neues Thema zu behandeln, das durch die Stichworte ζωή und πνεῦμα bezeichnet wird. Wie soll aber dieses neue Thema lauten? Wenn es ab Rö 6 um die ζωή und das πνεῦμα geht, so ist hiermit kein eigentlich neuer Inhalt des paulinischen Evangeliums angesprochen, der über das Rechtfertigungsgeschehen hinausführt. Denn daß Rechtfertigung ζωή ist, sagt Paulus ausdrücklich Rö 5, 18 und mit dem Zitat aus Hab 2, 4 in Rö 1, 17 (vgl. Gal 3, 11). Aus Rö 5, 5 und Gal 3, 2; 5, 5 geht aber hervor, daß das πνεῦμα die Gabe Gottes an die Glaubenden und Gerechtfertigten ist.

Auch für den zweiten Teil des Römerbriefes ist das Rechtfertigungsthema führend. Das scheint zunächst nur für die eine geschlossene Einheit bildenden Kapitel 9–11 einleuchtend zu sein. In den paränetischen Ausführungen von Rö 12–15 tritt der Rechtfertigungsbegriff verständlicherweise bis auf Rö 14, 17 ganz zurück. Aber gerade Rö 14, 17 ist ein Zeichen dafür, daß Paulus die Rechtfertigungsbotschaft nicht einfach vergessen hat, sondern sie vielmehr voraussetzt. Diese Stelle kann geradezu als die „theologische Mitte“ [44] der Kapitel 12–15 gelten. In ihr wird deutlich, daß der von Gott geschenkten Gerechtigkeit die Kraft zugeschrieben wird, das Gemeindeleben in seiner praktischen Entfaltung wesentlich zu bestimmen.

Ausschlaggebend für die zentrale Bedeutung des Rechtfertigungsbegriffs ist, daß er in den theologisch wichtigen Kapiteln Rö 1–11 führend bleibt und daß auch dort, wo er scheinbar zurücktritt und durch andere Begriffe ersetzt wird, nur sein ganzer, umfassender Bedeutungsgehalt dargestellt wird. Die besonders von Rö 5 an reichlicher verwendeten Termini χάρις, εἰρήνη, ἐλπίς, ἀγάπη, πνεῦμα, καταλλαγή, σωτηρία, ζωή, ἁγιασμός, δόξα, υἱοθεσία u. a. stehen nicht als selbständige Heilsaussagen n e b e n dem Begriff der Rechtfertigung, sondern sie entfalten und interpretieren den Bedeutungsgehalt der „Rechtfertigung“, dessen Intention Paulus in Rö 1–4 definiert hat, im Sinne der Rechtfertigungs b o t s c h a f t. Die Absicht einer interpretierenden Weiterführung seines Rechtfertigungsbegriffs geht deutlich aus Rö 5, 1 hervor: δικαιωθέντες οὖν ἐκ πίστεως εἰρήνην ἔχομεν ... Mit der Übergangspartikel οὖν zeigt Paulus an, daß das Folgende als Ergebnis aus dem Vorhergehenden zu verstehen ist. Rechtfertigung bedeutet, Frieden zu haben und den Zugang zur Gnade; sie besteht in der Liebe Gottes, die durch den hl. Geist in den Herzen der Gerechtfertigten ausgegossen ist (vgl. V. 5). Rechtfertigung ist die Aufhebung der Feindschaft gegen Gott, die Versöhnung durch den Tod Christi und damit die eschatologische Rettung (vgl. Rö

[44] E. Jüngel, Paulus und Jesus, 26 Anm. 1. Vgl. E. Kühl, Römer, 456: „Die Reihenfolge der Begriffe δικαιοσύνη, εἰρήνη, χαρὰ ἐν πνεύματι ἁγίῳ erinnert deutlich an 5, 1–5“. Vgl. auch O. Michel, Römer, 346 Anm. 3.

5, 10). All diese und die weiteren Aussagen drücken noch einmal das aus, worum es in der „Rechtfertigung" geht. Sie sind im eigentlichen Sinne Verdeutlichungen der Rechtfertigungsbotschaft, die den Inhalt der Botschaft unter einen anderen Gesichtspunkt stellen und so die Wirklichkeit der Rechtfertigung in ihrer ganzen Fülle erscheinen lassen.

Die Wahl der Begriffe, mit denen Paulus seine Botschaft ausrichtet, hängt freilich von ihrer Eignung für die apostolische Missionsarbeit und vor allem von ihrer Verständlichkeit ab. Der Rechtfertigungsbegriff ist zweifellos zunächst von ihm als Kampfbegriff gedacht und geprägt. Er hat sich aber vor allem im Römerbrief dem Apostel als außerordentlich geeignet erwiesen, die „Sache" des Evangeliums umfassend darzustellen. Paulus selbst relativiert jedoch seine für den Galater- und Römerbrief unbestrittene theologische Schlüsselfunktion[45] dadurch, daß er ohne weiteres andere verdeutlichende Aussageformen hinzunehmen kann. Hiermit wird der Unterschied von Rechtfertigungs*begriff* und Rechtfertigungs*botschaft* besonders deutlich. Denn es geht Paulus nicht um eine unveränderliche terminologische Fixierung der kerygmatischen Wahrheit im Rechtfertigungsbegriff, sondern um die Verkündigung der Rechtfertigung, die ihrem Aussagegehalt nach immer wieder in neuer Weise verständlich gemacht werden muß.

b) Die theologische Funktion des Rechtfertigungsbegriffs

Nachdem wir so zwischen der zentralen theologischen Funktion und einem unberechtigten Absolutheitsanspruch des Rechtfertigungsbegriffs unterschieden haben, läßt sich nun sein theologischer Ort von der Funktion aus, die ihm in der Verkündigung des Evangeliums bei Paulus zukommt, bestimmen. Die Rechtfertigungsbotschaft drückt in einer bestimmten Weise die Heilsintention des Evangeliums aus. Die Terminologie, die Paulus zur Formulierung der Rechtfertigungsbotschaft gebraucht, steht ganz im Dienst der Intention des Evangeliums. Sie hat also keinen eigenen, vom Inhalt des Evangeliums un-

[45] P. Althaus, Römer, 34, erhebt den Rechtfertigungsbegriff geradezu zur Bedeutung einer absoluten Geltung: „‚Rechtfertigung' hat unter allen diesen Ausdrücken als der sachlich schärfste die entscheidende Stelle bei Paulus und muß sie auch in der Kirche behalten. Denn dem Rechtfertigungsgedanken eignet die stärkste scheidende Macht". G. Gloege: ThLZ 89 (1964) 167, gibt dagegen von der systematischen Theologie her zu bedenken, daß der „Rechtfertigungslehre" kein Sonderrecht zukomme – „angesichts der exklusiven Schlüsselstellung, die für die Christenheit von vornherein Jesus Christus inne hat". Das bedeute jedoch nicht, daß sie belanglos werde. „Vielmehr wird gerade so ihre ‚enklitische' Bedeutsamkeit sichtbar: das in Jesus Christus zum Ziele kommende Wortgeschehen auszudrücken".

abhängigen Wert für Paulus. Sie gibt jedoch der Heilsintention des Evangeliums eine bestimmte Richtung und bringt sie so zum Sprechen. Die Aussagerichtung der Rechtfertigungsbotschaft wird dadurch erkennbar, daß Paulus mit seiner Rechtfertigungsaussage eine bestimmte Gegenposition treffen will, die er selbst in seinen Formulierungen genau festlegt, nämlich die Behauptung einer menschlichen Selbstgerechtigkeit, einer Rechtfertigung aus Werken des Gesetzes. Das Gegenüber zu dieser Behauptung verleiht der paulinischen Rechtfertigungsbotschaft Aktualitätscharakter in einer bestimmten Situation.

Das situationsbedingte Gegenüber bestimmt für sich noch nicht den theologischen Ort des Rechtfertigungsbegriffs bei Paulus.

Da Paulus jedoch hinter der von ihm bekämpften Gegenposition, also dem Gesetzesstandpunkt der Häretiker in Galatien und der Eigengerechtigkeit der Gesetzesfrommen in Rom mehr sieht als nur eine zeitgebundene, vorübergehende Krise, nämlich die wahre Situation des Menschen unter dem Gesetz, seine unheilvolle Verhaftung an die Sünde und seine Ohnmacht, sich selbst von ihr zu erlösen, wird die Beschreibung dieser für alle Menschen, Juden und Heiden, zutreffenden Situation unter dem Gesetz und in der Sündensklaverei zu einer theologischen Voraussetzung für die Rechtfertigungslehre. Von dieser Voraussetzung aus, der Aussage über die allgemeine Sündhaftigkeit und Erlösungsbedürftigkeit des Menschen, die Paulus in Rö 1, 18 – 3, 20 seiner Rechtfertigungsbotschaft voranstellt, ist der theologische Ort des Rechtfertigungsbegriffs näher zu bestimmen.

Von Rö 1, 18 – 3, 20 geht auch E. Jüngel[46] aus, um den „theologischen Ort der Rechtfertigungslehre in der Relation von Evangelium und Gesetz“ [47] zu finden. Er betont damit gegenüber W. Grundmann[48], daß sich für Paulus die Frage nach dem Heil nicht von der jüdischen Gesetzessituation aus stellt, sondern daß umgekehrt „die Frage nach dem Gesetz allererst von der Offenbarung der Gerechtigkeit Gottes als Evangelium her“ [49] in den Blick kommt, wie aus Rö 1, 17 – 3, 21 deutlich hervorgehe. „Die Aufnahme des Begriffes von Rm 1, 17 in Rm 3, 21 macht den ganzen Abschnitt Rm 1, 17 – 3, 21 zum locus classicus für die Beziehung von Gesetz und Evangelium“ [50]. Jüngel stellt hiermit die Botschaft des Römerbriefes unter ein Thema, das sich im Protestantismus bis in unsere Zeit als theologisch besonders fruchtbar erwiesen hat[51]. Er beobachtet richtig, daß durch die Klammer, die Rö 1, 17 und 3, 21 bilden, die „Wirklichkeit des Menschen sub lege“, die in Rö 1, 18 – 3, 20 beschrieben wird,

[46] Paulus und Jesus, 25–29.

[47] A. a. O. 25.

[48] ZNW 32 (1933) 52–65.

[49] E. Jüngel, Paulus und Jesus, 25.

[50] A. a. O. 26.

[51] Vgl. S. 222–224.

als eine „bereits vom Evangelium überholte Wirklichkeit“[52] erscheint. Ausgangspunkt für die Beschreibung der menschlichen Situation ist also das Evangelium als Botschaft vom Heil, das in Jesus Christus erschienen ist.

Jedoch hat Jüngel hiermit noch nicht der Tatsache Rechnung getragen, daß die Beschreibung der menschlichen Situation unter Gesetz und Sünde von Paulus als Voraussetzung nicht des Heiles und der Heilserfahrung, sondern seiner Rechtfertigungsthese gewertet wird. Das im Christusereignis erfahrene Heil spricht Paulus theologisch als „Rechtfertigung“ aus. Die Rechtfertigungs*lehre* des Paulus ist aber nur dann zu verstehen, wenn sie als theologischer Ausdruck der auf den Menschen unter dem Gesetz und der Sünde gerichteten Heilsbotschaft erkannt wird. Der theologische Ort der Rechtfertigungslehre des Paulus wird also durch die Beschreibung der menschlichen Situation vor und ohne Christus, also durch seine Anthropologie bedingt[53].

Wenn so die Beschreibung des Menschen als Sünder für die Rechtfertigungslehre bei Paulus bestimmend wird, kommt dem Rechtfertigungsbegriff tatsächlich der Ort in der Mitte der paulinischen Theologie zu, da sich auf dem Hintergrund der „Lehre“ vom Menschen die wesentlich soteriologische Bedeutung der Christusbotschaft zeigt. Die Rechtfertigungslehre besagt, daß aus dem Sünder ein Gerechter wird, aus dem Verlorenen ein Geretteter, aus dem Gottlosen ein Glaubender, aus dem Sündensklaven ein Christushöriger und Gottgehorsamer. Paulus erfindet, um diese Heilsaussage über den Menschen zu machen, keine neue Begrifflichkeit, sondern er knüpft an den atl.-jüdischen Begriff der „Gerechtigkeit Gottes“ und der „Rechtfertigung“ sowie an die Rechtfertigungserwartung des Judentums an. Indem er mit diesem Begriff die in Christus erfahrene Heilsoffenbarung deutet, erhält der Rechtfertigungsbegriff jetzt eine neue Bedeutung, die er bisher nicht gehabt hat[54]. Paulus deutet das Christusereignis jedoch nicht aus rein spekulativen Interessen, sondern seine theologische Interpretation gilt der Heilsaussage über den Menschen, besser der Heilsbotschaft an den Menschen, eben der Recht-

[52] A. a. O. 28.

[53] Hier ist auf R. Bultmann, Theologie, 191–353, hinzuweisen. Er beschreibt die Theologie des Paulus unter den beiden großen Überschriften: A. Der Mensch vor der Offenbarung der πίστις, B. Der Mensch unter der πίστις. Die Rechtfertigungslehre als theologischer Ausdruck der Heilserfahrung nimmt den ersten Platz unter Abschnitt B ein, setzt also theologisch die Beschreibung des Menschen unter Gesetz und Sünde voraus.

[54] Die von S. Schulz: ZThK 56 (1959) 155–185, vertretene These, daß man in Qumran eine „Rechtfertigung aus Gnaden“ gekannt und daß Paulus die qumranische Erfahrung durch Anwendung auf die Kreuzigung Jesu nur „historisiert“ habe, überschätzt die qumranische „Rechtfertigungslehre“ und verkennt den theologischen Ort der Rechtfertigungsaussage bei Paulus. Denn Paulus ist nicht an den vorchristlichen Rechtfertigungsaussagen als solchen interessiert, sondern er benutzt ihr Sprachmaterial, um mit dessen Hilfe das Christusereignis zu interpretieren und verständlich zu machen.

fertigungsbotschaft. Die Rechtfertigungstheologie macht nur verständlich, daß Christus „uns von Gott her zur Gerechtigkeit geworden ist" (1 Kor 1, 30).

Wenn somit von einer christologischen Funktion der Rechtfertigungstheologie des Paulus gesprochen werden kann, so ist doch nicht zu übersehen, daß dabei das Christusereignis selbst schon in einer interpretierten Form vorliegt. Das zeigen nicht nur die tradierten Christusbekenntnisse, die Paulus aufgenommen hat (vgl. Rö 1, 4; 4, 24; 10, 9; 1 Kor 12, 3; Phil 2, 6–11), sondern auch die vorpaulinische Rechtfertigungstheologie in Rö 3, 24–26 [55]. Gerade aus Rö 3, 24–26 wird deutlich, daß Paulus nicht die in dem Sühnegedanken vorliegende Christologie weitertreibt, sondern sie durch die Einführung seines Glaubensbegriffs auf den Menschen hin ausrichtet. Mit anderen Worten: Er interpretiert das Christusereignis auf den Menschen hin und begründet so ein neues theologisches Selbstverständnis des Menschen, eben des Menschen unter der Gnade, zu der dieser durch das Christusereignis Zugang erhalten hat, unter deren Anspruch er sich jetzt zu bewähren hat. Der umfassende Ausdruck für diese Interpretation ist die „Rechtfertigung aus dem Glauben".

Der theologische Ort des Rechtfertigungsbegriffs wird somit nicht so sehr von Momenten, die außerhalb dieses Begriffs und innerhalb eines angenommenen theologischen Begriffssystems liegen, das als die Theologie des Paulus ausgegeben wird, bestimmt, als vielmehr von den Bezügen, die innerhalb der Rechtfertigungstheologie selbst sichtbar werden.

Die erste grundlegende Beziehung, die sich in der Rechtfertigungslehre abzeichnet, ist die Gott-Mensch-Beziehung. Die von Gott begründete neue, seine Heilstat am Menschen widerspiegelnde Beziehung drückt Paulus durch den Begriff δικαιοσύνη θεοῦ aus. Wenn dieser Begriff auch in erster Linie das eschatologische Heilswirken Gottes bezeichnet, so wird durch den Zusammenhang, in dem Paulus ihn gebraucht, doch erkennbar, daß dieses Heilshandeln nicht ein Thema ist, bei dem man vom Menschen absehen könnte. Die Neuschaffung des Sünders, die Errettung des heillosen Menschen, der neue Gehorsam des Getauften, Glaubenden bilden das Ziel, in dem die δικαιοσύνη θεοῦ zu ihrer Erfüllung kommt [56].

Die zweite, mit der ersten eng zusammenhängende und diese konkretisierende Beziehung ist die von Christusereignis und Glauben. Sie stellt die christologische Komponente der paulinischen Rechtfertigungslehre dar. Das Christusereignis ist der geschichtliche

[55] Vgl. S. 48–62 und S. 71–84.

[56] Vgl. E. Lohmeyer, Grundlagen, 52: „Gottesverbundenheit ist also der tiefste Sinn dieses Wortes".

Tod Jesu, insofern sich in ihm Gottes eschatologisches Heilshandeln offenbart. Dieses Geschehen ist keine für sich, unabhängig vom glaubenden Menschen zu betrachtende, rein objektive Tatsache, sondern es tendiert mit seinem ganzen Ereignisgehalt zum Glauben. In der πίστις Ἰησοῦ Χριστοῦ erreicht das Christusereignis somit sein Ziel und seine Erfüllung [57]. Im Christusglauben wird das Eschaton Gegenwart [58]. Der Mensch als Glaubender, durch den Glauben Gerechtfertigter und im Glauben zum Gehorsam in einem neuen Lebenswandel Befähigter und Verpflichteter ist der in der Zeit erkennbare Ausdruck des Erfolges des göttlichen Heilshandelns.

So erweisen die in der Rechtfertigungslehre des Paulus sich zu einer Einheit zusammenfügenden Komponenten, die theologisch-anthropologische und die christologisch-eschatologische, die wahre Bedeutung seiner Rechtfertigungslehre von ihrem inneren Gefüge her. Sie machen zugleich deutlich, daß der Rechtfertigungslehre als einem in mehrfacher Hinsicht genau bestimmten, präzisen Ausdruck des paulinischen Kerygmas eine theologische Bedeutung über die zeitbedingte Funktion einer „Kampfeslehre" hinaus zukommt, da ihre eigentliche, kerygmatische Intention darauf gerichtet ist, die wahre Situation des Menschen als eines heillosen Sünders aufzudecken und ihm die neue Möglichkeit des Glaubens zu zeigen.

Wenn Paulus in der Rechtfertigungslehre, wie O. Kuss [59] wiederholt betont, vom Ereignis des Todes Jesu ausgeht und dieses als das entscheidende eschatologische Ereignis zu deuten sucht, so läßt sich mit R. Bultmann [60] sagen, daß die Rechtfertigungslehre des Paulus „seine eigentliche Christologie" ist. Da Paulus den Tod Jesu als die Offenbarung der Gerechtigkeit Gottes oder, wie wir sagen, als das „Christusereignis" versteht und eben dieses Ereignis das Eschaton ist, das die Gegenwart des Glaubenden bestimmt, oder, um mit E. Käsemann [61] zu sprechen, die „Äonenwende im Leben des einzelnen", läßt sich mit H. D. Wendland [62] auch sagen, daß die Rechtfertigungslehre die „‚angewandte' oder anthropologische Eschatologie" des Paulus ist. Wenn so einerseits die Botschaft von Jesus Christus von Paulus als das eigentliche Thema seiner Theologie in der Rechtfertigungslehre reflektiert und expliziert wird und andrerseits die

[57] Vgl. R. Bultmann, Die Christologie des NT, 262: „In der Rechtfertigungslehre kommt zum deutlichen Ausdruck, daß die Christologie nicht in Wesensspekulationen, sondern in der Verkündigung des Christusereignisses besteht".

[58] Vgl. O. Kuss, Römer, 129.

[59] Römer, 118f; 121f; 131; 154; 161–174; 214; 275 u. ö.

[60] Die Christologie des NT, 262. Auch G. Bornkamm: RGG ^{3}V, 177, betont die „Einheit von Christusbotschaft und Rechtfertigungslehre" als Anfangs- und Grundthema der paulinischen Theologie.

[61] ZThK 54 (1957) 13.

[62] Mitte, 8.

Rechtfertigungslehre das neue Selbstverständnis des Glaubenden, des Menschen, der „nicht mehr unter dem Gesetz, sondern unter der Gnade" (Rö 6, 14) steht, dem Christus „von Gott her zur Gerechtigkeit geworden ist" (1 Kor 1, 30), die Begründung seiner neuen Existenz in Gott erklärt und deutlich werden läßt, kann man schließlich in diesem ganz bestimmten Sinne auch sagen, daß die Rechtfertigungslehre die eigentliche Theologie, und zwar die anthropologisch gewendete Theologie des Paulus ist. Dies bedeutet jedoch nicht, daß Theologie und Anthropologie miteinander vermischt werden sollen, sondern im Gegenteil streng zu unterscheiden sind, wobei die wesentliche Hinordnung der Theologie auf die Anthropologie bei Paulus und das vollständige Bestimmtsein seiner Anthropologie von der Theologie immer mitgesehen werden müssen.

Als Ausdruck des hiermit umschriebenen Relationsgefüges nimmt die Rechtfertigungslehre des Paulus mit Recht den Platz im Zentrum seiner theologischen Reflexionen ein. Jedoch besteht keine Veranlassung, vom Rechtfertigungsbegriff her alle anderen theologischen Begriffe abzuwerten. Dem Rechtfertigungsbegriff kommt nur deswegen eine führende Rolle unter allen anderen von Paulus verwendeten Begriffen zu, weil er an ihm wie an einem Modellfall das richtige Verständnis der Christusbotschaft darzustellen sucht, das in seiner Aussageintention auch dann gültig bleibt, wenn man von einem späteren Standpunkt aus urteilen müßte, daß dieses theologische Experiment des Paulus möglicherweise mit einem anderen Sprachmaterial noch besser hätte gelingen können. Tatsächlich hat Paulus, wenigstens in seinen Hauptbriefen, keinen anderen Begriffszusammenhang so sehr theologisch reflektiert wie den, den wir als „Rechtfertigung" bezeichnen.

Endergebnis

Folgende Thesen werden durch die vorliegende Untersuchung begründet:

1. Der Begriff „Rechtfertigung" ist ein abstrakter Begriff, dem im Griechischen wörtlich δικαίωσις entspricht. Paulus gebraucht dieses Wort nur zweimal, Rö 4, 25 und 5, 18. Sachlich entsprechen dem Begriff „Rechtfertigung" sowohl die Aussage, die Paulus mit der Formel δικαιοσύνη θεοῦ macht, als auch die durch das absolute Substantiv δικαιοσύνη und das Verb δικαιοῦν / δικαιοῦσθαι angezeigten Aussagen.

2. Der Gebrauch der Formel δικαιοσύνη θεοῦ bei Paulus beweist eine formale und bedingt materiale Abhängigkeit seiner Rechtfertigungslehre vom Spätjudentum sowie schließlich ihre Verwurzelung in der Theologie des AT. Die Herkunft dieser von Paulus theologisch inhaltlich neu geprägten Formel aus dem atl.-jüdischen Sprachgebrauch zeigt sich vor allem daran, daß δικαιοσύνη θεοῦ nicht eine Eigenschaft Gottes, auch nicht eine Eigenschaft des Menschen vor Gott, sondern das Handeln Gottes am Menschen bezeichnet, das eine neue Beziehung zwischen Gott und Mensch begründet. Dabei kann δικαιοσύνη θεοῦ selbst zum Ausdruck der von Gott geschaffenen neuen Beziehungsrealität werden, wie vor allem 2 Kor 5, 21 andeutet.

3. Das Vorkommen der Formel δικαιοσύνη θεοῦ im spätjüdischen, vor allem im qumranischen Schrifttum beweist, daß der Rechtfertigungsgedanke als Erwartung der das eschatologische Heil implizierenden Gerechtigkeit Gottes im Spätjudentum lebendig war. In Qumran wird mit dem Begriff der Gerechtigkeit Gottes auch schon die in der Gemeindebildung geschichtlich wirksame Gegenwärtigkeit des eschatologischen Handeln Gottes bezeichnet. Dies bedeutet jedoch nicht, daß der Gedanke von einer gnadenhaften Rechtfertigung des Sünders im eigentlichen paulinischen Sinne schon im Spätjudentum bekannt gewesen wäre, auch nicht, wenn man etwa die spezifisch paulinische Glaubenserkenntnis von Jesus Christus dabei abstreicht.

4. Die Formel δικαιοσύνη θεοῦ bezeichnet bei Paulus mehr als die Erneuerung des atl.-jüdischen Bundesverhältnisses Gottes mit Israel, wie in der vorpaulinischen Tradition von Rö 3, 24–26. Sie ist der zunächst unbestimmte, aber durch ihren Gebrauch bei Paulus theologisch präzisierte Ausdruck seines Rechtfertigungsgedankens, insofern er das in Christus sich ereignende Heil als das eschatologische

Heilshandeln Gottes an den Menschen, die alle des Heils bedürfen, beschreibt.

5. Der den Begriffen δικαιοσύνη und δικαιοῦν zugrunde liegende Gerichtsgedanke wird durch den Heilscharakter des Rechtfertigungsgeschehens bei Paulus nicht verdrängt, sondern interpretiert. Die forensische Struktur des paulinischen Rechtfertigungsbegriffs hat keine selbständige Bedeutung, sondern sie dient dazu, das Heilshandeln Gottes in Christus als seine souveräne, weltüberlegene Verfügung über den Menschen zu kennzeichnen. „Gott spricht gerecht“, das heißt: Das Heil der Menschen besteht in Gottes schöpferischer Heilsverfügung.

6. Der eschatologische Charakter des göttlichen Heilshandelns erklärt sich nicht dadurch, daß dieses als Höhe- und Endpunkt einer kontinuierlich gedachten Heilsgeschichte verstanden wird, sondern dadurch, daß die in Christus, ihrem geschichtlichen Ort, erfolgte Offenbarung der Gerechtigkeit Gottes als das einmalige, die Unheilsgeschichte der Menschheit unter dem Gesetz beendende und die neue Geschichte der Glaubenden eröffnende Heilsgeschehen erkannt wird.

7. „Rechtfertigung aus Glauben“ ist zunächst die antithetisch formulierte theologisch-kerygmatische Antwort des Paulus auf die jüdische Behauptung einer „Gerechtigkeit aus den Werken des Gesetzes“. Diese von Paulus selbst nachgezeichnete und interpretierte jüdische Behauptung wird durch den Schriftbeweis aus dem Glauben Abrahams widerlegt. Damit hebt Paulus zugleich die Geltung des jüdischen Gesetzes als Heilsprinzip auf. Eigentlicher Grund seiner These ist subjektiv gesehen seine persönliche Glaubenserfahrung, objektiv betrachtet das Christusereignis. Dementsprechend ist die theologische Begründung seiner These christologisch.

8. Die Frage, ob die Taufe bei Paulus in demselben Sinne wie der Glaube auf das Rechtfertigungsgeschehen bezogen wird, ist zu verneinen, insofern Paulus an keiner Stelle die Rechtfertigung direkt im Taufgeschehen begründet. Sie ist jedoch zu bejahen, insofern Paulus keinen Christusglauben ohne die Taufe kennt. Die Erwähnung des Taufmotivs dient Paulus im Rechtfertigungszusammenhang der besonderen Begründung des neuen Gehorsams der Gerechtfertigten.

9. Über ihre situationsbezogene, polemisch akzentuierte Intention hinaus ist die Rechtfertigungsthese des Paulus allgemeingültiger theologischer Ausdruck seiner Reflexion über die Situation des Menschen in der Sünde und des Heilswirkens Gottes am Menschen. Seine Rechtfertigungslehre ist jedoch keine systematisch ausgebaute Heilslehre, wohl aber die geschlossenste und umfassendste theologische

Darstellung seines Heilsgedankens, durch die ein neues christliches Selbstverständnis des Menschen begründet wird.

10. Die Rechtfertigungslehre des Paulus dient als theologische Reflexion dem Verständnis seines Kerygmas. Ihre letzte Intention ist daher kerygmatisch: die Begründung des neuen Gehorsams des Menschen.

Nachtrag:

Zu Peter Stuhlmacher, Gerechtigkeit Gottes bei Paulus[1]

Dieses Nachwort will keine eingehende Rezension des genannten Buches sein. Es soll lediglich versucht werden, die Thesen Stuhlmachers nachträglich zur Grundlage einer Besinnung für die eigene Arbeit und Weiterarbeit am gleichen Thema zu machen.

In Methode und Stil seiner Interpretation ist Stuhlmacher seinem Lehrer Ernst Käsemann verpflichtet – trotz oder vielleicht auch gerade wegen der gelegentlichen kritischen Bemerkungen zu ihm und der Auseinandersetzungen mit ihm (z. B. Seite 70 u. 77 Anm. 2). Käsemanns Schule tritt vor allem in der konsequent historischen Fragestellung hervor, der die paulinischen Texte unterworfen werden, aber auch in dem theologischen Interesse, von dem die Anwendung der historisch-kritischen Methode bestimmt ist. Das läßt sich besonders daran erkennen, daß die theologischen Fragestellungen unserer Zeit nicht außer acht gelassen, sondern zur Erschließung der paulinischen Aussagen herangezogen werden. Es sind die immer wieder von neuem diskutierten Fragen, ob „Gerechtigkeit Gottes" als Gabe oder „Eigenschaft" Gottes zu interpretieren sei, ob Paulus an eine mehr individuelle oder universale Heilsmitteilung Gottes denke, ob es ihm mehr um Gottes Recht und Ehre gehe oder um des Menschen Heil und Seligkeit, aber auch die neuere Frage nach der Bedeutung der spätjüdischen Apokalyptik für die Entwicklung der paulinischen Theologie. Stuhlmacher übersieht dabei nicht den historischen Abstand späterer Fragestellung zu Paulus. Er möchte jedoch die „fremde Eigenart" (Seite 73) des historischen Gegenüber in Paulus nicht an der systematischen Theologie einer späteren Zeit vorbei, sondern gerade von ihrem legitimen Interesse her zur Geltung bringen. Er kommt auf diese Weise zu einer Interpretation der paulinischen Aussagen über „Gerechtigkeit Gottes", die ihre möglichen Konsequenzen für die systematische Theologie wohl überlegt.

So ist auch die Grundthese des Buches aufzufassen: Gerechtigkeit Gottes ist das „befreiende Recht des seiner Schöpfung treuen Gottes" (Seite 236) oder ausführlicher, als Ergebnis der Auslegung von

[1] Siehe S. 1 Anm. 2.

Rö 10, 3 formuliert: „das die Äone überspannende, schöpferische, im Anbruch befindliche, als Wort sich heute ereignende und im Christus personifizierte Recht des Schöpfers an und über seiner Schöpfung" (Seite 11). In dieser These wiederholt sich das Ergebnis des Aufsatzes von E. Käsemann, Gottesgerechtigkeit bei Paulus [2]: Gottes Gerechtigkeit ist seine „Treue, welche der Schöpfer über den Abfall der Geschöpfe hinweg seinem Werk der Schöpfung hält und mit der er seine Herrschaft über seine Schöpfung wahrt und neu begründet". Oder anders: Δικαιοσύνη θεοῦ ist, „bedenkt man den griechischen Wortstamm, ...: jenes Recht, mit welchem sich Gott in der von ihm gefallenen und als Schöpfung doch unverbrüchlich ihm gehörenden Welt durchsetzt" [3]. Allerdings hat Stuhlmacher den schon bei Käsemann vorkommenden Rechts- und Schöpfungsgedanken im Rückblick auf die dem Paulus vorgegebenen alttestamentlich-jüdischen Vorstellungen und Traditionen bedeutend ausgeweitet.

Der Schwerpunkt seiner Arbeit liegt daher auf dem Kapitel „Gerechtigkeit Gottes im religionsgeschichtlichen Bereich" (Seite 102–184). Mit Käsemann teilt Stuhlmacher die Auffassung, daß der jüdischen Apokalyptik entscheidende Bedeutung für die paulinische Theologie zukomme. „Gerechtigkeit Gottes" finde sich im apokalyptischen Schrifttum schon als terminus technicus. Er bezeichne zugleich Gottes Recht und Schöpfertum, die „Macht des schaffenden Gotteswortes" [4]. Hiermit sind die wesentlichen religionsgeschichtlichen Voraussetzungen angedeutet, deren Fortwirken nach Stuhlmacher den Begriff der Gerechtigkeit Gottes bei Paulus konstituiert: Die Schöpfungstradition, die Bedeutung der Rechtskategorie zur Darstellung des Handelns Gottes und die Wortstruktur des göttlichen Schöpferhandelns.

Die Konsequenz, mit der Stuhlmacher anhand der drei genannten Vorstellungszusammenhänge die theologischen Linien, beginnend im AT, von der Apokalyptik bis zu Paulus auszieht, wirkt überzeugend. Ihm gelingt auf diese Weise eine umfassende und einheitliche Interpretation der paulinischen Aussagen über die „Gerechtigkeit Gottes". Doch erheben sich gerade angesichts der konsequenten Durchführung der Grundthese dieses Buches einige Bedenken, die hier nur stichwortartig vorgetragen seien:

1. Betont Paulus nicht mehr noch als die Treue des Schöpfers zu seiner Schöpfung die n e u e Schöpfung? Markiert nicht in diesem Sinne das νυνὶ δέ von Rö 3, 21 einen Einschnitt, ein neues Anheben im Handeln Gottes mit den Menschen?

[2] In: ZThK 58 (1961) 367–378.
[3] A. a. O. 377.
[4] Gerechtigkeit Gottes, 175.

2. Darf man überhaupt den an sich richtigen Gedanken des schöpferischen Handelns Gottes bei der Interpretation von δικαιοσύνη θεοῦ so vorwiegend und damit auch so eindeutig heranziehen, obwohl an keiner Stelle der Paulusbriefe die Wendung δικαιοσύνη θεοῦ mit einem besonderen Akzent versehen ist, der gerade das schöpferische Element des Handelns Gottes in den Mittelpunkt rückte? Wird hiermit nicht das an sich ebenso berechtigte und bei Paulus zu verifizierende Anliegen des Heiles der Menschen, das aus dem Handeln Gottes resultiert, verkürzt?

3. Kommt der Anthropologie bei Paulus nur eine Sekundärfunktion zu, wie Stuhlmacher meint, so daß sie nur „die Schöpfergewalt der δικαιοσύνη θεοῦ eindeutig darlegen“ [5] soll? Selbst wenn man dem Bultmannschen „existentialen Geschichtsbegriff“ nicht zustimmen möchte, bleibt doch die Frage, ob das anthropologische Anliegen des Paulus und seine Geschichtslehre, die nach Stuhlmacher die „Lehre einer weltweiten Geschichte“ ist, nur antithetisch zu verstehen sind. Wird mit der Betonung der „Treue des Schöpfergottes“, die für das paulinische Geschichtsverständnis grundlegend sei, nicht wiederum – vielleicht in einer vereinseitigenden Absetzbewegung gegen Bultmann – außer acht gelassen, daß es eine neue Geschichte ist, die durch den Glauben den Gläubigen im Christusgeschehen eröffnet wird?

4. Stuhlmacher [6] versteht seine These, „Rechtfertigung meine bei Paulus ein konkretes Schöpferhandeln Gottes“, als „die schärfste Antithese“ zum „katholischen Standpunkt“, insofern „Gott in der Rechtfertigung nicht nur (be-)urteilend, sondern ständig schaffend auf den Plan tritt“ und „damit ständig jeglicher Synergismus ausgeschlossen“ sei. Letztere, aus der Geschichte der Theologie wohl bekannte Vokabel muß jedoch zumindest als sehr ungeeignet zurückgewiesen werden, um das anthropologische Anliegen, das besonders von katholischen Exegeten bei der Auslegung der paulinischen Texte vertreten wurde, zum Ausdruck zu bringen. Freilich könnte Stuhlmachers scharfe Gegenüberstellung des Wortcharakters der Rechtfertigung mit der angeblich katholischen Position zu der Frage veranlassen, ob das traditionelle scholastische Interesse an einer Heilsontologie sich durch eine Besinnung auf die Geschehensstruktur des paulinischen Rechtfertigungsbegriffs nicht eine gewisse Korrektur gefallen lassen müßte. Jedenfalls sollte man mit E. Jüngel [7] und P. Stuhlmacher [8] die „übliche Alternative im Verständnis der Gerechtigkeit als iustitia imputativa oder als iustitia efficax“ als „überholt“ ansehen.

[5] A. a. O. 206 Anm. 2.
[6] A. a. O. 220 Anm. 1.
[7] Paulus und Jesus, 46.
[8] A. a. O. 220 Anm. 1.

Abkürzungsverzeichnis

AT	Altes Testament
atl.	alttestamentlich
NT	Neues Testament
ntl.	neutestamentlich
LXX	Septuaginta

Die biblischen und außerbiblischen Quellenschriften werden nach den gebräuchlichen Regeln abgekürzt (vgl. besonders das Abkürzungsverzeichnis zum ThWNT, Stuttgart 1960, und zum LThK ²I).

ATD	Das Alte Testament Deutsch (Neues Göttinger Bibelwerk), Göttingen
AtlAbh	Alttestamentliche Abhandlungen, Münster
AThANT	Abhandlungen zur Theologie des Alten und Neuen Testaments, Zürich
Bibl	Biblica, Roma
BWANT	Beiträge zur Wissenschaft vom Alten und Neuen Testament, Stuttgart
CSEL	Corpus Scriptorum Ecclesiasticorum Latinorum, Prag, Wien, Leipzig
CSS	Cursus Scripturae Sacrae, Paris
DBS	Dictionnaire de la Bible, Supplément, Paris
ET	The Expository Times, Edinburgh
EvTh	Evangelische Theologie, München
FRLANT	Forschungen zur Religion und Literatur des Alten und Neuen Testaments, Göttingen
JBL	The Journal of Biblical Literature, Philadelphia
JThSt	The Journal of Theological Studies, London
KerDog	Kerygma und Dogma, Göttingen
LThK	Lexikon für Theologie und Kirche, 2. Aufl., Freiburg i. Br.
Migne PL	Patrologia Latina, Paris
MthZ	Münchener theologische Zeitschrift, München
NKZ	Neue Kirchliche Zeitschrift, Leipzig
NovTest	Novum Testamentum, Leiden
NTD	Das Neue Testament Deutsch (Neues Göttinger Bibelwerk), Göttingen
NTSt	New Testament Studies, London – New York
NtlAbh	Neutestamentliche Abhandlungen, Münster
RechBibl	Recherches Bibliques, Bruges
RevBibl	Revue Biblique, Paris
RevQum	Revue de Qumran, Paris
RGG	Die Religion in Geschichte und Gegenwart, 3. Aufl., Tübingen
RNT	Regensburger Neues Testament, Regensburg
StANT	Studien zum Alten und Neuen Testament, München
ThLZ	Theologische Literaturzeitung, (Leipzig, seit 1958) Berlin
ThQ	Theologische Quartalschrift (Tübingen), Stuttgart

ThR	Theologische Rundschau, Tübingen
ThRev	Theologische Revue, Münster
ThStKr	Theologische Studien und Kritiken, Berlin
ThWNT	Theologisches Wörterbuch zum Neuen Testament, Stuttgart
ThZ	Theologische Zeitschrift, Basel
VD	Verbum Domini, Roma
WA	„Weimarer Ausgabe“: D. Martin Luthers Werke. Kritische Gesamtausgabe, Weimar
WissMonANT	Wissenschaftliche Monographien zum Alten und Neuen Testament, Neukirchen
ZAW	Zeitschrift für die alttestamentliche Wissenschaft, (Gießen) Berlin
ZNW	Zeitschrift für die neutestamentliche Wissenschaft und die Kunde der älteren Kirche, (Gießen) Berlin
ZsystTh	Zeitschrift für systematische Theologie, Berlin
ZThK	Zeitschrift für Theologie und Kirche, Tübingen

Literaturverzeichnis

Das Literaturverzeichnis enthält sämtliche in der Arbeit benutzten und zitierten Werke, Aufsätze und Artikel mit Ausnahme der Lexikonartikel. Letztere werden hier unter dem Titel des betreffenden Nachschlagwerkes zusammengefaßt. In der Arbeit werden die Titel der zitierten Literatur das erste Mal vollständig und bei wiederholter Zitierung abgekürzt angegeben.

Aalen, S., Die Begriffe „Licht“ und „Finsternis“ im AT, im Spätjudentum und im Rabbinismus (Skrifter utgitt av Det Norske Videnskaps-Akademi i Oslo, II. Hist.-Filos. Klasse 1), Oslo 1951.

Allo, E.-B., S. Paul. Première épître aux Corinthiens (Études Bibliques), Paris 1935.

Ders., S. Paul. Seconde épître aux Corinthiens (Études Bibliques), Paris 1937.

Althaus, P., Der Brief an die Römer (NTD 6), Göttingen [9]1959.

Ders., Die Gerechtigkeit des Menschen vor Gott. Zur heutigen Kritik an Luthers Rechtfertigungslehre, in: Das Menschenbild im Lichte des Evangeliums (Festschrift für E. Brunner), Zürich 1950, 31–47.

Amiot, F., Les idées maitresses de S. Paul, Paris 1959 (deutsch: Die Theologie des hl. Paulus, Mainz 1962).

Andersen, W., Ihr seid zur Freiheit berufen. Gesetz und Evangelium nach biblischem Verständnis (Bibl. Studien, 41), Neukirchen 1964.

Ders., Der Gesetzesbegriff in der gegenwärtigen theologischen Diskussion (Theol. Existenz heute, Heft 108), München 1963.

Aschermann, H., Die paränetischen Formen der Testamente der zwölf Patriarchen. Theol. Dissertation, Berlin (Humboldt-Universität) 1955.

Asting, R., Die Heiligkeit im Urchristentum (FRLANT N.F. 29), Göttingen 1930.

Ders., Kauchesis, Et bidrag til forståelsen av den religiøse selvfølese hos Paulus, Oslo 1925 (norwegisch).

Augustinus, Enchiridion de fide spe et caritate: hrsg. von O. Scheel, Tübingen [3]1937.

Ders., Quaestiones in Heptateuchum Libri VII: CSEL XXVIII, 2, Prag, Wien, Leipzig 1895.

Bachmann, Ph., Der zweite Brief des Paulus an die Korinther (Zahns Kommentar zum NT, 8), Leipzig [3]1921.

Backhaus, G., Kerygma und Mythos bei D. F. Strauss und R. Bultmann (Theol. Forschung, hrsg. v. H. W. Bartsch, 12), Hamburg-Bergstedt 1956.

Baltzer, K., Das Bundesformular (WissMonANT 4), Neukirchen [2]1964.

Bandas, R. G., The Master-Idea of Saint Paul's Epistles or the Redemption (Univ. Cath. Lov. Diss. II, 13), Bruges 1925.

Bardenhewer, O., Der Römerbrief des hl. Paulus, Freiburg i. Br. 1926.

Barr, J., The semantics of biblical language, Oxford 1961 (Repr. 1962).

Barret, C. K., From first Adam to last. A Study in Pauline theology, New York 1962.

Ders., A Commentary on the Epistle to the Romans (Black's NT Commentaries, ed. by Henry Chadwick, 6), London 1957.

Ders., Die Umwelt des NT. Ausgewählte Quellen. Hrsg. u. übers. von C. Colpe (Untersuchungen zum NT, 4), Tübingen 1959.

Barth, G., Das Gesetzesverständnis des Evangelisten Matthäus, in: Überlieferung und Auslegung im Matthäusevangelium von G. Bornkamm, G. Barth, H. J. Held (WissMonANT 1), Neukirchen [3]1963, 54–154.

Barth, K., Evangelium und Gesetz (Theol. Existenz heute, Heft 32), München 1935 (Neudruck: Theol. Existenz heute, N. F. Heft 50, München 1956).

Ders., Rechtfertigung und Heiligung, in: Zwischen den Zeiten 5 (1927) 281–309.

Ders., Der Römerbrief (Unveränderter Nachdruck der ersten Auflage von 1919), Zürich 1963.

Bartmann, B., St. Paulus und St. Jakobus über die Rechtfertigung (Bibl. Studien, II, 1), Freiburg 1897.

Bauer, J. B., Bibeltheologisches Wörterbuch. 2 Bde., Graz, Wien, Köln [2]1962.

Bauer, W., Griechisch-deutsches Wörterbuch zu den Schriften des NT und der übrigen urchristlichen Literatur, Berlin [5]1958.

Baur, F. C., Paulus, der Apostel Jesu Christi. Sein Leben und Wirken, seine Briefe und seine Lehre. 2 Teile, Leipzig [2]1866f.

Becker, J., Das Heil Gottes. Heils- und Sündenbegriffe in den Qumrantexten und im Neuen Testament (Studien zur Umwelt des NT, 3), Göttingen 1964.

Begrich, J., Studien zu Deuterojesaja (Theologische Bücherei, 20), München 1963.

Ders., Die priesterliche Thora, in: Werden und Wesen des AT, hrsg. von Volz, Stummer, Hempel (ZAW Beiheft 66), Berlin 1936.

Belser, J. E., Der zweite Brief des Apostel Paulus an die Korinther, Freiburg i. Br. 1910.

Benoit, P., La loi et la croix d'après Saint Paul (Rm VII, 7 – VIII, 4), in: RevBibl 47 (1938) 481–509.

Ders., Qumrân et le Nouveau Testament, in: NTSt 7 (1961) 276–296.

Benz, K., Die Ethik des Apostels Paulus (Bibl. Studien, XVIII, 3–4), Freiburg i. Br. 1912.

Berger, K., Abraham in den paulinischen Hauptbriefen, in: MthZ 17 (1966) 47–89.

Bertrams, H., Das Wesen des Geistes nach der Anschauung des Paulus (NtlAbh IV, 4), Münster 1913.

Beyer, H. W. – Althaus, P., Der Brief an die Galater (NTD 8), Göttingen [10]1965.

Biard, P., La puissance de Dieu (Travaux de l'Institut Catholique de Paris, 7), Paris 1960.

Bible, La Sainte, traduite en francais sous la direction de l'école biblique de Jérusalem, Paris 1961.

Bisping, A., Erklärung des ersten Briefes an die Korinther (Exeget. Handbuch zu den Briefen des Ap. Paulus, von A. Bisping, I, 2), Münster [2]1863.

Ders., Erklärung des zweiten Briefes an die Korinther und des Briefes an die Galater (Exeget. Handbuch zu den Briefen des Ap. Paulus, von A. Bisping, II, 1), Münster [2]1863.

Ders., Erklärung des Briefes an die Römer (Exeget. Handbuch zu den Briefen des Ap. Paulus, von A. Bisping, I, 1), Münster [3]1870.

Bizer, E., Fides ex auditu. Eine Untersuchung über die Entdeckung der Gerechtigkeit Gottes durch Martin Luther, Neukirchen [2]1961.

Bläser, P., Das Gesetz bei Paulus (NtlAbh XIX, 1–2), Münster 1941.

Ders., Gesetz und Evangelium, in: Catholica 14 (1960) 1–23.

Blaß, F. – Debrunner, A., Grammatik des ntl. Griechisch, Göttingen [11]1961 (zitiert: Blaß-Debr.).

Bonsirven, J., Le Judaisme Palestinien au temps de Jésus Christ. Sa théologie. 2 Bde., Paris 1934f.

Bormann, P., Die Heilswirksamkeit der Verkündigung nach dem Apostel Paulus. Ein Beitrag zur Theologie der Verkündigung (Konfessionskundliche und kontroverstheologische Studien, XIV), Paderborn 1965.

Bornkamm, G., Der Lohngedanke im NT, in: Studien zu Antike und Urchristentum, Ges. Aufsätze, Bd. II (Beitr. zur evangelischen Theologie, Theol. Abhandlungen, 28), München 1959, 69–92.

Ders., Die Offenbarung des Zornes Gottes, in: Das Ende des Gesetzes. Paulus-Studien. Ges. Aufsätze, Bd. I (Beitr. zur evangel. Theologie, Theol. Abhandlungen, 16), München [2]1958, 9–33.

Ders., Der Philipperbrief als paulinische Briefsammlung, in: Neotestamentica et Patristica (Freundesausgabe für O. Cullmann), Leiden 1962, 192–202.

Ders., Taufe und neues Leben bei Paulus, in: Das Ende des Gesetzes, München [2]1958, 34–50.

Bornkamm, H., Justitia dei in der Scholastik und bei Luther, in: Archiv für Reformationsgeschichte 39, Leipzig 1942, 1–46.

Ders., Äußerer und innerer Mensch bei Luther und den Spiritualisten, in: Imago Dei. Beiträge zur theol. Anthropologie (Gustav Krüger zum 70. Geburtstag), Gießen 1932, 85–109.

Boss, G., Die Rechtfertigungslehre in den Bibelkommentaren des Kornelius a Lapide (Kath. Leben und Kämpfen im Zeitalter der Glaubensspaltung, 20), Münster 1962.

Bousset, W., Der zweite Brief an die Korinther (Die Schriften des NT, hrsg. von W. Bousset und W. Heitmüller, 2), Göttingen [3]1917.

Ders., Kyrios Christos (FRLANT N. F. 22), Göttingen [3]1926.

Bousset, W. – Gressmann, H., Die Religion des Judentums im späthellenistischen Zeitalter (Handbuch zum NT, 21), Tübingen 1926 (zitiert: Bousset–Gressmann).

Brandenburg, A., Thesen zur theologischen Begründung der Rechtfertigungslehre Luthers. Röm 3, 4 in Luthers Römerbriefvorlesung, in: Unio Christianorum (Festschrift für Erzbischof L. Jaeger), Paderborn 1962, 262–266.

Braumann, G., Vorpaulinische christliche Taufverkündigung (BWANT 2), Stuttgart 1962.

Braun, H., Vom Erbarmen Gottes über den Gerechten. Zur Theologie der Psalmen Salomos, in: Ges. Studien zum NT, Tübingen 1962, 8–69.

Ders., Gerichtsgedanke und Rechtfertigungslehre bei Paulus (Untersuchungen zum NT, 19), Leipzig 1930.

Ders., Spätjüdisch-häretischer und frühchristlicher Radikalismus. Bd. I. Das Spätjudentum, Tübingen 1957.

Ders., Römer 7, 7–25 und das Selbstverständnis des Qumran-Frommen, in: Ges. Studien zum NT und seiner Umwelt, Tübingen 1962, 100–119.

Ders., Der Sinn der ntl. Christologie, in: Ges. Studien zum NT und seiner Umwelt, Tübingen 1962, 243–282.

Bring, R., Die Erfüllung des Gesetzes durch Christus. Eine Studie zur Theologie des Apostels Paulus, in: KerDog 5 (1959) 1–22.

Brunner, P., Die Rechtfertigungslehre des Konzils von Trient, in: Pro veritate (Festgabe für L. Jaeger und W. Staehlin), Münster 1963, 59–96.

Buber, M., Zwei Glaubensweisen, Zürich 1950.

Buber, M. – Rosenzweig, F., Die fünf Bücher der Weisung, Köln u. Olten, 1954.

Bultmann, R., Zur Auslegung von Gal 2, 15–18, in: Ecclesia semper reformanda. Theologische Aufsätze (Sonderheft der EvTh), München 1952, 41–45.

Ders., Der Begriff der Offenbarung im NT, in: Glauben und Verstehen, Bd. III, Tübingen [2]1962, 1–34.

Ders., Christus des Gesetzes Ende, in: Glauben und Verstehen, Bd. II, Tübingen [3]1961, 32–58.

Ders., ΔΙΚΑΙΟΣΥΝΗ ΘΕΟΥ, in: JBL 83 (1964) 12–16.

Ders., Geschichte und Eschatologie, Tübingen [2]1964.

Ders., Neueste Paulusforschung, in: ThR 8 (1936) 1–22.
Ders., Das Problem der Ethik bei Paulus, in: ZNW 23 (1924) 123–140.
Ders., Römer 7 und die Anthropologie des Paulus, in: Imago Dei. Beiträge zur theologischen Anthropologie (G. Krüger zum 70. Geburtstag), Gießen 1932, 53–62.
Ders., Der Stil der paulinischen Predigt und die kynisch-stoische Diatribe (FRLANT 13), Göttingen 1910.
Ders., Theologie des NT (Neue theol. Grundrisse), Tübingen [4]1961.
Ders., Ursprung und Sinn der Typologie als hermeneutischer Methode, in: ThLZ 75 (1950) 205–212.
Ders., Weissagung und Erfüllung, in: Glauben und Verstehen, Bd. II, Tübingen [3]1961, 162–186.
Buri, F., Die Bedeutung der ntl. Eschatologie für die neuere protestantische Theologie, Zürich 1935.
Burton, E. de Witt, A critical and exegetical Commentary on the epistle to the Galatians (The International Critical Commentary), Edinburgh [5]1956.
Calwer Kirchenlexikon, hrsg. v. Fr. Keppler. Bd. 1–2, Calw 1937–41.
Cazelles, H., A propos de quelques textes difficiles relatifs à la justice de Dieu dans l'Ancien Testament, in: RevBibl 58 (1951) 169–188.
Cerfaux, L., Le Chrétien dans la théologie paulinienne (Lectio Divina, 33), Paris 1962.
Ders., Le Christ dans la théologie de saint Paul (Lectio Divina, 6), Paris [2]1954.
Charles, R. H., The Greek Versions of the Testaments of the Twelve Patriarchs, Oxford 1908.
Cornely, R., Prior epistola ad Corinthios (CSS II, 2), Paris [2]1909.
Ders., Epistolae ad Corinthios altera et ad Galatas (CSS II, 3), Paris [2]1909.
Ders., Epistola ad Romanos (CSS II, 1), Paris 1896.
Cremer, H., Die paulinische Rechtfertigungslehre im Zusammenhang ihrer geschichtlichen Voraussetzungen, Gütersloh [2]1900.
Cremer, H. – Kögel, J., Biblisch-theologisches Wörterbuch der Neutestamentlichen Gräzität, Gotha [11]1923.
Cullmann, O., Christus und die Zeit. Die urchristliche Zeit- und Geschichtsauffassung, Zollikon–Zürich [3]1962.
Ders., Heil als Geschichte. Heilsgeschichtliche Existenz im NT, Tübingen 1965.
Dahl, N. A., Die Messianität Jesu bei Paulus, in: Studia Paulina (Festschrift für J. de Zwaan), Haarlem 1953, 83–95.
Davidson, R., Universalism in Second Isaiah, in: Scottish Journal of Theology 16 (1963) 166–185.
Davies, W. D., Paul and Rabbinic Judaism, London [2]1955.
Ders., Torah in the Messianic Age and/or the Age to come, Philadelphia 1952.
Decourtray, A., La conception johannique de la foi, in: Nouvelle Revue Théol. 91 (1959) 561–576.
Deißmann, A., Bibelstudien, Marburg 1895.
Ders., Die ntl. Formel „in Christo Jesu", untersucht, Marburg 1892.
Ders., Licht vom Osten, Tübingen [4]1923.
Ders., Paulus. Eine kultur- und religionsgeschichtliche Skizze, Tübingen [2]1925.
Deißner, K., Paulus und die Mystik seiner Zeit, Leipzig 1918.
Delling, G., Zum neueren Paulusverständnis, in: NovTest 4 (1960) 95–121.
Ders., Das Zeitverständnis des NT, Gütersloh 1940.
Ders., Die Zueignung des Heils in der Taufe. Eine Untersuchung zum ntl. „Taufen auf den Namen", Berlin 1961.
Démann, P., Moses und das Gesetz bei Paulus, in: Moses in Schrift und Überlieferung (Aus dem Französischen ins Deutsche übertragen und herausgegeben von F. Stier und E. Beck), Düsseldorf 1963, 205–264.

Denifle, H., Die abendländischen Schriftausleger bis Luther über Justitia Dei (R 1, 17) und Justificatio (Quellenbelege zu Denifles Luther und Luthertum I, 2), Mainz ²1905.

Denzinger, H., Enchiridion Symbolorum, Definitionum et Declarationum de rebus fidei et morum. Ed. C. Rahner, Freiburg i. Br. ³¹1957 (zitiert: Denz).

Descamps, A., Les Justes et la Justice dans les évangiles et le christianisme primitif hormis la doctrine proprement paulinienne (Univ. Cath. Lov. Diss. II, 43), Louvain 1950.

Ders., La Justice de Dieu dans la Bible Grecque, in: Studia Hellenistica, 5, Louvain 1948, 69–92.

Dibelius, M., Die Apostelgeschichte als Geschichtsquelle, in: Aufsätze zur Apostelgeschichte, Göttingen 1961, 91–95.

Ders., Der Brief des Jakobus (Krit.-exeg. Kommentar, begr. von H. A. W. Meyer, 15), Göttingen ¹⁰1959 (mit Ergänzungsheft).

Ders., Paulus und die Mystik, München 1941.

Ders., An die Thessalonicher I–II. An die Philipper (Handbuch zum NT, hrsg. v. H. Lietzmann, 11), Tübingen ³1937.

Ders., Die Pastoralbriefe (Handbuch zum NT, hrsg. v. H. Lietzmann, 13), Tübingen ²1931.

Dibelius, M. – Kümmel, W. G., Paulus (Sammlung Göschen, 1160), Berlin 1951.

Dictionnaire de la Bible. Supplément. Hrsg. v. L. Pirot – A. Robert. Bd. IV, Paris 1949.

Dictionnaire de Théologie Catholique. Begründet von A. Vacant und E. Mangenot. Fortgef. v. E. Amann. 15 Doppelbände, Paris 1915–1950.

Didier, Georges, Désintéressement du Chrétien. La rétribution dans la morale de saint Paul (Théologie. Études publiées sous la direction de la faculté de Théologie S. J. de Lyon–Fourvière), Paris 1955.

Diem, H., „Evangelium und Gesetz" oder „Gesetz und Evangelium"?, in: EvTh 3 (1936) 361–370.

Dieterich: A., Eine Mithrasliturgie, Leipzig und Berlin ³1923 (Nachdruck: Darmstadt 1966).

Dietzfelbinger, C., Heilsgeschichte bei Paulus? (Theologische Existenz heute, N. F. 126), München 1965.

Ders., Paulus und das AT. Die Hermeneutik des Paulus, untersucht an seiner Deutung der Gestalt Abrahams (Theol. Existenz heute, N. F. 95), München 1961.

Dinkler, E., The Idea of History in the Ancient Near East, New Haven 1955, 170–214 (Earliest Christianity).

Ders., Zum Problem der Ethik bei Paulus. Rechtsnahme und Rechtsverzicht (1 Kor 6, 1–11), in: ZThK 49 (1952) 167–200.

Djukanovic, S., Heiligkeit und Heiligung bei Paulus, Novi Sad 1939.

von Dobschütz, E., Die Rechtfertigung bei Paulus, eine Rechtfertigung des Paulus, in: ThStKr 85 (1912) 38–67.

Dodd, C. H., The Bible and the Greeks, London ²1954.

Ders., Ennomos Christou, in: Studia Paulina in honorem J. de Zwaan, Haarlem 1953, 96–110.

Ders., The Epistle of Paul to the Romans (The Moffat NT commentary), London 1959.

Ders., Ἱλάσκεσθαι, in: JThSt 32 (1931) 352–360.

Ders., According to the Scriptures. The substructure of NT theology, London 1952 (Repr. 1953).

Dünner, A., Die Gerechtigkeit nach dem AT. Dissertation, Rechtswissenschaftl. Fakultät Köln, 1963 (Maschinenschriftl. Druck).

Dupont, J., ΣΥΝ ΧΡΙΣΤΩΙ. L'union avec le Christ suivant S. Paul. Vol. I, Bruges–Louvain–Paris 1952.

Ders., La réconciliation dans la théologie de saint Paul (Analecta Lovaniensia Biblica et Orientalia, II, 32), Bruges–Paris–Louvain 1953.

Ebeling, G., Erwägungen zur Lehre vom Gesetz, in: ZThK 55 (1958) 270–306.

Eichholz, G., Glaube und Werk bei Paulus und Jakobus (Theol. Existenz heute, N. F. 88), München 1961.

Eichrodt, W., Theologie des AT. Teil I, Göttingen [7]1962.

Elliger, K., Das Buch der zwölf Kleinen Propheten (ATD 25). Teil II, Göttingen 1950.

Ders., Studien zum Habakuk-Kommentar vom Toten Meer (Beitr. zur histor. Theologie, 15), Tübingen 1953.

Ellis, E. E., Paul's Use of the Old Testament, Edinburgh 1957.

Ellwein, Th., Gesetz und Evangelium (Bek. Kirche, Heft 3), München 1933.

Enslin, M. S., The Ethics of Paul, Cambridge 1930.

Fahlgren, K. H., Sedaka, nahestehende und entgegengesetzte Begriffe im Alten Testament, Dissertation, Uppsala 1932.

Feine, P., Theologie des NT, Berlin [8]1951.

Feuillet, A., Habacuc II. 4 et l'épître aux Romains, in: NTSt 6 (1959/60) 52–80.

Fitzer, G., Der Ort der Versöhnung nach Paulus. Zu der Frage des „Sühnopfers Jesu", in: ThZ 22 (1966) 161–183.

de Fraine, J., Adam und seine Nachkommen. Der Begriff der „korporativen Persönlichkeit" in der Heiligen Schrift, Köln 1962.

Fridrichsen, A., Aus Glauben zu Glauben Röm 1, 17, in: Coniectanea Neotestamentica XII, Uppsala 1948, 54.

Friedrich, G., Das Gesetz des Glaubens Röm. 3, 27, in: ThZ 10 (1954) 401–417.

Fuchs, E., Christus das Ende der Geschichte, in: Zur Frage nach dem historischen Jesus (Ges. Aufsätze II), Tübingen 1960, 79–99.

Galley, K., Altes und neues Heilsgeschehen (Arbeiten zur Theologie, I. Reihe Heft 22), Stuttgart 1965.

Gaugler, E., Der Brief an die Römer. 2 Teile (Prophezei. Schweizerisches Bibelwerk für die Gemeinde), Zürich 1958 und 1952.

Ders., Die Heiligung in der Ethik des Apostels Paulus, in: Int. kirchl. Zeitschr. 15 (1925) 100–120.

Ders., Die Heiligung im Zeugnis der Schrift, Bern 1948.

Gelin, H., Les idées maîtresses de l'Ancien Testament (Lectio Divina, 2), Paris 1948 (deutsch: Die Botschaft des Heils im AT, Düsseldorf 1957).

Giblet, J., L'espérance de la justice messianique dans le Livre d'Hénoch, in: Collectanea Mechliniensia 32 (1947) 634–651.

Ders., De theologia justitiae Dei apud S. Paulum, in: Collectanea Mechliniensia 39 (1954) 50–55.

Gloege, G., Die Rechtfertigungslehre als hermeneutische Kategorie, in: ThLZ 89 (1964) 161–176.

Gnilka, J., 2 Kor 6, 14 – 7, 1 im Lichte der Qumranschriften und der Zwölf-Patriarchen-Testamente, in: Ntl. Aufsätze (Festschrift für J. Schmid), Regensburg 1963, 86–99.

Ders., „Parusieverzögerung" und Naherwartung in den synoptischen Evangelien und in der Apostelgeschichte, in: Catholica 13 (1959) 277–290.

Ders., Die Verstockung Israels. Isaias 6, 9–10 in der Theologie der Synoptiker (StANT III), München 1961.

Goguel, M., Le caractère, á la fois actuel et futur, du salut dans la théologie Paulinienne, in: The Background of the NT and its Eschatology (Festschrift C. H. Dodd), Cambridge 1956, 322–341.

Goodspeed, E. J., Justification, in: JBL 73 (1954) 86–91.

Goppelt, L., Apokalyptik und Typologie bei Paulus, in: ThLZ 89 (1964) 321–344.

Ders., Paulus und die Heilsgeschichte: Schlußfolgerungen aus Röm. IV und I. Kor. X. 1–13, in: NTSt 13 (1966) 31–44.

Grossouw, W., The Dead Sea Scrolls and the New Testament. A preliminary survey, in: Studia Catholica (Nijmegen) 27 (1952) 1–8.

Grundmann, W., Gesetz, Rechtfertigung und Mystik bei Paulus, in: ZNW 32 (1933) 52–64.

Ders., Der Lehrer der Gerechtigkeit von Qumran und die Frage nach der Glaubensgerechtigkeit in der Theologie des Apostels Paulus, in: RevQum 2 (1960) 237–259.

Gunkel, H., Schöpfung und Chaos in Urzeit und Endzeit, Göttingen 1895 ([2]1921, Neudruck).

Gutbrod, W., Die paulinische Anthropologie, Stuttgart 1934.

Gutjahr, F., Der Brief an die Römer, Graz u. Wien [2]1927.

Gyllenberg, R., Glaube bei Paulus, in: ZsystTh 13 (1936) 613–630.

Ders., Pistis. En undersökning beträffande bruket och betydelsen av ΠΙΣΤΙΣ och därmed besläktade ord i det Hellenistika tidevarvets religioner (Akademisk avhandling). 2 Teile, Helsingfors 1922 (schwedisch).

Gyllenkrok, A., Rechtfertigung und Heiligung in der frühen evangelischen Theologie Luthers, Uppsala 1952.

Haenchen, E., Die Apostelgeschichte (Krit.-exeget. Kommentar über das NT, begr. von H. A. W. Meyer, 3), Göttingen [12]1959.

Häring, Th., ΔΙΚΑΙΟΣΥΝΗ ΘΕΟΥ bei Paulus, Tübingen 1896.

Hahn, F., Christologische Hoheitstitel. Ihre Geschichte im frühen Christentum (FRLANT 83), Göttingen 1963.

Hanse, H., Δῆλον, in: ZNW 34 (1935) 299–303.

Harder, G., Der konkrete Anlaß des Römerbriefes, in: Theologia viatorum (Jahrbuch der kirchlichen Hochschule Berlin 1954–1958, hrsg. v. G. Harder), Berlin 1959, 13–24.

Hatch, E. – Redpath, H. A., A Concordance to the Septuagint and the other Greek Versions of the Old Testament. 2 Teile, Oxford 1892/97.

Hatch, W. H. P., The Pauline Idea of Faith in its Relation to Jewish and Hellenistic Religion (Harvard Theological Studies, II), Cambridge 1917.

Haufe, C., Die sittliche Rechtfertigungslehre des Paulus, Halle 1957.

Haußleiter, J., Der Glaube Jesu Christi und der christliche Glaube, Erlangen–Leipzig 1891 (Sonderdruck aus: NKZ 1891, 109–145 und 205–230).

Ders., Was versteht Paulus unter christlichem Glauben?, in: Greifswalder Studien 1895, 159–182.

Hebert, G., „Faithfulness“ and „Faith“, in: Theology 58 (1955) 373–379.

Heidland, H. W., Die Anrechnung des Glaubens zur Gerechtigkeit (BWANT IV, 18), Stuttgart 1936.

Heitmüller, W., Die Bekehrung des Paulus, in: ZThK 27 (1917) 136–153.

Ders., Luthers Stellung in der Religionsgeschichte des Christentums (Marburger akademische Reden, 38), Marburg 1917.

Ders., Im Namen Jesu. Eine sprach- und religionsgeschichtliche Untersuchung zum NT, speziell zur altchristlichen Taufe (FRLANT 2), Göttingen 1903.

Ders., Taufe und Abendmahl bei Paulus. Darstellung und religionsgeschichtliche Beleuchtung, Göttingen 1903.

Hellegers, F. R., Die „Gerechtigkeit Gottes“ im Römerbrief (Dissertation), Tübingen 1939.

Herford, R. T., The Pharisees, London 1924.

Héring, J., La seconde épître de S. Paul aux Corinthiens (Commentaire du NT, VIII), Neuchâtel u. Paris 1958.

Hermann, I., Kyrios und Pneuma (StANT II), München 1961.

Hermann, R., Luthers These „Gerecht und Sünder zugleich", Darmstadt 1960 (Unveränderter Abdruck der ersten Auflage von 1930).

Hofer, H., Die Rechtfertigungsverkündigung des Paulus nach neuerer Forschung. 37 Thesen, Gütersloh 1940.

Holl, K., Die iustitia dei in der vorlutherischen Bibelauslegung des Abendlandes, in: Ges. Aufsätze Bd. III (Der Westen), Tübingen [2]1932, 171–188.

Holtzmann, H. J., Lehrbuch der ntl. Theologie (Sammlung theol. Lehrbücher). 2 Bde., Tübingen [2]1911.

Huby, J., Épître aux Romains. Nouvelle Édition par S. Lyonnet (Verbum Salutis, 10), Paris 1957.

Huppenbauer, H. W., Der Mensch zwischen zwei Welten. Der Dualismus der Texte von Qumran (Höhle I) und der Damaskusfragmente. Ein Beitrag zur Vorgeschichte des Evangeliums (AThANT 34), Zürich 1959.

Iwand, H. J., Rechtfertigungslehre und Christusglaube. Eine Untersuchung zur Systematik der Rechtfertigungslehre Luthers in ihren Anfängen, Leipzig 1930.

Jaubert, A., La Notion d'Alliance dans le Judaisme aux Abords de l'Ère Chrétienne (Patristica Sorbonensia, 6), Paris 1963.

Jeremias, A., Die außerbiblische Erlösererwartung. Zeugnisse aller Jahrtausende, Berlin 1927.

Jeremias, G., Der Lehrer der Gerechtigkeit (Studien zur Umwelt des NT, 2), Göttingen 1963.

Jervell, J., Imago Dei. Gen 1, 26f im Spätjudentum, in der Gnosis und in den paulinischen Briefen (FRLANT 76), Göttingen 1960.

Joest, W., Gesetz und Freiheit. Das Problem des tertius usus legis bei Luther und die ntl. Paränese, Göttingen [3]1961.

Ders., Die katholische Lehre von der Rechtfertigung und von der Gnade (Quellen zur Konfessionskunde. Reihe A. Römisch-katholische Quellen, H. 2), Lüneburg 1954.

Ders., Paulus und das Luthersche Simul Justus et Peccator, in: KerDog 1 (1955) 269–320.

Ders., Die tridentinische Rechtfertigungslehre, in: KerDog 9 (1963) 41–69.

Jülicher, A., Der Brief an die Römer (Die Schriften des NT, 2), Göttingen [3]1917.

Jüngel, E., Paulus und Jesus. Eine Untersuchung zur Präzisierung der Frage nach dem Ursprung der Christologie (Hermeneutische Untersuchungen zur Theologie, hrsg. von G. Ebeling, 2), Tübingen 1962.

Juncker, A., Die Ethik des Apostels Paulus. 2 Bde., Halle 1904/19.

Junker, H., Genesis (Echter-Bibel), Würzburg 1949.

Kabisch, R., Die Eschatologie des Paulus in ihren Zusammenhängen mit dem Gesamtbegriff des Paulinismus, Göttingen 1893.

Käsemann, E., Eine Apologie der urchristlichen Eschatologie, in: Exegetische Versuche und Besinnungen. Bd. I, Göttingen [2]1960, 135–157.

Ders., Erwägungen zum Stichwort „Versöhnungslehre im Neuen Testament", in: Zeit und Geschichte. Dankesgabe an R. Bultmann zum 80. Geburtstag, Tübingen 1964, 47–59.

Ders., Ntl. Fragen heute, in: ZThK 54 (1957) 1–21.

Ders., Gottesgerechtigkeit bei Paulus, in: ZThK 58 (1961) 367–378, jetzt in: Exegetische Versuche und Besinnungen, Bd. II, Göttingen 1964, 181–193.

Ders., Leib und Leib Christi. Eine Untersuchung zur paulinischen Begrifflichkeit (Beiträge zur histor. Theologie, 9), Tübingen 1933.

Ders., Zum Verständnis von Römer 3, 24–26, in: Exegetische Versuche und Besinnungen. Bd. I, Göttingen [2]1960, 96–100.

Karner, K., Rechtfertigung, Sündenvergebung und neues Leben bei Paulus, in: ZsystTh 16 (1939) 548–561.

Kautsch, E., Die Apokryphen und Pseudepigraphen des Alten Testaments, in Verbindung mit Fachgenossen übersetzt und herausgegeben. 2 Bde., Tübingen 1900 (Nachdruck: Darmstadt 1962).

Ders., Über die Derivate des Stammes ṣdq im alttestamentlichen Sprachgebrauch, Tübingen 1881.

Kearns, C., The Interpretation of Romans 6, 7, in: Studiorum Paulinorum Congressus Internationalis Catholicus 1961 (Analecta Biblica, 17–18), Vol. I, Rom 1963, 301–307.

Kirchgässner, A., Erlösung und Sünde im NT, Freiburg i. Br. 1950.

Kittel, G., Zur Erklärung von Rö 3, 21–26, in: ThStKr 80 (1907) 217–233.

Ders., Πίστις Ἰησοῦ Χριστοῦ bei Paulus, in: ThStKr 79 (1906) 419–436.

Klein, G., Römer 4 und die Idee der Heilsgeschichte, in: EvTh 23 (1963) 424–447.

Koch, K., SDQ im AT. Eine traditionsgeschichtliche Untersuchung (Dissertation, Maschinenschr.), Heidelberg 1953.

Ders., Sühne und Sündenvergebung um die Wende von der exilischen zur nachexilischen Zeit, in: EvTh 26 (1966) 217–239.

Ders., Gibt es ein Vergeltungsdogma im AT?, in: ZThK 52 (1955) 1–44.

Köberle, A., Rechtfertigung, Glaube und neues Leben, Gütersloh 1965.

Ders., Rechtfertigung und Heiligung, Leipzig [3]1930.

Ders., Rechtfertigung und Heiligung in den Lutherischen Bekenntnisschriften, in: M. Roesle – O. Cullmann, Begegnung der Christen (Studien evangelischer und katholischer Theologen), Stuttgart u. Frankfurt/M. 1959, 235–249.

Kölbing, P., Studien zur paulinischen Theologie, in: ThStKr 68 (1895) 7–51.

König, E., Hebräisches und aramäisches Wörterbuch zum Alten Testament, Leipzig [7]1936.

Koepp, W., Die Abraham-Midraschimkette des Galaterbriefes als das vorpaulinische heidenchristliche Urtheologumenon, in: Wissensch. Zeitschrift d. Univ. Rostock, Reihe Gesellschafts- und Sprachwissenschaften 2 (1952/53) 181–187.

Kösters, R., Luthers These „Gerecht und Sünder zugleich". Zu dem gleichnamigen Buch von Rudolf Hermann, in: Catholica 19 (1965) 210–224.

Kraus, H. J., Psalmen. 2 Teilbände (Bibl. Kommentar AT, hrsg. von M. Noth, XV, 1–2), Neukirchen [2]1961.

Kühl, E., Der Brief des Paulus an die Römer, Leipzig 1913.

Ders., Die Heilsbedeutung des Todes Christi, Berlin 1890.

Ders., Rechtfertigung auf Grund Glaubens und Gericht nach den Werken bei Paulus, Königsberg 1904.

Kümmel, W. G., Futurische und präsentische Eschatologie im ältesten Urchristentum, in: NTSt 5 (1958/59) 113–126 (= Heilsgeschehen und Geschichte, Ges. Aufsätze 1933–1964, Marburg 1965, 351–363).

Ders., Das Neue Testament. Geschichte der Erforschung seiner Probleme, Freiburg i. Br. – Münster 1958.

Ders., Πάρεσις und ἔνδειξις, in: ZThK 49 (1952) 154–167 (= Heilsgeschehen und Geschichte, Ges. Aufsätze 1933–1964, Marburg 1965, 260–270).

Küng, H., Rechtfertigung. Die Lehre Karl Barths und eine katholische Besinnung (Horizonte, 2), Einsiedeln 1957.

Ders., Rechtfertigung und Heiligung nach dem NT, in: M. Roesle – O. Cullmann, Begegnung der Christen (Studien evangelischer und katholischer Theologen), Stuttgart u. Frankfurt/M. 1959, 249–270.

Kürzinger, J., Der Brief an die Römer (Echter-Bibel), Würzburg 1951.

Kuhn, K. G., Konkordanz zu den Qumrantexten, Göttingen 1960.

Ders., Πειρασμός – ἁμαρτία – σάρξ im NT und die damit zusammenhängenden Vorstellungen, in: ZThK 49 (1952) 200–222.

Ders., Rm 6, 7, in: ZNW 30 (1931) 305–310.

Ders., Die Sektenschrift und die iranische Religion, in: ZThK 49 (1952) 296–316.

Kuss, O., Die Briefe an die Römer, Korinther und Galater (RNT 6), Regensburg 1940.

Ders., Der Römerbrief. 2 Lieferungen (Röm 1, 1 – 6, 11 und 6, 11 – 8, 19), Regensburg 1957/59 (²1963, Nachdruck).

Ders., Die Rolle des Apostels Paulus in der theologischen Entwicklung der Urkirche, MthZ 14 (1963) 1–59 u. 109–187.

Ders., Zur vorpaulinischen Tauflehre im NT, in: Auslegung und Verkündigung. Bd. I. Aufsätze zur Exegese des NT, Regensburg 1963, 99–120.

Ders., Zur paulinischen und nachpaulinischen Tauflehre im NT, in: Auslegung und Verkündigung. Bd. I. Aufsätze zur Exegese des NT, Regensburg 1963, 121–150.

Lacan, M. F., „Nous sommes sauvés par l'Espérance" (Rom VIII, 24), in: A la Rencontre de Dieu Mémorial Albert Gelin, Le Puy 1961, 331–339.

Lagrange, M.-J., Saint Paul. Épître aux Galates (Études Bibliques), Paris 1950.

Ders., Saint Paul. Épître aux Romains (Études Bibliques), Paris 1950.

Larcher, C., L'actualité chrétienne de l'Ancien Testament d'après le Nouveau Testament, Paris 1962.

Leenhardt, F. J., L'épître de S. Paul aux Romains (Commentaire du NT, VI), Neuchâtel u. Paris 1957.

Lexikon für Theologie und Kirche. Begründet von M. Buchberger. 2. Aufl. hrsg. von J. Höfer und K. Rahner, Freiburg 1957ff.

Liddell, H. G. – Scott, R., A Greek-English-Lexicon, Oxford ⁹1940 (Repr. 1961).

Lietzmann, H., An die Korinther. I–II (Handbuch zum NT, 9). 4. von W. G. Kümmel ergänzte Aufl., Tübingen 1949.

Ders., An die Römer (Handbuch zum NT, 8), Tübingen ⁴1933.

Lightfoot, J. B., St. Paul's Epistle to the Galatians, London ¹⁰1890.

Lipsius, R. A., Briefe an die Galater, Römer, Philipper (Handkommentar zum NT, II, 2), Freiburg i. Br. 1891.

Ders., Die paulinische Rechtfertigungslehre unter Berücksichtigung einiger verwandter Lehrstücke nach den vier Hauptbriefen des Apostels dargestellt, Leipzig 1853.

Lisowsky, G., Konkordanz zum hebräischen AT. Nach dem von P. Kahle in der Biblia Hebraica edidit R. Kittel besorgten Masoretischen Text. Unter verantwortlicher Mitwirkung von L. Rost, Stuttgart 1958.

Lohmeyer, E., Der Brief an die Philipper (Krit.-exeget. Kommentar über das NT, begr. von H. A. W. Meyer, 9), Göttingen ¹²1961.

Ders., Grundlagen paulinischer Theologie (Beiträge zur historischen Theologie, 1), Tübingen 1929.

Ders., Probleme paulinischer Theologie, II. „Gesetzeswerke", in: ZNW 28 (1929) 177–207.

Lohse, E., Märtyrer und Gottesknecht. Untersuchungen zur urchristlichen Verkündigung vom Sühnetod Jesu Christi (FRLANT 64), Göttingen ²1963.

Ders., Taufe und Rechtfertigung bei Paulus, in: KerDog 11 (1965) 308–324.

Ders., Die Texte aus Qumran. Hebräisch und deutsch. Mit masoretischer Punktation. Übersetzung, Einführung und Anmerkungen, Darmstadt 1964.

Lüdemann, H., Die Anthropologie des Apostels Paulus. Nach den vier Hauptbriefen dargestellt, Kiel 1872.

Lührmann, D., Das Offenbarungsverständnis bei Paulus und in den paulinischen Gemeinden (WissMonANT 16), Neukirchen 1965.

Luther, M., In epistolam ad Galatas commentarius (Galaterbriefvorlesung von 1519): WA II, 436–618.

Ders., Divi Pauli apostoli ad Romanos Epistola (Römerbriefvorlesung von 1515/16): WA LVI u. LVII, 3–232.

Lyonnet, S., Justification, jugement, rédemption, principalement dans l'épître aux Romains, in: Littérature et Théologie Pauliniennes (RechBibl 5), Bruges 1960, 166–184.

Ders., De „Justitia Dei" in Epistola ad Romanos, in: VD 25 (1947) 23–34; 118–121; 129–144; 173–203; 257–263.

Ders., Liberté Chrétienne et Loi de l'Esprit selon saint Paul (extrait de Christus, Cahiers Spirituels, 4), Paris 1954.

Ders., La notion de Justice de Dieu en Rom., III, 5 et l'exégèse paulinienne du „Miserere", in: Sacra Pagina, 2 (Bibliotheca Ephemeridum Theologicarum Lovaniensium, XII–XIII), Paris, Gembloux 1959, 342–356.

Ders., De notione expiationis, in: VD 37 (1959) 336–352; 38 (1960) 65–75.

Ders., De notione „iustitiae Dei" apud S. Paulum, in: VD 42 (1964) 121–152.

Ders., Quaestiones in Epistolam ad Romanos. Vol. I, Rom 1955 (Maschinenschriftl. Druck).

Ders., Vocabularium „expiationis" in NT, in: VD 38 (1960) 241–261.

Mach, R., Der Zaddik in Talmud und Midrasch, Leiden 1957.

Maier, J., Die Texte vom Toten Meer. Bd. I Übersetzung, Bd. II Anmerkungen, München und Basel 1960.

Manson, T. W., The Argument from Prophecy, in: JThSt 46 (1945) 129–136.

Ders., Ἱλαστήριον, in: JThSt 46 (1945) 1–10.

Marmorstein, A., The old rabbinic doctrine of God. Bd. I, London 1927.

Marxsen, W., Einleitung in das NT. Eine Einführung in ihre Probleme, Gütersloh 1963.

Ders., Der „Frühkatholizismus" im NT (Bibl. Studien, 21), Neukirchen 1958 (Nachdruck: 1964).

Ders., Der ἕτερος νόμος Röm 13, 8, in: ThZ 11 (1955) 230–237.

Mattern, L., Das Verständnis des Gerichtes bei Paulus (AThANT 47), Zürich/Stuttgart 1966.

Maurer, C., Die Gesetzeslehre des Paulus nach ihrem Ursprung und ihrer Entfaltung dargelegt, Zollikon–Zürich 1941.

Meinertz, M., Mystik und Mission bei Paulus, in: Zeitschr. f. Missionswiss. 13 (1923) 1–12.

Ders., Theologie des NT. 2 Bde (Die Hl. Schrift des NT, Ergänzungsbände I–II), Bonn 1950.

Michaelis, W., Der Herr verzieht nicht die Verheißung. Die Aussagen Jesu über die Nähe des Jüngsten Tages, Bern 1942.

Ders., Rechtfertigung aus Glauben bei Paulus, in: Festgabe für A. Deißmann, Tübingen 1927, 116–138.

Michel, O., Der Brief an die Hebräer (Krit.-exeget. Kommentar über das NT, begr. von H. A. W. Meyer, 13), Göttingen [11]1960.

Ders., Der Brief an die Römer (Krit.-exeget. Kommentar über das NT, begr. v. H. A. W. Meyer, 4), Göttingen [12]1963.

Ders., Der Christus des Paulus, in: ZNW 23 (1933) 6–31.

Ders., Paulus und seine Bibel (Beitr. zur Förderung christl. Theologie, II, 18), Gütersloh 1929.

Michl, J., Die katholischen Briefe (RNT 8), Regensburg 1953.

Mittring, K., Heilswirklichkeit bei Paulus (Ntl. Forschungen, I, 5), Gütersloh 1929.

Mócsy, E., Problema imperativi ethici in iustificatione paulina, in: VD 25 (1947) 204–217; 264–269.

Molland, E., Das paulinische Euangelion. Das Wort und die Sache (Avhandlinger, utg. av det Norske Videnskaps-Akademi i Oslo, II, 1934, 3), Oslo 1934.
Moore, G. F., Judaism in the First Centuries of the Christian Era. The Age of the Tannaim. Bd. 1–3, Cambridge 1927–30.
Moraldi, L., Sensus vocis ἱλαστήριον in Rom 3, 25, in: VD 26 (1948) 257–276.
Morris, L., The Meaning of ἱλαστήριον in Romans III. 25, in: NTSt 2 (1956) 33–43.
Moule, C. F. D., An Idiom Book of New Testament Greek, Cambridge 1953.
Mowinckel, S., Psalmenstudien, II. Das Thronbesteigungsfest Jahwäs und der Ursprung der Eschatologie, Oslo 1921.
Müller, C., Gottes Gerechtigkeit und Gottes Volk. Eine Untersuchung zu Römer 9–11 (FRLANT 86), Göttingen 1964.
Müller, E. F. K., Rechtfertigung und Heiligung, Neukirchen 1926.
Müller, K., Beobachtungen zur paulinischen Rechtfertigungslehre, in: Theologische Studien (M. Kähler zum 6. 1. 1905 dargebracht), Leipzig 1905, 87–110.
Müller, W. E., Die Vorstellung vom Rest im AT. Dissertation, Leipzig 1939.
Munck, J., Paulus und die Heilsgeschichte (Acta Jutlandica, XXVI, 1, Teologisk Serie 6), Aarhus u. Kopenhagen 1954.
Mundle, W., Der Glaubensbegriff des Paulus. Eine Untersuchung zur Dogmengeschichte des ältesten Christentums, Leipzig 1932.
Ders., Religion und Sittlichkeit bei Paulus in ihrem inneren Zusammenhang, in: ZsystTh 4 (1926/27) 456–482.
Murray, J., The Epistle to the Romans (The New International Commentary on the NT, ed. N. B. Stonehouse), Bd. I, London 1960.
Neugebauer, F., In Christus, Göttingen 1961.
Nieder, L., Die Motive der religiös-sittlichen Paränese in den paulinischen Gemeindebriefen. Ein Beitrag zur paulinischen Ethik (Münchener Theologische Studien, I, 12), München 1956.
Nötscher, F., Heiligkeit in den Qumranschriften, in: RevQum 2 (1959) 163–181; 315–344.
Ders., Das „Reich (Gottes) und seine Gerechtigkeit“, in: Bibl 31 (1950) 237–241.
Ders., Die Gerechtigkeit Gottes bei den vorexilischen Propheten (AtlAbh VI, 1), Münster 1915.
Ders., Schicksalsglaube in Qumran und Umwelt, in: BZ 3 (1959) 205–234 und 4 (1960) 98–121.
Ders., Zur theologischen Terminologie der Qumran-Texte (Bonner Bibl. Beitr. 10), Bonn 1956.
Noth, M., Das Geschichtsverständnis der atl. Apokalyptik (Arbeitsgemeinschaft für Forschung des Landes Nordrhein-Westfalen, Geisteswissenschaften, Heft 21), Köln/Opladen 1954.
Nygren, A., Der Römerbrief, Göttingen [2]1954.
Oberman, H. A., Das tridentinische Rechtfertigungsdekret im Lichte spätmittelalterlicher Theologie, in: ZThK 61 (1964) 251–282.
Oepke, A., Der Brief des Paulus an die Galater (Theol. Handkommentar zum NT, hrsg. von E. Fascher, 9), Berlin [2]1957.
Ders., Δικαιοσύνη θεοῦ bei Paulus, in: ThLZ 78 (1953) 257–263.
Ders., Die Missionspredigt des Apostels Paulus. Eine biblisch-theologische und religionsgeschichtliche Untersuchung (Missionswissenschaftliche Forschungen, 2), Leipzig 1920.
Östborn, G., Tora in the Old Testament, Lund 1945.
Olivieri, O., Quid ergo amplius Iudaeo est? etc. (Rom 3, 1–8), in: Bibl 10 (1929) 31–52.
Ortkemper, F. J., Das Kreuz in der Verkündigung des Apostels Paulus (Lizentiatsarbeit, Maschinenschrift), Münster 1964.

Pax, E., Der Loskauf, in: Antonianum 37 (1962) 239–278.

Pedersen, J., Israel. Its Life and Culture. I–II. III–IV, London 1926 (Repr. 1954) u. 1940 (Repr. 1959).

Pfeiffer, E., Glaube im AT, in: ZAW 71, N. F. 30 (1959) 151–164.

Pfleiderer, O., Paulinismus. Ein Beitrag zur Geschichte der urchristlichen Theologie, Leipzig ²1890.

Ders., Das Urchristentum. Seine Schriften und Lehren. 2 Bde., Berlin ²1902.

Plummer, A., A critical and exegetical Commentary on the second epistle of St. Paul to the Corinthians (The International Critical Commentary), Edinburgh 1915 (Repr. 1951).

Pohlenz, M., Vom Zorne Gottes (FRLANT 12), Göttingen 1909.

Pohlmann, H., Hat Luther Paulus entdeckt? Eine Frage zur theologischen Besinnung (Studien der Luther-Akademie, N. F. 7), Berlin 1959.

Pope, R. M., Faith and Knowledge in Pauline and Johannine Thought, in: ET 41 (1930) 421–427.

Prat, F., La théologie de saint Paul. Présentée par J. Daniélou (Bibl. de théologie historique). 2 Bde., Paris 1961 (nouv. éd.).

Preisigke, F., Die Gotteskraft der frühchristlichen Zeit (Papyrusinstitut Heidelberg, 6), Berlin u. Leipzig 1922.

Ders., Wörterbuch der griechischen Papyrusurkunden (hrsg. von E. Kießling). Bd. II, Heidelberg 1927.

Preisker, H., Das Ethos des Urchristentums, Gütersloh ²1949.

Prümm, K., Theologie des zweiten Korintherbriefes (Diakona Pneumatos, Bd. II). 1. Teil, Rom–Freiburg–Wien 1960.

Rad, G. von, Die Anrechnung des Glaubens zur Gerechtigkeit, in: ThLZ 76 (1951) 129–132.

Ders., Antwort auf Conzelmanns Fragen, in: EvTh 24 (1964) 388–394.

Ders., Die typologische Auslegung des AT, in: EvTh 12 (1952/53) 17–33.

Ders., Das erste Buch Mose (ATD 2–4), Göttingen ⁶1961.

Ders., „Gerechtigkeit" und „Leben" in der Kultsprache der Psalmen, in: Ges. Studien zum AT (Theol. Bücherei, 8), München 1958.

Ders., Theologie des AT. 2 Bde., München ³1961/62.

Radermacher, L., Ntl. Grammatik (Handbuch zum NT, 1), Tübingen ²1925.

Rahner, K., Theologische Prinzipien der Hermeneutik eschatologischer Aussagen, in: Schriften zur Theologie. Bd. IV, Einsiedeln–Zürich–Köln 1960, 401–428.

Reitzenstein, R., Die hellenistischen Mysterienreligionen nach ihren Grundgedanken und Wirkungen, Leipzig–Berlin ³1927.

Religion in Geschichte und Gegenwart, Die. 3. Aufl. hrsg. von K. Galling. 6 Bde., Stuttgart 1957–62.

Rießler, P., Altjüdisches Schrifttum außerhalb der Bibel. Übersetzt und erläutert, Augsburg 1928.

Rigaux, B., S. Paul. Les Épîtres aux Thessaloniciens (Études Bibliques), Paris 1956.

Ders., Révélation des mystères et perfection à Qumran et dans le NT, in: NTSt 4 (1958) 237–262.

Ders., La seconde venue de Jésus, in: La Venue du Messie. Messianisme et Eschatologie (RechBibl 6), Bruges 1962, 174–216.

Ritschl, A., Die christliche Lehre von der Rechtfertigung und Versöhnung. II: Der biblische Stoff der Lehre, Bonn 1874, ⁴1900.

Robert, A. – Feuillet, A., Introduction à la Bible. II. Nouveau Testament, Tournai 1959.

Robertson, A. – Plummer, A., A critical and exegetical Commentary on the first epistle of St. Paul to the Corinthians (The International Critical Commentary), Edinbourgh ²1914 (Repr. 1953).

Robinson, J. A. T., Jesus and His Coming. The emergence of a doctrine, London 1957.
Romaniuk, K., L'amour du Père et du Fils dans la sotériologie de saint Paul (Analecta Biblica, 15), Rom 1961.
Rössler, D., Gesetz und Geschichte, Untersuchungen zur Theologie der jüdischen Apokalyptik und der pharisäischen Orthodoxie (WissMonANT, 3), Neukirchen ²1962.
Rost, L., Der gegenwärtige Stand der Erforschung der in Palästina neu gefundenen hebräischen Handschriften. 28: Zum „Buch der Söhne des Lichts und der Finsternis", in: ThLZ 80 (1955) 206–208.
Sabourin, L., Rédemption Sacrificielle. Une enquête éxégètique (Coll. Studia, 11), Bruges 1961.
Ders., Redemptio nostra et sacrificium Christi, in: VD 41 (1963) 154–174.
Sanday, W. – Headlam, A. C., A critical and exegetical Commentary on the Epistle to the Romans (The International Critical Commentary), Edinburgh ⁵1902 (Repr. 1960).
Schelkle, K. H., Die Passion Jesu in der Verkündigung des NT. Ein Beitrag zur Formgeschichte und zur Theologie des NT, Heidelberg 1949.
Ders., Paulus Lehrer der Väter. Die altkirchliche Auslegung von Römer 1–11, Düsseldorf ²1959.
Ders., Die Petrusbriefe. Der Judasbrief (Herders theol. Kommentar zum NT. XIII, 2), Freiburg i. Br. 1961.
Schillebeeckx, E., Das tridentinische Rechtfertigungsdekret in neuer Sicht, in: Concilium 1 (1965) 452–454.
Schläger, G., Bemerkungen zur πίστις 'Ιησοῦ Χριστοῦ, in: ZNW 7 (1906) 356–358.
Schlatter, A., Der Glaube im NT, Stuttgart ⁴1927.
Ders., Gottes Gerechtigkeit. Ein Kommentar zum Römerbrief, Stuttgart ³1959.
Ders., Ist Jesus ein Sündenbock? (Kämpfende Kirche, 22), Kassel 1936.
Schlier, H., Das, worauf alles wartet. Eine Auslegung von Römer 8, 18–30, in: Interpretation der Welt. Fs. f. Guardini zum 80. Geburtstag, hrsg. von H. Kuhn und H. Kahlefeld, Würzburg 1965, 599–616.
Ders., Der Brief an die Galater (Krit.-exeget. Kommentar über das NT, begr. von H. A. W. Meyer, 7), Göttingen ¹²1962.
Ders., Glauben, Erkennen, Lieben nach dem Johannesevangelium, in: Besinnung auf das NT. Exegetische Aufsätze und Vorträge. II, Freiburg i. Br. 1964, 272–293.
Ders., Kerygma und Sophia. Zur ntl. Grundlegung des Dogmas, in: Die Zeit der Kirche. Exegetische Aufsätze und Vorträge, Freiburg i. Br. 1958, 206–232.
Ders., Mächte und Gewalten im NT (Quaestiones disputatae, 3), Freiburg i. Br. 1958.
Ders., Die Taufe nach dem 6. Kapitel des Römerbriefes, in: Die Zeit der Kirche. Exegetische Aufsätze und Vorträge, Freiburg i. Br. ²1958, 47–56.
Ders., Vom Wesen apostolischer Ermahnung, in: Die Zeit der Kirche. Exegetische Aufsätze und Vorträge, Freiburg i. Br. ²1958, 74–89.
Ders., Wort Gottes. Eine ntl. Besinnung (Rothenfelser Reihe, 4), Würzburg 1958.
Schlink, E., Gesetz und Evangelium als kontroverstheologisches Problem, in: KerDog 7 (1961) 1–35.
Schmid, J., Der Antichrist und die kommende Macht, in: ThQ 129 (1949) 323–343.
Ders., Das Evangelium nach Matthäus (RNT 1), Regensburg ⁴1959.
Schmidt, H. W., Der Brief des Paulus an die Römer (Theol. Handkommentar zum NT, hrsg. von E. Fascher, 6), Berlin 1962.
Schmidt, S., S. Pauli „iustitia Dei" notione iustitiae, quae in V.T. et apud S. Paulum habetur dilucidata, in: VD 37 (1959) 96–105.

Schmiedel, P. W., Die Briefe an die Thessalonicher und an die Korinther (Handkommentar zum NT, II, 1), Freiburg i. Br. [2]1892.

Schmithals, W., Die Häretiker in Galatien, in: ZNW 47 (1956) 25–67.

Ders., Die Irrlehrer des Philipperbriefes, in: ZThK 54 (1957) 297–341.

Schmitt, A., Δικαιοσύνη θεοῦ, in: Natalicium für J. Geffcken, Heidelberg 1931, 111–131.

Schmitz, O., Abraham im Spätjudentum und im Urchristentum, in: Aus Schrift und Geschichte (A. Schlatter zum 70. Geburtstag), Stuttgart 1922.

Ders., Der Begriff δύναμις bei Paulus, in: Festschrift für A. Deißmann, Tübingen 1927, 139–167.

Ders., Die Christusgemeinschaft im Lichte seines Genetivgebrauchs (Ntl. Forschungen, I, 2), Gütersloh 1924.

Ders., Die Opferanschauung des späteren Judentums und die Opferaussagen des NT, Tübingen 1910.

Schnackenburg, R., Die sittliche Botschaft des NT, München [2]1962.

Ders., Gottes Herrschaft und Reich. Eine biblisch-theologische Studie, Freiburg, Basel, Wien [3]1963.

Ders., Das Heilsgeschehen bei der Taufe nach dem Apostel Paulus (Münchener theol. Studien, I, 1), München 1950.

Ders., Ntl. Theologie. Der Stand der Forschung (Bibl. Handbibliothek, 1), München 1963.

Ders., Todes- und Lebensgemeinschaft mit Christus. Neue Studien zu Röm 6, 1–11, in: MthZ 6 (1955) 32–53.

Schoeps, H. J., Paulus. Die Theologie des Paulus im Lichte der jüdischen Religionsgeschichte, Tübingen 1959.

Schrage, W., Die konkreten Einzelgebote in der paulinischen Paränese. Ein Beitrag zur ntl. Ethik, Gütersloh 1961.

Schreiber, R., Der neue Bund im Spätjudentum und Urchristentum (Dissertation, Maschinenschr.), Tübingen 1954.

Schrenk, G., Die Geschichtsanschauung des Paulus, in: Studien zu Paulus, Zürich 1954, 49–80.

Ders., Studien zu Paulus. Vorw. von E. Schweizer, Zürich 1954.

Schulz, A., Nachfolgen und Nachahmen. Studien über das Verhältnis der ntl. Jüngerschaft zur urchristlichen Vorbildethik (StANT VI), München 1962.

Schulz, R., Die Frage nach der Selbsttätigkeit des Menschen im sittlichen Leben bei Paulus, Heidelberg 1939.

Schulz, S., Zur Rechtfertigung aus Gnaden in Qumran und bei Paulus, in: ZThK 56 (1959) 155–185.

Ders., Die Wurzel ΠΕΙΘ (ΠΙΘ) im älteren Griechisch. Dissertation, Bern 1952.

Schuster, H., Die konsequente Eschatologie in der Interpretation des NT kritisch betrachtet, in: ZNW 47 (1956) 1–25.

Schweitzer, A., Geschichte der paulinischen Forschung von der Reformation bis auf die Gegenwart, Tübingen 1911, [2]1933 (photomech. Nachdruck).

Ders., Die Mystik des Apostels Paulus, Tübingen 1954.

Schweizer, E., Die „Mystik" des Sterbens und Auferstehens mit Christus bei Paulus, in: EvTh 26 (1966) 239–257.

Seidensticker, Ph., Lebendiges Opfer (Röm 12, 1). Ein Beitrag zur Theologie des Apostels Paulus (NtlAbh XX), Münster 1954.

Sellin, E., Das Zwölfprophetenbuch (Kommentar zum AT, hrsg. von E. Sellin, XII). Teil II, Leipzig [3]1930.

Sickenberger, J., Die beiden Briefe des hl. Paulus an die Korinther und sein Brief an die Römer (Die Hl. Schrift des NT, 6), Bonn [4]1932.

Simar, H. Th., Die Theologie des hl. Paulus, Freiburg i. Br. [2]1883.
Snaith, N. A., The distinctive Ideas of the Old Testament, London [2]1945.
Söhngen, G., Gesetz und Evangelium, in: Catholica 14 (1960) 81–104.
Ders., Gesetz und Evangelium. Ihre analoge Einheit. Theologisch, philosophisch, staatsbürgerlich, München 1957.
Sommerlath, E., Der Ursprung des neuen Lebens nach Paulus, Leipzig 1923.
Stalder, K., Das Werk des Geistes in der Heiligung bei Paulus, Zürich 1962.
Stamm. J. J., Erlösen und Vergeben im AT, Bern 1940.
Stauffer, E., Die Theologie des NT, Stuttgart [4]1948.
Strachan, R. H., The second Epistle of Paul to the Corinthians (The Moffat NT Commentary, 8), London [6]1954.
Strack, H. – Billerbeck, P., Kommentar zum NT aus Talmud und Midrasch. Bd. III–IV, München 1926–28 (zitiert: Billerbeck).
Strecker, G., Der Weg der Gerechtigkeit. Untersuchung zur Theologie des Matthäus (FRLANT 82), Göttingen 1962.
Strobel, A., Untersuchungen zum eschatologischen Verzögerungsproblem auf Grund der spätjüdisch-urchristlichen Geschichte von Habakuk 2, 2ff (Supplements to Novum Testamentum, II), Leiden–Köln 1961.
Stuhlmacher, P., Gerechtigkeit Gottes bei Paulus (FRLANT 87), Göttingen 1965.

Taylor, V., Forgiveness and Reconciliation, London 1956.
Ders., The Atonement in New Testament Teaching, London 1954.
Thielicke, H., Zur Frage „Gesetz und Evangelium". Eine Auseinandersetzung mit K. Barth, in: Theologie der Anfechtung, Tübingen 1949, 70–93.
Thomas de Aquino, In epistolam ad Romanos: S. E. Fretté – P. Maré, Thomae Aquinalis Opera Omnia, Vol. XX, Paris 1876.
Thüsing, W., Per Christum in Deum. Studien zum Verhältnis von Christozentrik und Theozentrik in den paulinischen Hauptbriefen (NtlAbh N. F. 1), Münster 1965.
Titius, A., Der Paulinismus unter dem Gesichtspunkt der Seligkeit, Tübingen 1900.
Tobac, E., Le Problème de la Justification dans Saint Paul. Étude de théologie biblique (Univ. Cath. Lov. Dissertationes, II, 3), Louvain 1908 (Neudruck: Gembloux 1941).
Torrance, T. F., One Aspect of the Biblical Conception of Faith, in: ET 68 (1956/57) 111–114.
Trilling, W., Das wahre Israel. Studien zur Theologie des Matthäusevangelium (StANT 10), München [3]1964.

Unnik, W. C. van, La conception de la Nouvelle Alliance, in: Littérature et Théologie Pauliniennes (RechBibl 5), Louvain 1960, 109–126.

Vaux, R. de, Das AT und seine Lebensordnungen. Bd. II. Heer und Kriegswesen. Die religiösen Lebensordnungen, Freiburg, Basel, Wien, 1962.
Viard, A., Saint Paul. Épître aux Galates (Sources Bibliques), Paris 1964.
Ders., Le problème du salut dans l'épître aux Romains, in: Revue des Sciences Philosophiques et Théologiques 47 (1963) 2–34; 373–397.
Volk, H., Die Lehre von der Rechtfertigung nach den Bekenntnisschriften der evangelisch-lutherischen Kirche, in: Pro veritate (Festschrift für L. Jaeger und W. Stählin), Münster 1963, 97–131.
Volz, P., Die Eschatologie der jüdischen Gemeinde im ntl. Zeitalter. 2. Aufl. des Werkes „Jüdische Eschatologie von Daniel bis Akiba", Tübingen 1934.

Wagner, G., Das religionsgeschichtliche Problem von Röm 6, 1–11 (AThANT 39), Zürich 1962.
Walz, H. H. – Schrey, H. H., Gerechtigkeit in biblischer Sicht. Eine ökumenische Studie zur Rechtstheologie, Zürich 1955.

Watson, N. M., Some observations on the use of δικαιόω in the Septuagint, in: JBL 79 (1960) 255–266.

Weber, H. E., „Eschatologie" und „Mystik" im Neuen Testament. Ein Versuch zum Verständnis des Glaubens (Beiträge zur Förderung christlicher Theologie, II, 20), Gütersloh 1930.

Wegenast, K., Das Verständnis der Tradition bei Paulus und in den Deuteropaulinen (WissMonANT 8), Neukirchen 1962.

Weijden, A. H. van der, Die „Gerechtigkeit" in den Psalmen, Nimwegen 1952.

Weinel, H., Biblische Theologie des NT, Tübingen [3]1921.

Weiß, B., Lehrbuch der Biblischen Theologie des NT, Berlin [7]1903.

Weiß, J., Der erste Korintherbrief (Krit.-exeget. Kommentar über das NT, von H. A. W. Meyer, 5), Göttingen [9]1910.

Ders., Das Urchristentum, Göttingen 1917.

Wendland, H. D., Ethik und Eschatologie in der Theologie des Paulus, in: NKZ 41 (1930) 757 811.

Ders., Briefe an die Korinther (NTD 7), Göttingen [11]1965.

Ders., Geschichtsanschauung und Geschichtsbewußtsein im NT, Göttingen 1938.

Ders., Die Mitte der paulinischen Botschaft. Die Rechtfertigungslehre des Paulus im Zusammenhange seiner Theologie, Göttingen 1935.

Wennemer, K., 'Απολύτρωσις Römer 3, 24–25a, in: Studiorum Paulinorum Congressus Internationalis Catholicus 1961 (Analecta Biblica, 17–18), Vol. I, Rom 1963, 283–288.

Wenschkewitz, H., Die Spiritualisierung der Kultusbegriffe Tempel, Priester und Opfer im NT, in: Angelos 4 (1932) 70–230.

Wernle, P., Der Christ und die Sünde bei Paulus, Freiburg i. Br. u. Leipzig 1897.

Wiencke, G., Paulus über Jesu Tod, Gütersloh 1939.

Wikenhauser, A., Die Apostelgeschichte (RNT 5), Regensburg [4]1961.

Ders., Die Christusmystik des Apostels Paulus, Freiburg i. Br. [2]1956.

Ders., Das Evangelium nach Johannes (RNT 4), Regensburg [2]1957.

Wilckens, U., Die Rechtfertigung Abrahams nach Römer 4, in: Studien zur Theologie alttestamentlicher Überlieferungen, hrsg. von R. Rendtorff und K. Koch, Neukirchen 1961, 111–127.

Ders., Zu Römer 3, 21 – 4, 25, in: EvTh 24 (1964) 586–610.

Ders., Weisheit und Torheit. Eine exegetisch-religionsgeschichtliche Untersuchung zu 1 Kor 1 und 2 (Beitr. zur histor. Theol. 26), Tübingen 1959.

Windisch, H., Der zweite Korintherbrief (Krit.-exeget. Kommentar über das NT, begr. von H. A. W. Meyer, 6), Göttingen [9]1924.

Ders., Das Problem des paulinischen Imperativs, in: ZNW 23 (1924) 265–281.

Ders., – Preisker, H., Die katholischen Briefe (Handbuch zum NT, 15), Tübingen [3]1951.

Winer, G. B., Grammatik des ntl. Sprachidioms, Leipzig [6]1855.

Wißmann, E., Das Verhältnis von πίστις und Christusfrömmigkeit bei Paulus (FRLANT N. F. 23), Göttingen 1926.

Theologisches Wörterbuch zum NT. Begr. von G. Kittel, hrsg. von G. Friedrich, Stuttgart o. J.

Wrede, W., Paulus (Religionsgeschichtliche Volksbücher, I, 5–6), Tübingen [2]1907.

Zahn, Th., Der Brief des Paulus an die Galater (Zahns Kommentar zum NT, 9), Leipzig [3]1922.

Ders., Der Brief des Paulus an die Römer (Zahns Kommentar zum NT, 6), Leipzig [3]1925.

Zänker, O., Δικαιοσύνη θεοῦ bei Paulus, in: ZsystTh 9 (1932) 398–420.

Zerwick, M., Graecitas Biblica (Scripta Pontificii Instituti Biblici, 92), Rom [3]1955.

Register

I. Stellen (in Auswahl)

(Die Ziffern in den Klammern bezeichnen die Anmerkungen auf den vorhergenannten Seiten)

a) *Altes Testament*

c) *Neues Testament*

II. Sachbegriffe